LA BAHÍA DE SILENCIO

COLECCIÓN PIRAGUA

NOVELA

SERIES DE ESTA COLECCIÓN

NOVELA - CUENTOS

ENSAYOS - DIFUSIÓN CIENTÍFICA

BIOGRAFÍA - HISTORIA - ECONOMÍA

GEOGRAFÍA - VIAJES

ARTE - POESÍA - TEATRO - CLÁSICOS

POLICIALES - CIENCIA E IMAGINACIÓN

EDUARDO MALLEA

LA BAHÍA
DE SILENCIO

EDITORIAL SUDAMERICANA

BUENOS AIRES

QUINTA EDICIÓN

SEGUNDA EN LA COLECCIÓN PIRAGUA

Publicada en setiembre de 1966

IMPRESO EN LA ARGENTINA

*Queda hecho el depósito que previe-
ne la ley 11.723. © 1966, Editorial
Sudamericana Sociedad Anónima,
calle Humberto Iº 545, Buenos Aires.*

Oh yet we trust that somehow good
   Will be the final goal of ill,
   To pangs of nature, sins of will,
Defects of doubt, and taints of blood;

That nothing walks with aimless feet;
   That not one life shall be destroy'd,
   Or cast as rubbish to the void,
When God hath made the pile complete;

That not a worm is cloven in vain;
   That not a moth with vain desire
   Is shrivelled in a fruitless fire,
Or but subserves anothers gain.

Behold, we know not anything;
   I can but trust that good shall fall
   At last —far off—, at last, to all,
An every winter change to spring.

So runs my dream: but what am I?
   An infant crying in the night:
   An infant crying for the light:
And with no language but a cry.

LORD TENNYSSON, In Memoriam.

Dedico este libro a los habitantes jóvenes —hombres y mujeres— de mi tierra que, viviendo en la zona subterránea donde se prepara toda fuente, llevan de su patria una idea de limpia grandeza, y a quienes alguna vez rebeló la indignidad de quienes la engañan y trafican.

LOS JÓVENES

I

Usted entró en la florería y dejó sobre el mostrador de cristal su pequeño paraguas de seda negra y fue directamente hasta el invernáculo y preguntó con esa voz delicada y firme que parecía venir desde muy lejos:

—¿No han llegado las begonias nuevas?

Esta era la milésima vez que yo la veía, pero la tercera del año. Usted, en realidad, no me había visto nunca sino vagamente, y al preguntar al vendedor sobre tal o cual planta —sin advertir al pronto que el hombre a quien abordaba me estaba atendiendo— lo hacía con un aire anónimo y ajeno, antes de levantar los ojos, mirarme y sonreír ante su propia descortesía con un "¡ah!..." como si viera salir de la niebla un rostro vagamente entrevisto en alguna otra parte. En su sonrisa había algo de secretamente duro, de destruido. Este año yo la había visto tres veces: la primera vestía usted un traje sastre negro con blusa negra y pequeño cuello blanco; la segunda vez —llovía— un impermeable incoloro, vítreo y transparente; la tercera, un traje parecido al de ahora, sencillo, sobrio, personalísimo.

En su expresión había algo de duro, de destruido, de secreto.

¡Dios mío, cuántos años habían pasado! ¡Cuántos años —lo menos trece— habían pasado desde el primer encuentro!

Mirándola con asombro, yo pensaba: Sí, este modo de llevar la cabeza, esta extrema finura de los miembros, esta vivacidad nerviosa de la figura toda, son hermosos; pero no son *lo más hermoso*. Lo más hermoso era lo que yo sabía. Lo más hermoso estaba hondo, mucho más hondo; adentro, mucho más adentro...

Ahí estaba yo, mirándola; al cabo de tantos años. Conmovido y cohibido como un pobre diablo. Y éramos, como el primer día, dos extraños, y no íbamos a cambiar —con todo lo que sin duda nos ligaba— una sola palabra.

Esta era la milésima vez que yo la veía. O tal vez la milésima tercera.

II

Yo no recuerdo cuándo fue la primera vez. Usted entró en mi vida viniendo del tiempo. La primera idea que tengo de usted es aquella impresión visual: bajaba usted por la calle Charcas, costeando la plaza San Martín. Era un día brumoso, seguramente de agosto o bien de septiembre, y venía usted con una chaqueta de *sport* abierta, con las manos en los bolsillos, apresurada y pensativa. Confieso que me quedé ahí parado, boquiabierto, como un tonto, con toda la sangre escapada del cuerpo. Después he pensado que tal actitud se parecía a ese grabado tan vulgar de Dante Alighieri cuando ve aparecer a Beatriz en uno de los puentes del Arno; yo no sé en casa de qué pequeño burgués no he visto esa litografía que representa al poeta con su casquete de orejeras plegadas y la larga túnica caída, mientras se lleva la mano al pecho. Se parecía a eso. Usted pasó y caminé, sin pensarlo, detrás de usted. No sé exactamente, pero de esto deben de hacer unos trece años. Tampoco me acuerdo de los detalles, de mi vuelta a casa ese día; pero sí, en cambio, de las veces que la vi después. Fueron muchas.

Yo no sabía de qué lado de la ciudad venía usted, ni hacia qué lado iba. Yo era un estudiante de derecho, muy pobre. Mis padres estaban en Río Negro y me mandaban muy poco dinero; mi padre tenía una modesta carrera de ingeniería, mi madre sufría de grandes anemias; nuestra casa fue siempre una casa muy triste. Mi padre había sido un reconcentrado, con fuerte vocación de independencia. Se negó siempre a depender de jefes, por lo cual, apenas graduado, buscó sitio para ejercer la ingeniería en el interior del país. Vivieron con mi madre —también silenciosa y suave y pálida— años idílicos, y apenas tenían con qué pagar la casa y comer. Al fin, cuando yo contaba dos o tres años, mi padre compró un pequeño aserradero, que a mí me pareció gigantesco y tremendo por el fragor de las sierras y lo vasto y alto del gran galpón principal. Yo lo acompañaba todas las mañanas, casi al alba —todavía de noche en los meses de invierno—, desde casa hasta el establecimiento. Había que hacer un largo trayecto. Íbamos sin hablar. Él, con su paso largo, fuerte; yo, tratando de imitar con infatigable esfuerzo el alcance de esos pasos: por veces corriendo, por veces tropezando, quedándome atrás, volviendo a la carrera, ¡qué trabajo! Atravesábamos un camino de través, abierto entre frondosos sauces, a la orilla de un arroyo que mostraba bajo el fluido cristal la vegetación del lecho tierno. A veces mi padre me mandaba que trepara a los altos árboles y me miraba sonriente sin dejar de caminar, y yo hacía ante él, sin alientos, proezas extraordinarias. Algunos días, en verano, en mitad de febrero, nos bañábamos al atardecer, de vuelta del aserradero, en el arroyo de agua fresca. Esto me parecía la gloria. Abría mis narices al olor del agua, al aire crepuscular y a la tibia exhalación de tantas hojas apretadas por el calor; esa era mi embriaguez de criatura. Así fui creciendo, gozoso fruto pegado a los dos troncos paternales. Cuando me separé de ellos creí que quitaba a esa casa en ruinas un apuntalamiento moral necesario. Al poco tiempo los acontecimientos me dieron la razón: mi padre comenzó a perder dinero y mi madre a empeorar y empeorar. Sin embargo, yo no podía dejar Buenos Aires; tenía una constante labor nocturna de traductor, muy humilde, con lo que costeaba mis derechos de examen y el alquiler de mi pieza: mi vida inmediata estaba urgida y condicionada por esas obligaciones.

Yo no sabía hacia qué lado de la ciudad iba usted, ni de qué lado venía. En las primeras horas de la tarde, al regresar por la calle Florida, de la Facultad, la vi venir muchas veces, de sur a norte. La recuerdo: traía el cabello suelto en la voluntariosa cabeza, el sombrero doblado entre los dedos delgadísimos y el brazo apretando unos libros contra el alto flanco izquierdo de su cuerpo. Parecía totalmente ajena a lo que la rodeaba: al ruido de Buenos Aires, al movimiento congestionado de la hora —salía mucha gente de los Bancos y de las tiendas—, al color mismo del cielo, tan alto y tan azul. (Alguna vez, al haber pasado usted, yo vi por las calles transversales el verde de los árboles del bajo recortados sobre un cielo incomparable.) Parecía no mirar nada; tan sólo seguir el movimiento interior de quién sabe qué sueño, de quién sabe qué aspiración, qué amor, qué codicia o qué odio. La expresión de su semblante no era feliz. Había en usted cierto desdén, cierta ostentación huraña del sueño que amamantaba.

Fue esa presa interior suya, esa terrible y orgullosa intimidad, esa soberbia fría y reservada, lo que me arrebató definitivamente hacia usted. Lo más secreto, solemne, sombrío y grandioso del mundo me parecía escondido en ese duro, aristocrático recogimiento; en ese celoso orgullo.

Un día supe cómo se llamaba usted. Su nombre estaba vinculado a una de las familias más altivamente criollas, y el de su marido —ese hombre cetrino y delgado, de expresión gris, a quien más tarde me mostraron al azar de no sé qué acto— era todavía más resonante y antiguo. El día que supe su nombre —¡piense que lo averigüé tan fácilmente al salir usted de la librería inglesa de Mitchell!— sentí que ya estaba mucho más próximo de su mundo y que algo fuerte y neto —como es el no perder, al menos en la información de los diarios, acto importante al que usted fuera— me pertenecía a perpetuidad.

Dueño de ese nombre, estaba mucho más tranquilo: las corrientes oscuras y las sorpresas de la vida ya no me la podían arrebatar de la ciudad sin dejar rastros. En mis manos estaba el hilo de Ariadna.

Ariadna no la podía llamar, por más que necesitara para mí bautizarla con un nombre mítico y de mi exclusivo uso; habría sido cursi llamarla Ariadna. Una vez me puse a inventar nombres: Catleya, Casandra; ¡qué ridiculez! Piense que yo tenía entonces veintiséis años y que, por dentro, era todavía muy muchacho. Además, esos juegos cándidos son propios de los solitarios; son como una especie de purgación del tremedal más frívolo y a la vez más sublime del alma: importan una elevación de otros sujetos humanos a una categoría divina. En el fondo, y gravemente, yo la llamaba para mí por su verdadero nombre. De mis juegos volvía pronto a esta seriedad.

Le contaré otras cosas. Yo vivía en una casa de pensión de la calle 25 de Mayo al llegar a Tucumán. La casa de pensión ocupaba uno de los departamentos del quinto piso en un enorme falansterio de corredores anchos y sombríos. Haciendo cruz había una vieja residencia británica —un club o no sé qué círculo—; enfrente había un bar de mala vida. La calle 25 de Mayo semejaba cualquier antigua calle típica de una ciudad americana: a los dos lados de la calzada se multiplicaban los edificios de frente más caprichoso, opuesto y contradictorio; se adivinaba la precipitación ruda por hacer de las ganancias una materia resistente, permanente. La calle Tucumán, perpendicular a nuestra puerta, bajaba, sórdida, hacia el río; menos de cien metros de brusco declive. Todas esas calles, pese a su aspecto equívoco y oscuro, a mí me gustaban mucho; en ellas —sin concederme estación alguna en sus antros y cafés— podía evadirme un poco de la monotonía de la ciudad.

La dueña de la pensión, la señora Ana, era una mujer gruesa, de párpados pesados y mirada soñolienta. Creo que era oriunda de un país limítrofe y viuda de un afinador de pianos. Tenía una criada paliducha y escuálida que la obedecía como un perro y arreglaba los cuartos entre suspiros, resignada a un inquebrantable mutismo. Pero ¡qué extraña resentida! Alguna vez, al salir muy temprano para la

Facultad, yo la sorprendí conversando con el lechero junto al ascensor de servicio; me miró y bajó al suelo unos ojos aparentemente mansos, pero secretamente blasfemantes.

En la casa vivía un corredor de elásticos de metal, llamado Johnson, con su aspecto de obispo anglicano, y dos jóvenes más: Jiménez y Anselmi. Jiménez era empleado de un ministerio y Anselmi estudiaba Derecho. Jiménez y Anselmi tenían exactamente mi edad; en lo que respecta a nuestras naturalezas, éramos muy diferentes: Jiménez tenía un aspecto inaguantablemente *pretencioso* —¿por qué eliminar este galicismo tan justo?— con aquel cabello lacio y brillante que acababa en una punta agresiva, y aquellos lentes de señorito, pero era en realidad un tímido y lo que hacía con aquella actitud era salir al ataque antes de ser agredido; a los extraños, este muchacho les parecía duro, cortante, agrio; yo sabía que tenía el llanto fácil y un alma casi femenina, sensible y escrupulosa. Jiménez era la fragilidad, la finura; Anselmi era el impulsivo, el corpulento. Anselmi se lo llevaba todo por delante; pero, éste, eso sí, sin ficción. Con su estatura de hastial y sus gruesas manos, no podía estarse quieto y parecía a cada rato estar dispuesto a ir a tomar la vida al asalto. Cualquiera se adelantaría a deducir de este contraste un saldo intelectual y espiritualmente favorable para Jiménez; no, la fuerza de Anselmi, su impetuosidad, su coraje eran de la mejor pasta: provenían de un fuerte despejo interior. Era muy inteligente y con una gran capacidad de sumarse conocimientos y certezas. Yo lo admiraba mucho por esta suma de riquezas visibles. Jiménez se sentía un poco celoso de esta preferencia; la veía, la sentía, no se refería nunca a ella. Esto era una señal de calidad. Además vivía en la casa una muchacha de vida oscura, con aspecto marchito y cansado, pero muy elegantemente vestida; esta muchacha tenía un aire de distinción, algo nada vulgar en toda su apariencia, y no cambiaba palabra con nosotros; la veíamos rara vez. En verdad, Anselmi, Jiménez y yo éramos gente de poco confiar en cuanto a la amistad con mujeres; los tres estábamos listos a dar el zarpazo y a comentarlo luego solapada y jovialmente. Figuraba por último entre nuestros vecinos de cuarto un viejo médico bohemio de apellido Dervil, que había abandonado su profesión años atrás, en virtud de su decepción filosófica de la ciencia; vivía como un soñador, pobre como las ratas, pero rico de ideas, experiencias y cuentos, y a nosotros nos gustaba conversar con él. A los hombres como éste, que no han llegado en la vida a otra conclusión que a ser sinceros consigo mismos, la sociedad los llama parásitos, o inmorales o locos. La sociedad. está siempre dispuesta a clasificar rotundamente a los que arroja de sí, tal vez porque a lo que resentidamente aspira es a encontrar al fin un nombre que cubra y justifique la informe masa de su gregaria ficción.

Mi pieza era bastante amplia, razón por la cual Jiménez y Anselmi vivían más en ella que en las suyas. Las suyas eran verdaderas pocilgas interiores, y la mía, al menos, tenía un gran balcón sobre la calle Tucumán. Uno podía ver perfectamente el río, los vapores lentamente remolcados por el canal del Río de la Plata, los rieles de ferrocarril costero, toda aquella región, en fin, tan provisoria y a la vez tan espaciosa, idéntica a la fisonomía general de nuestro país, que se caracteriza por la renovada desolación de una inacabable llanura. Yo tenía pocas cosas en mi cuarto: la cama, algunos libros en una estantería de pino, varios retratos de los escritores que leía en esa época, dos aguafuertes francesas muy bellas, un enorme ropero, lleno de carpetas con recortes de diarios y altos de ropa limpia con el pequeño manojo de alhucemas. (Cada vez que venía Anselmi de la calle, después de un día entero de trabajo, abría la puerta del ropero y sumergía un rato su cabeza en el interior: "Salgo un poco al campo", decía.) Mi apetito de cultura consumía toda clase de libros en un gran desorden y en ediciones populares; en mi cuarto, la *Crítica de la Razón Pura* servía en colaboración con el *Retrato del artista adolescente* para sostener la lámpara rota sobre la mesa de trabajo. Lo mejor de mi cuarto era una vieja chimenea que tiraba a las mil maravillas. Los sábados me traían de la carbonería de la esquina un montón de leña; esta era la buena noticia hebdomadaria. El peón que la traía era un italiano noblote, de ojos azules, anarquista y lector de Lermontov; antes de irse, curioseaba despectivamente mis libros; decía que no había leído más que una obra en español y era el *Dogma socialista* del argentino Esteban Echeverría. Jiménez le recomendaba libros absurdos y él lo miraba sin decir nada, como significando: "Ya entrará usted en las cosas serias."

En fin, Buenos Aires no es una ciudad muy divertida. Quien observe su plano verá que, al norte y al oeste, la línea exterior de la ciudad asume la forma del perfil de un niño. Esta no parece una semejanza fortuita: en esta ciudad que se presenta por fuera como tan vieja a pesar de ser tan nueva, late el sentimiento interior de un corazón huraño y adolescente. La metrópoli se confunde muchas veces con el ánimo de un niño enojado, uno de esos niños a quienes perturba e irrita en una forma casi animal la presencia en su casa de personas extrañas. Buenos Aires me parecía llena de violencia hacia los recién llegados; lejos de amamantarlos y deleitarlos como otras ciudades del mundo, ella los recela al principio, los maltrata, como la mujer casada con odio al marido que la acaricia. Sí, la metrópoli esconde un poco la cara; lo que entrega al no dilecto es su cuerpo monótono y como óseo. Nosotros, sin embargo, la conocíamos bien; desde sus lodazales del bajo Belgrano hasta el cándido libertinaje de la ribera en los lindes de Avellaneda, sabíamos nuestra inconfesable topografía. Pero, como les pasa a los hombres de infancia triste y solitaria, nos agitaba poco la atracción del pecado; estábamos vueltos hacia la busca de almas. Nuestra pesca era también —¡y cuánto!— de ideas, de inspiración; buscábamos sin cesar un terreno donde ir a provocar nuestra exaltación o a mezclarla con otras exaltaciones. Jiménez era, por dentro, más pálido, más tímido, más parecido a mí; Anselmi era la intrepidez personificada. Nuestro cuartel general era una pequeña cervecería de la calle Lavalle. Antes y después de comer nos íbamos allí a oír la orquesta suiza, los viejos valses y unos tangos que parecían todavía más viejos a fuerza de ser tocados y tocados por aquellos ejecutores decrépitos.

La cervecería era muy curiosa. Vale la pena describirla. El salón era un gran rectángulo compuesto de dos planos; el plano de arriba tomaba una cuarta parte del salón y estaba limitado por una larga balaustrada cuyo extremo abierto era la escalera que lo comunicaba con la planta baja. La planta baja estaba llena de mesas entre pigmeas columnatas con plantas verdes; a la derecha había una plataforma baja donde mal que mal se instalaba la orquesta de los cuatro suizos. Algunos días, el mismo propietario del establecimiento, un suizo bajo y macizo a quien le faltaba un ojo, se veía obligado a animar a la mustia comunidad allí reunida y subía a la plataforma para impulsar mediante excesivos ademanes el ritmo de los cansados burgueses mal pagados para interpretar allí *Tanhäuser* y *Los maestros cantores.* Una gran guirnalda de orquídeas de papel ornaba las márgenes del sitio opuesto a la orquesta donde estaba el mostrador. De la pared pendían ejemplares demasiado viejos del *Berliner Tageblatt* y el ejemplar del día del *Deutsche La Plata Zeitung,* así como revistas escritas en los más inesperados idiomas. Y sobre las repisas, alrededor de todo el salón, en la planta baja y en la alta, la eterna profusión de jarras, jarrones germánicos, recipientes grotescos y trofeos de caza comprados en quién sabe qué remates. Los más diversos parroquianos alternaban en la cervecería con las muchachas de equívoco vivir y los matrimonios de rostro

17

sanguíneo y narices de visibles capilares. Acudíamos a aquel sitio como se acude al voluntario destierro: para conspirar, activa o pasivamente. Nuestro tipo de concitación era aclararnos e intensificar en nosotros nuestras propias ideas de rebeldía. ¿Cuáles? Toda clase, toda clase de rebeldías. Lo importante era atesorar en nosotros un capital de disconformismo, un crédito de oposición disponible...

En torno a la mesa con *bocks* y *pretzel* se suscitaban las disputas más increíbles, los debates más ambiciosos respecto al modo de componer un mundo torcido en el que no nos resultaba cómodo vivir. Éramos alrededor de una docena. El enfático y magro, hierático Letesón, que dirigía una pequeña revista de literatura; Gómez, un aficionado a la pintura, vanguardista frenético; Stigmann, el pequeño judío de cabeza vesánica, locuaz, maldiciente, cínico, de tez grasienta, sucia, con aquella frente magnífica y aquella enfermiza combatividad; Villegas, estudiante de medicina a quien acompañaba siempre su amiga, una muchacha hambrienta de veinte años, con ojos de judía perseguida; y aquel bruto corpulento, con la cabeza al aire, vociferante, especialista en teóricos golpes de Estado, un constitucional sedicente... La sociedad, en fin, más heterogénea, acudía por las noches a la cervecería. Casi siempre se unían migratoriamente al grupo rostros nuevos. Villegas, Anselmi y yo éramos los especialistas en ideas generales; los otros eran mentes un tanto confusas —con excepción de Jiménez—, propensas a un pasivo y un tanto pueril lirismo. No se imagina usted los desórdenes que armábamos.

Ya entonces comenzaba yo a tener una extraña concepción de la vida. Había tenido una infancia muy bien proporcionada con la tierra, con mi tierra, con mi paisaje circunstante, que era el enigmático, secreto y profundo paisaje argentino. De esa tierra había aprendido algunas lecciones; y esas lecciones me parecían necesarias para avanzar con el cuerpo recto en un medio donde tantas cosas proponen deformación o desmoralizadoras facilidades. Pronto vi que esas lecciones eran generalmente ignoradas, insospechadas; y que el mundo que vivía, actuaba, negociaba y amaba en la metrópoli, era un mundo blando y confuso; todo el país pugnaba de más en más, sin embargo, por parecerse a la metrópoli. Era, pues, un país echado a dormir sobre la tierra. Había que levantarlo. Ya algunos, hombres y mujeres, estarían sin duda levantados. Había que buscarlos. Estas dos necesidades comenzaron a ser la esperanza con que me despertaba cada mañana en un cuarto de aquel viejo edificio de la calle 25 de Mayo.

¡Qué alegría me daba entonces el sentimiento del futuro! Toda mi salud respiraba futuro. Yo sentía en el mundo una felicidad sin fronteras. Mi respiración era la lenta y segura marcha de la felicidad del planeta. A veces, cuando volvía a mi casa, me daban ganas de abrazar a la patrona, de hacer preguntas insensatas a la señorita vecina —con quien no había cambiado nunca más que los habituales lacónicos saludos— y de pedirle al médico filósofo que compartiera mis escasos dineros y juntos disfrutáramos de una tan fugaz como jovial prosperidad... Me echaba en la cama, con la luz prendida, boca arriba, las piernas cruzadas, las manos bajo la nuca, y dejaba que pasara el tiempo, sonreía. ¡Es tan fácil —pensaba— adueñarse del mundo, ser alguien en la literatura, en la vida culta, en los salones, en la ciudad toda, dócil al vencedor! ¡Tan fácil!

Entraba de pronto Anselmi, exultante, enorme, con el brazo en alto, blandiendo un paquete. "¡Queso de Catamarca!", gritaba. Yo me incorporaba de golpe en la cama, lo miraba. Permanecíamos callados un instante, brillantes los ojos; luego, de pronto, con un hurra, disparábamos, salvajes, hacia el comedor, dejando las puertas abiertas, las lámparas temblando...

Éramos gente alegre, fuerte y ambiciosa.

Y sin embargo, yo estaba inquieto. En el fondo de mi conciencia aquella felicidad me parecía, al rato de sentirla tan intensamente, externa, adventicia, corriente que pasa y se lleva nuestro gozo. Porque, esa vida en torno, ¿era una solución o era un problema?

¿Era o no nuestra la grande, la no visible, la todavía pendiente responsabilidad?

Sí, nuestra era; nuestra.

Al día siguiente de las jornadas más ligeras y alegres yo me encaminaba, al atardecer, hacia la cervecería, con el paso reflexivo. Teníamos que *hacer* algo; debíamos hacer algo. Solía quedarme esperando a los muchachos mientras agotaba a pequeños tragos mi vaso de cerveza. Veía entrar a los clientes más pacíficos y escuchaba una maltratada sinfonía. Soñaba con escribir dos o tres libros buenos y con ver a mi país articularse y erguirse. Para eso, para ambas cosas, era menester barrer antes, en el primer caso, con una inercia íntima; en el segundo, con una inercia colectiva. ¿Cómo podía yo ayudar esos dos triunfos? Pensaba, por largos cuartos de hora. Entraba y salía gente. De tiempo en tiempo, alguna fisonomía, alguna actitud atraían mi atención. Luego llegaba Anselmi, o bien Jiménez. Me contaban cosas del mundo exterior, fútiles, y yo volvía a re-acomodarme a esa realidad. No crea usted que mi ensueño tenía un cariz fatuo o egocéntrico. Era más bien una necesidad de compartir cierta plenitud, de alcanzarla para hacerla común a mi alrededor, de subir el tono de una vida circundante embotada y monótona.

Anselmi devoraba grandes trozos de pan negro con manteca. Decía que esto lo compensaba de las pésimas viandas de la pensión. (En realidad, su apetito no era en casa menos voraz.) Cuando venía Julián Villegas, el estudiante de medicina, la muchacha que lo acompañaba eternamente miraba con obstinada avidez el pan negro untado con manteca. Villegas no permitía que nadie la invitara. "Está a régimen", declaraba autoritariamente; la muchacha sonreía como un animal miedoso, con ojos estúpidos e inexpresivos.

Me acuerdo que en cierta ocasión nos hallábamos reunidos todos los del grupo habitual. La cervecería estaba llena de extranjeros y habían hecho tocar cuatro o cinco veces el *Lieber Augustin*. En torno a la gran mesa redonda de madera, Anselmi enarbolaba su teoría nacionalista. Jiménez sonreía con cierta sorna de verle la cara a Stigmann, para quien el mundo no podía salvarse sino mediante los principios de un socialismo ateo de perfil bastante avanzado. Anselmi hablaba del sentido de la Reconquista de Buenos Aires en la época de las invasiones inglesas y decía a gritos que entonces se respiró en Buenos Aires, quizá por única vez, la atmósfera de una verdadera unidad patriótica. Stigmann estalló en una carcajada. "¡Fue una batalla doméstica —dijo—, ganada a fuerza de pavas de agua caliente!" Anselmi calló un instante: "¡Infame judío! —dijo después—. ¡Habría que aplastar a todos los de tu especie!" Stigmann siguió riéndose. Repetía con insistente sorna: "¡Una batalla doméstica...!" Anselmi se levantó, alzó en alto su silla y la dejó caer sobre los hombros de Stigmann, que se apabulló con una expresión descompuesta, mezcla de cinismo y furor. Dos judíos alemanes que estaban allí se acercaron, sinuosos, cautelosos. Anselmi esperó la reacción de Stigmann y todos esperamos la batalla campal. Jiménez se levantó como un árbitro providencial. "Bueno —dijo—, nada más. Que todo acabe aquí. No hemos venido a pelear. Aquí se toleran todas las discrepancias." Stigmann, con los ojos bajos, se arreglaba la ropa. Al recibir el golpe se había levantado, pero ahora estaba de nuevo en su asiento, mudo. Todos miramos a los judíos alemanes que a su vez nos miraban, ahí, a dos pasos. "¿Qué hay?" —los increpó Anselmi, todavía en pie. Los dos alemanes afectaron no oír, desinteresarse de lo que allí pasaba, y retrocedieron hacia su mesa.

Desde aquel día Stigmann no volvió a la cervecería y las reuniones se hicieron sin condimento y monótonas. Anselmi andaba siempre como un lobo con hambre que no encuentra a mano alimento sabroso; tenía semanas de gran mutismo y tedio. Jiménez se burlaba un poco de él, le llamaba "el titán desocupado" y se reía mucho de esos paseos por la jaula del tigre aburrido.

En materia de amor yo era una especie de cazador furtivo. Me contentaba con las presas que me deparaba el camino. El camino era la red en que se envolvían de tiempo en tiempo algunas muchachas de belleza variable, no siempre muy discretas ni siempre muy avisadas. Las encontraba aquí o allá, en mis largas andanzas crepusculares por el norte de la ciudad, y eran empleadas o estudiantes. Por lo general despertaban en mí ardientes ilusiones, no del todo confesables, y a los pocos días me hartaban soberanamente. En la época en que sólo se desean hallazgos conmovedores, aquellas señoritas calladas y modestas no estimulaban gran cosa mis posibilidades de entusiasmo. La más hermosa fue una irlandesita de veintidós años que caminaba con extrema gracia y tenía un rostro de salud y unos ojos muy claros. Yo creí que iba a poder practicar con ella mi inglés; pero ella se resistía, con ese ánimo recalcitrante que tienen aquí algunos hijos de extranjeros, decididos a ser criollos a toda costa. Tenía la piel demasiado blanca para ser temperamentalmente interesante. Nos veíamos en un cuarto alquilado, en una casa siniestra de la calle Lavalle; la dueña nos cedía por dos horas, a poco precio, la habitación a la calle de un burgués anodino, gordo y mercantil. El cuarto medía algo así como dos metros por dos. Una tarde estábamos con Gladys allí y oímos, con sobresalto, que alguien abría la puerta desde fuera: apareció ante nuestros ojos la figura rosada y rolliza del legítimo inquilino; se quedó parado, estupefacto, con un ramito de violetas en la mano izquierda y la llave en la otra. Musitó unas palabras de excusa y se fue. Al poco tiempo se me hizo imposible soportar los silencios de Gladys, su ardor puramente carnal, su frialdad íntima, su conformidad con todos los elementos mediocres de la vida. Pasábamos unos domingos tristes, andando y andando sin decirnos nada; a ella sólo le atraía el rito sexual consumado en silencio como las bestias. Yo comencé a darme cuenta entonces que en lo relativo a las relaciones humanas sólo una cosa me importaba y era la comunicación, la comunión íntima con los seres de mi familia espiritual. Allí donde no había comunicación fundamental, no podía haber ningún contacto. Cuando se lo dije a Gladys, ella guardó silencio, hizo un gesto de indiferencia y siguió comiendo, en el salón de té de Blas Mango, bombones de chocolate. Los jacarandás habían empezado a florecer a la orilla de la acera.

A partir de aquel episodio comencé a introducir en mis experiencias de esa índole un imperativo de selección. Lo cual no quiere decir que una cabeza deliciosa, algunas cualidades de expresión, unos ojos extraños no me hicieran quebrar por algunas semanas mis interiores votos de cautela.

Los domingos salíamos con algunas muchachas, íbamos a Palermo, a las barrancas de Belgrano, al Tigre, en los trenes atiborrados de turistas hebdomadarios. Durante el trayecto, desde las ventanillas, veíamos el río inmóvil, plano, taciturno y extenso como el sueño del país adolescente. ¡Qué días de fiesta y qué noches, a la entrada de los canales del Delta, echados en los botes con las manos cruzadas detrás de la cabeza, viendo el alto cielo nocturno, la veraniega calma, la disparada súbita de una estrella, la titilante timidez de la polvareda cósmica!

No sabe usted hasta qué punto éramos jóvenes y felices.

Nada nos sacaba de nuestro ritmo, nada alteraba en nosotros el ilusorio cálculo de un magno destino; nuestra vida era como una aspiración capaz de materializarse en cualquier instante, pero que, por un moroso deleite, prolongaba todavía su abstracto proceso.

III

No es fácil desentrañar de la historia de una juventud sus pasiones cardinales. La propia extensión y maraña del general incendio que entonces se vive, propone al observador el aspecto de una escala cromática en que todos los tonos parecen asumir alternativamente primordial intensidad. Tan serio es en esa época del vivir una teoría, como una emoción, como un rapto irreflexivo de la voluntad; lo que importa es no estarse quieto. Como todas las probabilidades son igualmente posibles, el adolescente se cuida poco de escoger en el programa de preferencias; opta por preferir mucho y rechazar mucho, sin adjudicar a la elección carácter de permanencia. Hay juventudes, sin embargo, que sienten muy temprano el sitio exacto del alma en que unas pasiones van a morir y otras a sobrevivir; tienen muy claro en el alma un campo sacro, un *camposanto*, al que van a sentir irse acogiendo definitivamente ciertos entusiasmos, ciertas propensiones sobrantes. Así, por aquellos días sentí yo que los goces de tipo peculiarmente solitario, de naturaleza individual y egoísta, iban de más en más muriendo en mí, y que ya no me quedaba vivo en el corazón más que la necesidad de hacer repercutir en alguien, en otras criaturas, prójimos, semejantes, mis propias pasiones. Nada podía guardarlo para mí mismo, todo necesitaba compartirlo.

En aquellos días de adolescencia había comenzado mi viaje hacia mi propia tierra. Me bastaba con recorrer las calles adyacentes a mi casa para descubrir a mi paso diferentes notas de un canto de espirituales promesas. Aunque la vida me atraía con violencia hacia los frutos carnosos del goce, yo me entregaba, cándida y pindáricamente, a cultivarme brotes místicos. Arranques sombríos de mutismo y ensueño se alternaban en mí, a la sazón, con crueldades y arbitrariedades que repartía alrededor. Mi nombre —Martín Tregua— distinguía de pronto a un joven borrascoso y vehemente, de pronto a un iluso sentimental, de pronto a un triste a quien los más cercanos amigos, las muchachas halladas al azar, encontraban repentinamente áspero, retirado, sensible y a la vez ajeno. Pero mi disponibilidad humana era total, y en el fondo esos raptos duros no eran más que defensas. Mi frío menosprecio repentino se esfumaba del todo ante cualquiera de las formas de una natural riqueza, apareciera ella en un corazón como en un rostro, como en el lento decaer de una tarde.

A veces salía a andar con Anselmi: íbamos a la Facultad y nos asqueaba una vez el monótono perorar de comerciales profesores, otra el vacío de unidad, la falta de amistad viril y espíritu de heroísmo visible en los estudiantes. Al regresar a casa pasábamos frente a la iglesia de Las Catalinas, en cuyo Cristo de mampostería señalaba con su reposo una paloma viva la caridad apostólica del brazo. *In hoc signo vinces*. Pero nos hacía falta creer en la vida. En la mesa, después de la comida, contábamos al doctor Dervil y a Jiménez nuestros desengaños. Jiménez sonreía con burlona suficiencia, desde lo alto de su aristocracia, y nos decía que éramos los líricos burlados de Weimar, dos pobres misioneros sin trabajo, y que no debíamos aportar más por la Facultad... Nos rebelaban más que todo el carnerismo y la traición. El doctor Dervil fumaba sin hablar, pensativo, jugando con un minúsculo rebaño de migas de pan entre sus dedos decrépitos y amarillentos. Mientras Anselmi, furibundo, contestaba a Jiménez con gruesos denuestos, yo miraba los dedos del médico y pensaba que nadie de familiar y de amigo los cruzaría, un día, sobre su cuerpo yacente; que la vida es una traición común, y que tal vez los únicos fieles viven en el mundo de los muertos.

Por esa época había comenzado yo a escribir algunas novelas cortas, algunos trozos poemáticos, bastante amanerados y especiosos, que Jiménez y Anselmi aprobaban con entusiasmo. Solíamos tomar la calle Viamonte y bajar hasta el puerto para leerlos, discutirlos o reformarlos en algunos de los cafés desde donde se siente el olor del agua y del alquitrán. Yo dudaba: ¿les parecería buena mi obra por sí misma o por lo escaso y desordenado de sus lecturas? Yo me inspiraba en moldes europeos modernísimos, y aquellos ritmos frescos y vehementes debían parecerles a mis dos amigos la invención misma de la literatura. Me hacían ellos todo género de preguntas: ¿tenía yo una imaginación rica por mero don intuitivo, o un trabajoso y diligente razonar acumulaba despacio los materiales de la fantasía?

Yo trataba de convencerlos de que mi imaginación era muy pequeña y se defendía bastante mal en aquellos ejercicios primerizos.

Después de las conversaciones literarias paseábamos hasta la medianoche por la orilla del río. Leíamos los lindos letreros en las proas: *Endurance* — Belfast; *Vinga* — Bergen; *Aurora* — Helsingfors... Nos reíamos a carcajadas de cualquier cosa y luego volvíamos contentos a la ciudad.

Desde la costa, veíamos elevarse la masa compacta de gigantescos edificios; primero, las grandes casas cerealistas, luego los Bancos, los falansterios, las residencias. Vistos desde el río, los edificios parecían levantar una sólida colina. ¡Ah, Buenos Aires; ciudad muda y gran extensión de piedra blanca; roca nueva y tantas almas!

Muchas veces, pasada la medianoche, en los largos veranos —¡dulces noches de octubre, albas de enero!— Jiménez y yo nos quedábamos en mi cuarto corrigiendo originales, leyendo en voz alta los párrafos rectificados, llenos de una especie de furor de perfección. Y después de trabajar seriamente durante dos, tres horas, arrojábamos sobre la mesa los papeles, salíamos al balcón, nos reíamos de nosotros mismos como gente que juega en la tierra y tiene abierto en el cielo un crédito de fasto y de gloria.

Una noche entró en mi cuarto el doctor Dervil. Era en febrero y hacía calor. Venía a fumar un cigarro fuerte. Se sentó frente a mí. Me miró sin decir nada. Me preguntó después por Jiménez y por Anselmi. Le dije que sólo los había visto por la tarde. Aspiró y luego arrojó una considerable bocanada de aquel humo insoportable.

—Ustedes son unos buscadores de almas —dijo, como quien acaba de llegar a una conclusión después de pensarlo mucho.

Lo éramos. Realmente lo éramos. Día tras día andábamos en esa requisa original. Yo no sé si hubiera sido fácil decir qué clase de almas buscábamos. No lo creo. Nosotros lo sabíamos sin saber quizá decirlo. No necesitábamos comunicárnoslo; era un lenguaje secreto y compartido.

En el país enorme y aparentemente despoblado de naturalezas auténticas, toda nuestra fuerza disponible nos llevaba a querer enhebrar entre sí los eslabones de la gran cadena humana en que el rostro íntimo del país se hiciera orgánico, sensible.

El doctor Dervil nos había visto andar en esos andares y tenía, también él, el instinto de lo que nosotros buscábamos. Pero una vida toda de escepticismo y amarga displicencia lo hacía sonreírse de semejante aventura.

—Este es un país que no tiene cura —dijo—. Es un país perdido.

Se quedó pensando.

—A lo más podrá ser una buena colonia. Y no hay nada más subalterno, estúpido, adormecido y pegajoso que el espíritu colonial. Una larga sumisión vestida de prosperidad.

—No —le dije—. Está usted equivocado. Es natural que un hombre de su edad piense así porque usted pertenece a la peor generación de esta tierra (a la generación más desgraciada, quiero decir), porque ustedes han asistido al declinar de la dignidad política del país, a su adormecimiento social después de la buena digestión. Pero el caso nuestro es otro. El caso nuestro es diferente; nosotros pertenecemos al subsuelo de la nación, somos como el corazón del atleta, y si el corazón del atleta anda normalmente o anda mal no lo sabe el médico, el hombre de afuera, tan bien como el corazón mismo.

—El corazón no sabe nada —dijo él—. El corazón es una víscera.

—El corazón sabe, doctor. El corazón sabe tanto que, cuando está enfermo, el hombre que lo lleva adentro está volteado, y cuando el corazón funciona bien, el hombre ve las cosas con coraje. Esto tal vez sea un poco pueril, pero lo cierto es que hay un motor magnífico en nuestra generación, un aparato moral nuevo, y eso usted no puede comprenderlo bien.

—*Qui vivra verra* —dijo el doctor—. A ustedes no les han ofrecido todavía un precio para que se vendan.

—Esa es una afirmación —repliqué— bastante torpe e indigna de usted, doctor. Los hombres de mi generación traemos las manos limpias, y a muchos nos enterrarán con ellas así. Lo que importa en una generación es que su fe sea tan grande que pueda engendrar unos cuantos mártires, unos cuantos sacrificados. La generación de usted no ha producido ninguno; por eso son ustedes escépticos y fríos en el razonar.

Me miró fijamente.

—No se trata de una generación; es cosa de los años. Ya verá usted cuando arrastre unos huesos parecidos a los míos cómo se sentirá de pesimista y de cansado.

—Espero que a algunos nos enterrarán antes de eso, y entonces habremos tal vez fertilizado el suelo en vez de habernos quedado a presenciar nuestro propio podrirnos en vida.

El doctor Dervil fumó, callado. Comprendí que había sido duro con él; me levanté, fui hacia donde estaba y le puse mis manos en los hombros.

—No haga caso —le dije alegremente—. En el fondo de usted y en el fondo de mí hay algo bastante sano y es en eso en lo que tengo esperanza.

Se quedó pensativo, fumando, con sus gruesas manos cubiertas de pecas puestas sobre las rodillas y el viejo busto erguido contra el respaldo de la silla. En aquel momento y en el fondo de sí, yo creo que sentía cierto calor, una ligerísima ilusión como si él, que no había tenido nunca hijos, advirtiera de pronto ante sí la posibilidad de ser prolongado, no por una juventud de su familia carnal, pero sí por los gajos tiernos de su familia nacional, moral.

Lo invité a salir. Subimos por la calle 25 de Mayo hasta Córdoba, y yo le mostré ese pedacito de ciudad, esa cuadra en la que se confundían los elementos de la arquitectura más heterogénea. Había una casa construida como un palacio medieval; había —en la esquina— una especie de vieja residencia embozada tras la galería de vidrios azules y blancos; había una casa de pensión metida hacia adentro en la acera, con jardincillo al frente; había un oscuro mesón yugoslavo: "Esto —le dije, señalándole esa heterogeneidad— tendremos que hacer alguna vez que se parezca a *algo*, a algo único, verdadero, sólido, definido. A algo nuestro. Esta ciudad se desvirtúa cada vez más en sí misma. Urge matar en ella a los deformadores." El doctor se sonrió francamente y me palmeó de buen humor.

¡Buscadores de almas! Cada tarde, cada día, cada noche: buscadores de almas. ¡Cándidos buscadores de almas! Cada tarde, cada día, cada noche la misma juvenil obstinación.

(Me gustaría contarle punto por punto los sitios que visitábamos, las gentes que encontrábamos, las cosas que preguntábamos y decíamos. Habíamos establecido en la ciudad diferentes cantones, sitios donde vivían algunos personajes extraños cuya rareza nos parecía fértil. Uno de ellos era la señorita alemana Tilly Maneklein, que había sido en su país actriz de cinematógrafo y que miraba las cosas argentinas con ojos extrañamente inteligentes; otro era un muchacho solitario de extraordinaria memoria, culto hasta lo asombroso, huésped de un hotel de marineros de la calle Bouchard, pero que no parecía poder comunicar a nada congruente y definido su enorme acumulación de sabiduría; otro era aquel grabador de Palermo, cuyas ventanas se abrían sobre las vías del ferrocarril y que tejía, como Penélope, sucesivas ilustraciones para Baudelaire, para los Evangelios; otros eran tal o cual inquieto, tal o cual espíritu esotérico, tal o cual personaje oscuro y subterráneo, tal o cual perseguido, tal o cual exaltado. Algunas veces buscábamos los rasgos más íntimos, más ocultos del pueblo: tal o cual expresión de nobleza interior y poesía humana, los rasgos de la ambición en marcha, ese vaho de plenitud que el país levantaba como un nacional rumor en las caras de sus hombres felices y elementales... Todo esto es difícil de decir, tal vez fácil de comprender. Yo estoy seguro de que, en una forma u otra, usted lo ha buscado también a su alrededor. La cosa más dramática del mundo es esa busca, en los otros, de la justificación de lo que en nuestro fuero secreto llevamos de más desconsolado y de mejor.)

El doctor me invitó a beber una copa de cerveza y entramos en uno de aquellos cafetines con piano vertical y coros gangosos.

IV

Yo sé que no le parecerá a usted raro que le diga que un buen día Anselmi y yo no volvimos a la Facultad. Ni siquiera nos lo propusimos mutua y explícitamente: dejamos de ir, en forma natural, comandados por un invencible asco subterráneo y también porque no nos interesaba en el fondo una enseñanza pragmática y utilitaria, fría, sin ciencia, sin espíritu. Pensamos que algún día se abriría paso la verdad y que ése sería el primer día de gloria para la juventud de esta tierra, a la que un negro período aluvial había traído retroceso y desmedro. Pensábamos, en realidad, volver algo más adelante a nuestros estudios si el horizonte mostraba algún síntoma de mejora. En verdad, lo que perseguíamos —¡Dios Santo!— no era una carrera profesional cualquiera, sino una cosa mucho más general y abstracta, mucho más extensa y considerable, un más alto estado de justicia en el territorio moral del país.

Pero ¿cómo ir hacia eso? ¿Cómo, cómo? Por lo pronto había que defender la actitud interior, había que proteger la semilla, contra todo y a costa de todo.

Aquel año murió mi madre. Fue un terrible sufrimiento. Adquirí ante mí mismo la imagen de un pigmeo luchando con las tinieblas. Durante meses casi me arrastré de dolor a lo largo de la costumbre y de los días. Después me fui levantando, poco a poco, en una suerte de convalecencia del alma, y abrí mis manos agarrotadas y volví a acariciar tímidamente las formas de la vida.

V

Entonces, por aquel entonces, la vi a usted, creo que por primera vez.

Fue un deslumbramiento. ¡Aquella gran dignidad y aquella cabeza aristocrática compitiendo una señorial supremacía con el aire de la tarde! Debía de tener, exactamente como yo, veinticinco años. Usted doblaba por la calle Florida, a la altura de Charcas, hacia el norte, frente a la plaza San Martín, bello golfo de sombra en el atardecer de septiembre.

Me pareció la representación de la mujer que yo no había visto nunca, de la más posible de soñar y de la más imposible de ver: tenía el cuerpo delicado y esbelto, sin fragilidad; las piernas largas, el pie ligerísimamente grande en el más elegante zapato de gamuza negra con una simple hebilla de níquel; la blusa abierta en el cuello mórbido y *sportivo*; una gran melena larga, esponjosa, suelta, cabello de un tono levemente opaco; las cejas finas en ligero ángulo y negras; los ojos muy claros; y la boca —Dios mío— entreabierta (igual que la había de ver ya siempre), como si buscara en el aire nutrición para una joven ansiedad.

La seguí. De pronto la alzó un automóvil particular. Yo tenía en el bolsillo muy poco dinero —creo que unos centavos, pues debía de ser fin de mes— y no pude echarme detrás en un taxímetro. Volví a casa enajenado, entré directamente en mi cuarto, fui al balcón, respiré el aire de la noche y miré con ojos nuevos esa ciudad que ahora sabía que la contenía a usted. Me parecía una metrópoli extraña y desconocida, enriquecida, magnificada. Yo, que había buscado en las fisonomías y en las almas la expresión de una dignidad, acababa de encontrar ese rostro, ese gesto, esa expresión. Estaba transido; hasta moverme me costaba, de puro miedo a desacomodar tan maravillosa imagen.

No hablé ni una palabra de usted. Comí tarde, cuando todos los demás estaban en los postres. Flotaba siempre una atmósfera familiar en aquel modesto comedor de casa burguesa, con los anacrónicos cuadros de caza comprados en algún *bric à brac* y la mesa de trinchar y el aparador, viejos de mil años.

Anselmi y el doctor Dervil se habían trenzado en una discusión terrible sobre lo viejo y lo nuevo en materia de filosofía.

El viejo médico era un cartesiano dogmático, como es lógico, y Anselmi coqueteaba, por puro espíritu de contradicción, con la teología pascaliana.

Ingerí sin decir nada mi modesta ensalada de lechuga con limón y aceite y mi plato de carne fría. Anselmi tenía la parte del león y Dervil la parte del tigre sabio, que responde con agresiones hábiles sin exponer ímpetu ni cuerpo. La dueña de la pensión, Jiménez —parsimonioso, orgulloso, atildado— y el flaco comerciante Johnson devoraban aburridos el pastel habitual. El rumor de la discusión les servía de inofensivo acompañamiento. La otra habitante de la casa, la señorita un tanto misteriosa, salía rara vez de su cuarto, donde le llevaban la comida.

A aquella hora había en la casa un gran silencio.

—A mí, la razón, la razón crítica, la razón mecánica no me importa nada —decía Anselmi—. Usted puede ser un excelente dialéctico y dejarme malditamente frío. A mí lo único que me importa es la parte de fuego de que un espíritu se alimenta; en ese fuego arde un poco la razón, pero arden más otras cosas: la sensibilidad, el temperamento, la conciencia. Para mí la *raison* de los franceses es una lógica inválida que se presenta con el aire petulante de un instrumento frío y todopoderoso. Cuando yo era chico, en mi barrio, en San José de Flores, nos reuníamos una pandilla de muchachos en nuestro cuartel general cerca de la iglesia; uno de la pandilla era una especie de sacerdote infalible. Cuando teníamos una duda, una cuestión de conciencia, se lo preguntábamos, lo rodeábamos. Él se quedaba serio, se ponía a pensar y luego comunicaba un juicio solemne. Todos sabíamos que tenía razón, pero nunca le llevábamos el apunte. Gracias a no llevarle el apunte teníamos, por la noche, cosas que contarnos: aventuras, insensateces, experiencias, hechos, sorpresas. Ya entonces empezó a ser para mí la razón, un rígido y estúpido escamoteo de la vida. La razón es el uniforme de parada de la estupidez.

—Mi querido amigo —decía el doctor Dervil, disponiéndose a argüir con toda calma—, la razón es la que le ayuda a usted a levantar esos andamiajes razonables. El *cogito*. Toda esa existencia suya libre de ataduras no la ha vivido usted más que porque la ha pensado. Si no la hubiera pensado, no habría dejado para usted lo esencial, eso que recuerda ahora, y habría sido un vegetar indiferenciado.

—Yo no digo eso —dijo Anselmi—. No me preste usted cualquier absurdo. Lo que yo digo es que lo específico de esa vida mejor, era una cosa de vivir y no una cosa de pensar; lo específico de esa buena vida era el mismo vivirla y no su *razón* de ser. Y a lo que voy es a que el vivir tiene otras puertas de salida extremadamente diferentes a las salidas que propone la razón que son siempre salidas falsas.

—¿Por ejemplo? —preguntó el doctor—. No le entiendo.

—Las salidas por la pasión, las salidas por el heroísmo, las salidas por el absurdo, las salidas por una ascética, las salidas por la aniquilación de sí. Al lado de esos raptos, las salidas que la razón propone son estúpidas y mediocres. ¡Las salidas racionales! ¡Bah!

Se rio abundantemente.

—Es usted una criatura —dijo el doctor—. Ha salido en la aventura juvenil, pero no ha vuelto de ella. Las vueltas son las de la razón.

—Prefiero no volver. ¿Para qué volver?

—Se vuelve siempre. Eso es lo terrible. Quiéralo o no, a la vuelta de todos sus caminos estará ahí, inflexible, insobrepasable, la razón. Porque la razón es la medida del hombre y a la postre todas las desmesuras se compensan en ese solo eje del que somos dueños y que nos pertenece. Sabe usted; *que nos pertenece* (repitió la palabra recalcándola), per-te-ne-ce. Todo lo demás es romanticismo o abstracción, no nos pertenece y está fuera de nuestras manos. ¡Pobre de aquel que no viva racionalmente! ¡Pobre del llevado de, los otros vientos, por hermosos y fuertes que parezcan!

Anselmi se calló. Luego dijo:

—¡A buena parte le ha llevado a usted la razón!

Fue una grosería y el médico la sintió en carne viva. Pero no dijo nada. Siguió jugando con la caja de fósforos, impertérrito.

—¿No ve? —insistió Anselmi—. No dice nada. No protesta. No me insulta ni se indigna conmigo. Se acoge a los "dictados de la razón". ¡Qué poca cosa!

El médico levantó los ojos y lo miró con calma y piedad.

Se oyeron, en la pequeña iglesia cercana, en la calle de abajo, las campanadas de las diez. Jiménez, irónico, levantó el tenedor y señaló con las puntas hacia el lado de Anselmi.

30

—Éste —dijo— hace siempre literatura. No hay que discutirle sino con conciencia de eso, doctor.

—¡Qué imbécil! —dijo Anselmi—. Cuando aquí el único literato cien por cien es él. —Fingió un tono de ridículo amaneramiento—. El exquisito, el delicado...

—Hace siempre literatura —continuó Jiménez, aparentando no oírlo—. Es de esos que hablan tan bien de Dios que sienten necesidad de ir a contemporizar con el diablo por si se han excedido...

La dueña de casa y el comerciante Johnson festejaron la ocurrencia. Jiménez bajó de golpe la cabeza para dejar pasar el pan que le tiraba el otro.

—¡Pobre hombre! —dijo Anselmi. Estaba irritado, furioso.

Todos nos reímos.

—Yo también he sido condiscípulo de él y lo conozco —dijo Jiménez.

—¡Si no fuera porque el conocimiento —dijo Anselmi— es la facultad que te falta!

Así siguió por un rato la sobremesa de aquella noche. La recuerdo porque esa conversación, como una lluvia, caía en mí sobre la imagen de usted, caía sobre esa imagen; y la imagen, como un suelo resistente, la soportaba sin filtrarla. Al fin dejamos todos el comedor, salimos a los balcones de la casa, a la gran calma nocturna. Por la calle 25 de Mayo pasaban gentes de mar, inmigrantes, mujeres de dudoso vivir, jóvenes a la caza de vicios, extranjeros.

Anselmi y Jiménez jugaban como cachorros violentos, diciéndose cosas increíbles.

¿Qué me importaba a mí todo eso? La ciudad tenía otra dimensión y esa dimensión era de su tamaño, del tamaño de usted. De pronto los dos me increparon duramente. ¿En qué estaba pensando? Me conocían demasiado y les extrañaba verme ausente de la risa y el juego. Jiménez se volvió hacia Anselmi: "Dale una inyección de ciencia infusa" —le dijo, mordaz. Yo me reía sin contestar. "¡Qué aburrimiento!", decía Anselmi. Sus ojos miraban con desolación el espacio sin aventuras posibles.

Un chico pasó a la carrera pregonando la última edición de uno de los diarios de la noche.

VI

Cada vez nos aferrábamos más a nuestra condición de bestias jóvenes, ruidosas y sin memoria.

Casi no había día en que no arrastráramos por los bulevares del centro de la ciudad nuestro entusiasmo, nuestra inquietud, nuestro desorden y nuestra curiosidad. Barajábamos literaturas, literaturas de aquí y de allá, y la recitación de los viejos versos del modesto clasicismo argentino se mezclaba en nuestro caos a las estrofas de fray Luis o al *Paumanok* de Whitman o al *Alastor* de vena solitaria. Descendiente de romanos, Anselmi recitaba con énfasis caricaturesco algún soneto de Petrarca y nosotros le hacíamos bronco coro al pasar por entre las mesas, en los cafés de arrabal, donde los burgueses maduros nos miraban con perplejo y agraviado rigor:

> *Piangete, donne, e con voi pianga Amore;*
> *Piangete, amanti, per ciascun paese;*
> *Poi chè morto colui che tutto intese*
> *In farvi, mentre visse al mondo, onore...*

Lloraban su modesta canción los barrios de pequeños burgueses y estudiantes, los barrios del sur, con su colonial aliento todavía latente y sus balaustradas sin pretensión y sus viejos zaguanes demasiado anchos y sus baldosas de un rojizo desteñido y sus grandes cuartos de techo bajo con olor a humedad y muebles de caoba. Reían los barrios jóvenes, hacia el centro, lujosos y desaprensivos. Cerraban los señoriales del norte, en su arrogante mutismo, la boca del dolor o de la risa, inexpresivos y tristes como la riqueza misma. Pero todos los hilábamos nosotros, como un solo orden dócil, en la animación de aquellas jiras joviales. Del país sólo veíamos el gesto promisorio con que detrás del equívoco comercio nos llamaba a la confidencia y la sinceridad. Estábamos prontos a abrir a la ciudad, a su quieto cosmopolitismo, un crédito sin límites.

Sin embargo, sin embargo...

Aquel país no era el *país*. Aquel país que veíamos no era el país que queríamos. Aquel país que tocábamos no era el país que esperábamos. Debajo de la púrpura queríamos ver el sayal. El sayal es lo que está cerca de la piel y la piel es lo que está cerca de la sangre. En el país, la púrpura mentía.

Salíamos a la calle y veíamos la púrpura; íbamos a los teatros, a las conferencias, a los conciertos: veíamos la púrpura; conocíamos, en este mundo, a muchos hombres, a muchas mujeres y tocábamos la púrpura. En el gobierno estaba la púrpura y en la calle estaba la púrpura. Púrpura, púrpura; las palabras eran púrpura; los actos eran púrpura.

Pero un país nuevo —pensábamos— no debe aficionarse a la púrpura. Un país nuevo es un estado de ferviente rebeldía. Un país nuevo debe ser sobrio, claro, limpio de palabra, seguro de sí y exacto como la fundamental juventud. Un país joven que se aficiona a la púrpura está pronto a degradarse por dentro.

No, no queríamos esa púrpura. Nos asqueaba esa púrpura. Nos asqueaba. No nos dejaba dormir.

De noche, en la alta noche, durante el insomnio del alba pensábamos, obsesos, en el país ahogado por esa púrpura, en el país anterior, ignorado y sacrificado; en el país doliente que levanta los ojos de una expectación sin queja al digno cielo austral; que está en silencio, en lo más profundo, como cereal madurante en la troj, en lo más mínimo y recóndito de la geografía nacional.

Noche y día el mismo pensamiento, la misma preocupación.

En medio de nuestras risas, gritos, charlas, de pronto, alguno de los tres se callaba. Permanecíamos, entonces, atentos a ese silencio.

Era como si los tres dijéramos la misma frase, la misma interior oración:

—¿Cuándo vendrá a la superficie el país profundo, el sano, el que existe puesto que creemos en él? Ese país, ése, ¿cuándo vendrá?

Nos quedábamos un rato inmóviles, perplejos, como bestias tristes.

Los ángeles de la tarde movilizaban despacio sus nubes claras en el techo tranquilo de la capital.

Teníamos unos amigos ricos —los Gómez— que nos invitaban alguna noche a visitarlos. Vivían en una casa, claro está, de aire púrpura, señorial, vieja y austera. Allí todo era solemne. El jefe de la familia había sido ministro de Estado y era un hombre de rostro dispéptico, un hombre seco, aseverador y dogmático; debía de tener un alma de degollador. Alto, cargado de hombros, lento de movimientos, se desplazaba con pesadez. Se dedicaba a escribir páginas de historia que nadie leía, que a nadie importaban, de las que nada se deducía más que un denso, académico y plúmbeo aburrimiento; más o menos cada treinta de esas páginas le valían distinciones peculiares, o una condecoración extranjera o un título más de académico correspondiente. Estimulaba en sus hijos el amor propio, la vanidad, el menosprecio, el coraje primario y la injuria xenófoba. Eso creía él que era el patriotismo.

Este hombre nos parecía representativo de algo que se pudría en el vivir de la nacionalidad, y lo odiábamos cordialmente. Entre nosotros le llamábamos "El purpurado". Y si pisábamos alguna vez su casa era por no herir a los hijos, antiguos compañeros de colegio que no tenían la cul-

pa de ser brutos, ignorantes y maleducados; en el fondo de
ellos, intacta, pese a todos los esfuerzos familiares, brillaba
una vaga bondad.

En el gran vestíbulo sombrío de estilo Renacimiento italiano donde se mezclaba sobre las macizas mesas la más
curiosa convocación de piezas criollas: retratos, boleadoras,
espuelas de plata, rastras y divisas patrias cubiertas de polvo—, el viejo nos endilgaba, entre café y café, su concepción de la historia. Soportábamos sin pestañar la lección
de usura patria: había que ser duros, había que ser com-
padres, había que ser conservadores, había que ser "guardianes de la tradición a sable limpio", había que mostrar
los dientes a diestro y siniestro. ¡Cuidado con el extranjero!,
era su mote.

Yo, que tenía sobre mis hombros ocho generaciones de
argentinos, lo escuchaba, sin un gesto, sonriendo por dentro.
Anselmi y Jiménez se miraban entre sí: ninguno de los dos
se atrevía a creer que aquella especie de apóstol imbuido de
sacra furia había construido su casa a fuerza de defender
pleitos de extranjeros y de cobrarlos a precio de oro y de son-
reírles a peso de oro... Yo los miraba sonriendo por dentro. Sabía lo que pensaban: "Contra esto hay que luchar."

Y el tocar la mentira, el localizarla, el descubrirla donde
estaba y aislarla, nos daba, sí, una alegría.

VII

En una de sus correrías solitarias y un poco secretas
—desaparecía a menudo durante muchas horas sin que
supiéramos nada de él ni contara después cosa alguna—
Anselmi conoció a un hombre extraño, una especie de flor
boreal en medio de la población indiferenciada y anodina
de la ciudad. De ese hombre no nos habló al principio
mucho, pero un día le pareció que podíamos aceptar de
él una propuesta extraordinaria, y entonces nos lo presentó.
Aquel hombre de aspecto ascético, moreno, de rostro angu-
loso, de cabellos blancos, de ojos negros, reposados y fuertes, parecía el representante en esta parte del mundo de
un extraño país moral. Vivía en una casa del sudeste de Buenos Aires, en una vieja casa criolla con jardín al fondo,
poblado de glicinas, y pozo de balde. Era argentino, y
sus padres, sus abuelos y bisabuelos habían sido, por las
dos ramas, argentinos. Cuando Jiménez y yo vimos por primera vez a César Acevedo nos pareció, al propio tiempo
y sin saber por qué, un desterrado; sin embargo, ningún
hombre podía mostrar raíces más nudosas y viejas en la

tierra natal. Pero lo que predominaba visiblemente en esa sutil naturaleza era una cosa de especie aérea, una silenciosa discreción, un no mostrar los estigmas de la lucha; estaba construido como esos ánimos que pasan por la vida con parsimoniosa indiferencia ante los desastres fortuitos y los accidentes ciegos y brutales, y uno lo imaginaba bien yendo a la muerte sin estremecimiento. Pero, en su entraña, lo que agitaba de tan singular y silencioso modo no era sino lo contrario de la indiferencia; lo que daba la impresión de indiferencia era la continuidad y permanencia de un delicado fuego.

Quién sabe de cuándo y de dónde obtuvo Anselmi dinero para la invitación de aquella noche. Eran semanas de un octubre muy frío. A las nueve, Jiménez y yo estábamos esperándole, ante sendos vasos de *champagne* barato, del país, en uno de los hoteles de más lujo, apenas a una veintena de cuadras de nuestro barrio. Se abrían las puertas y entraban gentes en boga, diplomáticos, indolentes aristócratas, artistas ricos. Yo le decía a Jiménez los nombres de aquellos fantasmas y él fumaba despacio como si fuera fijando con dificultosa prolijidad reflexiones y datos sobre semejante desfile de actores indiferenciados. Entró una señora alta con cuatro orquídeas prendidas en el pecho, luego el marido casi paralítico, y con ellos un famoso político conservador de la provincia, cuyo rasgo más notorio consistía en haber bautizado a los caballos de su *stud* con los nombres de los pintores expresionistas más eminentes de su rica galería privada — era su modo peculiar de manifestar la admiración que le merecían... Entraron famosos médicos; notorios abogados de considerable volumen carnal; políticos rumbosos de historia turbia; señoritas estucadas, escotadas, magníficos moluscos sumidos bajo la carga de minerales joyas; ¡el tumor de la ostra lucía en ellas tan simbólicamente!

Una orquesta de mediocres pero espectaculares, gesticulantes miembros, había comenzado su laboriosa interpretación de la *Obertura al Festival Académico*, de Brahms.

Cerca del hotel se alzaba la espadaña colonial de una modesta iglesia, rodeada de asilos y de muertos.

Exactamente a las diez, en el cuadro de la espléndida puerta de cristales, hacia el otro extremo del salón, vimos aparecer a Anselmi acompañado de su nuevo amigo.

Me sorprendió aquel hombre sobriamente elegante, espontáneamente natural y distinguido que venía con él. Atravesaron el salón y vinieron hacia nosotros, despacio, lo mismo que si el lugar les perteneciera desde años: el hastial lento y el aristócrata.

—El hombre y la bestia —me dijo Jiménez, serio.

La "bestia" venía aquella noche muy remilgada. Sin duda quería mostrarse ante el señor Acevedo como un hombre de maneras refinadas y dueño de un gran tacto. Tacto era, en realidad, lo que menos se buscaba allí.

Fuimos presentados como intelectuales y César Acevedo se interesó de un modo muy simpático por lo que hacíamos y planeábamos. Hablaron de un largo poema en prosa que yo había escrito. Expliqué que el libro estaba en la imprenta y que había de aparecer en esos días. Pero Acevedo quería saber lo que pensábamos en el terreno de la generalización política y social.

—Estos son bastante ilusos —le previno Anselmi señalándonos con la barbilla y echándose de golpe a la garganta un trago de vino blanco—. Para saber lo que piensan tendrá que cavarles muy adentro, hasta hallar el agua.

—Todos somos así —dijo César Acevedo—. Hay que cavarnos hasta muy adentro.

Tenía una sonrisa franca, inteligente, suave, en la fisonomía más cansada del mundo.

La forma, la estructura de su cabeza mostraba, viéndola de cerca, todavía más finura, todavía más distinción, nobleza y calidad.

Vestía sobriamente de azul, con cuello blanco y una corbata de seda negra, pero parecía un hombre habituado a la frecuentación de las más refinadas castas. Se trató de elegir qué comer y levantó las manos en un gesto de satisfacción al leer en la lista la tentadora oferta de un pescado de río.

En el intervalo de la orquesta se oyeron, nítidas, metálicas y taciturnas, las campanadas de la iglesia vecina.

—Elijamos este pejerrey del Paraná —dijo Acevedo, abandonando la lista—. Es buen auspicio para una amistad nueva. Y además, como compañía, no vino blanco, sino lo que llamaba Enrique Ferri *il vino rosso de l'amicizia*, el vino franco. El otro, el rubio, tiene la refinada perfidia de ciertos malhechores de apariencia señorial que se le presentan a uno como príncipes y acaban envenenándolo como tahúres.

Anselmi protestó de que se infligiera al pescado fino una indigna compañía.. "¡Vino blanco —gritó—, vino blanco!" Acevedo insistió en que se trataba de un rito y por eso opinaba otra cosa. Todos nos asociamos al pejerrey y al vino tinto. Cambiamos algunas ideas —los resultados de algunas experiencias— sobre el vino, lo cual sirvió a Anselmi para contar una anécdota trivial sobre cierto cantinero de Capri, que había leído en una revista italiana. Nos pusimos a hablar de mil cosas diferentes y luego, a raíz de la entrada en el comedor de·un político popular, de la enfermedad pública del país. El sinfónico estrépito nos dejaba apenas escucharnos. La orquesta seguía obstinada en hacer méritos. Anselmi miraba al director y se reía frente a semejante derroche de energía inútil. Acevedo no mostraba, exteriormente, ninguna vehemencia, pero hablaba de las cosas llamándolas por su nombre, sin andarse por las ramas. A mí eso me complacía. Acevedo tenía catalogados los males de nuestra incipiente organización nacional. Decía que éramos un país con Estado fuerte pero sin alma rectora; que éramos algo así como el caso de un atleta que tuviera de pronto que ponerse a decidir cuestiones propias del intelecto. En puridad, los cuatro estábamos de acuerdo; la diferencia entre Acevedo y nosotros·residía en la precisión y la madurez con que él discriminaba los elementos de la desarmonía íntima argentina. Nosotros tres, al lado de él, parecíamos mucho más románticos, mucho más fluctuantes, jóvenes e indecisos. Quizá lo que había en el fondo era que su versación en la faz específicamente técnica de la política, su propio lenguaje, constituían algo ya consustanciado con él, algo bien aprendido, y asimilado, al tiempo que nosotros no pasábamos de ser artesanos incipientes, de esos cuyas manos apenas comienzan a acariciar la materia que deberán tratar luego con impasible rudeza.

—Es extraño el fenómeno de regresión que se ha operado en la Argentina —dijo Acevedo mientras comía despacio el pescado de reflejos de oro bañado en jugo de limón—. Es el fenómeno de una inspiración que se corta. En un principio —toda nuestra historia lo prueba— el país se pareció a un solo estado de fervor activo, los constructores civiles venían unos tras otros como gente que se renueva en una marcha dirigida; detrás de ese movimiento había un espíritu, una andante y presciente dignidad. Después, de repente, ya avanzado el siglo, esa marcha se descompone en su motor original, en su ánimo —o, mejor dicho, su ánimo se volatiliza—, y sólo queda en los caminos públicos un caminar de anodinos, aunque serios y solemnes, administradores. Lo mismo da imaginarse una enorme fábrica en la que, desde un dado momento, ya todos los operarios trabajan mecánicamente, produciendo objetos *sin objeto*, desprovistos de voluntad consciente, sin saber hasta cuándo trabajarán, ni para quién, ni para qué, ni tras qué...

Jiménez dejó sobre la mesa la copa vacía.

—Exacto —dijo, como si le hubieran sacado la palabra de la boca—. Y para colmo, esa desanimación desgraciada

37

de los dirigentes contagia su sueño al resto del pueblo. Lo adormece a su semejanza con el canto de que todo marcha muy bien y no hay que preocuparse.

—Es una cosa —dijo Acevedo, sin fijarse mucho en la interrupción— a la que podría llamarse: la traición del pan. De pronto han comenzado a decirle al pueblo: "Eh, ¿qué buscan por ahí con tanta inquietud? Lo que ustedes buscan no es más que pan. Pues bien, se lo damos, ahí lo tienen. Abandonen su preocupación y llenen su insomnio de sueño, puesto que tienen pan." La voz se corre: "¡Todo es pan, tenemos pan!" Y los gobernantes se ponen a dar pan; y en torno a ese pan se organiza la tranquilidad. Pero, como es mentira, como no todo es pan, la gran traición comienza a sentar sus reales en el subsuelo de ese sopor. Y el pueblo, privado de inspiración moral, carente de motivos de inspiración, se abandona de más en más a la comodidad, a las transacciones, a los pactos; y olvida lo más serio, lo más grave, lo principal: su destino interior. Así, lo que pasa en esta tierra es eso: "La traición del pan."

Tenía los ojos inmóviles, la cabeza pensativa.

—Pero ese es el pan del político —añadió inmediatamente—. En el hondón más profundo de la Argentina se come otro pan, uno que no traiciona, el pan del que está construyendo lo que le ha salido del alma, el pan con que un hombre nutre las hambres y las fatigas de una aspiración fundamentalmente moral, no política ni pecuniaria; fundamentalmente moral. De ese pan honrado, de ese pan inspirado, de ese pan de preocupación, de ese pan de espera y de inquietud se están alimentando, a esta hora, las partes más olvidadas de esta tierra; y así se va organizando en la sombra una sinfonía cuyo crecimiento es como la forma del cono invertido: de un punto se va haciendo el todo; de una semilla rica, el árbol central del bosque entero. ¡En quién sabe cuántas estancias recónditas, cuartos pobres de ciudad, campos andinos, selvas septentrionales, planicies australes, pampas escasamente habitadas — no se come hoy otra cosa que ese buen pan, el no traidor...!

No sé qué manida pieza de concierto alzaba aquellas palabras bajo su embozo, las mezclaba con nuestro propio acuerdo silencioso, las alzaba ya sin cuerpo en el espacio y hacía, de todo, una ola de música de pronto viva y después ida, pasada, desvanecida.

Lo que dijo Acevedo encendió el fuego de la vehemencia y los tres, insistentes, hablamos de lo mismo, modificándolo y dándole vueltas y trayéndolo de nuevo a su forma más ingenua, como si tuviéramos entre las manos

38

una esfera grata de acariciar. Hablamos de la geografía del país, en cuyo canto rico y diverso habla la Argentina un lenguaje que pocos conocen, vario, denso y profundo como el rapto sonoro de sus pájaros en la prima mañana. Hablamos de la otra geografía, de la geografía espiritual. Y todo como si se tratara no de una abstracción, sino de una persona ausente, viviente, presentida, querida.

Jiménez hablaba con una locuacidad demasiado elocuente, atildada, y algunos finales de frase le quedaban flotando en el aire sin crédito ante nuestro silencio. Por su parte, Anselmi se sentía sobrio, quería ir al grano. No tardó en anunciarnos que Acevedo tenía el propósito de hacer un modesto periódico de crítica y que contaba con nosotros como cuerpo de mando y como agentes de unión con otras gentes que pensaran según parecido decálogo. Acevedo puntualizó su proyecto, que había considerado durante años como una remota posibilidad y cuya realización veía ahora más cercana y más necesaria.

El *maître d'hôtel* —un hombre gordo y bajo vestido de frac a quien preocupaba poco la actividad tradicional de sus funciones— parecía reflexionar ahí al lado, observándonos sin oírnos, como quien vela sin temor sobre un concierto de cosas que marchan perfectamente.

—Recibí en patrimonio —dijo Acevedo— una pequeña imprenta que cumple con su modesta y regular producción de impresos ordinarios. Es una función torpe. Siempre pensé poder darle algún día destino algo más digno. ¿Qué mejor ocasión que la que me proponía Anselmi al hablarme de ustedes, de lo que hacen y de lo que son? Yo por mi parte conozco a un hombre un tanto excéntrico, raro, silencioso; un hombre huraño, pero singularmente valioso por la intensidad de su pensamiento. Se llama Blagoda. Una naturaleza de adolescente encarnada en un cuerpo encorvado de prestamista. Ya lo conocerán ustedes. Un crítico violento, combativo, difícil como adversario.

—Pero yo no veo —dijo Jiménez (menos próximo, se oyó un nuevo tañido del bronce sacro, funeral de la iglesia, uno solo, sordo)— la justificación de un empeño puramente combativo. Eso es siempre efímero. Vivimos en medio de un descampado; en él hay que levantar un edificio. Lo primero que me parece necesario es ir a buscar los materiales adecuados, las piedras de forma proporcionada con lo que deseamos que el edificio sea.

—¡Esa es una idea de viejo! —gritó Anselmi, moderando el grito en la mitad—. ¿Es justo el ejemplo del descampado? Por mi parte, lo pongo en duda. Hay un edificio construido. Es el que habitamos. Pero ha sido hecho a la ligera, con elementos que se ajustan mal y que no proporcionan base sólida. (No es lo mismo que lo que has dicho, querido; ¡no muevas la cabeza con ese aire de darlo todo por obvio!) Pues lo que se ha colocado mal hay que echarlo abajo; después vendrá lo demás.

Me reí de aquella fórmula simplista. Jiménez insinuó una broma inofensiva, mientras Acevedo comía despacio, sin muchas ganas de objetar.

—Los dos modos de ver son verdaderos —apuntó—. Como bien dice el señor Jiménez...

—Jiménez —dijo él.

Acevedo sonrió.

—...como bien dice Jiménez, la parte positiva, la parte de la construcción lisa y llana es aquí no sólo la más importante, sino también la más difícil. Siendo así, y como no se improvisa —puesto que improvisar sería buscar de nuevo las piedras impropias—, el primer término del asunto tal vez nos proponga la necesidad de demorarnos en el aspecto crítico, en el aspecto de la observación, lo cual es, en definitiva, el aspecto de reconocimiento del terreno, del espacio y del tiempo en que hemos de movernos, como agentes individuales y como país.

—Sí —protestaba Anselmi—. Sí; pero nada de cosa de viejos. Los viejos andan siempre buscando componendas para ganar tiempo y sueño. ¡Nada de cosas de viejos!

¡Nada!

No fluctuamos todo el tiempo en aquellos preparativos vagos. Cada uno de los cuatro dijo a la ligera lo que de su vida partía, en propuesta de fructuosa congruencia, hacia la colectividad, y lo que arrojaba, a guisa de suma, el encuentro de las dos realidades, la de uno y la de los otros. En el aire del restaurante pesó por largo rato la digresión biográfica, un tanto desordenada, eso sí, y por momentos cándida y por momentos inexpresiva. Pero, con confesarnos, algo habíamos de ganar. Fijábamos las posiciones íntimas.

Anselmi llamó al mozo:

—¡Esto es una infame porquería! —lo increpó. Señalaba con un dedo categórico la ensalada de frutas pomposamente cubierta de espesa crema—. La fruta está blanda y pasada, y la crema, rancia. ¡Gastan ustedes demasiada plata en luces y esclavos, pero muy poca en lo que debieran! ¡Llévese esto antes de que acabe de pudrirse y tráigame algo que se parezca más a una ensalada de frutas!

—¿Ve usted? Esto es lo que necesitamos en la revista —dijo Jiménez, sarcástico—. Furia y espíritu de justicia...

—Y un buen tonto para telón de fondo —le replicó el otro.

—¿Siempre combaten así? —me preguntó Acevedo.

—Es el modo que tienen de mantenerse despiertos —le contesté—. Son muy sabios.

—No, no —intervino Anselmi—. Los *dos* no somos muy sabios. Si uno de nosotros es sabio, el otro es un rematado imbécil.

Con fría solemnidad, Jiménez levantó la copa ante los ojos de Anselmi en un brindis largo y mudo; luego apuró de un trago el contenido.

Contó Acevedo la formación de su espíritu y parecía en verdad haberlo cuidado con las atenciones con que el biólogo cuida prolijamente el vegetal. Lector de materias clásicas, se había nutrido con el zumo de la tradicional poesía y podía distinguir en el campo de las cuestiones literarias con una grande y a la vez discreta competencia, sin que se le viera nunca entrar en los corredores turbios de la confusión. Y lejos de buscar en esos instrumentos de cultura vanas glorias eruditas, los había escogido como se debe, esto es, para hallar en ellos los pilares de su concepción universal de las cosas. No tiene la cultura en definitiva otro papel, no tiene más función genuina que, así como el tónico fortalecedor acude según sus elementos químicos a restablecer el organismo delicado, proporcionar interna solidez a la vaguedad o difusión hacia la que todo ánimo propende cuando está íntimamente movido por mensajes y solicitaciones cuya naturaleza misma es de carácter especioso. Los estados de gracia poética no se articulan y llegan a crear más que por el canal de una cruel disciplina. El país de Acevedo, el que deseaba, provenía así de una idea compleja.

Pelaba en aquel momento con extremo cuidado una pequeña naranja de color vivo. Tenía la misma delicada escrupulosidad para tratar las cosas materiales como los objetos del espíritu.

—Hay que tener cuidado con las místicas nacionales —decía—. No se debe dejar llevar nadie a la exaltación sin saber muy bien lo que quiere y por qué lo quiere. Uno de los más grandes peligros de ciertos estadistas, de ciertos hombres en cualquier colectividad, es el atender a sus propias vehemencias connaturales como si se tratara de fines que se justifican por su propia fuerza íntima. En una nación como la nuestra, por ejemplo, ciertos raptos elementalmente proteccionistas y vociferantes, ciertos entusiasmos primarios, pueden movilizar a la juventud en contra del espíritu mismo de que históricamente nace, aunque esa juventud ignore que está en contra de ello y le parezca más bien que lo favorece. Yo creo que lo que ante todo tenemos que trazar nosotros es un plan minucioso de cuanto nacionalmente nos es esencial; de cuanto, esencialmente, nos distingue del resto del mundo. Una vehemencia política nacida en un país que ignora tales datos es como la desenfrenada carrera de un ciego: puede llevarlo indistintamente al monte o al abismo. Yo creo, en este sentido, que en una literatura tan lejana de lo social o de lo político como la de un Miguel Cané, pongo por caso, pueden hallarse, desentrañarse, sacarse a la superficie datos mucho más preciosos, más finos, más significativos, acerca de ciertas particularidades de nuestro pueblo, que en toda la literatura política y combativa de la misma época. Así como el lenguaje de Sarmiento resulta, en numerosos casos, más aleccionador que el mismo texto que produce, en el sistema de preferencias y rechazos que del idioma español hemos construido aquí hay un sistema de alma, un diferente estilo de alma; a veces un vocablo solo —el modo de modificarlo o adoptarlo— implica una revelación. El español que hablamos asume, en su mejor ejemplo, frente al original, una proporción cuidadosamente refinada; por lo pronto, una rectificación típica, un afinamiento de ciertos ademanes del hablar; un llamado a cierta modulación menos enfática y más delicadamente decorosa.

Habló largamente de lo mismo con sostenido calor. Después volvió a hablar de Blagoda, del sentido posible de nuestro periódico —si lo hacíamos—, y a nosotros tres nos interesó en el acto ese espíritu.

Nos manifestamos firmemente dispuestos a publicar el periódico. Gritamos. Luego tuvimos que callarnos por unos instantes: la orquesta atacaba el trozo más estruendoso de su estruendoso repertorio. Jiménez propuso un nombre para el pequeño periódico; no nos gustó y sugerimos —cada cual a su turno— otros. La elección era difícil. Tenía que ser un nombre fácil de retener, expresivo, enérgico. *¿Nueva acción?* —no—; *Causa argentina* —no—; *Misión*... Cuando alguno propuso este último título vacilamos, pensamos, no lo rechazamos de lleno. Sí, no estaba mal. Pero tampoco era lo que se quería. Lo que se quería era algo más expresivo aun, y quizá más concreto, menos abstracto. Como no diéramos pronto con el nombre deseado, resolvimos dejar la decisión para otro día. Una ligera fatiga desplazaba ya nuestra atención hacia lo que pasaba en el fastuoso comedor, cuyo vaho ascendente hacia las barrocas arañas cobraba la forma de un ronco rumor de voces o gruesa letanía.

Nos retiramos hacia la medianoche. El aire de la calle estaba frío; circulaba mucha gente y los carruajes se apre-

taban en aquel sitio por ser la hora de la salida de los
teatros.

Acompañamos a César Acevedo algunas cuadras, tejien-
do los últimos comentarios al proyecto. Nos parecía que
podíamos hacer algo útil, inteligente — y tal vez glorioso. Era como si por primera vez se nos propusiera una
ocasión de dar a nuestro fervor materia sensible, una vía,
un brazo abierto, como esos que descongestionan los ríos.

VIII

Mercedes Miró conservaba en la misma mano, más acá
del antebrazo cubierto en una zona de tres dedos de ancho con una pulsera de plata lisa, el vaso de whisky y el
cigarrillo. Tenía el cuerpo delgado, largo. La bella espalda
un poco ancha, faraónica, bajaba hasta las caderas en una
gradación casi plana. Y persistían en su crudeza esos ojos
un poco de ofidio en que se alternaban momentos de vivacidad cruel con instantes de ofensiva indiferencia. Inquieta, fumando sin cesar, parecía estar cansada e incómoda.
Sentí de inmediato que aquella mujer me interesaba; pero
la verdadera naturaleza de ese interés apareció en seguida
como una cosa obvia: era un sentimiento de curiosidad,
un mero deseo viril de desarmar la rigidez, tan deliberadamente construida, de la mujer brusca y hermosa. Traté
de buscar su mirada y detenerla. Pero en aquel momento
estaba distraída. Ni ella ni yo oíamos lo que preguntaba la
vecina de la izquierda de Lucrecia —Lucrecia me había
invitado aquella tarde—, una muchacha sin atractivos, paliducha y escuálida que quería informarse a conciencia de
las reacciones contemporáneas de su amiga ante los Pie-
ro, los Orcagna y los Gian Bellini.

El bar del hotel, el *grill-room*, atestado, estaba puesto
con una modernidad de dudoso gusto. Lucrecia se había
burlado —excarcelando por un instante a su demonio metafísico— de la escena prerrafaelista que describía en el
muro una aventura romántica del 800. Le gustaba citar
a los primitivos. Le producía un placer físico.

Como una larga melodía interrumpida a cada rato por
lo inoportuno e ingenuo de ciertas aseveraciones, exclamaciones, definiciones, opiniones, siguió subiendo y bajando
el tono de aquella conversación que, si no hubiera sido
sostenida por damas vestidas por Lelong, tocadas por Rose
Descat y calzadas por Yanarelli, y hombres tan extremadamente refinados de acento y apariencia, pudo haber sido
la modesta y a la vez pedante polémica de los típicos

43

estetas de provincia, en el fondo de algún café japonés, el amable Tokio o el adverso Yokohama de las ciudades del interior. Se habló, en un solo aletazo de charla, de Freud y de *Fantasy of the unconscious* y del ridículo general de nuestra literatura y de la política europea y del adivino Mr. Glick y del médico radicado en Belgrano que curaba por sugestión y de Lawrence el de Arabia y del celeste cielo criollo en los cuadros de Figari... Apreciaciones entusiastas de las fotografías de Cecil Beaton —donde la sonrisa de Lady Falkland estalla de pronto en una aureola de copos de jabón Pears— cabalgaban sobre aristocráticos juicios en torno a las casitas coloniales del barrio de San Telmo — todo dicho con un acento nasal muy argentino, entre vivos galopes sarcásticos y risas de una satisfacción verdaderamente nacional.

Empecé a hablar con Mercedes Miró. Era espléndida: de una aristocracia y de una distinción violentas. Le pregunté por la vida que hacía en Buenos Aires, por sus preferencias, por su familia.

Fijó en mí los ojos armados, sin contestarme.

—¿Sabe lo que es estar despierta el noventa por ciento de las horas?

—El insomnio casi integral —susurré.

—Necesidad de vivir, de vivir todo el tiempo —dijo—. Eso. Una especie de horror al vacío, a fijarse en hábitos, reglas, paciencias, esperas.

Calló.

—No puedo soportar la idea de todas estas meditaciones al claro de luna. Me parecen horribles traiciones a la vida. Horribles si no fueran tontas. Como sería una traición a la vida vivir en campo abierto sin tomar el olor de la tierra, ver los verdes, oler la gramilla, la alfalfa, la alhucema —al decirlo, sus ojos se abrían, se abrían las alillas de su nariz. Y pensé que hablaba con los sentidos; lo que me gustó—. Como la vida no se detiene, yo vivo empeñada, empecinada en no detenerme. Y lo consigo bastante bien.

Le pregunté cómo lo conseguía.

—Pues viviendo. ¿No sabe usted la vida que hago? ¡Un furor! *Sound and fury*. Me levanto a las siete. Gimnasia y baño. Teléfono. En seguida, la calle: librerías —¿conoce *La Boutique*?—, *footing*, compras. Vuelvo a almorzar, con un alto de libros, con acopio de sol, con algún libro de grabados —tengo una gran colección, ¿sabe? Almuerzo rápido, un cuarto de hora a lo más, luego —a la hora en que algunos pagan su tributo a la siesta— voy a la Administración —administración de nuestros bienes (somos cuatro hermanos, todos, generalmente, dispersos)—. Reviso papeles, decido algunas cosas, lo que hay que hacer con las casas de aquí, lo que hay que hacer en *La Leticia* —*La Leticia* es la estancia, ¡qué aburrido!—. ¡Leticia! Yo no sé de dónde sacó eso mi abuelo. *Laetitia!* ¡Y era un hombre brusco, gritón, misántropo y atrozmente desagradable! Vuelta a casa, teléfono, baño, a vestirme de nuevo. Té en alguna parte, visitas, gente, *cocktail* aquí o allá, cinco por ciento de conversación. Vuelta a casa, a veces hay que vestirse de nuevo; por la noche, comida con alguien, algunos o muchos. Por lo general con muchos — *la foule!* En los intervalos, aproximación —según los grados— a alguien interesante —¡hay tan pocos! *God!*—, a algún libro, pero que se pueda leer rápidamente. A veces, a las tres de la mañana estoy leyendo. Me bastan cuatro horas de sueño. ¡Todavía es demasiado; para mí, demasiado!

Nos reíamos. Lo hacía con una gran franqueza y con inteligencia. Fácil era advertir que no ostentaba sino lo que podía hacerla aparecer como más elemental, como más animal. No tenía ninguna necesidad de adoptar el aire de la inteligencia. Su única actitud consistía en querer mostrarse un poco brutalmente, en aparecer tratándose *sans ménagements*.

El mozo echó en el vaso de ella dos dedos más de whisky, luego hielo; al ir a echar la soda, ella lo detuvo.

—*Straight* —dijo.

No tenía ninguna necesidad de adoptar el aire de la inteligencia porque era muy inteligente. Reaccionaba ante las cosas con vivacidad. Y con imaginación buida, con mente celosa, rápida.

—Lo que más me molesta en nuestras conversaciones mundanas —dijo— es que están compuestas sólo de alusiones y referencias, sin que ninguna de las palabras que se dicen parezca provenir de la realidad. Cuando se habla de política, de arte, de literatura, estas conversaciones son comentarios descarnados que nacen del aire y van a morir en el aire. Cómo me gusta —¡por contraste!— la conversación sólida de la gente que habla desde la vida hacia afuera, desde la experiencia real. Yo creo que vivir es una especie de artesanía. Hay que aprender a hacerlo y hacerlo con obstinación; a mí me gusta oír hablar a los zapateros porque el centro desde donde hablan es el oficio que saben. —Echó una mirada en derredor—. Pero todo esto... —Su boca se encogió en un gesto de repugnancia.

Se echó a reír. Estaba realmente muy bella, con su traje de seda negra, y el pequeño sombrero que le ceñía, un poco requintado, la cabeza, dejándole en descubierto el gracioso dibujo del cabello en torno a la oreja izquierda, un corto toque ondulado como los capricornios de estilo. Yo le miré la piel de las manos, delicada y sedosa, las uñas largas, los dedos que agarraban, el vaso con firmeza y no según el modo de tomar de esas manos humanas que parecen no haber aprendido a asir y están prontas a dejarlo caer todo. Siempre me he fijado en las manos y la voz de la gente como las dos regiones donde se esconde, mucho más que en las facciones, el coeficiente de raza y espiritualidad. La voz y las manos de Mercedes Miró parecían agitar consigo la sombra de una vieja aristocracia.

Oí que hablaban de mi libro y tuve que volverme para contestar a una pregunta. Mercedes Miró se levantó y, yo sentado, vi erguido su cuerpo finísimo en los muslos y en la cadera. Una sola curva llena, densa, alta. Me paré y le dije que me gustaría verla otra vez y me aseguró que me mandaría un libro curioso en esos días. Se fue. Un señor llamado Marcus, de voluminoso abdomen y chaleco blanco, comenzó a hablar con desprecio del arte contemporáneo. Las señoritas del elegante coro se escandalizaron y estallaron en rectificaciones, en protestas.

Era tarde. Me incorporé, me despedí. Al atravesar el corredor para ir al guardarropa, me detuve bruscamente. Usted acababa de entrar. Cruzó rápidamente hacia la parte del bar dedicada a los hombres. Iba, sin duda, a encontrarse con su marido. Seguí mi camino. La vi entrar en el bar, detenerse, ser saludada. Subí las escaleras y salí a la calle inquieto, abatido, turbado, como si acabara de pasar dos horas en un mundo de pigmeos y yo fuera el más pequeño de todos.

IX

Pero a los tres días llamaba a la puerta de la casa de Mercedes. Vivía sola en un quinto piso de la calle Arroyo. La calle reposada y solitaria dobla en aquel punto suavemente y encamina su faz hacia la avenida.

La misma quietud de la calle invadía el departamento blanco, el gran salón donde no había más que un enorme piano, un sofá verde claro, dos bibliotecas blancas y una mesa de caoba — fuera de la profusión de flores esparcidas en los más diferentes vasos. Bajaba el sol de la media tarde. Sobre el piano descansaba el retrato de un hombre de mediana edad, en traje claro, con un jazmín del Cabo en el ojal.

Cuando entré en el salón sentí en la cara el olor de las aromas. En el atril del piano había una partitura abierta de Bach y unos ejercicios de Scarlatti. Yo los estaba mirando cuando entró Mercedes. Tenía en el semblante una suavidad mórbida. Había en ella algo deliciosamente impulsivo que me recordaba la fuerza de aquella hermosa *improvisatrice* que inspiró a Sebastiano del Piombo el famoso retrato atribuido después a Giorgione. La misma pujanza de ánimo. No caminaba, corría; y llevaba entre los dedos el cigarrillo.

Me extendió las dos manos.

—¡Partituras para despistar! —dijo, apartándome del piano—. ¡Jamás me siento un minuto ante este aparato de museo!

Rompió a reír.

No se sentaba, a decir verdad, en ninguna parte. Conversamos apenas media hora y estuvo siempre de pie, inquieta, encendiendo cigarrillo tras cigarrillo, acompañando sus palabras con una constante animación interior que le hacía fijar los ojos a menudo como si no mirara, como si estuviera atenta sólo a las constantes voces que de ella iban a las cosas y que de las cosas venían a ella. Esas voces eran multitud. Después de un torbellino de conversación, me invitó a que saliéramos. Pasaban en un cinematógrafo de barrio algo perteneciente al género que la divertía, un viejo *film* policial inglés. El taxímetro recorrió la calle Pueyrredón desde los jardines de la Recoleta hasta plaza Once, luego entró por Rivadavia, tan ancha e igual a sí misma. Me habló de muchas cosas: del viaje a los lagos del sur que había hecho un año antes, de los árboles gigantescos, de los bosques petrificados, de los cementerios indios y de los hoteles suizos del lado chileno, donde sirven deliciosos desayunos con pan negro y miel cristalina. Luego me habló del "señor Freud". Le molestaba la deformación que imponía a todas las cuestiones del espíritu el juicio de este burgués de Viena, que no pasaba de ser un iluso negativo, a quien habían acabado por convertir en un demonio y a quien Gide llamó alguna vez "un idiota de genio". Entramos en el cinematógrafo después de una risueña disputa, porque ella quería pagar a toda costa, con un entusiasmo de estudiante que ha percibido su mensualidad. En la oscuridad de la sala, al principio, me pareció agradable la posibilidad de conversar de cosas al margen del *film*, pero vi que eso le molestaba; seguía los acontecimientos de la película con inquieta seriedad y se agitaba un poco en la silla como si hubiera sido un chiquilín de la calle. Hizo dos o tres comentarios inteligentes al *film*, que era insoportable. Fuimos a tomar el té en una confitería del barrio, que se parecía a todas las confiterías lujosas de suburbio: instalaciones presuntuosas y de espantoso gusto, derroche de metal y mármol, altos zócalos de roble. Nos sirvieron un té infame con *sandwiches*. Ella comió con un apetito devorador. Volvió a servirse té y encendió un cigarrillo. Hablamos del cinematógrafo alemán, de su escandalosa grosería, de su técnica hecha de ruidos y gritos, basta, sin matices, prusiana. Dijo que le gustaría dirigir una película argentina donde se reflejara la vida de las ciudades del interior, ese clima casi colonial, indolente, criollo, pero digno y humano. En seguida salimos de nuevo a la calle; ella me invitó a caminar un poco y bajamos por Rivadavia, en medio de esa profusión de pequeños comercios, joyerías baratas, quioscos de cigarrillos y chocolate, casas chatas de uno y dos pisos tan diferentes entre sí, feas y frías, que uno se siente extranjero, nómade sin redención, frente a lo que de sus dueños reflejan esas tristes arquitecturas.

Comenzó a interesarme de modo extraño la vitalidad de esta criatura. Parecía hecha para estar siempre erguida, de pie, siempre en marcha. Miraba las cosas con avidez; sus sentidos parecían funcionar con avidez. No se habría podido decir sino que era la vida misma. Tal vez, observándola bien, no era muy inteligente, aunque lo parecía al pronto; tal vez, observándola bien, no era hermosa, aunque lo parecía al pronto; tal vez, observándola bien, no era tan permeable a las cosas, aunque lo parecía al pronto. Todas esas impresiones inmediatas y fuertes que producía tenían su origen en lo extremado de su vitalidad; y, seguramente, en lo bien repartida que ésta estaba.

Aquella vez la dejé cuando ya era de noche, y volví a verla muchas otras. No se parecía a nadie. Pero —cosa singular— su influencia sobre mí no tocaba resortes morales, resortes profundos. Por ejemplo, yo no la podía *pensar*. Lo único que pasaba es que me gustaba enormemente verla y que sentía necesidad de verla. Me atraía como un estupendo espectáculo, con toda aquella vivacidad y toda aquella salud y todo aquel ir hacia las cosas, sin espera.

En pocos días llegó a hacérseme necesaria. El deseo de ir hacia ella tomó en mí el carácter de una obsesión. Mi estado era el del chico a quien se le ha ocurrido tener un juguete. Y sin embargo, ella se mantenía reacia a todo cortejo, distraída por las cosas, la vida exterior, las calles, las plantas, el mundo, la tela de los libros, las noticias, los espectáculos. Imposible atraerla hacia un cambio de frases relativamente íntimas, por relativas que fueran. Nada. No le importaban más que las cosas. Las personas — ¿quién podía saber? Por lo demás, nunca aludía a circunstancias de su vida anterior. Iba hacia afuera. En el mejor de los casos afluía a su conversación algún recuerdo de la adolescencia: estaba vinculado con jardines, con olores, con colores; eran impresiones. Todo eso contribuyó a interesarme más.

48

Comenzamos a salir casi todos los días (aún no hacía más de cinco o seis que nos conocíamos). Yo buscaba sus ojos, buscaba mirarla, en la boca, y que lo advirtiera. Ella, de tiempo en tiempo, como quien al fin vuelve al punto de partida en la trayectoria del circuito, dejaba reposar por un instante, fijos, sus ojos. Pero eso duraba un segundo. Inmediatamente, escapaba.

Fue más que ella, aquel escaparse, aquella huida lo que se filtró, a la manera de un instantáneo intruso, en mi vida. No me importaban, sino secundariamente, los ecos suscitados por mi libro, los halagos, las alabanzas. No contestaba las cartas, ni siquiera abría los sobres. Tampoco podía fijar mi atención en el asunto que me ocupaba con Anselmi y Jiménez. Me perseguía la sensación de una insuficiencia. Algo se me escapaba, algo permanecía siéndome inasible. Ya, al final, era como si mi propio yo no se pudiera dar caza a sí mismo. Comía mal y andaba preocupado por aquella idea y me acostaba con esa obsesión y acabé por ponerme extremadamente insoportable.

Por aquellos días vino a vivir en la casa de pensión un pastor protestante, y debido a no sé qué malentendido casual tuve cierto mediodía un violento altercado con él. Era un hombre —había estado cinco años en Ciudad del Cabo a la cabeza de una misión— de maneras desconcertantes, tan pronto violento como timorato. Parecía tener rotos los resortes interiores. Me sentí apesadumbrado de mi dureza, culpable. La noche del altercado, al volver a casa, encontré en mi cuarto tres libros de gran lujo: una Biblia inglesa y dos comedias clásicas. Los acompañaba la tarjeta del pastor. En la tarjeta había escrito con su rotunda caligrafía británica: "Líbreme Dios de los mansos." Desapareció al día siguiente.

Yo no podía atraerla de su distracción. Estaba llamada demasiado fuertemente por el resto de lo que la rodeaba y se reía bastante de mi empeño, lo que contribuía a desconcertarme más. ¡Cuánta curiosidad y cuánta impotencia!

No se mostraba en modo alguno inclinada a recoger del tiempo más que los frutos cotidianos, sin que le importara unirlos entre sí. Seguro de que no valía la pena intentar desacomodar esa actitud, tan decidida y tan sólida, yo seguía aviniéndome a aquel constante andar de un lado a otro. Fuimos en unos cuantos días a yo no sé cuántos centenares de conciertos, conferencias, teatros, cinematógrafos, parques. De pronto, mientras estábamos oyendo en alguna parte música de cámara, se le despertaba alguna fantástica analogía y tal o cual trozo le traía un apetito de oler cedrón o de ver, en seguida, la forma de las hojas de un conífero. Había que salir en el acto hacia cualquiera de los jardines, cuya topografía conocía en la ciudad magníficamente. Era cuestión de no parar.

Durante dos días cayó sin pausa la lenta lluvia de octubre. Al tercero, aquella tarde, yo llegué hacia las seis a la casa de Mercedes. El cielo cubierto por el trapo gris mandaba al salón una luz tormentosa, densa y triste. Era la primera vez que la veía acostada. Estaba tendida a lo largo del sofá, leyendo. Su largo cuerpo laxo me pareció, en el reposo, más bello todavía y más remoto. Debajo del delicado traje blanco de entrecasa, se entreveía la camisola de seda rósea, la suave colina de piel en que el seno anuncia su división, mientras los muslos mantenían tirante la tela sobre ellos hasta el punto donde se marcaba, llena, la rodilla. Allí el vestido se abría sobre las medias fieles a la transparencia de la carne. Sobre la moqueta blanca había libros tirados, un vaso, cigarrillos y el último número de *Commerce*.

—Siéntese acá —me dijo y retiró el cenicero de vidrio del sillón de al lado.

Estaba leyendo una novela. Me la extendió, miré la carátula y se la devolví. Era de un autor desconocido. Llamó, apareció Carmen y le pidió que me trajera un poco de jerez. La criada desapareció; con su gordura de cuarentona apenas cabía por aquellas puertas modernas. Esperé a que volviera, a que, cachacienta, dejara sobre la mesa la bandeja con todo lo que traía. Me levanté y cerré la puerta tras ella.

—Procedimientos cautelosos... —comentó Mercedes.

—Hablemos un poco de usted y de mí —le dije.

Puso una cara de disgusto.

—No, por favor. ¿Vamos a estropear una tarde hecha para hablar de las cosas más lejanas, de las más inesperadas? No volvamos a esa estúpida plaza sitiada que es siempre uno cuando vuelve a confinarse. Usted pertenece a la clase de los confinados, confinado en sus cavilaciones, en sus ideas, en su pequeña isla de cultura, en sus insoportables caprichos, en sus manías, en sus costumbres. ¡Qué poco le gusta salir!

La miré sin decirle nada. Dejé que siguiera así, con la cabeza echada hacia atrás.

—Usted se empeña en estropear a toda costa nuestra camaradería —protestó—. Lo que la amistad procura en cuanto a riqueza y diversidad de sensaciones lo echa a perder el amor con su maldito mimetismo. Hasta el negociante más trivial tiene un alma diferenciada, pero cuando la une con su repentina pareja en eso que convencionalmente se llama amor, el fruto de la aproximación, en vez de ser una colaboración distinta, es la mezcla más monótona, más monstruosa y tristemente aburrida de dos productos diferentes en la misma malhadada pasta informe. No se haga ilusiones. El amor es una pérdida común de toda originalidad. Lo que más cuenta en la vida no es asociar, sino disociar. La fortuna amena es la del despilfarrador; la fortuna del avaro, que no hace más que asociar, es tan estúpida... ¿Conoce el resultado de las experiencias de Kohler con los monos? La inteligencia de los monos puede permitirse todos los lujos —hasta los más insospechados— cuando se trata de asociar rudimentos de ideas, pero cuando se trata de disociarlos están perdidos. Pueden llegar hasta una banana que cuelga de un árbol, después de haberse ingeniado para acumular cajones hasta llegar a ella; pero si la banana está detrás de un cajón y hay que separar el cajón, disociar ese obstáculo, ya son incapaces de dar un paso.

Me acerqué más a ella.

—¿Será posible que no sienta usted, por un solo minuto, la necesidad de fundirse con alguien?

Me miró sobresaltada.

—Claro que no. Claro que no.

Lo dijo con una energía extremada.

—Claro que no. ¿Qué quiere decir la palabra "fundirse"? Será buena probablemente para el estaño o el metal blando, ¡pero para un ser humano! Además, es algo demasiado anticuado, demasiado convencional, demasiado incómodo. ¡Abominable!

Hizo un gesto de indiferencia salvaje, como quien se sacude bruscamente de algo que le molesta, y cambió de posición en el sofá.

—Cambiemos de tema. Hablemos de esta novela y de las novelas. Mire, este es un libro escrito por alguien muy culto, extremadamente culto, que sabe escribir, indudablemente, hasta la prolijidad más perfecta, hasta no dejar ver ningún defecto. Cada párrafo del libro es una pieza individualmente delicada y, sin embargo, se desprende del libro una extraña insuficiencia, un no llegar a ser del todo. ¿A qué se deberá? ¿Pueden la sabiduría y la letra, cuando se juntan, conducir de repente a nada?

Había que hablar de eso.

—Es el eterno problema entre la razón y la vida. Hay hombres que se pasan la vida entera construyendo una cultura, una información general del espíritu, una concepción de la historia y de la sociedad. Y después se encuentran con que, cuando ya no hay tiempo de arreglar las cosas,

lo que no pudieron introducir en esa cultura es vida. Las
novelas que parecen más perfectas son las menos vivientes,
las grandes piezas plúmbeas, como la famosa *Mireya* de Mis-
tral —ese espantoso túmulo—, libro a los que van inmediatamente (y *únicamente*) atraídos los eruditos, es decir, los
seres más sin vida que existen en el mundo, las almas
clasificadoras, las almas jueces, las almas no actoras.

—Por un momento —dijo ella con un aire infernal de
burla— yo creí que usted lo era.

—¿Yo? —me escandalicé—. ¿Yo? ¡Gracias a Dios mi orden
es cierto desorden! No me hable usted de las almas sistemá-
ticas. Son lo más árido del mundo, aunque puedan ser a
veces lo más brillante.

—¡Cierto desorden...! ¿Está seguro de no jactarse?

Su cabeza riente estaba cerca de la mía. ¡Aquellos labios
frescos, húmedos, aquellos ojos brillantes, aquel cuerpo que
yo no sabía si era frío o tibio! Me miraba y reía. Avancé y
la tomé por los hombros y besé precipitadamente la boca
asombrada, entreabierta.

—Qué cosa tan inútil —dijo, sin el menor énfasis—, qué
cosa inútil —repitió—, que cosa inútil...

Llovía afuera y la oscuridad se había hecho mayor y no
se oía más que el mensaje del tiempo en el silencioso
anochecer.

Aquella fue para mí una noche de liberación.

X

Vino noviembre de Buenos Aires, con sus cambios de
tiempo, su glutinosa humedad, sus primeros calores. La
gente parecía salir alegremente a flote de un invierno protervo. La pequeña, profunda floración azul del jacarandá
semejaba ser la caprichosa fruta de la salud en la boca de
la capital. Estábamos muy contentos con los preparativos
para la aparición de la revista. Yo llegaba todas las noches
a mi cuarto, cargado de las más originales y raras publicaciones del género, y me pasaba horas estudiando el plan
a que se ajustaban y los aspectos que contenían. Por su
parte, Anselmi se ocupaba con tenacidad diurna y nocturna
de obtener algunos avisos. Tenía algunos parientes indus-
triales esparcidos por los pueblitos vecinos a la capital y
desaparecía desde la mañana para visitarlos e invitarlos a
contribuir con anuncios de sus productos. Smilovich, el
lloroso sastre de Jiménez, había sido el primer contribu-
yente. Su baratísimo aviso estaba redactado por Anselmi
como para hacer la propaganda del más famoso cortador

de *Old Burlington Street,* en términos hábiles y ¿mpulosos. El señor Johnson también nos dio un aviso de sus elásticos de metal, pero nos habló con mucha reserva del pésimo estado financiero de la casa que representaba, por lo que le hicimos de inmediato una excelente bonificación. Eran nuestras primeras armas en el terreno comercial.

Un mediodía nos reunimos nuevamente con Acevedo a almorzar, y de esa nueva conversación surgió el título definitivo de la revista. Resolvimos llamarla *El navío* para que el pabellón tuviera menos aire polémico y abarcara más público y diera la idea de un equipo en marcha pero no tan sólo político, sino de empresa literaria y moral. A la hora del café se nos reunió Blagoda. Iba a ser el secretario de la revista. Pequeño, desgarbado, de piel olivácea y grasosa, tenía un aire de recelosa desconfianza, un aspecto de agresividad arrebujada y lista para estallar. Extendía una mano viscosa, escurridiza, que no se dejaba retener. Sus labios mostraban casi de continuo un rictus dibujado a medias de desagrado y desdén. Cuando oía algo que no le gustaba, ese gesto comprimía la fisonomía entera en una desagradable mueca. Tenía unas manos de dedos arqueados y cetrinos acabados en unas uñas roídas. Por sobre las solapas del traje descolorido, poníale la suciedad en el cuello de una camisa espesas franjas parduscas. Nos asombró, pues, cuando dijo: "Yo quiero una copa de *champagne.* La tomo siempre después de las comidas..." Acevedo pidió, sonriente, *champagne* del país. Blagoda me echó una ojeada con el ceño fruncido.

—Somos bastante poca tripulación para *El navío* —dijo dirigiéndose a Acevedo. Lo dijo sin disimular su menosprecio.

—Y novicios —agregó.

Anselmi le preguntó brutalmente.

—¿Y usted de dónde sale?

Blagoda lo miró con odio desde el fondo de su acre suficiencia. No dijo nada. Después contestó, con gran calma, como quien habla al llano desde el séptimo cielo:

—¿Yo? Yo he vivido haciendo periodismo. Lo que pasa es que he vivido vendido a diarios donde no se me dejaba decir la verdad, ignominiosamente comprado como una mujer pública. No habría podido soportar mucho tiempo esa mordaza.

Se puso a hablar pestes del director del periódico donde había trabajado y luego de la familia del director y luego de las familias afines. Poseía una información prodigiosa de cuanto dato vergonzoso pudiera hacer falta para hundir a grupos familiares enteros. Y repetía esos datos con colérica fruición, con la cabeza hundida entre los hombros y los codos apoyados en los brazos del sillón, especie de animal sin cuello, de ojos insidiosos y veloces.

—¡Esos son los que creen en los pecados de la carne! —decía—. No saben que no hay más que pecados del espíritu (apuraba el champagne a pequeños tragos, como sorbos de reptil, con ligero ruido aspirante). No saben que no hay más que pecados del espíritu. El Director miraba a las mujeres que tenía empleadas en su diario con ojos de cenobita circunspecto, pero les mentía para convencerlas de que no debían aspirar a mayor sueldo ni a mayor libertad, porque tales licencias atan el alma a los bienes materiales... ¡Y él había vendido a su propia madre, la había dejado literalmente en la calle para que no se aferrara a los bienes materiales!

A mí aquel hombrecito no me gustó; pero Acevedo parecía tener hacia él marcada debilidad. Lo escuchaba y lo alentaba en sus protestantes peroraciones sobre los pecados del espíritu. Al tocarle el tema de la revista y de la crítica del país que encarábamos, se hizo en mí más firme la idea de que se trataba de un típico resentido.

Me puse a pensar que podría sacar a Blagoda del pozo, que podría extraerlo de ese abismo desde cuyo fondo gritaba.

Blagoda desarrolló una vehemente actividad durante los días que precedieron a la aparición de la revista. Su cerebro estaba en constante combustión y no parecía necesitar descansar ni dormir. De pronto se presentaba en mi cuarto a las seis de la mañana para contarme un tema de editorial que se le había ocurrido. O llamaba tres, cuatro veces por teléfono entre las once de la noche y las dos de la madrugada; apremiado, nervioso, ansioso.

Por momentos, una llama mística parecía encenderse en él y agitar idealmente su cuerpo desgraciado. Eran los instantes en que se redimía ante nosotros de sus odios viejos y concentrados. Anselmi se reía un poco de él, a sus espaldas, y le desconfiaba. Un día preguntó a Acevedo que por qué nos había impuesto un compañero de acción más parecido a un tarado moral que a un espíritu desinteresado. Cauto, Acevedo le contestó un "ya verán hasta qué punto su acción va a ser saludable". Acevedo nos pidió que le entregáramos a Blagoda, a fin de centralizar las actividades preparatorias, los artículos manuscritos y las ideas que se nos fueran ocurriendo. Blagoda no comentaba nunca esas entregas; sus facciones asumían por lo general un aire de fastidio, como si todo lo que se hablaba fuera obvio y él estuviera sintiendo la urgencia de pasar de inmediato a otra cosa.

Instalamos la improvisada redacción en un cuarto interior de la vieja casa de Acevedo. La casa quedaba en una de las calles adyacentes al Paseo Colón y el cuarto destinado a la redacción daba al patio de glicinas y al pozo.

Estábamos en las últimas semanas del año y había sombra y se sentía en el patio el olor precoz de los grandes racimos azulados. Llenamos las paredes del cuarto con grabados argentinos de todas las épocas, en los cuales aparecían escenas rurales y apacibles calles de provincia.

Casi todas las tardes, después de un rato de charla en la redacción, salíamos caminando por la ancha calle del sur, barrio industrial y pobre donde todavía se notaba al pronto la poética decrepitud de un viejo muro criollo con lindas balaustradas en lo alto. Con frecuencia nos quedábamos a comer un bife a caballo en alguno de aquellos bares de nombre exótico, donde se veían callados oficiales de marina mercante, gente rubia fumando en pipa y alguna que otra mujer miserable. Anselmi hablaba siempre con estas mujeres, movido por quién sabe qué recóndita vocación de camaradería. Ellas le hablaban primero con frialdad hostil y le hacían luego las confesiones más desconcertantes. Uno de esos bares, situado en una esquina del Paseo Colón, se llamaba *Lunamoon* — nombre en el que se había combinado la palabra inglesa con la española en su argénteo significado. Estaba atendido por un hombre locuaz y corpulento, que había sido sargento de gendarmería en los territorios y contaba innumerables anécdotas sobre la vida en esas latitudes indómitas.

En su cruel, acerada entraña, Buenos Aires oculta obstinadamente sus yacimientos humanos más complejos y más originales. La ciudad sólo muestra sus vegetaciones externas, tan monocordes e iguales entre sí, inconfesas, calladas. La piel de otras urbes extiende ante los ojos del caminante sus manchas de color, y aquí y allá es fácil presumir la existencia de tal o cual hábito diferente, vario, de conducta, de vida, de lengua; la piel de la nuestra, en cambio, no desarrolla sino su constante, pálido, único y reticente matiz. Parece que su ley mandara a sus habitantes tornarse todos iguales — todos blancos de silencio e interior desierto. Todo lo guarda su capa de optimismo y fuerza y viril denuedo; y entre tantos luchadores altivos e inconfesos, sólo de tiempo en tiempo se desliza, acusándolos como el tono blanco acusa en una tela la profundidad de la contigua sombra, un absorto, un triste, un espectro desencantado. He aquí una ciudad llena de hombres en busca de su voz. Ignoran los matices entre el grito y la confidencia, los grados que median entre la risa y el llanto; tan pronto parecen juguetones gigantes, como muertos. Muertos, eso sí, impetuosos; fantasmas corpulentos.

Fantasmas, ¿no lo éramos nosotros casi tanto? Yo, por lo menos, me hundía cada vez más en preocupaciones cuya radicación, cuyo polo estaban fuera del mundo necesario y cotidiano. Sumergido en la idea de lo que el periódico podía ser, en cuanto a proyección y sentido, casi no veía lo que pasaba contemporáneamente a mi alrededor. Mi cuerpo era como el lento resorte de un imperturbable sueño, de un sueño cuyo progreso iba sólo por el canal de los días y las noches.

¡Extraña melodía, el canto de la tierra en el interior del ánimo! Tan pronto ese canto arrastraba imágenes geográficas, presas vegetales, como los más diferentes y hermosos, ricos cuerpos humanos. Me proporcionaba un peculiar placer pasearme sin objeto y sin hora, solitario, por las calles más silenciosas —o por las más tumultuosas—, dar una especie de frutal presencia a la ilusión de grandes cosas, grandes encuentros, grandes posibilidades...

Blagoda trajo a las reuniones nocturnas en *Lunamoon* a su amigo el periodista Tauste. Eran íntimos pero se parecían poco entre sí; se complementaban. Tauste servía de eco opaco a la vehemencia de Blagoda. La recibía y le daba cierta resonancia; la retornaba más apaciguada; más verosímil, menos extenuada. Era una especie de regulador. Tauste me recordaba a un personaje de Baudelaire, Samuel Cramer, porque nunca había tenido más que ideas a medias. Semejante condición lo volvía, igual que al otro, "un ilustre desgraciado". Como no llegaba a comprender nada del todo, vivía en un melancólico viaje incompleto, en un constante ir hacia las ideas, sin esperanza de llegar nunca a ellas. Yo, por mi parte, llevé a un amigo a quien había frecuentado bastante en otras épocas, no muy inteligente pero dotado de una fuerte probidad intelectual, serio en sus conocimientos, preciso en sus informaciones: Lorrié. Descendiente de franceses, ambicioso, metódico, era lo contrario, en todas las manifestaciones de su vida, de un dilapidador. Era la mesura, el orden mismo, al lado de mi desmesura. Como los manirrotos de temperamento no soportamos a nuestro lado la silenciosa pero vigilante atención del puritano, nuestras relaciones no anduvieron brillantemente; fueron correctas, cordiales, basadas en una mutua estimación, pero no íntimas. Sin embargo, al pensar en la gente apropiada para *El navío* me acordé en seguida de él como de alguien, en cierto sentido, irreemplazable. Era un pilar, una especie de toro, entre el contingente de sutiles y quizá de débiles.

Héctor Lorrié podía resistir bien los choques. Con Tauste y con él, con aquel cerebro triste y con este ánimo sólido, sentimos nuestra redacción firmemente consolidada en cuanto a los tripulantes fijos de la empresa. Los demás serían francotiradores, escogidos entre los más brillantes.

Blagoda cultivaba el pesimismo como elemento de afirmación de sus propias condiciones, o sea para mostrar lo que los otros eran incapaces de hacer.

—Esto va a resultar un desastre —decía.

Sin intervenir en la conversación, pero parado ahí cerca, atento, el dueño de *Lunamoon* sonreía ante el pesimismo de Blagoda meneando la cabeza.

Lorrié, que tomaba en serio hasta las cosas más nimias, se ponía indignado.

—No veo a qué viene ese derrotismo sin pie ni cabeza.

—Ustedes duermen en la bruma —insistía Blagoda—. Les falta nervio. Debiéramos estar como una tropa de asalto y estamos como unos académicos cualesquiera discutiendo si es o no oportuno hablar contra la infiltración de capitales extranjeros.

Acevedo sostenía con razón que ante todo había que limpiar la casa por dentro. Que había que comenzar por sindicar lo que había de podrido en el reino de Dinamarca.

—Con una suavidad de señoritas —insinuó malévolo Blagoda.

Y estalló en una larga carcajada.

Entonces Anselmi se rio de él. Lo señaló, gritando:

—¡Atención al Hércules decepcionado!

Blagoda se hacía el sordo y seguía riéndose a carcajadas. En una de ésas, Anselmi llamó a una de las muchachas que comían en una de las mesas. La muchacha se acercó. Llevaba un sombrerito negro con una flor blanca y tenía los cabellos rubios y dos anchas áreas violetas en los párpados.

—¿Nunca has visto un energúmeno? —le preguntó Anselmi.

La muchacha miraba sin decir nada, inmóvil, inexpresiva.

Esas eran escapadas juveniles; eran la sonriente compensación en que el trabajo del día cambiaba al anochecer.

Lo cierto es que, en pocas semanas, habíamos preparado un material escrito equivalente a volúmenes. Nos gustaba acariciar en la redacción el alto de carpetas, las tres macizas columnas de papel escrito que se alzaban sobre la gran mesa, entre las tijeras y el engrudo, y que parecían madurar litúrgicamente en el humo del tabaco virginia.. (Jiménez fumaba aristocráticos *Muratti*; Anselmi, unos cigarrillos de tabaco habano envueltos en papel dulce de arroz.) La revista iba a tener cuatro territorios de combate, cuatro blancos en el horizonte de nuestra realidad: la política al servicio de los políticos, primer mal; el nacionalismo al servicio de los señores enriquecidos a costa de empresas extranjeras, segundo mal; la declinación de la conciencia civil, tercer mal; la violación y fatal quiebra de las categorías legítimas, cuarto mal: el más grave y generalizado de todos, pues es el que hacía posibles y tornaba impunes los demás. Acevedo y yo reuníamos el material de combate para este último objetivo. Estábamos contentos de tener artículos excelentes, desnudos, veraces, pedidos no sin temor de que resultaran pálidos o conciliadores o convencionales. Elegimos una presentación sobria, de contundente sencillez; una tipografía clara, rotunda, en armonía con lo que estaba destinada a decir. Los grandes caracteres del título se parecían a los de un pequeño diario suizo muy bien hecho. Eran altos y densos. No tenían más adorno que, al pie, una minúscula vela latina; una vela latina negra.

Las tardes comenzaban a ser calurosas. El cielo tomaba a veces un color tan blanco que no se distinguía de los últimos pisos de los edificios más nuevos. En cambio, en los jardines, en las plazas, los matices del verde variaban gloriosamente. Yo no entendía nada de árboles, y esto, en aquella época del año, me daba una vaga vergüenza; me sentía *déclassé* al lado de esa magna dignidad vegetal. Los miraba con fuerte sentido de mi culpabilidad. Todas las tardes, hacia las tres o las cuatro, salía a caminar con Mercedes. Pasábamos por la plaza San Martín. Ella me decía el nombre de cada árbol: me mostraba el aguaribay, las tipas, las araucarias, el ceibo. Eran árboles argentinos y me enorgullecía reconocerlos, tan magníficos y nobles en su alta carnadura señorial. Yo quería que el país fuera como estos árboles. Acevedo, Jiménez, Anselmi, Blagoda, Tauste, Lorrié y yo queríamos que fuera como estos árboles. No queríamos sino eso. No queríamos otra cosa. Ambiciones que contaran, no teníamos otras. Queríamos que el país íntimo, el país moral, el país humano, el país espiritual fuera como esos árboles.

Eran grandes, fuertes, dignos, imperturbables, aplomados, orgullosos y sin vanidad, como si el destino excepcional de su crecimiento no les dejara sitio para accesorias complacencias. Grandes, fuertes, dignos e imperturbables. Yo los miraba con emoción en la tarde de inminente verano. Mercedes se reía. No quería detenerse allí. Quería seguir. Quería dejar la plaza atrás. Quería avanzar, dejarlo todo atrás. Seguíamos.

Pero en el fondo, en el fondo último, en ese último,

pequeño cuarto del alma, allí donde estamos al fin solos
con nosotros mismos —sin nadie, solos; sin voces, solos—,
allí, lo que estaba era su imagen. Era usted la que vivía,
la distante. La que había pasado, lejos. La que se parecía
a aquellos árboles,

XI

Aquel año nos atrajeron poco las fiestas de Navidad. Yo
tenía fresco el recuerdo de la muerte de mi madre y el 24 de
diciembre comimos Anselmi y yo, como la generalidad de
los días, en un restaurante ordinario. El festival exterior no
nos contaba entre sus actores. Mercedes Miró estaba accidentalmente en el campo. Jiménez había desaparecido desde por
la mañana. Visitaba a quién sabe qué absurdos parientes — de
esos que lo veían llegar como al noble de palacio y guardaban silencio mientras él repasaba, parsimonioso, con el
pañuelo de hilo blanco, los lentes de intelectual. Jiménez
sabía a qué atenerse; en los días fastos le reservaban sus
mejores manjares, los pocos licores buenos de la alacena,
los cigarros escogidos. Anselmi y yo éramos los desheredados
de la fiesta.

Por la tarde hice un telegrama a mi padre, y regresé desde
el correo, conmovido y solitario. Recogí a Anselmi en el
Jousten Hotel, donde estaba discutiendo de política extranjera con un mozo prusiano, y juntos cruzamos hasta un
restaurante próximo. En ese restaurante, donde se comía más
barato que en el hotel, había un árbol de Navidad y muchos
mozos sin hacer nada y poca gente. Era como una isla.
Pedimos un poco de pavo frío y buen vino del Rin. Entró
un abogado joven a quien ambos conocíamos, se detuvo un
rato junto a la mesa y nos dijo que había pasado un año
malo y que esperaba que el próximo fuera mejor. Nos
deseamos mutuamente buenas fiestas y se fue. Se sentó a
comer solo en un rincón. Vestía traje de brin blanco y tenía
un clavel rojo en el ojal. El mozo trajo en un balde de
metal la botella alta y alargada, la abrió y nos sirvió. Brin-
damos en broma y nos pusimos a hablar. Anselmi estaba
leyendo un libro de Lugones: lo encontraba vigoroso y
pueril. Le pregunté que cómo podía razonar semejante oposición. Me explicó que en el libro, donde el autor describía
la guerra gaucha, la guerra salteña, el lenguaje usado estaba
en flagrante y cándida desproporción con el tema, y que lo
opulento, presuntuoso y sobreabundante del estilo ahogaba
por completo la potencialidad dramática de los episodios
contados. El libro poseía un vigor exterior. Yo opiné que toda

nuestra literatura padecía el mismo defecto, que su deficiencia consistía en ser una literatura eminentemente verbal, con excepción de Sarmiento, que había creado, él sí, nuestro propio lenguaje. Sarmiento era el fundador de nuestro idioma. Anselmi dejó el tenedor en el plato y levantó los ojos para protestar airado. "¡Escribía como un chileno! —dijo—. Su lenguaje fue el de un chileno. Y si lo hubieran dejado, habría hecho de media Argentina una nueva Capitanía General de Chile." Le dije que estaba diciendo estupideces. Me contestó que no. Empezamos a hablar de otra cosa; de la revista, de Blagoda. Anselmi tenía la firme convicción de que éste nos iba a traicionar, tarde o temprano. Yo no temía tanto, pero me molestaba su estructura de resentido. Anselmi insistió en que el tiempo le iba a dar la razón. Extrajo la botella del balde lleno de hielo y me sirvió y se sirvió. Luego comimos otra porción de pechuga blanca de pavo. El restaurante comenzó a llenarse de gente y los mozos entraron en actividad; el hombre que anotaba en un pupitre las adiciones simultáneas se mostraba impaciente e irritado.

Anselmi se empeñó en que lleváramos a casa una botella de Pommery o de Moët-Chandon para beberla a medianoche. Traté de disuadirlo, pero su inconmovible argumento estaba en un giro recibido la noche antes. Cuando acabamos de comer, compramos la botella en un almacén. Como el Moët-Chandon era más barato, Anselmi eligió el otro, el caro. Pero les dijo al dueño y al empleado del almacén que, por principio, no podía dejar de protestar a causa del precio. Que, por principio, se veía obligado a decirles que eran unos ladrones. El dueño —cuya calva pecosa lucía como si hubiera sido prolijamente lustrada— se puso rojo de cólera. La finísima red roja de los capilares se le hizo, en la nariz, una sola mancha indignada. Gritó, tartamudeando, que era más honrado que cualquiera y que nos desafiaba a que encontráramos un sitio donde vendieran el champagne francés más barato. Tomé a Anselmi por el brazo y lo empujé hacia afuera. Salió protestando vivamente, con la gruesa botella apretada contra el flanco. "La culpa de esto la tiene el gobierno", aseguraba. El gobierno era su chivo emisario. "Si yo fuera gobierno —decía— establecería precios rígidos y metería en la cárcel al que no los respetara." Se puso de mal humor y me comentó la fealdad de las mujeres que pasaban, y se quejó un rato, y luego se le pasó el mal humor y empezó a hacer chistes.

Era una noche muy cálida. Gruesos racimos de gente bajaban y subían desde el balneario. Nosotros subimos por la calle Leandro N. Alem. Aquella noche y a aquella hora, la calle Leandro N. Alem era un hervidero. Circulaban marineros, turistas y gente de pésimo vivir. Una luz corpórea y amarilla parecía aprisionada en los arcos, semejante a un cuerpo sensible aprisionado en un traje de piedra.

Cruzamos la calle Lavalle, luego la calle Tucumán, diagonalmente, y subimos al piso familiar. En los balcones había sirvientas y criaturas, pero el interior de la casa estaba casi desierto. Los ocupantes de los departamentos se habían desparramado en la noche de festejo. Toda la burguesía rica bebería a aquella hora en los grandes hoteles, y la pequeña burguesía en la costa del río y en los establecimientos del Balneario. Pero en todos esos sitios haría calor, y nosotros estábamos en un sitio privilegiado, en mi cuarto, con los balcones abiertos hacia las dos calles.

Encendí el calentador y preparé un poco de café. Me había olvidado de comprar azúcar; siempre me olvidaba de comprar algo; llamé a la sirvienta y nos trajo unos terrones sueltos, en un plato. La pobre muchacha tenía un aspecto de hambrienta y no parecía atraída por el esplendor de ninguna fiesta en particular. "¡Feliz Nochebuena!", nos dijo. Anselmi se levantó y le dio un abrazo. Aquella familiaridad inusitada le dio a la muchacha alguna vergüenza y después, de pronto, mucha risa. "¡Qué señor Anselmi —decía—, qué señor Anselmi!" Afuera se oía un ruido de matracas, de cohetes y los gritos de los calaveras de ocasión, trepados en vencidos automóviles.

—Me hartan estas fiestas —dijo Anselmi—. Parece que me pusiera frente a frente conmigo mismo y eso me produce una sensación muy molesta, porque no me gusta mi propia imagen. ¡Hay bestias que se complacen en mirarse a sí mismas! ¿Qué porción de disgusto, deformidad, vicio, insuficiencia, petulancia y mentira no se ocultan esos insensatos a sus propios ojos?

—No me explico tu resistencia a contemplarte —le dije en tren de broma—. Tienes una selva interior muy atrayente y que vale la pena explorar.

—Sí —dijo—, un bosque petrificado. Escapémonos hacia otra gente.

Escogió de la mesa un libro, lo abrió al azar y leyó en voz alta una página, con voz solemne y declamatoria. Eran *Las Enéadas*, de Plotino, en una edición económica.

"Los que han ejercitado las facultades humanas renacen hombres. Los que no hacen uso sino de sus sentidos, pasan a los cuerpos de los brutos, y particularmente a los cuerpos de las fieras si se han dejado llevar de los impulsos de la cólera; de modo que aun en este caso la diferencia de los cuerpos que

animan está de acuerdo con sus inclinaciones. *Los que no han buscado sino la satisfacción de su concupiscencia y sus apetitos, pasan a los cuerpos de animales lascivos y glotones; en fin, aquellos que en vez de seguir su concupiscencia o su cólera han degradado sus sentidos por su dejadez, se ven reducidos a vegetar en las plantas porque no ejercieron en su existencia anterior sino su potencia vegetativa y no han trabajado sino para volverse árboles. Los que han amado demasiado los deleites de la música y que además han vivido puros, pasan a los cuerpos de las aves melodiosas. Los que han reinado tiránicamente se vuelven águilas si no tenían, además, algún otro vicio. Los que han hablado con ligereza de las cosas celestes con los ojos siempre fijos en el cielo, son cambiados en aves que vuelan siempre en las altas regiones del aire. El que ha adquirido las virtudes cívicas, se torna hombre; pero si no las posee en un grado suficientemente elevado, se transforma en un animal sociable, tal como la abeja u otro de esta especie.*"

Dejó de leer en broma y pensó un instante, con los ojos bajos.

—¿No ves? —le dije—. ¿No ves hasta qué punto es espiritualmente útil haberse mirado a sí mismo y haber sacado las cuentas de nuestra porción de animalidad?

—Yo soy de los que han hablado siempre con ligereza de las cosas celestes y me incumbe seguir, según esto, un destino admirable. Esta brillante recompensa puede ser reconfortante para mí, pero deprimente para los virtuosos, a quienes de poco les vale sobre mí su virtud terrena.

—Llevarás a la región inteligible de Plotino la potencia de un protector de buenas causas.

—Sí. Seré una especie de soldado del Ejército de Salvación, con alas...

Pronto iban a dar las doce. Puse de lado las tazas. Me senté frente a Anselmi. Entre los dos estaba la mesa redonda, con su carpeta descolorida y su plato central lleno de manzanas y la lámpara y los papeles y los libros. El olor de las manzanas maduras pesaba en el aire. Tomé una y la mordí.

Anselmi volvió sobre el tema.

—Mi padre tenía tal vez razón al educarnos en la ignorancia de toda contemplación interior. Era un hombre fuerte, directo y simple, bastante limitado, a quien la vida había tratado bien. Pero las ruinas acumuladas en su torno por esos que se llaman "hombres sensibles" le dejaron los ojos abiertos ante ese peligro, que si era imposible para él, era posible para otras naturalezas. A mi hermana y a mí nos enseñó a mirar hacia fuera y a querernos poco a nosotros mismos. Yo creo que esto puede conducir —como era el caso de él— a querernos demasiado, pero creo que en mí la enseñanza ha sido saludable. De lo contrario no habría encontrado por todas partes más que invitaciones al suicidio. En cambio, ahora, como no me veo, como no me presto atención, las cosas no me conmueven demasiado.

Le dije que estaba haciendo mera literatura y seguí comiendo mi manzana. Estaba caliente y un poco pasada.

—Se va a calentar el champaña —le dije—. ¿Por qué no lo abrimos?

—Adelantémonos al rito —asintió Anselmi. Su sombra corpulenta se proyectó, partida en dos, en la pared. Comenzó a forcejear. El tapón saltó violentamente e hizo un impacto en el techo. Cayó un poco de espuma sobre la carpeta. Anselmi llenó mi vaso —el vaso común del agua— y luego el suyo.

—Estamos como Blagoda —dijo—. A puro champaña.

—Con la diferencia de que él no se avendría a beber esto sino en copa de cristal. Es un exquisito.

Los dos pensamos a un tiempo en sus uñas roídas, sus manos sucias, su pegajosa maledicencia, y lanzamos la carcajada.

—Salud —dijo Anselmi.

—Salud —dije.

Estalló la estrepitosa medianoche, la medianoche de Dios, y oímos en silencio las sirenas, los cohetes, el rumor de la muchedumbre desencadenada por un instante de cuidados, de vencimientos, materiales y morales.

Me levanté, apagué la luz grande y dejé prendida sólo la lámpara de la mesa. Por los balcones entraba el aire cálido y húmedo del verano de Buenos Aires, el aire bochornoso, blando. La Nochebuena se festejaba sin memoria de su sentido, como una ocasión anónima de alborozo colectivo y apertura de válvulas y descanso de la cabeza y los nervios. Sólo los gritos de las criaturas, el alarido de sus corridas al prender los cohetes y escapar, su pueril histeria, tenían en la noche cristiana el aspecto de no mentir con respecto a la condición de sus almas en ese día. No ocultaban su cándida declaración ante el tiempo, no pretendían pasar por mejores ni por peores, ni por malas ni por buenas; esas almas mostraban sólo estar atadas a la infinita desgracia biológica, a su accidental destino de matar o ser muertas, de sucumbir o perdurar, y a las iras o gozos propios de semejantes suertes.

Restalló, abajo, en nuestra calle, el ulular de una criatura bárbara y luego el estruendo infernal de mil bocinas animadas al unísono.

Por un instante. tuve ganas de llorar; en seguida me rescaté y bebí y olvidé las imágenes que acababan de acumularse en mi ánimo como una visita luctuosa. Y usted rozó de pronto la puerta de mi espíritu y entró. Y me pregunté qué haría y en qué sitio celebraría la noche, aquel minuto.

Anselmi volvió el balcón.

—El año que viene —le dije— habremos quizá hecho algo, no como al cabo de éste, cuya suma es un vergonzante fracaso. El año que viene, al menos, habremos dicho lo que pensamos; habremos combatido positivamente y estaremos algo más al día con nuestra obligación humana; habremos dudado, vacilado, recogido fuerza, afirmado y esperado en una forma concreta y positiva, por una causa, por una necesidad no animal, por pensar de nosotros mismos algo mejor que el modo como tantas cosas parecen obligarnos a aceptar.

—¡Qué sé yo! —dijo él—. ¡Qué sé yo! A lo mejor ni nosotros mismos tenemos salvación. Yo no debiera olvidarme de la lección de mi padre, para quien no hubo complejos de conciencia. Era un íntegro obrero. Cumplía con su labor material y lo espiritual estaba en paz. Así, aunque más no fuera, estaba seguro de no complicar más las cosas del mundo.

—Te ocurre al revés de las gentes. En lugar de andar buscando siempre justificaciones a tus errores, te pasas la vida buscándoles el lado malo a tus impulsos. Y sin embargo, eso, lo que te trae, es una contradicción. Porque si encuentras admirable en tu padre su dedicación total al objeto de su vocación, ¿por qué no hallas buena la tuya? En vez de simplificar las cosas, las complicas.

—Yo no tengo vocación definida —dijo Anselmi. Su voz era un poco amarga, ronca y viril—. Yo lo que tengo son ansiedades vagas, así como el enfermo que está en la cama, a quien se le ocurre de pronto que tendría que levantarse para arreglar algunas cosas que están mal en el mobiliario del cuarto de al lado; pero el cuarto de al lado está lejos y hay que levantarse y moverse; así que al fin, el enfermo se queda en la cama y sigue con su deseo vago de orden.

—Entonces lo que falla no es la vocación sino el medio, pues el deseo de orden es una vocación bastante concreta.

—Sí, pero tampoco sé claramente lo que es ese orden.

—¿Quién lo sabe? De antemano, nadie. Ni los grandes políticos ni los grandes artistas han pensado su orden plenamente antes de ponerse a realizarlo. El orden es una superestructura. Se articula a sí mismo a medida que lo alimenta su creciente adecuación a la realidad. Un orden pensado abstractamente en su totalidad es artificial e inservible.

—Pero si precisamente ese es mi defecto, ese orden pensado abstractamente.

—Entonces estaba mal el ejemplo del enfermo. Porque el que desea poner orden en el cuarto vecino tiene una idea sólida.

—No —me dijo Anselmi—, eso no está bien pensado.

—Sí —le dije—. Está bien pensado.

Volvimos a llenar los vasos y a beber.

Escuchamos una gran algazara en la calle. Nos asomamos al balcón. Un chico del quinto piso bajaba con ayuda de un hilo una enorme ave de papel, hasta ponerla casi en las manos de algunas personas que estaban en medio de la calle. Éstas querían arrebatar el ave de papel blanco. Gritaban los de abajo y gritaba el chico, arriba.

—¿No ves? —dijo Anselmi mirando hacia la calle—. A mí no me divierte nada de esto. Yo soy un hombre sin candor; he tenido una infancia de adulto.

Exhibía en aquel momento una expresión de verdadera pesadumbre. Lo golpeé en el hombro cariñosamente y me pareció en verdad un niño grande, al lado de quien todos éramos mayores y poseíamos una seguridad de la que él carecía. Pero entonces él se vio, se vio claramente en aquella situación que lo descubría ante mí, y tuvo una reacción.

—En cambio, tú —me dijo— eres inconsistente, dúctil, blando, y yo no sé cuál de las dos cosas será peor. Podríamos haber hecho en un país de cínicos un buen par de inválidos. . .

Me arrastró hacia adentro con su brazo de hierro. Echó el resto de la botella en los dos vasos, la besó y, sin dar un paso, la arrojó a la calle. Oí el ruido de los vidrios en el pavimento; luego una exclamación de protesta, un insulto.

Sonaron pasos en el corredor. Se abrió la puerta y entró Jiménez. Estaba ahí más pálido que nunca, impecable, ligeramente afectado en la actitud, con su traje gris perla y sus lentes.

—Llegas tarde —le dijo Anselmi—. Pero hemos bebido a tu salud.

—Hay cognac —sugerí.

—Demasiado fuerte para él —insinuó Anselmi sarcástico—. ¡Es tan sensible!

Jiménez no pareció atender a nada de eso. Esperó a que dejáramos de hablar, sin moverse, y luego dijo:

—Voy a traer a la señora Inés Boll. (Era la primera vez que la oíamos llamar señora.) Hace mucho que es vecina nuestra y nunca han cambiado una palabra con ella. Quiero que la conozcan. Ya les contaré después algo. Está sola y le hará bien conversar con nosotros.

Desapareció. Anselmi me miró perplejo antes de hacerme aquel signo de suspicacia. No tuvimos tiempo para más. Entró Inés Boll seguida de Jiménez.

Era una muchacha extremadamente bien vestida. Creo que contaría unos veintiocho años. Alta, delgada, con una expresión muy notable de desgaste moral en torno de los ojos y en las dos líneas que unían las alas de la nariz un poco curva con los labios algo grandes. No se podía decir que era bonita, ni lo contrario. Tenía no sé qué encanto simple. Se reconocía en ella a una de esas mujeres jóvenes de la baja clase media, inofensivas, dóciles y un poco esfumadas, que han sustituido las arriesgadas virtudes por un monótono eclecticismo de virtudes menores. Era así; pero no barata; no tenía nada de barata.

Estuvo todo el tiempo cohibida, lo que era natural. Queríamos saciar nuestra curiosidad de ella; Anselmi le preguntaba cosas de un modo directo y despiadado; Jiménez tenía que acudir a las respuestas con su impecable tacto de conciliador de corte. Jiménez y Anselmi no se apartaban nunca de su respectivo papel. El uno era la rudeza; el otro, el afinamiento. Me gustaba observarlos en ese delicado ejercicio.

Anselmi se ofreció a hacer venir del almacén de enfrente una botella de espumante. La "señorita" se opuso, pero él salió por un instante en busca de la sirvienta y volvió después, sonriente.

Preguntamos a la señora Inés Boll qué tal pasaba las fiestas.

Ella miró significativamente a Jiménez.

—Apenas me he movido de casa —dijo.

Nos contó que era dueña de una casa de modas y que había tenido mucho trabajo aquellos días. Nos dijo que su padre había sido un cirujano alemán que vino muy pobre a la Argentina y recibió durante quince años un sueldo de hambre en un hospital y se suicidó una noche en el baño. Ella era la única hija. Tenía entonces dieciocho años. Recibió ayuda de cierta familia alemana y en casa de esa familia conoció al hombre con quien se había casado y luego separado. La familia alemana tenía cerca de las barrancas de Belgrano una casa clandestina de juego.

Llegaron las dos botellas heladas y esta vez serví yo. Como yo tenía en mi cuarto seis vasos, no tuve necesidad de enjuagar los que habíamos usado y puse dos nuevos para nosotros y dos para ellos. Algo me anticipaba que debíamos acostumbrarnos a referirnos a "ellos". La señora Inés Boll examinó los detalles de mi pieza y elogió con timidez el retrato de un escritor, el vigor de su fisonomía.

—Como son los máximos egoístas —le dije— no es extraño que concentren en su cabeza el máximo de poder.

Inés Boll no pareció recoger la frase. Contestó a una pregunta de Anselmi, diciendo que su casa de modas estaba en la calle Charcas y que ella misma dibujaba los modelos. Los tiempos eran más difíciles que nunca y tenía que trabajar hasta el alba. Entonces contó la historia de los pájaros.

—Desde criatura yo quería tener una colección de pájaros vistosos. Verlos en sus perchas, sobre un fondo blanco, me parecía el más lindo espectáculo del mundo. Desde que vi por primera vez, a los ocho años, en la casa de un cónsul, un guacamayo rojo, azul y amarillo, pensé tener un día toda la variedad de esos pájaros. Yo no sé qué desgracia traían, ni si por un presentimiento los deseaba y me atraían desde chica.

Anselmi le preguntó muy animado si tenía alguno allí, en la casa. Ella lo miró pensando en lo que estaba refiriendo, sin parar mientes en la pregunta.

—Durante el viaje de bodas compré cuatro, muy hermosos, en el mercado de Río; y otro, el mayor y más regio de todos, en Pernambuco. Me encanta verlos moverse en la percha, con un fondo de iglesias barrocas entre negros y negras de medio cuerpo desnudo. Pero no me parecía que fueran tropicales; les veía un curioso orgullo natural — y luego, ¡qué brillo de casta! Siempre me han traído desgracia. Y no puedo resistirme a la idea de tenerlos; tal vez —el instinto me dice que va a ser así— cuando tenga unos cuantos que formen una familia de tipos, me resulten menos aciagos, menos sombríos.

La contemplábamos sin hablar, y entonces advirtió que había quedado un poco en ridículo. Se turbó.

—¡Dios mío, esto les parecerá risible! Yo quería contarles algo, y lo que he dicho, dicho así, resulta ridículo... ¡Qué ridículo!

Le aseguramos que no. Jiménez aseguró que no con más brío. Anselmi movió negativamente la cabeza con menos brío. Con verdadera erudición —aunque improvisada—, Jiménez hizo el elogio de los pájaros y contó, un poco a la fuerza —aunque con brillo—, el mito de la urraca ladrona. Con la salvedad de que éste era un pájaro inferior.

—¡Y tanto! —dijo Anselmi.

La señora Boll describió el enorme pájaro que tenía embalsamado en su casa de modas. Las puntas de las alas eran un prodigio. Pensaba en la posibilidad de poseer uno igual, vivo, con unas alas así. Anselmi levantó el vaso.

—Porque el año nuevo se lo traiga —dijo.

—Gracias.

Ella bebió por primera vez. Me fijé en la fisonomía preocupada que había detrás de su fisonomía amable y hasta dulce si no fuera por aquel apenas perceptible fondo serio.

Hablamos del festejo de aquella noche en los diferentes barrios. La señora Boll recordó las viejas calles arboladas de Belgrano, oscuras y llenas de amantes recientes.

—Yo me paseaba sola por la calle Arcos. Estaba aislada en el mundo después del terrible suicidio. Me parecía que debía intimar con el cielo, las piedras, el tiempo; eran mi familia futura.

Contaba las cosas más insignificantes con seriedad.

De pronto cambió su tono sostenido, lento, algo monótono, por una pregunta brusca.

—Señores, ¿no los canso a ustedes con esta charla?

Inés Boll era sufrida y modesta, lo que contrastaba sin duda con aquel arreglo cuidado y prolijo de su indumentaria. Me fijé en el cutis tirante y liso como la superficie suave de un yeso pulido. Ella vio que la observaba y me sonrió sin abrir los labios, con sus ojos grandes y tardos.

—¿Me encuentra parecida a alguien?

—No —le dije—, a nadie.

—Bueno —dijo—. Hasta pronto.

—Tenemos que ser amigos.

—Sí —asintió ella—. Claro.

Y era como si dijera: *Voy por el camino que me propongan. Qué más da, éste o el otro.*

No se fue sin agregar con cierta picardía:

—Como mi oficio es poner botones, espero que por lo menos se alegrarán ustedes de encontrar quién se lo haga.

Jiménez la acompañó, salió con ella del cuarto. "Ya vengo", dijo. El teléfono comenzó a sonar estrepitosamente en el corredor. Oímos que Jiménez atendía. Volvió a aparecer en el umbral de la puerta de mi cuarto, que había dejado abierta. "Te llaman." Anselmi necesitaba comentarlo: "La dueña de tus insomnios", me dijo. Salí y fui al teléfono. El corredor estaba a oscuras. Era Mercedes Miró, que quería darme sus buenos votos y me hablaba desde el campo a la hora en que las líneas están libres. Me preguntó en qué andaba y qué hacía y cómo estaba y dónde había ido y a quiénes había visto y si hacía calor y qué leía y qué había de política y cómo estaba mi ánimo y si no me parecía que el *Diario de viaje de un filósofo* era muy bueno.

Le contesté como pude que sí, que no, que sí, que sí, que sí, que no, que sí. Me confesó que prefería las noches al aire libre al *Diario de viaje de un filósofo*. Estuve de acuerdo. Me preguntó si hacía algo divertido, si escribía, si salía, si leía, si iba al teatro francés. Me dijo que me había escrito y se despidió. Habíamos hablado cinco minutos.

En mi cuarto, Jiménez conversaba con Anselmi a la sordina. Cuando llegué, él mismo cerró la puerta y nos reunió en torno a la mesa con cierto misterio.

—He hablado esta tarde por primera vez con esta muchacha, en las circunstancias más extraordinarias. Yo volvía a las ocho de Palermo. Tenía mucha sed y le pedí a la señora que me preparara un poco de limón con agua y hielo, y me senté a terminar unas notas. Creía que no había nadie más que yo en la casa, con excepción de la señora. Hacía una media hora que estaba trabajando, cuando oí un ruido de voces en el corredor; luego el golpe de una puerta al ser cerrada con furia. Los gritos aumentaron. En una de esas me levanté, abrí la puerta, estuve unos minutos escuchando. Sólo saqué en claro que hablaban una mujer y un hombre en el cuarto de nuestra compañera de casa, la "señorita" Boll, con quien yo, al igual que ustedes, no había cambiado nunca más que algunos tibios buenos días. Siempre me había parecido atrayente y un poco extraña. Volví a ponerme a escribir y abrí el balcón para ver si lograba neutralizar los gritos. De pronto se produjo en el otro cuarto un verdadero escándalo, oí el ruido de una caída y el grito de la muchacha como un aullido; un grito impresionante porque parecía el desagradable estallar de una queja contenida. Me precipité al corredor —la señora estaba ahí parada, encogida, temiendo algo— y abrí la puerta de la "señorita" Boll. Ella había caído sobre un sofá y el hombre, iracundo, me miró sin disimular el gesto con que acababa de golpearla. Era un hombre fornido, de nariz roma y boca carnosa y agria; vestido de negro como un viudo. Ella se incorporó y en vez de explicarme nada se encaró con el hombre y lo conminó a que se fuera. Yo nunca he visto una cara así, de muerta. Estaba demacrada, colérica, pero asustada. Fui a hablar con el hombre, a pedir no sé qué explicación, porque no sabía ni lo que iba a decir. Entonces me dijo: "Métase en lo que le importa, señor", y le tiré una bofetada y se me cayeron los lentes y vi turbio, y el hombre volvió a encararse con la "señorita" Boll y la amenazó con algo que no entendí y salió del cuarto. Ella se volvió a dejar caer en el sofá temblando, con los ojos llenos de lágrimas y un pañuelo en la mano y la vista fija en los techos que se veían por la ventana, por encima de los visillos. La señora, parada en la puerta, le preguntó tímidamente si quería tomar un poco de agua. Entonces la muchacha se paró y vino hacia nosotros como pidiéndonos que nos fuéramos, con el gesto de. cerrar la puerta. Seguramente vio en mí un interés franco por su situación, entonces modificó su actitud y cerró la puerta detrás de la señora y volvió al centro del cuarto y me dijo: "Son las cosas que pasan en la vida. Es mi marido, y después de nuestra separación estas escenas son frecuentes. No hay por qué preocuparse." "¿Por qué no? —le dije—. Al contrario." Allí, sin luz, me contó este episodio...

Jiménez siguió relatando la historia de la muchacha y el marido, que era un crápula jugador, un carrerista que había empeñado a los dos días de la boda todas las alhajas de ella, y que la redujo a una servidumbre ignominiosa y que quería seguir explotándola ahora con su casa de modas, establecida gracias a la ayuda de unos matrimonios alemanes. Jiménez se había interesado intensamente por ella, por su suerte, y, por la coyuntura del día que era, la invitó a salir por ahí a comer y ella aceptó. La señora Inés Boll le contó toda su vida. Anselmi preguntó si también lo de los guacamayos. "Eso no", dijo Jiménez; y lo miró con desconfianza. "Eres un cínico, querido." "Es una historia trivial", dijo Anselmi. Jiménez me siguió hablando de la muchacha, con vehemencia; de la triste situación de las mujeres sin hombres en la familia capaces de protegerlas. Los únicos parientes de la señora Boll vivían en Stuttgart y no los había visto nunca; eran unos pobres relojeros de extramuros. Jiménez sostuvo la necesidad de apoyar a esa muchacha. Estaba pálido y se puso a limpiar los lentes con el enorme pañuelo de batista.

—¿Qué será de la vida del doctor Dervil? —preguntó Anselmi.

Se habían acallado los ruidos de la calle. Todavía se escuchaban algunos, pero muy lejanos. Propuse que fuéramos a ver si el médico estaba en su cuarto. Los tres sentimos hacia el viejo una súbita ternura, y fuimos a ver. No había luz en el dormitorio de la señora Boll. Golpeamos a la puerta de la habitación del viejo doctor. No contestó nadie. Volvimos a llamar. No contestó nadie. Moví el picaporte; la puerta estaba sin llave y la abrí.

El doctor Dervil dormía boca abajo en su cama, vestido, en medio de aquel horrible desorden de papeles, recipientes, libros, muebles. Lo miramos cariñosamente. Estaba en mangas de camisa, con los brazos abiertos, exhausto, exhalando un ronquido bajo, abrazado a la cama, a ese pedazo de materia que la vida, en la Nochebuena, le cedía para que se aferrara.

Al día siguiente recibí la carta de Mercedes:

"*Los Nogales.*"

Concepción, 23 de diciembre.

Como en los membretes de cartas del Savoy de Londres o del Negresco, en nos membretes del papel lila de esta estancia verás los signos del teléfono y el telégrafo. Me sirven bastante menos que en aquellos sitios (si no fuera porque pienso llamarte mañana después de medianoche). Me sirve menos una vía de comunicación todavía más directa: la conversación en la casa blanca rodeada de nogales que marca, en este inmenso paraíso de quince mil verdes, el casco de la estancia. Apetito hacia estas gentes: nulo. El dueño de casa es una especie de prócer valetudinario que era abogado de unos ferrocarriles —de lo que no soportaríamos que nos contara nada— y que hoy dedica su ocio senil a la botánica — de lo que nos habla siempre con flagrantes equivocaciones y unos olvidos dignos de su importante volumen público. La señora —de una amabilidad enciclopédica porque sabe, al minuto, lo que hay que hacer para no dejar a la gente ver lo que hay en el campo de natural y de campestre— nos agobia con sus eternos cambios de vestidos y su constante alusión a las más insípidas cuestiones de familia. Y mi amiga Adelia Mairelles, hija y heredera, habla con una voz tan invariablemente impostada en el sexo, que dificulta todas las conversaciones. Eso, en cuanto a los dueños de casa. No hablemos de los huéspedes. Sería despiadado. Lo mejor que hay aquí es el campo, pero una no puede estar nunca a solas con él. En cuanto una se dirige a mirarlo, a reconocerlo, ya tiene encima una de esas voces que merecerían el papel Tanglefoot: "¿Qué piensa usted de los regímenes totalitarios considerados en su perspectiva histórica?" Yo, que no soy muy aficionada a las malas palabras, siento que vienen en mi ayuda hasta las más desconocidas y atrevidas desproporcionadas. Pero tengo que contestar otra cosa y esto me trae un gran malhumor. Resulta verdaderamente desagradable. Tampoco puedo hablar con los paisanos, la gente de la tierra, los peones o los tejedores de alfombras que vienen con su carreta a pararse desde la madrugada junto al cerco de pircas. En cambio, almuerzo con pickles, salsa de Lea y Perrins, Savora y tomo antes del almuerzo cocktails de tomate norteamericano. Todo es muy coherente porque es distinguido; y no hay nada de apariencia más coherente que una sólida distinción. Pero yo siento una gran necesidad de oler a solas las plantas, el verde; de estarme un día y una noche tirada boca arriba en el pasto y ver los cambios del color en el espacio que queda a mi estatura y en el cielo que no se parece nunca a sí mismo. Salgo temprano a caballo y al poco rato me alcanzan, me hunden en sus conversaciones, en sus recuerdos, en sus prejuicios, sus juicios y sus postjuicios, y en lo que hablan después de los prejuicios, de los juicios y de los postjuicios... El señor recién llegado me festeja y el señor que ya está por irse me odia. Adelia se indigna conmigo y luego me pide disculpas y se queda seria y silenciosa "porque no me comprende". Debo ser como el copto. Pero hay siempre el otro huésped, el que me persigue siempre para decirme que yo no soy como el copto, que soy transparente como el día, que si atendiera lo que me dice, si lo escuchara, vería qué bien me entiende. ¡Dios, qué fuerza es necesario tener para no empezar a dar patadas! Pero al dueño de casa, semejante actitud le parecería tan poco ponderable... ¿Por qué no la dejan a una vivir: V-I-V-I-R? ¿Por qué no la dejan a una ser como es? ¿Por qué todo el mundo quiere a una meterle sus juicios por las narices? Hay momentos en que la paciencia parece que ya no va a dar más. Entonces me pongo a leer alguno de estos libros pesadísimos que me ha prestado el señor recién llegado. Ayer he empezado con los poemas de Thomas Hardy. Me hartan. Me da rabia estar encerrada aquí. Y he prometido quedarme una semana más. Te envidio. Puedes hacer lo que quieras. Yo no puedo acercarme a estos árboles, hablar con esos hombres quemados por el sol desde el día del nacimiento, ir al arroyo que hay a tres leguas de la casa, ir a las mañanas, a las tardes, a las noches. No puedo hacer más que excursiones en automóvil, paseos a caballo; y abrir la ventana del cuarto, de par en par, cuando voy a acostarme, y salir a veces a caminar un rato por entre los nogales en la noche fresca, antes de que me llamen a comer. Te envidio. Hasta pronto. LOVE. Mercedes.

Di vuelta la hoja; pero no decía más que aquella palabra en inglés. De toda la carta era lo único que me estaba dirigido. Pensé que le habría parecido insincero escribirla en castellano.

XII

La ciudad parecía haber subido a una gran altura, a una incalculable altura en la atmósfera, y el aire se había enrarecido y refrescado, y daba gusto respirarlo en los paseos y en las calles. Era como un golfo delicioso entre dos extremos de pesadez irrespirable. Uno sentía el corazón ágil, la cabeza ligera, el cuerpo ingrávido semejante a un torso desprovisto de vísceras; uno salía a las plazas y abría los labios y respiraba, después de siete días de infierno sofocante, el nuevo aliento de la capital. Yo, aquellos días, casi ni trabajaba; prefería bañarme en el clima providencial, sentir el resplandor de ese ejército que venía a poner en fuga el bochorno. La sangre parecía querer ir a saltar, a libertarse y fundirse en la fresca liviandad de las tardes. En las calles céntricas, frente a los escaparates de las joyerías, de las tiendas, veía gran cantidad de turistas, vestidos con trajes de hilo blanco, y mujeres con aéreos trajes de *voile*. Nadie confiaba mucho, sin embargo, en el súbito alivio. Las terrazas de los cafés estaban llenas de gente. Por la noche se bailaba en el piso más alto de los hoteles, y la proa del Yacht Club entraba orgullosa en el río de aguas tibias. Comparable a una larga hilera de hormigas, lentos paseantes en fila india volvían temprano a la ciudad desde sus opuestas salidas, inversamente a la larga migración que durante el tiempo de bochorno se producía a la misma hora. Grandes multitudes agradecían a la ciudad su crédito de frescura, el alivio de unas noches perfectas. Pronto el calor de la estación iba a volver por sus fueros.

Uno de aquellos días de ameno y fresco paréntesis, recibí por la mañana la convocación de Acevedo. Íbamos a reunirnos esa noche en la terraza del Jousten. Era la última conversación antes de zarpar *El navío*. Me recordó que avisara a Jiménez y Anselmi y que fuéramos puntuales. Esto quería decir que, citados para las ocho y media, a las diez todavía estarían llegando algunos. Prometí ser exacto. Abrí mis papeles, me puse a trabajar en un artículo donde pensaba encarecer la urgencia de tomar contacto con nuestra tierra antes de pensar dar sangre a la historia, pues la comunión con nuestra geografía era una mera ilusión, y sin comunión con el territorio no hay grandeza posible en un país. La sangre se da a cambio de la grandeza de la *tierra*, la historia es estructura sobre la *tierra* propia. Y en nuestro país, el sentido de la tierra permanece invertebrado. Estos lugares comunes, todo el mundo parecía ignorarlos. Era menester volver sobre ellos como se reeduca el intelecto del hombre que después de un accidente pierde memoria y congruencia. Y lo que necesitábamos era, sin duda, el accidente, el choque con la realidad crítica, con el acontecimiento transformador. Lo que escribí no me gustó. Aunque estaba bien pensado, carecía de equilibrio.

Me bañé, me vestí y salí a la calle. Encontré a un amigo a los pocos pasos y nos detuvimos a conversar, mientras los que pasaban desviaban un poco su paso como las hormigas en marcha. Era un médico joven de la especie jovial, que acababa de llegar de Europa, y me contó su vida en Alemania con una muchacha de Berlín, y la deliciosa semana que pasó con ella en la Engadina. Me dijo que había visto allí los lugares en que paseó Nietzsche su tormento previo a la locura. Luego empezó a reírse a carcajadas evocando la ocasión en que nos habíamos conocido. Me despedí, seguí andando y entré en una librería de la calle Florida. No vendían más que libros franceses. Me acerqué al mostrador de novedades y revisé por encima algunos de los volúmenes recientemente llegados. Abrí un Maurras. No me gustaba ese hombre dotado de una lucidez fría, de pez abisal. Lo contrario de un Bloy, lo contrario de un testigo sangrante. Abrí una nueva historia de Juana de Arco y una edición muy hermosa de *Las Iluminaciones* de Arturo Rimbaud. En la página abierta sin pensarlo, estaban aquellos versos que, yo sabía de memoria: *Oisive jeunesse-a tout asservie-par délicatesse-j'ai perdu ma vie*. Entró una muchacha vestida de azul, con guantes negros y una gran cartera negra. Empezó a mirar los libros junto a mí. Tenía unos ojos alargados y una nariz regular, lo que la hacía parecer a las máscaras de la comedia griega. No se dignaba levantar los ojos de la mesa. Pidió en voz alta un absurdo libro europeo, un libro de ínfima categoría que se había vendido a millares. Pensé instintivamente en esa cosa extraña que es el gusto y que está antes y después de toda educación, así como el hermoso declive del monte nevado existe antes y después de ser descubierto. Ese juego natural de atracciones y resistencias, más seguro que el mejor de los razonamientos. La señorita pagó y se llevó el libro. Quién sabe; puede que ella —y no yo— tuviera razón: la mala literatura enseña a vivir; la buena, a abrir una grieta en el sueño. La buena literatura es un agente protervo, pero como el abismo, cuya atracción y cuya hondura son la voz más alta del paisaje.

El sol estaba alto. Yo tenía necesidad de pensar, de poner en orden algunas ideas, y decidí almorzar solo en cualquier parte. Llevaba en las manos, recién adquirido, el *Viaje* de Darwin, el relato de su navegación en el *Beagle*. Mientras me servían el almuerzo leí el relato de la llegada a una región del sur argentino. El restaurante tenía grandes ventanales rectangulares por donde se veía el bulevar. Enfrente vi las letras enormes con que anunciaban una nueva marca de cigarrillos; la calzada era muy ancha y circulaban en uno y otro sentido prietas filas de automóviles.

Acevedo, que presidía la mesa, me hizo un signo con la mano para que los que discutían se callaran.

—Lo peor que podría pasar —dijo— es que antes de empezar confundiéramos los terrenos que respectivamente nos corresponden. En este punto yo voy a ser intransigente. Y si no, todo se irá al diablo. No, no, no: que Tauste redacte lo que habíamos convenido para él, la *Oceanografía de los políticos criollos*, y que Anselmi haga sus medallones sarcásticos, y que Lorrié prepare cuidadosamente su *Balance* de las democracias de este siglo. No creo que Anselmi tenga razón. Creo que exagera su entusiasmo, con lo cual va a invadir perniciosamente la jurisdicción de Lorrié, que es mucho más técnica, mucho más científica y que requiere por lo tanto menos temperamento y más exactitud...

Anselmi protestó. Él no quería invadir el terreno de nadie. Ahora, que notaba con pena que grandes partes importantes del tema encargado a Lorrié quedaban fuera, a juzgar por el plan conversado. Pero se calló. No insistió. Siguió comiendo y fumando, metido en su arisco caparazón.

Había poca luz en la terraza y estaba con nosotros la noche. En la terraza se podía respirar aire puro y estábamos libres de las rebuscadas mayólicas germanas del piso bajo, de los obesos bebedores de cerveza de cráneo rapado y de los músicos especializados de nacimiento en *El Oro del Rin*. En la terraza no había más que algunas parejas anodinas y nuestra gran mesa adornada con algunas flores, los baldes de vino helado y las jarras panzonas de agua fría.

—Me alegra que desde el principio respetemos el orden —dijo Acevedo.

—*Nuestro* orden —corrigió Blagoda.

Anselmi no levantó los ojos. Pelaba con el tenedor un enorme langostín, antes de untarlo en la mayonesa.

—Anselmi tiene mucho apetito —dijo Blagoda.

—Sí, pero me lo curo comiendo. Otros se lo curan de otro modo.

—Hombre —dijo Blagoda—, cualquiera diría que se irrita.

—Me irrito cuando me pican. Usted habrá estudiado zoología. La secreción de ciertos bichos produce irritaciones locales. Claro que puramente epidérmicas...

Blagoda rió con todo su cuerpo. Miraba a Anselmi y se reía a satisfacción, a más no poder. Anselmi se volvió a Tauste, que estaba a su izquierda.

—Esto de mezclar el langostín con el pavo... —dijo.

Tauste se quedó serio y Blagoda siguió riéndose a reventar.

—¡Qué bueno —decía—, qué bueno!

—Basta de bromas —dijo Acevedo—. Hablemos de lo que

tenemos que hablar. — Todos lo apoyamos. Si no lo apoyábamos, quién sabe qué iba a pasar allí. Acevedo contó lo que pensaba decir en un editorial de veinte líneas. El editorial de veinte líneas había de ser compuesto en cuerpo catorce, e iría a encabezar el diario, con sangrado, debajo del título. Era una exposición de motivos, concisa y firme. Él mismo rectificó ante nosotros la frase final, dijo que quería hacerla menos literaria, más neta y directa. Preguntó si alguien tenía algo que objetar. Nadie objetó nada. Sacó del bolsillo una hoja de papel y anotó algo y la volvió a guardar. Luego dijo que a Blagoda como secretario le correspondía un suelto importante, y como sabía que lo había escrito ya, quería que lo leyera. Blagoda dijo que eran consideraciones de carácter muy general que después completaría.

—Lo damos por aprobado —dijo Anselmi con sorna.

Hubo un movimiento de incomodidad y de desaprobación general.

—Estamos hablando de esto seriamente, Anselmi —le dije.

Se sonrió, pidiendo excusas. Era muy simpático, y los demás también se rieron.

—Lo leeré a los postres —dijo Blagoda.

Con su gravedad y su ritmo lento y pausado, Lorrié propuso algunos argumentos para futuros artículos. No nos parecían ni útiles ni capitales, a pesar de ser razonables. Aceptó con calma la opinión adversa y volvió a su sitio de espectador. No sé qué enfermedad al estómago le impedía probar otra cosa fuera de aquel caldo frío y aquellos grandes vasos de agua mineral. Era, en puridad, la nutrición justa para un cerebro teórico.

—Aquí se come de un modo infame —dijo Jiménez.

Ninguno de los que estábamos allí era lo que se llama un *gourmet*, y la afirmación de Jiménez pareció inoportuna y desconsiderada.

—No se alarmen —dijo Anselmi—; no se trata de un exquisito, ni de un artista de la boca, ni de un gran cocinero, sino simplemente de un protestador profesional. Si hubiera sido lo primero, habría pedido estos langostines en lugar de ese bife frío que está comiendo.

—Al contrario. En esto es en lo que se prueba la cocina. En la preparación excelente de las materias más simples. Los langostines con mayonesa son un plato de señorita o de frecuentador de restaurantes dominicales.

—¡Envidia!

Cuando trajeron la fruta, exhibió Blagoda sus papeles. Eran unos borradores oscuros escritos a lápiz.

—Empiezo —dijo. Y leyó con voz precipitada.

"Basta. He aquí una palabra. *Basta.* Es más que una palabra: es una decisión. Una expresión de voluntad, una expresión de energía en acción. *Assez.* Ya es bastante. Ya es demasiado. Es —gentes jóvenes que nos escuchan— el verbo de *no querer más.* ¡Basta! Queremos poner aquí, en nuestra proa, esta palabra, esta sola palabra. *Basta.* Esta no es una palabra para capitalistas. Esta no es una palabra para especuladores. Esta no es una palabra para los que juntan cualquier cosa (monedas, intereses, bibelots, honores, títulos o porquerías). Esta no es una palabra para los que quieren cosas buenas, amables y cómodas. Esta no es una palabra para señoras o histriones o intrigantes. Esta no es una palabra para los que presencian la farsa dirigiendo, gozando y aplaudiendo; esta no es una palabra para ambiciosos de ningún género. Esta no es una palabra para políticos de ninguna latitud. Esta no es una palabra para duques, charlatanes, oradores, beatos, hipócritas e imbéciles. Para todas éstas especies no es esta la palabra. Para todas esas especies la palabra es otra. Para todas esas especies la palabra es muy diferente. Para todas esas especies la palabra es: Más.

"*Basta* es una palabra para nosotros. *Basta* es la palabra que queremos. *Basta* es la palabra que escribimos aquí, a la cabeza de este periódico, que no es un periódico, que no es un periódico para aquellas especies. *Basta* es una palabra de gente joven. *Basta* es una palabra para intransigentes. *Basta* es una palabra para gente honrada. *Basta* es una palabra que viene bien a los limpios de intención. Ellos son los que la esperan y para ellos la inscribimos aquí. Ellos y nosotros estamos unidos por esta palabra.

"*Basta* es, pues, nuestra voz, nuestra palabra de orden. He aquí que no empezamos por lo que se empieza generalmente: por un mar de palabras. Empezamos por una sola palabra. No por un mar: por una sola palabra. No necesitamos por ahora más que una sola palabra. No necesitamos vivir en la Babel habitual, en la confusión más caótica de términos, en el hervidero de vocablos podridos, en la olla común de los conversadores, de los falsos, de los energúmenos. No necesitamos más que una palabra que barra con las malas, que barra con las ficticias, que barra con las convencionales, que barra con las fraudulentas, que se oponga categóricamente a los equívocos verbos. No necesitamos más que una palabra unívoca. No necesitamos más que la palabra: *basta.*

"Ella, a nosotros, también nos basta. Ella basta para decir lo que basta. Para decir hasta aquí y no más. Para decir: *Quosque tandem?* ¡Basta!

"Basta.

"Basta de muchas cosas. Basta de todas las cosas que iremos, a lo largo de nuestros números venideros, enumerando. Basta de abuso, basta de estupidez entronizada, basta de delictuosos pactos de pequeños *estados* personales dentro del gran Estado; basta de políticos, de explotadores, de cínicos con poder y de poderosos con cinismo; basta de torpes arriba y de auténticos abajo. Basta de descomposición pública. Basta de desconocedores del país moral, con mando en el país político. Basta de hijos bastardos del país espiritual, con voz en el país ostensible. ¡Basta de todo eso!

"Basta de otras cosas. Basta de muchas otras cosas más. Basta de lo que nos empequeñece y nos envilece como nación. Basta de los que nos reducen a su medida, que es pequeña; a su idioma, que es precario; a su salud, que está contaminada; a su moral, que es abominable; a su poder, que está basado en el convenio de comité; a su dinero, que viene de malos juegos; a su idiosincrasia, que es grosera; a su cultura, que es torpe; a su vocabulario, que es estólido; a su estilo general, que es el estilo general de una gran indignidad de conciencia.

"¡Basta de todos ésos!

"Vamos a usar esta palabra. La vamos a blandir. La vamos a tener en la boca. La vamos a tener en la mano. La vamos a tener en la conciencia. La vamos a tener en el intelecto. La vamos a tener en el corazón. La vamos a tener incluso en la corriente de nuestro sueño, que tendrá por características el ser sueño de unos hombres a quienes importa llenar el insomnio con algún adelanto para los otros, para los que no pueden dormir —mereciéndolo— a causa de una o de otra injusticia. Vamos a llevar esta palabra adentro. La vamos a sacar siempre que haga falta. La vamos a tener limpia y lista como la espada de acero que vela el rápido reposo del militar. La vamos a cuidar como cosa sacra. Como cosa que no se va a malemplear. Como cosa que merece fe, que merece sacrificio, que merece una dedicación no verbal. La vamos a tener como la salud de nuestro cuerpo, pero no la salud a cubierto, sino la salud arriesgada y a la intemperie.

"Ese es el modo como vamos —gentes jóvenes que nos escuchan— a pensar, a orar, a exclamar, a gritar la palabra *basta.*"

Había leído las últimas frases en voz baja y se calló. Bajó los ojos y guardó el papel. Era la primera vez que lo veía silencioso y concentrado. Era la primera vez que me parecía sincero. Era la primera vez que me parecía no mentir.

Miré a Anselmi y lo vi dispuesto a atacar. Esperé. Hubo una de esas miradas generales y entrecruzadas que se producen cuando todos tienen algo que decir y esperan quien diga la primera palabra.

Acévedo también esperaba.

Jiménez bebió el último trago rubio de su copa, miró a Anselmi y dijo:

—No está mal, ¿pero cuál es el defecto?

—No tiene defecto —afirmó Tauste—: Es espléndido.

—Tiene defecto —contradijo Jiménez—. ¿Cuál es?

—Yo encuentro que está bien —dije—. Es el preludio, bastante justo de tono, bastante enérgico, a lo que después será, en vez de entonación, precisión, detalle, ajustamiento.

—No —insistió Jiménez—. Es demasiado oratorio. *Ça tourne à l'éloquence.* Huyamos de este horrible peligro: la elocuencia.

Intervino Acevedo.

—No —dijo—. Eso es injusto. Tiene el tono de combate, el tono de la concitación, que no puede ser sino así.

Pregunté a Anselmi y a Lorrié lo que pensaban. Blagoda miraba en torno, con las dos manos cetrinas con las palmas hacia abajo sobre el borde de la mesa.

—Apruebo —dijo Lorrié.

—Está bien —abundó Anselmi.

Todos deseábamos el combate y, en el fondo, aquel tono de concitación nos gustaba.

Las parejas de las mesas de al lado nos observaban con sorpresa.

Tauste, a través de la mesa, hacía a Blagoda gestos muy expresivos de aprobación, de adhesión. Alzaba las cejas como diciendo: "Pero si es evidente. La cosa se tiene por sí sola. No hay ni que apuntalarla." Jiménez dijo: "Bueno, bebamos a la salud de nuestra palabra."

—Yo voy a decir más —dijo Acevedo, con la copa en alto, mirándonos en el espacio de la pausa, antes de proseguir—. Yo voy a decir más. ¿Por qué no hacer que esa palabra sea el nombre del diario? *El navío* es demasiado académico, demasiado bonito. ¿Por qué no llamarlo, lisa y llanamente, *Basta*?

Sí, estaba bien. Todos pensamos que estaba bien.

—Me parece bien —decía Blagoda—. Me parece muy bien.

Entonces bebimos.

—Claro que este vago proemio no es más que eso, como bien lo ha dicho, un vago proemio. Ustedes pondrán los puntos sobre las *íes*. Dirán qué es *lo que basta*.

—Por supuesto.

—Por supuesto.

—Bueno, *basta* de eso —dijo Acevedo—. A otra cosa.

Nos habló de los tipos de letra —unas bastardillas— que había encontrado para los medallones que haría Anselmi.

—La bastardilla es un tipo débil —dijo Anselmi—. Es como para gacetillas en voz baja.

—Prefiero una negrita —insinuó Jiménez—, una tipografía viril.

—Por Dios —dijo Acevedo—. No hacer cuestión de letras. Si de algo entiendo...

—¡Basta! —dijo Blagoda.

Llegaron las doce. Nos levantamos con aquella palabra en la boca. ¡Basta! — decíamos con un aire de ironía sarcástica a los que bajaban en el ascensor. Nos miraban como a locos o a ebrios. "¡Basta, basta!" Bajamos en grupo por el ascensor hasta la planta baja y luego por la escalera hasta el bar del subsuelo. "¡Basta!", dejaba caer alguno, riendo, entre las mesas.

Un hombrecito de pequeño bigote rubio se indispuso porque Anselmi le dijo la palabra demasiado vivamente. El hombre dejó su *chopp* y se levantó como espuma, airado.

—¡Falta civilización! —dijo en un español dudoso—. ¡Falta civilización!

—Pero señor —le dijo Anselmi, deteniéndose junto a la mesa—, acabamos de encontrar una voz de orden, un grito de guerra, y ahora que vamos a prestar al país un gran servicio se indigna usted, así.

—¡Falta de civilización! —recalcó el hombre. Estaba congestionado, con los ojos fuera de las órbitas, parado en la punta de los pies, iracundo como un gallo de riña.

Anselmi siguió caminando y se rio, divertido. Blagoda también. Todos.

XIII

En el fondo de mi corazón yo estaba solitario. No me podía soportar a mí mismo, y estaba solitario. No podía soportar lo que hacía. Lo que hacía se me antojaba demasiado poco, y no me parecía merecer mi estimación. Un país nuevo en declive requiere nuevos hombres ascendentes. Yo no era uno de ellos. Yo no trabajaba bastante, no producía bastante y, además, era un literato, lo que equivale a decir, una madeja de hilo tan delgada que es prácticamente inútil. Claro es que los demás, los útiles visibles, también son inútiles; inútiles las largas cadenas de soñolientos profesionales, de hombres en función de exteriores funciones, inútiles las vegetantes mayorías. Yo me sentía lejos de toda fertilidad posible, sin siquiera lazos humanos bastante fuertes, resistentes a las contingencias, los desalientos y los fracasos. En el fondo de mi corazón, yo estaba solo.

Algunos días, ante el papel, trabajaba sin descanso, desde el amanecer a la medianoche. ¡Me sentía tan exaltado y tan necesitado de comunicar esa exaltación; me sentía tan lleno de dudas y con tanta necesidad de comunicar esas dudas; me sentía tan habitado de esperanzas y tan necesitado de comunicar esas esperanzas! Trabajaba. Al cabo del día releía las páginas escritas y me parecían nulas. Estaba seguro de que iban a atraer aplausos sobre su espontáneo, vigoroso ritmo — ¿pero es que suplían esos aplausos la vocación esencial de comunicar a los otros el grano útil, la nutritiva porción? ¿Hasta qué punto no era todo eso más que la liberación más o menos pura de un exceso personal de inquietud? El periódico de combate no era todavía más que una pequeña esperanza de acción. Por instantes, en esos lapsos de duda, lo que me traía más aliento era pensar que según la famosa progresión platónica, la cura del alma, y por consiguiente su común eficacia, se estructura en un escalonamiento gradual que va desde lo más bajo hasta lo más alto, desde el amor a las cosas bellas hasta el más alto amor inteligible. Pero a los veinticinco años las compensaciones metafísicas no son una compensación famosa. Las compensaciones verdaderas nos vienen directamente del resultado de la acción, directamente desde la raíz de la experiencia. Por otra parte, cómo podíamos actuar sino mediante una acción específicamente intelectual, dado que no sólo nos daba náuseas la política, sino que los cuadros, los partidos, estaban podridos hasta la médula, y de su primitivo dogma sólo ofrecían una cantante nulidad.

Por aquellos días yo soñaba con verla a usted. Verla me proporcionaba una misteriosa plenitud, una suerte de gracia, si bien lo misterioso de ese beneficio no era tan gratuito o abstracto, sino una forma de maciza presciencia, como si en usted sintiera yo que habría de leer los elementos de certidumbre que me faltaban. Recorrí por la mañana y por la tarde muchas veces los sitios en que la había visto, las últimas cuadras de Florida hacia la plaza San Martín. Nada. No sabía siquiera si estaba en Buenos Aires, si habría partido en tal o cual viaje.

La mayor parte de la gente me interesaba poca cosa, o nada. Así como en el poema de Tennyson tienen los montes declinación y mortal ocaso, la masa de facciones y almas en serie provocaban en mí una grande penumbra, una sed de dejarlos pronto e ir en busca de las índoles lúcidas, en busca de la raza de los que ascienden por dentro con el solo goce y la sola fuerza de su propia infatigable resistencia a la disolución y los externos obstáculos. ¡Ah, estas minorías, qué contadas son y qué nutrición necesaria! En torno a mí, todo era familiar y un poco lento. La urgencia de respirar aire nuevo me llevaba a veces a largos paseos por el recinto de mi soledad. Allí no había de consolador más que las aspiraciones, pero un bosque poblado de apacibles pinos es buen sitio para descansar de las palabras.

En siete días de encierro escribí un largo relato. Era la historia de una pareja que vivía en el polar aislamiento de un valle de altura y a la que al cabo de algunos años la soledad acababa por enmohecer y dividir. El lento proceso del odio, el nacimiento del hongo árido me produjo, al describirlo, una gran desesperación, una fuerte y triste amargura. Como nunca, reclamaba mi entraña el calor del afecto.

¿Qué pensaba entre tanto Mercedes Miró, qué parte tenía yo en el ánimo de Mercedes Miró? Yo mismo volvía la espalda a esas preguntas. La respuesta era demasiado obvia; ni siquiera valía la pena pensar en ella.

Tuve largas conversaciones, largas caminatas con el doctor Dervil. Su riente infortunio era extremadamente sedante. Uno aprendía de él a pagar poco por los bienes del planeta, a mirarlos como se mira en el suelo al trozo de vidrio inservible, que ni altera ni interrumpe lo que vamos contando. Lo invité varias noches a comer y me contó sus aventuras de estudiante. Le aconsejé que escribiera sus memorias. "¿Escribir? —me preguntó asombrado, con aquelllos labios casi resecos por el uso de los años—. ¿Darme yo a mí mismo esa licencia?"

Sentí un retrospectivo pudor.

La literatura de Blagoda cambió nuestra actitud con respecto a él. Aunque personalmente no nos gustaba más, vinimos —lo que era saludable, puesto que siempre es saludable volver a las verdades simples— a la reflexión de que en el espíritu joven menos claro arde una llama profunda, una llama que puede estar muy oculta, muy recóndita, muy cubierta de sombras, pero que es, allí donde está, en su remota región, quemante y fidedigna. Eso es en todo hombre joven su porción íntima de verosimilitud. Cuando la vida sobreviene después con su red compleja de precios y tentadoras propuestas, otros fuegos arden, y la llama fidedigna se empequeñece y acaba. (¡Felices los que puedan alzarla en el hogar de sí mismos por sobre todos los otros fuegos!) Sin embargo, a los pocos días de la lectura de su suelto, Blagoda propuso otro artículo, y en ése no pudimos dejar de ver una sombra de personal amargura, una pequeña vegetación nociva, como esas oscuras vegetaciones, apenas perceptibles para el lego, que aparecen como un nefasto signo en las radiografías. Anselmi aprovechó esa ocasión para llevarle una carga en *Lunamoon*, donde se había hablado de la cosa; Jiménez contrajo los labios sin decir nada, con ese gesto que le conocíamos bien y que quería decir: "yo desconfío".

Pero los jóvenes movimientos de reivindicación no se forman con puros integrales, puesto que los puros integrales no existen. Los movimientos de reivindicación tampoco se forman con petulantes y con soberbios: éstos son los que nutren los falsos movimientos aristocráticos, las reacciones de casta, que son siempre efímeras porque tienen en su raíz un promotor egoísmo. Los verdaderos movimientos de reivindicación se forman con hombres que sienten violentamente la justicia, que sienten la justicia como una pasión, como un fervor de la sangre. Éstos son los hombres esencialmente *útiles*, colectivamente *útiles*, y su parte de validez consiste en lo insobornable de esa voluntad libre, de justicia. Semejante voluntad, Blagoda también la tenía. Semejante voluntad de justicia era lo único que teníamos, los del grupo, en común.

Una tarde en que iba yo a la imprenta encontré a Blagoda en el parque Lezama. Dejamos atrás los inmensos troncos, los mármoles pacíficos, los fríos bancos sin respaldo, la vieja fronda compacta y olorosa, la iglesia rusa en cuya escalera de entrada mil veces habíamos visto los polvorientos frescos ortodoxos.

—Ustedes me son hostiles —dijo Blagoda a quemarropa, refiriéndose a Anselmi, a Jiménez y a mí—. Ustedes desconfían de mí.

—No —le dije—. Lo que pasa es que usted es un hombre acerbo y sarcástico a quien es difícil interpretar con claridad.

—¿Cómo vamos a trabajar juntos, entonces? —preguntó.

—Somos solidarios con usted. Sabemos lo que debemos hacer. ¿Qué importa tal o cual peculiaridad personal? No nos han hecho a la medida de nuestras preferencias.

—Eso pienso yo —dijo él.

—Lo que cuenta es el punto en que nuestras preferencias se hacen una sola cosa.

—Naturalmente —dijo él.

Arrancó una hoja de la rama baja de un plátano.

—Naturalmente.

XIV

Mercedes Miró bajaba a la siesta la gran cortina verde nilo. En el salón quedaba una sombra blanca y fresca. El salón parecía uno de esos cuartos coloniales de magistrados de la India, con su cal desnuda, sus prácticos adornos y sus muebles severos. Todo era allí de una estrictez confortable; las cosas estaban dispuestas por una mano de excelente gusto. Junto a la mesita próxima al sofá de lana blanca, Mercedes estaba sentada sobre la alfombra. Habíamos bebido café. Nos habíamos visto mucho durante los últimos tres días. No habíamos hablado una palabra de nosotros — sino de todo, del universo, de los más nimios y fortuitos objetos. Todas mis preguntas eran vanas: se rompían en el mismo muro riente, elástico y exclamativo. Yo fingía la más normal de las resignaciones, a fin de no turbar aquel aparato de precisión que era su juego absoluto con los accidentes exteriores. Pero por momentos me indignaba, me exacerbaba. Esto le causaba desconcierto y asombro. Era tan sincera, que mi irritación se abatía pronto. Entonces me quedaba callado: la veía moverse, la oía hablar. Me gustaban indeciblemente aquellos ojos grises en la piel intensamente morena. Me gustaba la elegancia viva con que toda ella se movía. Me gustaban su cabeza, sus piernas, sus manos — sus manos, que no sabían agarrar las cosas de puro agarrarlas fina y rápidamente.

—Yo quisiera escribir un libro sobre tú y yo —le dije—. Lo llamaría *Historia de dos — o de la inutilidad.*

—¿Otra vez? —dijo ella. Tenía los ojos vueltos hacia la biblioteca blanca de la izquierda.

—O *Historia de la inutilidad de dos en compañía.*

—Yo no entiendo cierto modo de manejar las palabras. No sé, por ejemplo, lo que quieres decir con la palabra *inutilidad.* En primer lugar, ¿quién puede creer en la utilidad de las vidas y de las relaciones entre las vidas? Pueden ser de todo, menos útiles.

—Quiero decir fertilidad.

—La fertilidad es otra cosa —convino—. La fertilidad es *hacer* algo, dar algo material y concreto. Hacer una obra o una criatura, abrir un túnel o tener un hijo. Eso es la fertilidad. Pero si a mí me gusta tu boca y a ti te gusta mi modo de decir cosas insulsas, eso crea una relación bastante impropia para la fertilidad; y no podría ser de otro modo. ¿Para qué pedir a las cosas más de lo que las cosas naturalmente pueden dar?

—No —le dije—. La fertilidad no tiene que ver sólo con la producción de frutos concretos; es también, en cualquier relación de dos, algo que, por haber llegado a ser tan fuerte, la coloque por encima de la ruina en que entramos por nuestra soledad todos los días.

Negó: —No, no. Es la eterna tendencia a llamar a las cosas con abstracciones. "La fertilidad" es una abstracción. ¡Qué inexacta y qué aburrida abstracción! Tú tienes esa tendencia y te hace un mal que no te imaginas. La vida no es ninguna abstracción y no está llena de abstracciones. La vida está llena de hombres, de mujeres, de frutos, de vegetales, de minerales, de animales y de objetos. Cuando yo digo que me gusta tocar la piel del elefante, no digo una abstracción: es que me gusta tocar la piel del elefante. ¡Hay tanta gente perdida por las benditas abstracciones! ¿Por qué no te acercas y me tocas? Te gusta más la abstracción de mi piel —tu idea platónica de mi piel— que mi piel misma. ¿No es una enormidad...

Me senté al lado de ella sobre la gruesa alfombra. La besé, divertido, en los labios.

—...y una extravagancia?

Era de buena fe en su no querer dar más de sí, pero no era de buena fe en su argumentación. Se lo dije. Cada vez estaba más asombrada, más recalcitrante.

—¡Qué aburrido! —decía—. ¡Qué aburrido!

Me cerró la boca con su mano de uñas pintadas. Se levantó y fue hasta la biblioteca blanca de la izquierda y la abrió.

—Voy a contarte cosas —me dijo—. Necesitas historias que te distraigan.

—Ven. Siéntate. Nada me distrae más que mirarte.

—No, no. Yo sé. Voy a contarte cosas.

—Ven.

Vino con una estatuilla de piedra plomiza y con un libro de gran tamaño. Los depositó sobre la alfombra.

—Esto tiene una historia de París —dijo indicándome alternativamente los dos—. Y esto tiene una historia holandesa.

—No me importa la historia de París ni la historia holandesa. Acércate.

—Comenzaré por la historia de París. Yo había vivido diez años en Francia con papá. Viajábamos constantemente, obligados por su salud, entre Cannes, la Normandía y las landas, y Burdeos. Papá había comprado una villa en Versalles. Era una casa vieja, muy bonita, con parques, lago y Santa-Ritas. Un verano papá se enfermó gravemente y tuvimos que ir a un hotel de París. Nuestro departamento tenía una terraza que daba a otros techos vecinos; aquello parecía una asamblea de techos y bohardillas. Yo no salía del hotel. No podía moverme de la cabecera del enfermo. Al atardecer y de noche salía a la terraza y miraba los otros techos y las torres del Trocadero y el cielo de la ciudad. ¡Estaba tan sola y tan triste! Un día, en una de aquellas terrazas vecinas, como a diez o doce metros de la nuestra, enfrente, vi a un hombre parado, de pantalón oscuro y saco de *sport*. Me estaba mirando, me miró largamente y yo lo miré también, y aquella noche me acordé de cómo me había mirado y de cómo lo había mirado yo. Desde entonces, a la misma hora, salíamos a la terraza y, en el anochecer, nos mirábamos hasta ya casi no vernos. Ni un gesto. Sólo nos mirábamos. Mi padre se agravó. Hubo dos días en que sólo pude mirar a aquel hombre como un consuelo, desde atrás de los visillos; y él no me veía, pero estaba allí, paciente, inmóvil. Vino una mejoría. Vinieron días de más calor. Alguna vez, como una intrusa, una mujer se acercaba al hombre. Entonces él entraba con ella en su cuarto; luego volvía a salir solo. Así pasaron muchos días. Una vez él debió notar mi terrible soledad, mi abatimiento. Entonces sacó del bolsillo un objeto, me lo mostró y me hizo señas de que iba a arrojármelo. Lo tiró y lo agarré. Era esta antigua, auténtica imagen egipcia de piedra. Me hizo señas de que se la devolviera. La recogió y la miró largamente y la tuvo entre las manos como si le contara allí todo lo que pensaba. Y pasaron muchas semanas y nos atuvimos a aquel solo rito, sin una carta, sin otro gesto. Cada noche uno de nosotros guardaba la estatuilla hasta el día siguiente. Una noche en que yo la tenía, murió mi padre en aquel hotel. Vinieron parientes y me arrastraron, me embarcaron. Pensé mucho tiempo en aquel hombre que me había hecho bien sin otro contacto real, sin otro lazo sensible que este objeto de piedra.

Lo puso en mis manos. Era una estatuilla color plomo, de una consistencia y una liviandad parecidas a las de la piedra pómez.

—Abstracción pura —le dije.

—A eso voy —me dijo—. Ahora viene la historia holandesa. Al principio de una temporada de seis meses durante la cual viví sola en Amsterdam, compré este libro en una calle del barrio judío. Lo leí ávidamente. Era la historia de una mujer muy extraña, que llegó a educar de tal modo su vida que a la postre parecía vivir fuera del mundo real, en una atmósfera que no era de religiosidad ni de contemplación sino una especie de desapego personal de los acontecimientos de la vida exterior, con lo cual lograba esta mujer participar en todo de un modo casi inhumano. Una especie de estado místico sin misticismo. En fin, el proceso es muy raro y muy complicado y muy difícil de contar. El libro tuvo sobre mí tan enorme influencia, que me puse yo misma a querer ser como aquella mujer; lo que era estúpido, si quieres, pero alucinante. Claro que, en mí, el resultado fue una especie de molicie, una especie de sopor, que eran lo contrario de mí misma. Era como si, sistemáticamente, hubiera ingerido una droga; y estaba metida en esa melaza asquerosa, al borde mismo de la histeria, que entonces me parecía algo lindísimo y valedero y hasta compensatorio. Tuve que curarme de eso, yéndome de Holanda como de una enfermedad. Tuve que arrancarme con un resto de voluntad de mí esa deformación que yo misma me había metido adentro.

Miré la carátula del libro. Estaba escrito en inglés. Se llamaba *Vida de Mona Van Amstel*. Lo dejé. Mercedes recogió las dos cosas y las guardó.

—Son las dos únicas veces en mi vida —dijo— en que he estado enferma de estupidez, enferma de distracción. Las dos veces en que esperaba que la *fertilidad* me lloviera del cielo. Te las he contado para que veas cómo conozco la dolencia. Prefiero evitarla para siempre. ¡Y vivir! Sen-ci-lla-men-te.

Se plantó frente a mí con un cigarrillo humeando en un ángulo de la boca y los ojos entornados para evitar el humo. —*Voilà, monsieur le soupirant.*

—De las dos posibles clases de tontera, hay una que es peligrosa y la otra no. La tontera del tonto es anodina, pero la tontera de los inteligentes es la cosa más peligrosa del mundo. Una de estas últimas formas consiste en explicarlo todo con argumentos que parecen excelentes, que son muy buenos, que se tienen muy erguidos, sólo que están fuera de la cuestión.

—¿No ves? ¡La cuestión! ¿Qué cuestión, qué cuestión hay entre los dos?... Idiota...

Se dejó caer en la alfombra y me metió los dedos en el pelo hasta dejar mi peinado en pleno desorden. Me besó rápidamente y luego se volvió a incorporar de golpe, distraída. Se quedó con la vista clavada en una de las mesas del salón.

—Ahí faltan unas flores amarillas.

Fue hasta la puerta del corredor y la abrió y llamó a gritos a la sirvienta. Ésta apareció, gorda y calmosa.

—¡Le he dicho que me traiga todos los días flores amarillas para ese vaso! ¡Ya no tiene ni atención ni memoria! ¡Yo no respondo de lo que va a pasar aquí si mañana no están esas flores en el vaso!

La criada se fue, murmurando.

—Ya no me gusta este cuarto —dijo Mercedes paseando una mirada de disgusto—. No me gusta nada. Voy a cambiar todos los muebles.

Me acerqué y la besé otra vez y estuve acariciando su espléndido cabello, tan delicado y tan fino. Ella se quedó quieta, al principio, como una gata, y luego noté que se sentía aprisionada, y dejé de acariciarla y me senté en el sillón. Ella encendió otro cigarrillo y caminó hasta la mesa donde había ordenado que pusieran las flores amarillas, y colocó allí unas revistas. Se alejó y observó de lejos el efecto. Vino hasta donde yo estaba y volvió a pararse ante mí y me preguntó:

—¿Te importa?

—¿Qué?

—Que yo sea de este modo o del otro.

—Sí, me importa.

Se quedó pensativa. Luego:

—Te importan mis cualidades, no yo —dijo.

—No, no es así —le contesté.

—Sí, sí es así.

—No, no es así.

Caminó unos pasos.

—¡Qué desastre! —dijo—. Nadie quiere aceptar a nadie tal como es. Eso prueba qué propensión tremenda tiene la humanidad a ser egoísta y no salir de sí. No hay remedio posible. El tuerto quiere que el vecino manco sea tuerto, y el vecino manco quiere que el vecino sordo sea manco, y el sordo que el vecino miope sea sordo. Así van las cosas.

Guardé silencio.

—No quieres ni contestar —dijo.

—¿Para qué?

—Bueno —dijo ella.

Me habló de lo que había hecho por la mañana y de las ganas que tenía de hacer esto y lo otro. Me contó con mucha gracia las ridiculeces de una vieja señora húngara a quien había conocido en el último verano y que tenía la manía de las encuestas y ponía a todo el mundo en aprietos por su modo de preguntar las cosas más incontestables del mundo con el aire perfectamente inocente que ponen ciertos criminales al preguntar por el estado del tiempo después de haber sido convictos de asesinato. Me reí. Me gustaba mirarla. No le sacaba los ojos de encima.

—Me miras todo el tiempo como a una loca.

—¿No lo eres, un poco?

—Sí, pero con una locura, desgraciadamente, normal. ¿No me paso la vida desenajenándome en vez de enajenarme? —Emitió una risa corta y aguda—. Soy algo muy raro.

Me preguntó si la quería, como si me preguntara por la velocidad de las nubes de verano, y le dije que sí, y ella saltó del sofá y fue a buscar agua helada y fruta.

Probó dos ciruelas y las dejó y fue a lavarse las manos y volvió y me contó alegremente algo que se le había ocurrido con respecto a unos amigos comunes, cuya vida tenía matices bastante equívocos.

Yo le rebatí aquel juicio y discutimos. Hablamos así una hora, dos horas.

—Bueno, vamos a alguna parte —me dijo ella al fin. Eran más de las cinco de la tarde.

Desapareció y volvió a los pocos minutos con el sombrero puesto. Tenía el cigarrillo en la boca y los ojos entornados. Así disimulaba siempre que quería pensar algo íntimo sin que se le notara. Yo la miré y le dije:

—Estoy pensando que mejor sería que estuvieras en este momento sola y que yo estuviera a mil leguas de distancia y que no nos hubiéramos conocido nunca.

—No seas tonto.

Puso su brazo izquierdo debajo del mío y oprimió con la mano libre el timbre del ascensor. El ascensor subió con el ruido típico del resorte en cada piso. Bajamos y tomamos un taxímetro, y nos dirigimos a Palermo. Hacía calor y muy poca sombra en el bosque. Dimos dos vueltas por el lago y la avenida de las Palmeras, y luego indicamos al chofer que nos llevara a Belgrano. El jardín lleno de mesas del Dietze mostraba el piso recién regado; esa humedad había refrescado un poco la atmósfera. Yo bebí un poco de cerveza y Mercedes su té ligero. Entraba y salía gente. Algunos iban directamente al salón cubierto. Hacía calor.

Estuvimos bastante tiempo sin decirnos nada. Yo fumaba y pensaba y miraba a la gente y la miraba a ella. Mercedes no tardó en querer irse. Yo lo esperaba. Salimos a caminar un poco por las calles de los alrededores. Bajamos por Echeverría y llegamos a las barrancas verdes, desde donde se veía la estación, las barreras del ferrocarril, el gran tránsito de ómnibus y tranvías y automóviles. Había una multitud de niños jugando y alguno que otro adulto, errante y ocioso. Yo no decía nada; ella tampoco.

Volvimos a su casa. La noche había caído sobre la ciudad. Las cortinas caían pesadas; no soplaba la menor brisa; la metrópoli dormía su sopor. Mercedes encendió un velador y pronto vimos llegar el cortejo de minúsculas mariposas e insectos de tormenta.

—No va a llover —dijo ella—. No va a llover. Va a seguir este infierno.

Yo no contesté a eso. Le dije bruscamente:

—Vamos a dejar de vernos por un tiempo, Mercedes. Ella no se asombró, y entonces no tuve pesadumbre por lo que había dicho. Insistí:

—Yo no te hago ningún bien. Estás retenida en un vínculo que pesa sin ser lo bastante fuerte ni lo bastante claro. Por mi parte estoy fuera de mis problemas, hundido en la sensación de serte inútil, de pesar en tu propia atmósfera y de resultar una especie de amable extraño a quien se tolera.

Ella reaccionó con impaciencia, con irritado desánimo. Argumentó que no podía convencerme de la verdad de las cosas, y que yo estaba descontento de nuestras relaciones y de ella porque estaba descontento conmigo mismo. Le contesté que tal vez fuera así, y que en ese caso la separación se imponía más categóricamente.

—Se te pasará en pocos días —dijo ella—. Y vendrás. La atmósfera se habrá aclarado. Tal vez sea mejor así.

Era fuerte. ¿Qué le importaba en el mundo?

—Sí —le dije—. Será mejor así.

Ella rio y jugó y se acercó a mí con cariño. Pero yo sabía que, no sé en qué punto de nosotros, obraba, abierta, una penosa distancia.

Volví a mi casa, triste, fatigado, con una sensación de inutilidad más aguda que nunca. Veía a los que caminaban por la calle Esmeralda en el comienzo de la noche como si no los viera yo, sino otro, sino ese sujeto extraño e imposible que llevaba en mí. Atravesé la plaza y me acordé con emoción de las veces en que la habíamos cruzado con Mercedes descifrando las especies de aquellos árboles argentinos. Entonces acabábamos de conocernos. Se me acercó una mujer y me pidió una limosna y le di una moneda de diez centavos. Por sobre la región de Retiro ascendía un humo perfectamente visible en el claro cielo caluroso.

Del pórtico del Plaza salían algunos extranjeros llevando sus máquinas fotográficas a la bandolera. La noche tenía en toda la ciudad un color lechoso. En el escaparate de una galería de cuadros había expuesta una grande y hermosa reproducción de uno de los detalles más admirables del lienzo de un famoso primitivo flamenco. Es difícil encontrar reproducciones excelentes, y me detuve ante aquella con encanto. ¡Qué magnífica tonalidad, qué delicadeza de tratamiento y, a la vez, qué potencia! Eran tres cabezas escalonadas de criaturas, con los ojos tan obsesivamente fijos en lo invisible bajo el arco superciliar prominente y sin cejas, con las pálidas cabezas depiladas tan atentas a una voz de otra región, con los bellos labios adolescentes tan dramáticamente suspendidos, que su vista me produjo un extraño pasmo, una religiosa sorpresa. Observé sin moverme las figuras en el instante de la original inspiración. Lo que revelaban aquellos rostros pálidos y sus pensamientos era su dócil y serena ordenación en un orden sobrehumano. Físicamente, eran figuras exangües. Me dieron angustia, me dieron pavor, clavadas ahí ante mí en la noche desamparada. Yo no tenía ningún orden, mi orden era una soledad sin referencias a ninguna más alta compañía. Mi destino inmediato no era más que esa calle por la que iba a volver a caminar. Las criaturas trágicas del cuadro, lo que reflejaban en su mirada era, sí, la belleza terrible de la revelación. Tenían ante los ojos inmóviles la puerta abierta y el camino que le sigue, la gloria y la paz. Siendo todo el vivir un andar tras esa puerta — ¿hacia dónde quedaba en mi camino, hacia qué lado de la tierra...? Seguí andando, y vi la calle poblada de poca gente, casi a oscuras, estrecha, larga. El cielo, lechoso; las estrellas, fijas. Algunas estaban solitarias y otras entraban en densos grupos familiares. Éstas parecían alegres y las otras tristes. Las otras parecían irremisiblemente tristes. Doblé despacio por Viamonte; llegué a la calle 25 de Mayo. Entré en la casa, subí a mi cuarto, encendí la luz, salí al balcón.

Y aquella fue para mí una noche amarga.

XV

Pasaron algunos días. Comíamos una noche en nuestra casa, como en familia, presididos por la señora. Jiménez no estaba. Jiménez había faltado a comer más de una semana. Presumimos con quién andaba. La señora Ana anunció las frecuentes ausencias de la señora Inés Boll. La señora Ana contó por milésima vez su propia llegada a América, desde el Ecuador sin un centavo, sus inconvenientes con la policía —que creía ver en ella a una temible sucesora de Mrs. Warren— y sus primeros pasos como hotelera en un pueblito del sur. Su marido, el afinador de pianos, había muerto casi en olor de santidad y no le había dejado un centavo. Al recordarlo juntaba contrita sus gruesos párpados, los ojos se le transformaban en dos líneas verticales húmedas, de anchos bordes rojizos. El doctor Dervil la oía callado, con gran atención; esa cortesía se la pagaba ella a fin de mes en monedas de crédito y tolerancia. Anselmi jugaba con la caja de fósforos y fumaba entre plato y plato con una expresión de aburrimiento y taurina fatiga. Intervino apenas para referirse despectivamente a la policía. El doctor

Dervil asintió. La señora dijo que había pasado momentos duros. Luego levantó los ojos al cielo, como quien eleva testimonio, y significó que agradecía a Dios haberle deparado una vejez con buenos huéspedes. Le dijimos solamente que lo merecía bien, y se produjo un instante de cortesía común. La señora fue pródiga al partir el dulce de membrillo, un dulce exquisito y dorado que recibía directamente de Cuyo. Luego, como todas las noches, se retiró prudentemente a sus habitaciones dejándonos libre la sobremesa. Anselmi se dirigió al doctor Dervil, con un guiño significativo, diciéndole que sin duda había sido una mujer muy hermosa que debía de tener las arcas bien forradas. El médico contestó con displicencia y pesimismo en cuanto a lo primero, con desdén en cuanto a lo segundo. Yo me levanté y me fui a mi cuarto. Anselmi dijo que iba al cinematógrafo a ver nuevamente *Cazadores de almas*; ese film le parecía un verdadero poema y sostenía que sería capaz de verlo sin fatigarse una veintena de veces. Abrí mi balcón y reduje, con ayuda de un cartapacio abierto en dos, la intensidad de la luz; me lavé los dientes, me saqué el saco y me puse a trabajar. Quería concluir la pequeña novela. Releí las páginas escritas el día anterior y no me gustaron y las rompí. La parte más genuinamente noble del trabajo literario, lo que sobre todos los otros levanta su particular jerarquía, es el sacrificio —que le es propio— de una enorme cantidad de labor a una ínfima selección cualitativa. Lo que hace la dura poesía inmanente de una obra de arte, parece ser la gran porción de materia que desplaza, el exceso de materia que desecha, la inmensidad de lo que ha tenido que negar para afirmarse. Rompí las páginas escritas el día anterior, y me puse a rehacer prolija y lentamente la escena que quería describir.

Como a las once oí pasos en el corredor y las voces de Jiménez y la señora Boll. Esperé a que se acallaran.

Jiménez golpeó a mi puerta y entró. Venía vestido con más atildamiento todavía. Llevaba un traje azul y una camisa de seda rayada con ligeras franjas rojas.

—Hola —saludó.

—Hola.

—En plena fiebre creadora —dijo, como si acabara de descubrir un contrabando.

—Tabajando lentamente como un buey. ¿De dónde vienes?

—He salido con Inés.

—Acevedo me ha dicho esta tarde que no has entregado ninguno de los artículos.

—Es cierto. No los he entregado.

—¿Por qué? No me parece bien.

—No he podido. No los he escrito.

—Valdría la pena que matizaras un poco la distracción con algo de trabajo. Lo contrario es insoportablemente cansador. Tan insoportablemente cansador como el mismo trabajo.

—Señor moralista: he salido mucho todos estos días, pero por excepción.

—¿Inés?

—Sí —dijo.

—¡Está bien!

—Claro que está bien. Es una mujer excepcional.

—Es muy simpática.

—Es una mujer excepcional.

—¿Sí, eh?

—Sí. ¡Una limpieza de carácter, una femineidad! Realmente muy poco frecuentes.

—Me alegro. ¿Te gusta mucho?

—Sí —dijo. Miraba una de las fotografías de la pared.

—¿Enamorado?

—No sé qué es eso —volvió los ojos y me miró, sereno—. Me gusta mucho. Nos entendemos.

—¡Ah! —dije.

—Me había pasado rara vez esto. Estaba habituado a las mujeres-muebles, a las mujeres de temperamento subalterno, incapaces de diálogo, de expresión. Esta es diferente.

—Enhorabuena —le dije.

—Y silenciosa; un modo de ser afinado, igual. He comido con ella todas estas noches. Y el ser igual a sí misma no le impide ser nueva cada vez, distinta en la igualdad de su naturaleza.

—Gran cosa... —dije.

—Pero hay algo —me interrumpió— que me preocupa. Algo que me preocupa bastante.

—¿El otro?

—Lo que va a pasar. Es necesario ayudarla a borrar esa presencia, esa ignominia, esa especie de delincuente que insiste en tener acción sobre ella.

—Tienes que andar con cuidado.

—Temo por ella. La cuestión es extremadamente compleja. Yo no sé lo que va a pasar.

—Si puedo ser útil...

—No —dijo—. No se trata de hacer ningún plan, de asistirla a ella. No. No hay más que esperar. Pero yo no sé lo que va a venir.

Nos quedamos un rato callados. Jiménez se acercó a la mesa, cambió sus lentes de ver por los de leer, y miró las páginas acumuladas sobre la carpeta. Estaba diferente. Estaba visiblemente diferente. Mucho más concentrado, mucho menos abierto. Casi seco. Y se veía que lo que había hablado, lo había hablado mal y a la fuerza. Se interesó por algunos detalles del manuscrito. Yo le había contado antes el asunto y quería saber cómo había resuelto algunos problemas técnicos. Le referí las soluciones halladas.

—Mañana voy a escribir —dijo—. Espero poder entregar dos de los artículos el lunes. Además, aún hay tanto tiempo...

—Acevedo quiere mandarlo toda a la imprenta en seguida —le dije—. Quiere preparar tres números completos antes de la aparición del primero. Me parece prudente. Me parece más que prudente.

—Sí, así es —convino.

Guardó silencio. Pensaba en otra cosa.

—Estoy contento —dijo después—. Estoy contento, hombre.

—Me alegro, me alegro mucho.

—¿Sabes? Es como si ahora, al cabo de cada día, tuviera seguro un descanso. Pase lo que pase, está eso ahí, esta mujer, esta cercanía animada, humana, esta respuesta. La necesitaba. Uno advierte de pronto cómo estaba de cansado y cómo necesitaba eso.

—Lo comprendo muy bien. Lo comprendo perfectamente.

—Sí —dijo—. Es como si uno hubiera vivido mucho tiempo de perfil y encontrara de pronto que el volumen de uno estaba incompleto y que de repente lo ha completado y es más denso, más rico, más sensible.

—Sí —dije.

Hablamos un rato más. En la casa reinaba un perfecto silencio y en la calle una gran calma. Jiménez se disponía a irse cuando oímos, estrepitosos, los pasos de Anselmi y el canto que iniciaba cuando, por debajo de la puerta, veía luz a esa hora de la noche en nuestros cuartos. Era una de las arias más famosas de *El Barbero*. Abrió la puerta y la retuvo abierta en un cómico gesto teatral.

—¡Queridos señores, buenas noches!

Se acercó después a Jiménez.

—¿Qué dice el querido ausente? Al fin se le ve. ¡Qué placer!

Lo miró de arriba abajo, como quien mide el efecto de un cambio.

—Bueno, bueno, bueno.

—¿Qué hay, bestia? —dijo Jiménez.

—Bueno, bueno, bueno. Excelente conducta. Todas las noches ausente. Todas las noches misteriosamente ausente. ¿Dónde? Misterio develado. Con la señora Inés Boll. *La très belle. La très, très belle.*

—¿Para qué hacerte el idiota? ¡Qué pleonasmo!

—Habrá que levantar una investigación. ¿Adónde van todas las noches los dos misteriosos y atrevidos huéspedes de la honorable casa de pensión? ¿A qué puerto llevan sus sigilosas salidas?

Jiménez lo miraba con los ojos entornados, jugando con el cortapapel de carey oscuro con lupa en la extremidad. Jiménez lo miró a través de la lupa.

—Mirándote con aumento pareces todavía más imbécil.

—Irritable señor Jiménez, moderación en los términos. Cambió de tono, se puso serio. Se acercó más a Jiménez y lo enfrentó.

—¿Por qué andas metiéndote en líos?

Jiménez me miró con asombro.

—¡Habráse visto idiota. . .! —estalló.

—Vas a acabar en señorita de salón, jugando al *bridge* y suspirando.

—Tienes una cabeza de búfalo —le dijo Jiménez—. Las apariencias no engañan.

—Vas a acabar en señorita de salón. Acompañando a la señora Boll, paseándola. O de jefe supervisor en alguna academia de corte y confección.

Jiménez dejó sobre la mesa el cortapapel y levantó los ojos a la altura de los ojos de Anselmi.

—No hay derecho a cierto tipo de·bromas y no te las permito.

—La señora —pronunciaba el término con reticente cuidado— te va a marear. Se corre ese peligro. Y estamos trabajando en otra cosa.

Jiménez soltó la carcajada.

—¡Cándido! —dijo.

—Eres fácil de marear. Por eso te lo digo.

—¡Cándido!

Me levanté.

—¡Bueno —dije—, tengo que trabajar! No hay derecho. ¡Este cuarto es un club! ¡Fuera!

Los empujé.

—Que pase primero Don Juan —dijo Anselmi. Hizo una reverencia y mostró la puerta a Jiménez.

—Idiota —decía el otro—. Idiota.

—Vamos, Don Juan. *Est-ce que c'était Don Juan une demoiselle?*

Me quedé solo.

Pensé en esos dos muchachos, en esos dos amigos. Los quería. Quería que las cosas les salieran bien. Pensé en la señora Boll. No sabía nada de ella. ¿Era posible que tuviera razón Jiménez? ¿Qué iba a hacer el marido? Intenté concentrar la atención. Escribí unas líneas al azar. Luego las taché. Me puse a pensar. Inútil. No podía concentrarme, no podía escribir nada. Estaba distraído de mi asunto. Me levanté y salí al balcón.

En la cama, a oscuras, boca arriba, no pensaba en nada de aquello. No pensaba en la revista futura, no pensaba en mí, no pensaba en Mercedes Miró. Pensaba en usted.

"Algún día —pensaba (y era la alta noche)— la conoceré. Algún día oiré su voz dirigida a mí y estarán sus oídos vueltos a lo que diga y sus ojos vueltos a ese espacio lejano que no parecen dispuestos a dejar de mirar. Algún día estaré cerca de esos labios entreabiertos. Algún día lo mereceré. No quiero que sea antes. No quiero que sus ojos caigan — sino que si han de volverse a ese espacio, miren al nivel de su mirada. Miren a ese nivel al hombre que tienen delante. No quiero que sus ojos caigan."

Me dormí con aquella frase adentro: "No quiero que sus ojos caigan. No quiero que ese día sus ojos caigan."

XVI

Sierras de Córdoba, febrero.

He venido a este hotel de las sierras con mi valija y un número de Harper's. ¡Por fin sin gente amable en las cercanías! El hotel parece una vieja estancia —muy extenso, muy plano— y tiene cierto encanto, edificado sobre una ondulación verde, con sus paredes amarillas y sus simples columnas criollas. ¡Qué descanso! Nada de cortesía: puedo mirarlo todo de igual a igual. Nadie se me acerca —¡a Dios gracias!— y a las siete de la mañana salgo sola a caminar por las sierras con unos viejos zapatos claveteados y un querido sweater de Hillcrist que me ha acompañado desde mi temporada —¡hélas!— en Davos y en Sanary. Esto no se parece a aquello pero tiene un encanto silvestre muy puro, así como el gracioso vestido natural de una muchacha criolla puede tener más distinción que su propia forma pretenciosamente estilizada por Reboux. Antes me gustaban los grandes escenarios alpinos, colmados de una decoración de alta utilería con su derrame nevado y sus regias gargantas mortales, y ahora prefiero la rusticidad entonada, delicada de estas sierras, cuyo solo azul vale al final del atardecer por todas las emociones del mundo. Hay pequeñas praderas improvisables al pie repentino de las sierras, cuya falda está a los mil metros habitada por la más increíble población de espinillos y árboles finales, praderas novísimas, frescas, jóvenes, verdeantes, olorosas, como recién vestidas para el paso del río limpio. Me siento en el pretil de un puente de piedra y durante horas, sin pensar, escucho el ruido del agua y miro el follaje sorprendente, el misterio de los colores, que ha sido siempre para mí el más impenetrable —por eso el más atrayente y el más cruel— de todos los misterios. Da alegría probar esta agua: es fresca y tan mineral que al beberla me parece incorporarme algo vivo y la boca lo siente y lo agradece. Junto al río tiene su choza un hombre que fabrica canastos de junco. Lo miro trabajar. Quizá por haber podido hacer algunas cosas y por no haber hecho nunca ninguna, me gusta ver a la gente que sabe hacer lo que tiene entre manos. Camino todo el día. Las mañanas son espléndidas pero nada se compara con el crepúsculo en las cumbres. Quisiera que lo vieras. Es como si la sierra misma fuera dando de sí el color casi añil que luego va a envolverla, a impregnarla y a entrar de nuevo en ella para desaparecer. Esto me da felicidad. Adiós, querido. No te crees calamidades. Haz como estas serranías, que no se inventan funerales, que cambian su piedra en color. —Mercedes.

Dejé la carta sobre la mesa. Sentí mi conciencia tranquila.

XVII

Febrero y marzo pasaron rápidamente. La brevedad mayor de los días y el frescor matinal anunciaron el advenimiento del otoño. La ciudad comenzó a despoblarse de color, a empalidecer, a encrudecerse; y los hombres, a volver a ella y apercibirse para el trabajo intenso del año.

Yo pasé largas semanas de lectura y trabajo. Releí algunos trozos críticos de Sarmiento y luego —en más ambiciosas noches— la *Ética* de Aristóteles y la *Política*; Camoens, Góngora, Quevedo. Tomé muchos apuntes y gané muchos días. Hubo noches en que leía del crepúsculo al alba, y luego, con apenas tres horas de sueño, reiniciaba la preparación de mis artículos para Acevedo, que tragaba, voraz, cuartillas, como relaciones un buzón veneciano. Este mantenimiento de las fuerzas interiores me prestaba gran contento, y mi sueño, si poco, era profundo, calmo. Sólo rara vez, en lo alto de la noche, subía por el camino del insomnio a cazar con la inteligencia algunas aves, y anotaba los hallazgos en un cuadernillo que tenía sobre el velador. Por aquellos días vi mucho a Acevedo. Conversar con él me estimulaba. En mi cuarto le leí una noche breves traducciones de los pensamientos de Leopardi, y eso nos ayudó a asociar alguna que otra buena idea para la ilustración de nuestra campaña. A Acevedo le gustaba beber cerveza en la cervecería de la calle Lavalle donde nosotros habíamos celebrado, antes, nuestros litúrgicos sermones y nuestras cismáticas disputas. Acevedo se complacía como un chico oyendo las malas interpretaciones de *Los Maestros Cantores*. En realidad, ni él ni yo teníamos oído musical. Tanto él como yo teníamos oído literario, pero no musical; por algún lado necesitaban compensarse nuestros rudimentarios órganos órficos. Acevedo me presentó circunstancialmente algunos políticos amigos suyos, que me parecieron ánimos subalternos, inteligencias limitadas y frías, culturas descuidadas y mostrencas. Alguna vez nos acompañó Anselmi, en nuestras salidas. Jiménez seguía invisible, raptado por la señora Boll.

Especialicé mi lectura en lo concerniente a la historia de las religiones y viví más circuido que nunca de tranquilidad y de silencio. Nunca, sin embargo, me bastaba a mí mismo con los remedios de esas horas de lectura y moral confortación; todo cuanto asimilaba, íbalo conduciendo en mí hacia el servicio de mi necesidad de comunión, hacia el servicio de mis posibilidades de mejor y más fértil convivencia. El arte me parecía, como las nobles políticas, el instrumento más poderoso de existencia moral, aun al asumir sus formas más gratuitas o estrictamente estéticas. E iba buscando así mi palabra personal más útil, la más justa, la más sencilla y verdadera. Que no tuviera yo que decir aquella línea de Ovidio en *Los Tristes* cuando se pregunta si le ha aprovechado el haber nacido: *Ecce supervacues (quid enim suit utile nasci...?).*

Mi pequeña renta me servía para vivir, pero la ayudaba bastante con traducciones del inglés, del francés y del italiano, que vendía a una revista donde no pagaban gran cosa pero sí puntualmente, a la entrega de los trabajos. Por lo general traducía por la mañana, temprano. Traducía cuentos de Henry James, de Chesterton, de Richard Garnett, ensayos de William Hazzlit y a veces poemas modernos como *Fell of a tree*, de Thomas Hardy, el viejo octogenario, a quien me imaginaba escribiendo en el fondo de sus tierras del Wessex, encerrado, maldiciente y solitario como un rancio señor de otras edades.

Así crecía yo, como crece la legumbre, nutriéndose de lo que necesita.

El mes de abril trajo bajo su capa el acontecimiento —que tantos inconvenientes habían retardado—: la aparición del periódico. Reunidos todos en la vieja casa de Acevedo recibimos una tarde, a principios del mes, la primera hoja de compacta tipografía encabezada por el negro BASTA y por la delicada vela latina a guisa de signo o marca. Oliendo a tinta grasosa, parecían más virulentas aquellas cuatro páginas de papel cargado con aseveraciones, protestas, acusaciones, afirmaciones, exclamaciones. Lorrié dijo que se parecía al *Avanti*, de Benito Mussolini. Todos nos quedamos callados porque no habíamos visto nunca un ejemplar del *Avanti*, de Benito Mussolini; pero la comparación era estimulante, a pesar de todo. Con su gorro marrón de obrero, el regente de la imprenta, de pie en el cuarto que hacía las veces de redacción, nos mostraba, alegre, el primer ejemplar, requiriendo reclamos antes de continuar el tiraje. Era como el olor del primer pan en la panadería el olor de la tinta húmeda. Todos nos sentíamos delirar por dentro, dueños de aquel órgano vivo, menos Blagoda, que exhibía la actitud permanente del hombre a quien no sorprenden los resultados de su esfuerzo. El periódico tenía buen aire. Pronto tuvimos a nuestra disposición un rimero sobre la mesa de Acevedo. Y aquella noche lo festejamos con vino Mosela en el *Lunamoon*.

El material de combate estaba inteligentemente dispuesto. Ninguna vacilación, ningún desmayo. La prosa de los artículos era homogénea, prosa de polemistas escritores, de esa que levanta en el acto el nivel de una publicación y le presta joven, inmanente autoridad. Los aspectos tácitos encarados estaban en ese primer número justamente resueltos. La sátira y el humorismo eran sólidos, adultos. Los cuatro blancos hacia los que se dirigía la polémica artillería aparecían netos, visibles: aquello de la degeneración política circundante, aquello de los nacionalistas-empresarios, aquello de la confusión de valores, aquello de la declinación de la conciencia civil. La publicación nos producía orgullo legítimo, fe.

Aquella noche, en el *Lunamoon*, regalamos ejemplares a los absortos parroquianos, a los tristes bebedores, a los marineros nostálgicos, a las señoritas pesimistas y al patrón. Se armó una gritería sin memoria y pagamos las consumiciones de yo no sé cuánta gente. Acevedo presidía aquello sin derroche, sin exceso ni material ni moral, con su buena sonrisa indulgente y su cabeza de aristócrata o de intelectual, angulosa y un poco cansada, como de haber andado mucho acompañando a la vida.

"No cantemos victoria", decía, cauto, apoyado en una de las columnas del local. "Sí —gritamos—, ¡hay que cantar victoria!" Los clientes del *Lunamoon* corearon de buen grado la afirmación. Estaban dispuestos a corearlo todo, como clásicos coros fatales. Había un hombre de negro, con gafas y aspecto de profesor jubilado, que disputaba con ellos porque no le dejaban leer el periódico flamante. No atinaba a explicarse, de momento, aquella literatura de pureza unida a este espectáculo de frenesí. Yo no sé si era lo bastante filósofo para pensar que este juego franco y bullicioso no podía ocultar sino justamente lo contrario de lo que ocultan los conciliábulos solemnes, con calzón corto, de guardia y puerta cerrada.

Sí, fue una noche memorable.

Anselmi, Jiménez y yo llevamos a casa, a las dos de la madrugada, muchos ejemplares. Despertamos al doctor Dervil, y antes de que tuviera tiempo de frotarse los ojos ya le habíamos declamado los primeros párrafos del suelto de presentación. Anselmi se lo leía con voz estentórea y una entonación impropiamente intencionada, como si lo leyera a quien iba dirigido y le dijera en crudo contrapunto: "¡Aténgase a las consecuencias!" El doctor quiso tener el periódico en sus manos y lo examinó con parsimonia, sin demostrar mayor arranque. "Ojalá tengan muy buena suerte", dijo, y depositó su ejemplar en la mesa de luz donde no tenía luz, sino un frasco de jarabe Bousquet y otro de cualquier famosa poción y un viejo tomo de Renan, comprado en una librería de lance.

A la mañana siguiente salí a la calle temprano con algunos ejemplares. Quería mandarlos a algunos amigos del interior del país y a mi padre. Era una mañana húmeda y fría. Las aceras y las calzadas parecían cubiertas de un riego reciente, y no era más que la humedad natural; los automóviles cruzaban con cautela las calles del centro, salpicando un barro acuoso. A través de las vidrieras de los cafés se veían hombres desayunándose con café con leche y pan con manteca. Brillaban los altos vidrios de los edificios para oficinas; encaramados en inverosímiles escaleras, todavía trabajaban allí algunos obreros, retenidos desde el alba por una labor lenta y paciente. Los ómnibus subían y bajaban raudos por el Paseo. Dos señoritas solicitaban la caridad pública para una obra de beneficencia, haciendo sonar discretamente ante los transeúntes el pequeño cazo de barro lleno de monedas.

Yo crucé la calle Lavalle, llegué hasta Corrientes, crucé la bocacalle de Reconquista hacia la derecha y entré en el viejo edificio del Correo. El antiguo y polvoriento salón estaba poblado de una multitud de empleados con sus rostros criollos y sus guardapolvos blancos. Despaché los periódicos para el interior y luego salí y me eché a andar hacia más al centro de la ciudad por la calle Bartolomé Mitre. La gran población que llena los cafés del barrio de los bancos, no había echado a andar aún su caravana. Entre los muros de piedra se agolpaba una sombra casi invernal. El otoño amenazaba ser crudo.

Quería entregar personalmente algunos ejemplares de la revista en un punto de la Avenida de Mayo. De paso podría preguntar si habían llegado algunos libros para mí en una librería de la calle Maipú. Al llegar al Banco de Boston me detuve a fin de esperar que raleara el tránsito antes de cruzar la Diagonal. La Diagonal ostentaba su orgullosa garganta ancha y sólida y próspera. A uno y otro lado se alzaban los edificios de las grandes compañías. Daba vértigo mirar en la mañana hacia los últimos pisos de los edificios más lejanos.

Entonces sucedió algo prodigioso.

Al descender a la calzada sentí un brusco golpe, un violento ramalazo de aire en la cara, y me vi brutalmente impelido hacia atrás. Los ejemplares del periódico se escaparon de mis manos y caí sobre el cordón de la acera. Alguien se apresuró a auxiliarme, frenó el automóvil que me había atropellado; descendió, pálido, el conductor. Era un hombre de apariencia vulgar; se apresuró a tomarme del brazo y tirar hacia arriba. Me levantaba ya por mis propios medios cuando vi ante mí aquel hermoso semblante femenino lleno de aflicción y expectativa.

Era usted.

Me quedé inmóvil, mirándola.

Se había alarmado mucho más de la cuenta. Habría querido ayudarme y, como no podía, descargó su alarma en una frase.

Me miraba usted, y musitaba: *God bless you, God bless you*, como si se dirigiera en voz baja a alguien conocido, reconocido.

"Gracias", dije impersonalmente. "Gracias." Y me limpié con la mano derecha la manga opuesta del saco. Y dije que no tenía nada y me sonreí. Entonces usted también sonrió, pero casi seria, y volvió a repetir: *God bless you*. Y se alejó.

Era una frase temerosa Sin duda era una frase familiar. Recogí del suelo mis periódicos, contesté evasivamente a tantos curiosos solícitos, hice un signo de despedida al conductor, que ya se aprestaba a cambiar su confusión por agresivos argumentos, y seguí caminando. Mi mente estaba ocupada por la imagen de ese bello semblante afligido y expectante; aquellos grandes ojos, aquellos labios un poco entreabiertos...

Llegué a la librería totalmente absorto, ausente de lo que allí me llevaba. Pasé lentamente ante las mesas colmadas de volúmenes y los plúteos atosigados.

God bless you... God bless you...

Eso era lo único que oía, lo único que tiranizaba mi atención. Era como si la gracia demandada hubiera bajado ya sobre mí.

Salí de la librería (*God bless you. God bless you*) y bajé por la estrecha calle Maipú la sola cuadra que me separaba de la Avenida, y fui a llevar a su destino las revistas, como en un sueño. Tan pronto me hundía del todo en el encanto misterioso de esa frase como me sentía exaltado a inalcanzable altura por sobre toda esa gente que caminaba por el viejo bulevar en la mañana de otoño. Sobre ellos, yo tenía ese pasaporte, ese secreto voto, ese deseo musitado, pronunciado casi sin voz a fuerza de humano y natural, por los labios más altos y extraños de la tierra.

Por la tarde anduve nuevamente por las calles y fui al club y me distraje un rato en la biblioteca. El inmenso hall de tipo inglés ostentaba algunas copas monumentales de plata destacadas en un fondo de madera oscura. Me senté a fumar en uno de los sofás. Había pocos socios y entraban y salían los *grooms* anunciando en voz alta llamados telefónicos. Pendía de una de las paredes revestidas de viejo nogal un cuadro que representaba a una especie de Hércules joven con anacrónico traje de *sport*. Alguna que otra persona leía los diarios junto a la mesa del centro. Estuve algún tiempo abstraído, pensando. Al cabo de algún tiempo salí de nuevo a la calle, y en la puerta me saludó el bibliotecario, un siciliano que reía siempre mientras se le alargaba todavía más en la mejilla rojiza una extensa cicatriz de la infancia. El bibliotecario estaba vestido de azul y tenía una untuosidad de sacristán. La calle que tomé mostraba sus árboles nuevos al borde de las estrechas aceras; una señora con verdes inusitados a lo largo de su considerable figura, reprendía a un chico que tenía a su vez en la mano con aire de ocultación un látigo verde; el chico exhibía un aspecto de susto. Pasé al lado de los dos, y el chico me miró suplicante. ¿Podía yo acaso pedir gracia para él? Ya era tarde: la señora se alejaba refunfuñando, con arrogante meneo de sus verdes. Usaba un modesto sombrerito que causaba gracia por su evidente desacuerdo con lo extremadamente chillón del vestido. Las puertas abiertas de par en par de una sastrería gritaban en profusos carteles la baratura de sus precios. Al lado regateaba una muchacha, en una verdulería, los precios del pepino y de la escarola. Y más allá levantaba una Academia de música sus severas puertas institucionales. (Una grotesca cabecita de Beethoven revestida de cal rosa asomaba por entre las molduras de la fachada, en las que un arquitecto desconocido lucía sin empacho su mal gusto jovial.) Me encontré de buenas a primeras en un barrio de cinematógrafos. Los cartelones coloridos anunciaban *Venganza a la media- noche, China desconocida, Más allá del perdón*... Un conserje altísimo alejaba del pórtico de un hotel adyacente, con su aire de mastín profesional, a los intrusos y a los pordioseros. Dios no tenía nada que hacer en aquel sitio de dinero gastado y vanidades copiosamente almorzantes y cenantes. Dios era la otra cuadra, donde quedaban la farmacia, la joyería de ocasión y el Banco de Préstamos. Un mozo barría el aserrín, preparando el campo para la noche, a las puertas del restaurante Peronesi. *"Adquiera estas grajeas y adquirirá usted grajeas de hermosura."* El aire comenzaba a tener la final transparencia que precede al crepúsculo. Una lluvia ligera lo había limpiado el día anterior. Antes de entrar en el cinematógrafo, miré a la calle, los letreros, los edificios. Yo tenía ojos para aquellos contrastes, pero en el fondo era feliz. *Coelo tonantem*... Y aquella tarde no tronaba en mi cielo.

Los tres días subsiguientes fueron, para los componentes de nuestro grupo, de expectativa y de emoción y sorpresa. Nos hablaron; nos cubrieron de preguntas. Nos llegaron a la redacción infinidad de cartas. Eran por lo general expresiones de gente muy joven, o bien cartas de algunos hombres maduros que no esperaban ya ninguna reacción en la escena pública de nuestra tierra y que se sentían ahora, ante la energía de nuestra palabra, reavivados en su fe, satisfechos. Blagoda exhibió un telegrama de alguien que tenía para él excepcional autoridad, un profesor de tierra adentro aficionado a las matemáticas, que había sido amigo —con réplica— de Lugones y dilecto de Einstein. Al salir por la noche de un club, Acevedo y yo tuvimos un altercado con dos políticos jóvenes, altercado que se resolvió según el espíritu de ellos, es decir, blandamente. "Ustedes lo que son es aspirantes a políticos y lo que atacan es la posición que quieren tomar por asalto algún día", nos dijeron. Les dijimos que nos teníamos sin cuidado la política práctica, las "situaciones" y los partidos. Estuvimos bastante ásperos, bastante despectivos, y ellos lo sintieron a fondo. Fuera de este accidente trivial, nos sentimos rodeados de una atmósfera grata. Una de las escasas cosas que en la vida deparan auténtico descanso es la sensación de que nuestra palabra ha llegado a la atmósfera que le corresponde y puede obrar sola allí; así como, por el contrario, uno de los sentimientos más atroces y desoladores nace de la condición del hombre a quien sus propias palabras retornan siempre sin haber hallado puerto, como aves rechazadas y nefastas. Cuando nuestras palabras encuentran empleo, la parte más viva de nuestro ánimo recobra su disponibilidad, se mueve y nos anima, se pone a recrear, y nosotros mismos nos movemos y recreamos. El eco suscitado por la aparición del periódico nos dejó contentos, listos para multiplicar el esfuerzo, deseosos de hacerlo. Lo cual no quiere decir que la mandrágora no se acercara a nuestros muros con su flor soporífera: los voluntarios de la reticencia, el derrotismo, la crítica de café y la mediocridad acantonada nos hicieron llegar también su entumecido, fastidioso parlamento.

¿Qué importaba? La cosa más hermosa del mundo es el florecimiento de una conciencia, su explosión en la variedad de los enérgicos matices y colores. Del mismo modo, cuando una juventud, un núcleo, una especie peregrina de hombres jóvenes comienza a proyectar fuera de sí el material organizado de su inquietud, de sus vocaciones y de sus rechazos, el paisaje todo donde se produce parece de pronto enriquecido y refrescado. El contraste con los colores recientes acusa y destaca como nunca los tonos circundantes, fija los viejos en su vejez y revela la calidad de otros nuevos que permanecían menos ostensibles. No es la flor la que gana con su incorporación a la naturaleza: la naturaleza toda gana con la novedad de cada flor. Vimos así nosotros, en el área vecina, en el continente de la ignorada capital, ir surgiendo, como ecos súbitamente despertados, tonos amigos que desconocíamos, proximidades, afinidades, indicios, cuya aparición venía a confirmar nuestra esperanza y a fortalecer nuestra voluntad.

Vinieron a juntársenos espontánea y naturalmente los componentes de esa reserva que suele vivir perdida por la falta de voz común: los inteligentes disgregados, los inteligentes solitarios, aquellos que viven por lo general extraterritorialmente, radiados, recelados y malqueridos por la masa vulgar.

El segundo número de *Basta* estaba preparado, y salió a la conquista de la calle con un aire triunfal. Acevedo, en un corto ensayo, formuló su pensamiento con respecto a las místicas nacionalistas, y sostuvo la necesidad de acordar los raptos emocionales de un pueblo a las características más constantes de su historia, esto es, que la mística ideal para un país de tradición eminentemente guerrera y conquistadora no puede servir para un país de tradición fenicia y comercial;

una mística política es grande sólo cuando encierra la posibilidad de que su almacenamiento de exaltación no fracase en los momentos decisivos, en los momentos de ir a probarlo. ¿De qué sirve, en efecto, aquella mística capaz de convencer especiosamente a un pueblo soñador y lírico de que se posee virtudes imperiales, bélicas, intransigentes y crueles? No es imposible crearla; un político, un conductor de genio puede crearla, pero, ¿de qué sirve, a qué puede conducir, cuánto puede durar? El caso de las naciones es en ese sentido idéntico al de la persona. ¿Qué haría de su destino un hombre que, nacido para el respeto de toda ley, se convenciera a sí mismo de que es el asaltante de caminos mejor dotado y más positivamente llamado por la Providencia a este necesario ejercicio predatorio? Acevedo planteaba entonces el necesario discrimen entre actitud y condición original. Por mi parte, yo afinaba indirectamente ese punto de vista en artículo enderezado a precisar —justamente— algunas de las características morales más nítidas y constantes en nuestra historia. Y dejábamos a los demás, después de esas aseveraciones constructivas, la piqueta destructora, la crítica, la sagrada furia, en las que Blagoda y Anselmi abrevaban a gusto su sed. "Somos como los perros que llegan de noche a los poblados, hambrientos y recelosos", decía Anselmi. A las puertas de la casa de Acevedo apareció, alentada por el primer paso, una pequeña chapa de bronce con el nombre de la revista y la auspiciosa vela latina. Parecía demasiado nueva, demasiado orgullosa la placa de metal en la vieja pared.

Después de la aparición de ese segundo número se nos unieron tres personas que sostenían vivir inspiradas en ideas parecidas a las nuestras. Desde el principio, esto no nos pareció tan evidente.

Esos tres jóvenes pertenecían a la inteligencia disgregada. Dos de ellos se asemejaban mucho físicamente; parecían esos efebos que producen algunas viejas familias, últimas encarnaciones de muchos años de existencia cuidada y de naturalezas de invernáculos. El otro era más anormal de figura, fuerte, hierático, con mucho de afirmativo y de desafiante en su aspecto general. A los dos primeros los distinguimos pronto —o nos resistimos a distinguirlos— bajo la designación de "los efebos". El otro se llamaba Víctor Lavestein, y era un espíritu dogmático y terminante.

"Los efebos" provenían de viejas familias de la tradición oligárquica. Tenían de los fenómenos sociales y políticos una concepción, no ya estética, mas sí —lo que era incalculablemente peor— "estetizante". Así como les gustaba vestirse con una afectación de sencillez principesca, les gustaba vestirse con las ideas más a la moda, y habían leído a Maurras incorporándose de su ideario tan sólo la parte más esquemática, gris y cortical. Tal vez si se hubieran acercado en persona al viejo escritor reaccionario les habría repugnado atrozmente su olor a tabaco, su maledicencia y su aspecto un tanto rudo de obrero de la inteligencia. "Los efebos" pertenecían a esa clase de naturalezas que se nutren de la parte más artificial de los alimentos intelectuales, es decir, de una esencia ya tan desalmada, que se parece a la letra. Adoraban lo intelectual y simulaban menospreciar a los intelectuales, a quienes, en el fondo, envidiaban. Eran espíritus fatalmente abstractos.

En cambio, a Anselmi, a Jiménez y a mí nos gustaban las presas de la inteligencia. Éramos como ciertos cazadores de altura para quienes el sufrimiento metafísico se premia en el ave sangrienta que traen entre las manos. Buscábamos en la fruta del espíritu, no la forma espectral, sino su sabor y su salud. Por eso éramos partidarios de una literatura esencialmente humana, de una moral consistente, de una actitud sólida y corpórea del alma ante la vida, sin falsos abismos, sin abstractas mojigaterías. Rechazábamos la sombra de la literatura, la sombra de la moral, la sombra de la gente, e íbamos en busca del cuerpo mismo de esas categorías. En un moderno libro, Jiménez había subrayado entusiasta una frase en que el autor decía: *Comme Ingres, je suis de ceux qui refusent l'ombre.*

A los tres, "los efebos" nos miraron desde el comienzo con mala cara. Como los animales enfermos, llevaban la sangre llena de presentimientos. Buscaban la sombra. Estaban hechos de perfil, y se complacían de esta enjutez. Pero admiraban a Chesterton, gordo. (El viejo obeso, ¿qué náuseas no les hubiera producido, visto de cerca, con su prodigalidad, su genio, su democracia, voluminosamente carnales?)

Cierta tarde volvíamos Anselmi y yo de una biblioteca pública. Hacía tiempo que llevábamos una vida casi monástica. "Una vida vergonzosa —decía Anselmi—, de imposibles solterones." Eran, en efecto, tiempos de castidad y placeres puramente intelectuales. Tan difíciles de comprender para los sexuales equívocos y los lujuriosos intermitentes, las rachas de castidad son una facultad casi propia de los temperamentos más armónicos y normales. Los dos lo pasábamos muy bien sin acordarnos de nuestros personales éxitos prolíficos. (Anselmi tenía de vez en cuando miradas tiernas, caras, para las señoritas que encontraba al paso y que le parecían dignas de un rápido deseo. "Algunas de éstas —comentaba otras veces—, ni con salmuera...") Entramos en la redacción. Desde los días anteriores a la aparición del periódico, el cuarto había cambiado. Sobre la añosa mesa se veía ahora un plato negro con margaritas blancas. Dos hermosos grabados en madera de Masereel figuraban en el cuarto como guardianes fijos colgados a lo alto y a ambos lados de la mesa. Un rollizo gato dormía en un rincón su sueño burgués de cazador jubilado.

Blagoda ocupaba en aquel momento la mesa directoral — echaba hacia atrás la silla giratoria y tocaba la pared con su cabeza de frente aceitunada y prominente. Y Tauste releía las pruebas en el flanco izquierdo. "Los efebos" estaban sentados enfrente, serios,. casi fríos. Con su fondo de ironía burlona, Blagoda insistía en interrogar sobre lo mismo a todos los aspirantes a articulistas o corifeos. Era como un examen de santo y seña.

—Pero ustedes, ustedes en particular, ¿a qué quieren decir precisamente *basta*? —les preguntó.

Guardaba una actitud *pro tribunali*, una cara de zorro avizor. A ambos lados de su cabeza pendían los dos grabados en madera de Masereel (una imagen de la muerte corriendo desmelenada por una solitaria calle nocturna y un estupendo escorzo de paisaje con tres decrecientes pinos). Parecían dos cuernos tétricos que su posición le confería accidentalmente, semejantes al salvaje adorno en el testuz de un guerrero galo.

—Hola, Vercingetorix —saludó Anselmi.

Blagoda levantó los ojos sin modificar la risa entre sarcástica y cortés con que preguntaba aquello.

—¿A qué cosas quieren ustedes decir basta? Vamos a ver.

Uno de "los efebos" se agitó en la silla con una sonrisita de inteligencia que venía a significar cuán obvia e innecesaria le parecía la pregunta, sonrisa similar a las que debió lucir en su infancia para significar a la institutriz que le parecían hasta estúpidas y obvias sus reglas de comportamiento.

—¡Por Dios, qué pregunta! —trazó con el cuerpo una contorsión típicamente exquisita—. ¡A tantas cosas! Encina y yo (Encina era el otro efebo) estamos por la reacción. Somos tradicionalistas y monárquicos absolutos. ¿Por qué hemos caído en esta ridícula democracia liberal y proteccionista, yugulando nuestro estado de su condición dependiente del tronco imperial español? ¡Qué absurdo! ¡Ah, a no confundir; nosotros somos eso: tradicionalistas y monárquicos! Monárquicos absolutos. América es un término grosero, como es un término grosero la palabra democracia. Términos groseros y plebeyos. Sinónimos políticos del bazar profuso y mercantil, en donde todo se rebaja a la altura de los precios de un vulgar remate. Dios, monarquía y espada son, en cambio, términos nobles. Dios

Monarquía y Estado son términos jerárquicos. Lo que queremos es un estado restituido a su condición jerárquica original. Queremos eso en la vida y queremos eso en política. En arte, queremos también un arte aristocrático y conservador. Nosotros somos partidarios de un estado con inquisición y con pira.

—Sí —dijo Encina también agitado, como si se tratara de actuar en seguida—, somos partidarios de eso.

Anselmi fue a hablar y Blagoda le hizo un signo para que se callara. Anselmi habló, de todas maneras.

—¿Son extranjeros estos señores?

El joven que había hablado primero siguió dirigiéndose a Blagoda, cada vez con más calor, y haciendo caso omiso de Anselmi y de Tauste y de mí. Su apellido era Plon Vivar. En su rostro pálido y lampiño parecían querer escapar de la piel las duras aristas óseas. Echó el busto hacia adelante. La mano flaca salía del puño de seda como de un puño de encaje.

—En realidad, somos un país refinado; pero culpable de dejarse ir vulgarizando por dentro como el árbol que se dejara ir corroyendo desde adentro mientras exhibe al sol la más luciente hojarasca. Matamos así, día a día, una vocación de grandeza. Nuestro origen es la catolicidad, la unidad de Fernando e Isabel de Castilla. Nuestra deformación actual tiene, al contrario, su origen en los extranjeros que amamantamos. Estamos echando al mundo hijos que nos corrompen, hijos que nos tienen metidos por un camino cada vez más problemático y confuso detrás de la careta de las riquezas de Creso. ¿Puede darse un viaje más plebeyo?

Expresó luego con entusiasmo la serie de teorías consecuentes. Encina aprobaba como si todo aquello fuera la evidencia misma. Blagoda les pedía puntos de vista precisos; el otro respondía con ideas generales. "En fin —dijo Blagoda—, a ustedes todo nuestro pasado como país libre les es indiferente. Quieren otra cosa. Quieren empezar desde el principio."

—Quieren suprimir la Revolución de Mayo —sugirió Anselmi, elemental, con sorna.

—Esa fue una revolución impopular —dijo Encina.

—Lo cual, de acuerdo con sus ideas, debiera ser su mayor título de gloria —insistió Anselmi—, su prueba de calidad...

—Claro —dijo Tauste.

—Lo que pasa —dijo Anselmi— es que los aristócratas aceptan el plebiscito a su manera y no a la de los demás.

Plon Vivar miró a su compañero con aire de paciencia discreta, como si dijera: "¡Qué inenarrable estupidez destila este hombre!"

Blagoda quería poner fin a la reunión. Se incorporó y, ya de pie, los dos grabados negros de Masereel descendieron, parecieron descansar sobre sus hombros. "Los efebos" cambiaron entre ellos algunas palabras en voz baja, consultaron su reloj, anunciaron que debían retirarse. "Bueno —dijo Blagoda—, ya conversaremos nuevamente de esto. Lo discutiremos con Acevedo." Encina y Plon Vivar se despidieron solemne y fríamente. Salieron. El gato pardo se desperezó en su rincón.

Anselmi caminó unos pasos por el cuarto. No podía disimular su indignación.

—¡No tienen nada que ver con nosotros! ¡No tienen nada que ver! ¡Nada! —Se detuvo ante Blagoda, enrostrándolo, como si le fuera a pegar—. ¿Cómo les permite usted venir a cantarnos su ridícula jerga aristocrática?

—Su liberalismo falla, querido amigo, por una falta de liberalidad —dijo apenas Blagoda.

—¡Yo no soy liberal! —dijo Anselmi—. Yo no soy esa especie de perro bien comido. Yo no soy esa especie de perro bien comido que se llama liberal. Yo soy un espíritu de buena voluntad.

—¿Entonces?

—Pero la buena voluntad empieza donde acaba la mala. Estos son derrotistas y traidores.

Protesté. Anselmi insistió. Blagoda y Tauste trataron de conciliar los puntos de vista. En plena discordia cruzamos hasta el *Lunamoon* para comer allí.

Blagoda y Anselmi disputaban acaloradamente. Anselmi era intransigente. No quería saber nada con "entes reaccionarios". Gritó que no quería saber nada con duques y señores y que todo gran movimiento colectivo era de esencia popular; que no había profetas señoriales y arrogantes. Que toda fuerza nacionalmente genuina nace de un hontanar oscuro y misterioso y no de la boca exquisita de unos cuantos privilegiados.

Blagoda negó: habló de Byron, de Puchkin, de d'Annunzio; sostuvo la tesis de que la inspiración originaria de los grandes estados de exaltación pública se enciende indiferentemente en cualquier clase. Y la disputa me pareció tornarse pueril. Y se lo dije. Lo importante no era lo ilusorio de las concepciones, de las soluciones propuestas, sino la porción de verdad, la sinceridad y la inteligencia que demostrara cada hombre que se acercara a nosotros para colaborar en nuestra prédica. ¿Cómo podía ser nuestra función otra que la de unir? ¿Cómo podríamos empezar por alejar, por establecer abismos, en lugar de coordinar las posibles diferencias en una sola fuerza positiva? No hubiera dicho aquello. Anselmi abandonó su biftec y dio rienda suelta a su furia. "¡Lo que se quiere introducir —vociferaba— es el germen de la confusión, el principio de disolución! ¡Ustedes tendrán su parte de culpa!"

Monótona, la diseusión rodó por horas. Al final yo estaba cansado, y escuchaba mirando el ir y venir de los mozos, las actitudes de 'la gente en el interior del local, la pena que se daba el propietario por atender a tantas cosas que reclamaban su atención, la cual variaba de continuo entre la irascibilidad y la sonrisa, según se dirigiera a sus empleados o a sus clientes. Blagoda se burlaba de Anselmi, sostenía que era un faccioso sin empleo. "En realidad —dijo Anselmi, á la postre— el asunto no me importa nada. Allá ustedes y los otros." Se sonó las narices como si zanjara así la cuestión. "Allá ustedes y los otros." Llamó a un vendedor de diarios que pasaba por la calle y le compró una de las últimas ediciones y se puso a recorrer las grandes planas. Blagoda, Tauste y yo hab!amos del primer número de *Basta*; era necesario ir estudiando algunas modificaciones de detalle. Cerca de medianoche me paré y dije: "Me voy." Y me despedí y Anselmi hizo lo propio. Tauste nos acompañó; tenía que subir hasta el centro de la ciudad. Venía del río al Paseo Colón un viento fresco y seco. La noche estaba muy agradable para caminar. Ascendimos por la acera que corre paralelamente a las plazoletas. Los tranvías iluminados se cruzaban sin cesar en la parte media de la calle; los unos iban hacia Constitución y Barracas, los otros subían en dirección a Retiro.

Anselmi estaba callado, hosco. Lo miré y me reí. ¡El amor propio! Él empezó a protestar contra Blagoda —para agarrarse de algo— y contra "los efebos", y a repetir: "¡No hay derecho, no hay derecho!" Yo seguía mirándolo y riéndome.

Caían sobre las aceras, de tiempo en tiempo, pequeños rectángulos amarillo-lechosos proyectados por las puertas de los bares, únicos sitios abiertos a aquella hora. El cielo de la ciudad estaba alto y poco estrellado. Una vez atravesada la calle Victoria, entramos en el sector céntrico del paseo. Vimos los *dancings* cosmopolitas, y atrajo de soslayo nuestra mirada el anuncio de las novedades, en el "Molino Negro", Tauste no había estado nunca en ninguno de esos sitios. Quiso entrar. Anselmi me miró sugestivamente. "Entremos a beber un cognac", dijo. Entramos. Se trataba de un sótano, había que bajar una escalera tapizada con terciopelo castaño. Allí se respiraba una atmósfera inmunda. Imposible imaginar mayor cantidad de gente en un recinto enorme, humoso, cerrado. En un escenario modesto se desgañitaba una cupletista gorda, considerablemente desnuda. El público de las mesas —horteras, endomingados carniceros, jóvenes aristócratas, ricas señoras de incógnito, borrachos profesionales y adolescentes inclinados al amor griego— intimaban sin cesar a la cupletista, prometiéndole inverosímiles invitaciones si se avenía a despojarse de la breve falda de bailarina adornada con lentejuelas de oro. La mujer cantaba impertérrita con dos ojos como huevos recocidos fijos en el cielo raso, tal cual si dijera sin cesar a una fuerza invisible pendiente de lo alto: "Sosténme tú, que yo no me abatiré." Con suficiente ironía llamaban en los carteles a la cupletista la "Mariposa de Kansas". Tauste estaba un poco azorado y nosotros, que conocíamos aquello, lo observábamos a él como a un cobayo. El público de las mesas vociferaba a desgañitarse. Voces roncas de ebrios hendían la atmósfera, pesada de humo y olor a cosméticos de liquidación. Como la "Mariposa de Kansas" no se decidía a sacrificar sus ya escasas prendas de vestir, el público comenzó a ponerse furioso y a gritarle: "¡Fuera, fuera!" La "Mariposa de Kansas" bajó dos o tres veces los ojos con pánico avizor y los volvió a levantar sin que decayera en su garganta el latiguillo: "Ni yo ni tú — A osar no volveremos ni yo ni tú." Ni ella ni el público se decidían a ceder. La gritería se hizo tan feroz que ya no se oyó una palabra del canto. "¡Jiii-jiii!", gritaban los jefes anónimos del temblor. Por fin vino un hombre obeso del interior de la escena y tomó a la "Mariposa de Kansas" por el brazo y la arrastró hacia adentro, sin que ella cerrara la boca ni·bajara los ojos de lo alto. El público se puso a reclamar tumultuosamente otra cosa. Apareció un prestidigitador y fue despedido a silbidos. Vino un intermedio de denuestos. La escena quedó sola. La gente seguía gritando. Muchos estaban de pie y otros golpeaban la madera de las mesas con el fondo de las botellas. Se armó una batahola infernal. Al fin apareció una muchacha de expresión suspicaz, sensual, guiñante y cómplice. Guiñaba los ojos, mostraba los dientes, hacía libidinosas alusiones a sus propios miembros al moverlos lenta y lujuriosamente, y se reía a carcajadas. Las voces se acallaron de pronto. Un "¡ah!" circuló por sobre todas las mesas. Ya no quedó, en lugar de los gritos, más que un babeante balbuceo.

Pensé que aquella mujer joven se reía sangrientamente del público y que éste obedecía como un idiota de hospicio y que ella debería tener la sangre inerte, asqueada y amargada.

El público se hartó a conciencia de esta bailarina y luego de otra llamada la Manzanares; las dos eran como los tópicos tardíos de un arte lejano y decadente. Hubo gritos, aplausos, furias, delirios.

—Ese es tu público, Tauste —dijo Anselmi—. Para esos piensas y por esos te preocupas.

Tauste miraba a la sala sin decir nada.

Al rato nos levantamos y nos fuimos. Tauste se despidió al llegar a la primera plazoleta. Su mente oscilante trataba sin duda de organizar algunas cosas, de coordinarlas con otras sin que hubiera contradicción o incongruencia.

Yo veía la sombra de Anselmi reflejada en la acera al caminar, mucho más voluminosa que la mía, sombra de cuerpo pesado. Empezó a comentar el asombro de Tauste, el espectáculo ignominioso de la sala, la presencia disimulada de algunas gentes del gran mundo. Se exaltaba. Era cándido como una criatura y bastante limpio de corazón. Su enojo crecía por instantes. "¡Qué ganas de golpear —decía—, qué ganas de golpear!" Cuando su imaginación no podía tocar el extremo de la lucidez, decía siempre lo mismo, daba entrada a su cuerpo, se acordaba de toda su potencia inempleada, inútil. Me ponderó, estupefacto, una vez más, lo increíble de algunas presencias en el "Molino Negro".

Pero yo ya no pensaba en eso. Yo ya no pensaba en lo que me decía. Yo pensaba en otra cosa. Yo pensaba en aquella mujer alta y hermosa, parada ante mí en la calle matinal. Yo pensaba en sus palabras que todavía llevaba adentro. Y la voz aseverante de Anselmi, y la voz de la noche fría, y la voz del paseo ancho y desierto, y la voz que a mi lado surgía de todas partes —casas, teatros, gentes, cafés— no decía más que aquello, no contenía más que aquello: *God bless you. God bless you. God bless you.*

XVIII

Le he contado el modo como transcurría mi existencia. No diré que era interesante; no diré tampoco que era pálida. Pues su zona de intensidad venía a quedar en esa parte de mí, de todos, que es por naturaleza inenarrable, cuya marcha, cuya movilidad se despliega sin signos lo bastante concretos como para poder articular cronológicamente —o hasta lógicamente— la historia de su proceso.

¿Cómo contar, en efecto, la lenta progresión con que a veces acompañamos, con la tripulación de nuestro espíritu, el nacimiento, el ascenso y la decadencia de un día? A veces tenemos por dentro la historia de un extraño argonauta al que nosotros mismos desconocemos y de cuyos caprichos y humores quisiéramos de pronto olvidarnos para dedicarnos a la acción inmediata, sin morosa rumia. La historia interior de nuestros días tendría que ser contada, por coherente que fuera, según los principios de una desordenada intemporalidad. Lo más portentoso que tiene el alma del hombre es su carencia de tiempo lógico, su mutabilidad sin condiciones, su salto, simultáneo e íntegro, del alba a la medianoche y de la medianoche a la mañana.

¡Qué entusiasmo, qué desaliento! ¡Qué velocidad de imaginación, y qué lento desarmarla ante la diferente estructura de la materia vital circundante! A veces venía a mi casa con la vasta concepción de un libro extraño y hermoso en su primer proyecto; me sentaba, trazaba el plan completo; vivía horas de gozosa madurez y mi ánimo estaba tan pletórico, bien dispuesto y generoso, que toda la disponibilidad de simpatía me parecía poca cosa para repartir entre la gente aquellos días. Luego empezaba a trabajar en el libro, comenzaba la operosa lucha; y entraba lenta, en mi cuarto, la invasión disolutiva: el descontento, la impotencia, el tedio que toda obra de fantasía comporta al enfrentar obstinadamente al autor con sus propios fantasmas liberados. Me parecía indigno estar en aquel cuarto trabajando en algo que a la postre no revestía más que un alcance individual. Prefería andar por las calles, anudarme a las conversaciones circulantes, estimular ese intercambio de sorpresas sin el cual la vida carece de sentido. Me parecía que no era la hora de la literatura, sino de la historia; que todos estábamos complicados en un no hacer nada; que nuestro papel era tan poco fértil, tan poco brillante, como el del lagarto al sol que digiere casi muerto. ¿Pero no estaba el país en mano ajena? ¿En mano sin imaginación, en mano muerta? Había, por lo tanto, que seguir buscando la imaginación espiritual, la imaginación intelectual, la imaginación heroica, en los fondos más oscuros de la ciudad. Me gustaba hablar con los ingenieros, con los hombres que llegaban del campo, con los arquitectos, con los maestros, con todos los que trabajaban alegre y anónimamente en la formación de una materia.

Conocí entonces a la señora de Estalión.

Era una mujer expedita y poco femenina, armada de un lema. El lema lo llevaba a todas partes, como quien blande un título capaz de diferenciarlo en el acto de cualquier otro ser viviente. El lema tenía que explicarlo a todo el mundo cuando lo enunciaba por primera vez. Aquel "imitar es decaer" quería decir naturalmente que todo seguimiento lleva en sí un germen de agonía; que lo necesario es, por consiguiente, renovar. Este principio un tanto vago había acabado por modificar substancialmente sus costumbres, su apariencia y su vida. Al final había acabado por ser esclava de su lema. Y por consiguiente, toda ella era una regular anarquía.

Su residencia quedaba hacia el barrio del oeste y era un vetusto caserón donde lo arcaico de la arquitectura no impedía un contenido de alarmante originalidad. Por lo pronto, el menaje de la casa no mostraba dos muebles del mismo estilo: todo era allí buscada diferenciación, diversidad. Alguna fotografía curiosa del final del siglo xix se mezclaba con un pequeño Picasso azul y éste con un termómetro asiático y éste con una rústica silla norteamericana de la época de Lincoln. La progresión ideal de Platón, que se origina en el amor de un cuerpo por otro, fallaba allí por su base, pues en esa casa cada objeto era tan opuesto y hostil al otro que todos debían odiarse refinadamente. En fin, con eso se mataba, según la señora de Estalión, toda posibilidad de decadencia. La señora de Estalión presidía, subpresidía y aconsejaba a diferentes instituciones artísticas y de caridad. (El señor Estalión, con quien ella hizo un casamiento de interés, era baldado y murió pronto, dejándole aquella fortuna con que ella deparaba anuales premios a la virtud.) La señora de Estalión era amiga de artistas, políticos y diplomáticos extranjeros; mantenía, por lo demás, el fuego sagrado de esas vinculaciones gracias a su mesa constantemente servida para el huésped notorio y en la que los manjares se acordaban también a los principios de la más fastuosa y amenazante diversidad. Indigestarse en su casa era un título de distinción; era como indigestarse en la casa de un sha persa o de un noble birmano. La dueña de casa profesaba sin embargo —"por humanidad"— ideas de tono liberal (aunque no mucho). Gustaba hablar de todos los temas posibles con variedad e impromptus —¿cómo no evitar la decadencia de la conversación, su caída en los tópicos convencionales?—, con lo cual solía crear a sus invitados momentos de cruel embarazo, como cuando decía a quemarropa a un señor que se despojaba en el vestíbulo de su impermeable: "¿Qué piensa usted de la limitación de la natalidad en las colonias holandesas?" o "¿Por qué tiende usted, en materia de credo, a la confesión católica en vez de inclinarse por la fe protestante?"

Pero uno pasaba en su casa buenos ratos. Toda esa activa confusión era, en cierto sentido, amena. Salir de la vida ordenada, áspera, rutinaria para entrar en ese sitio de discordia lógica constituía una experiencia no desdeñable. Yo me quedaba rara vez a comer en su casa, pero iba por las tardes, a veces, y permanecía escuchando y oyendo. De noche caía gente del tipo más anodino y mundano; por la tarde había alguien que se sentaba al piano a tocar cosas de Scriabin mezclado con Ravel. A veces llegaba alguno de esos embajadores cuyo lenguaje gira en torno de las estupideces más actuales y solemnes, lo cual aportaba un dato documental digno de escucharse de tiempo en tiempo. La señora de Estalión atendía todas las conversaciones con el aire de que se estaba jugando en su casa el destino de la sociedad contemporánea, y tenía particular dilección por los especialistas en profecías, gentes por lo general muy requeridas en gracia al mal ejemplo que difunden.

En su casa me presentó una tarde la señora de Estalión a un joven matrimonio. El joven matrimonio se presentaba, por su parte, muy desproporcionado: él era alto, hierático, presuntuosamente vestido, afecto a las breves reverencias y al tono sentencioso. Ella era baja, conversadora, pizpireta, e iba vistosamente vestida. Cada vez que él acababa de pronunciar con cierta solemnidad una de sus frases, ella estallaba en un comentario chillón y sin fin. Él la miraba desde lo alto, con un aire, si no de desaprobación, de paciencia fría. Serían posiblemente de una misma edad: treinta y cinco años. Él se llamaba Jazmín Guerrero.

Tenía un rostro aquilino, algo agresivo, y usaba anteojos de carey. Hablaba con voz lenta, pausada, circunspecta. Parecía uno de esos hombres, uno de esos temperamentos fiscales o policiales, que han nacido para paralizar de miedo al escándalo. Jazmín Guerrero miraba al mundo desde arriba, juzgándolo y reprobándolo.

La señora de Estalión nos recomendó mutuamente. Parada entre nosotros, juntaba las manos y exclamaba con los ojos en alto: "¡Qué bien se van a entender ustedes! ¡Dos inteligencias! ¡Dos conciencias!"

(El salón de recibir estaba colmado de gente: alguna, elegante; toda, ambiciosa. Los señores parecían cargar allí con la autoridad de todas las bibliotecas, y las señoras, con la propaganda de todos los modistos, peluqueros y perfumistas.)

Me turbé, y sonreí como pude. El doctor Guerrero me estrechó la mano fríamente, sin demostrar el menor afán por el futuro de nuestras relaciones, la menor curiosidad por el parentesco moral con que la dueña de casa acababa de obsequiarnos.

—¿Es usted periodista? —me preguntó, glacial.

La señora lanzó una exclamación de transportado encanto y confesó su amor por el periodismo y dijo con un gritito histérico: "¡Como Beaverbrook!"

—No —dije—. Escribo libros. Y estoy haciendo en estos días un periodismo accidental.

La diminuta señora de Guerrero se mostró algo desencantada.

—El periodismo de nuestros días —afirmó Jazmín Guerrero— es una fuente de envilecimiento.

Lo dijo con aire pensativo y me pareció que era sincero.

—Yo soy abogado —continuó—. Lo cual tampoco es un ejercicio que brille en estos tiempos por su decencia. Pero a la postre, claro está, todos los oficios son igualmente malos o buenos, y el destino de la verdad, es menester convenirlo, depende mucho del predicador... Él puede salvarla o hundirla.

Parecía despreciar olímpicamente la literatura. Su señora me preguntó qué clase de libros escribía yo, cosa que me fue muy difícil explicarle. Intenté una definición rápida que no hizo más que confundirlo todo.

—Ah —dijo ella—, psicología.

Me pareció inútil sacarla de su idea. La señora de Estalión expresó su opinión sobre la psicología y sostuvo, claro está, que estaba en decadencia: "Una ciencia de regreso", dijo. Nos extendió de la mesa baja situada junto al sofá un plato con *scones*. "...En plena decadencia." Yo empecé a masticar el *scone* mientras ella seguía minando los fundamentos de la psicología. Sostuvo que la moderna psicología mostraba propensión a ser un espiritismo al revés, una maquinación verbal con las esencias más improbables del ser. Se chupó graciosamente los dedos untados de mermelada en las puntas.

Jazmín Guerrero me examinó desde lo alto de su importancia. Entró rápidamente en materia, como quien no quiere dejar lugar a dudas.

—Mi concepción de la vida —señaló— es eminentemente aristocrática y espiritual...

La pausa fue un subrayado.

—Yo soy un convencido —aseveró Jazmín Guerrero, con su sólida moderación de bien pensante— de que todas las deformaciones intelectuales y científicas de nuestro tiempo tienen su explicación y su origen en una mera crisis de religiosidad. Cuando se nos asegura que estamos internándonos en zonas desconocidas y sobrecogedoras de novedad, en flamantes dominios inexplorados del mundo individual y social, me parece que veo agigantarse el tumor moral de la privación de Dios. El mundo moderno es un sistema de tumores. El psicoanálisis, el cinismo colectivo, el comunismo, la acracia, y la democracia, el cinematógrafo, no son más que nombres diferentes del mismo neoplasma colectivo. El hombre acosado por los males de un universo superpoblado y superexcitado, tiene más necesidad que nunca de acudir a los grandes recursos metafísicos, pero como la metafísica religiosa ocupa el hemisferio más escarpado, más difícil y por consiguiente más inaccesible, se ha llegado a la creación de gigantescos substitutos, es decir, a la elevación de los sistemas más falsos en verdaderas metafísicas.

Le pregunté cómo conciliaba la existencia de una religión fuerte con la eventualidad de su crisis. Se quitó los anteojos y los limpió a conciencia, dándose tiempo antes de hablar. Era un hombre ponderado. Era lo que se llama "un hombre de bien". Por su boca hablaba la razón y no podía en modo alguno comprometerla con insensatas precipitaciones. (Una mucama con cofia paseaba por entre los invitados el carrito del té.)

—Los medios providenciales son invisibles —afirmó después Jazmín Guerrero, mientras restituía sus pesados anteojos de carey negro a ese sitio de la nariz en que por un instante se había visto la huella roja del arco—, en tanto que los caminos visibles están librados a los agitadores y a los bandoleros. Más de doscientos años de continua agitación han venido a desembocar en el actual descreimiento, en la actual miseria metafísica, en la presente necesidad de alimentos substanciales. La revolución francesa, esto es, el movimiento de ideas más inhumano y nefasto del mundo, señaló por primera vez la infalibilidad de la instancia más falible del mundo: la palabra del hombre, la razón, que es por definición falible y arbitraria. Cuando el río se sale de madre, el espectáculo de la inundación puede ser estupendo, hasta magno; pero la energía, la energía original, está perdida. De igual modo, la energía espiritual del hombre de occidente está desorganizada en su fuente. La gran cruzada de nuestros días tiene que fundarse en una restitución del hombre a su ordenación tradicional. ¿Qué otra salvación cabe esperar? Todo es condenación y asesinato debido a la máxima ceguera; y al ciego hay que ir a curarlo en los ojos. La comunión fundamental con los poderes espirituales no se puede operar, mi amigo, en el estómago.

—¡Aunque el estómago es un buen originador de blasfemias y por lo tanto un sitio sacramente digno de que se le tenga en cuenta! —dijo alguien con voz alegre. Era un hombrecito de rostro feliz que se acurrucaba, taza en mano, en un taburete adosado al gran sillón de la dueña de casa. Y reía con beatitud, y luego se avergonzó del vacío en que acababa de caer en su ocurrencia.

—Cuando el orden está trastrocado —continuó Jazmín Guerrero sin dignarse escuchar más que a sí mismo— las fuerzas más bajas suben a la superficie como flores acuáticas. Hay tumores que parecen flores acuáticas; algunos males sociales se asemejan a esos pétalos carnosos con que los pintores ingleses rodeaban en sus ilustraciones el cuerpo de Ofelia flotante. Toda las utopías son, por especiosas, atrayentes de vistosidad y soberbia. En cambio, la fe es áspera e igual a sí misma. La forma de la fe es una suma de incredulidades desplazadas, siendo el reflorecimiento febril de estas incredulidades el centro de la descomposición contemporánea.

Jazmín Guerrero, a todas luces, no dudaba nunca. Como la concepción filosófica de la nada, la concepción de la duda debía parecerle inaceptable y falsa. "¿Conoce usted la forma de proliferación de los cánceres...? Mire..." Daba lecciones que se parecían extremadamente a los discursos confidenciales espetados en las cátedras por algunos profesores de pocos alumnos que se esfuerzan en mantener la cohesión y el respeto, preciosos, de ese pequeño núcleo. "Si todos los cuerpos materiales están constituidos por pequeñas partículas dotadas de un movimiento de cohesión, ¿por qué se resisten tan obstinadamente algunas comunidades del planeta a ser dóciles al principio de energía más vigoroso de la Historia, la catolicidad...? No es ya siquiera una cuestión de fe, es una cuestión de lógica y de información. Yo me imagino a la humanidad moderna como un hombrecillo que, habitante de una región despoblada, sin recursos, tuviera que salir a cada rato en busca de cajas de fósforos y las fuera adquiriendo una a una para sus necesidades, negándose por torpe obstinación a tener en su casa una provisión de fósforos para toda la vida. O sea: la interferencia de una arbitrariedad absurda en un orden sencillo y claro..." Volvió a escoger un *scone* tostado, en el plato que comenzaba a diezmarse. Miraba ahora a los que oíamos, con las cejas levantadas. Entró en repentina contrición: "Yo creo que el defecto principal del presente siglo podría perfectamente aislarse y diagnosticarse como una falta total de sentido histórico. Este defecto viene creciendo y definiéndose desde hace más de tres centurias y casi diría desde el siglo XVI español, cuando se acentúa la fuerte decadencia histórica propiamente dicha de los pueblos hispánicos con la quiebra del ideal de restablecimiento de la unidad cristiana de Europa. Y si nos remontáramos al punto inicial de la ruina, a la Reforma, veríamos hasta qué punto la hendidura abierta de pronto en un principio aglutinante despeña por las laderas de la historia el más catastrófico de los aludes..."

Eso lo llevó, lógicamente, a trazar una teoría de los aludes, que son la imagen material de la dispersión, de la diáspora social, y a buscar una salida dialéctica más inmediata y práctica en una acerba referencia a la sensible postración de nuestra propia nacionalidad. Sin duda habían debatido largamente el tema en las sobremesas domésticas, porque la señora de Guerrero estalló, conyugal contrapunto, en el pequeño delirio de una ambigua frase corroborante. Jazmín Guerrero abrió la boca tres veces antes de que ella terminara y le librara de nuevo paso después de su intervención casi melódica. Se vino a hablar así del grupo de Acevedo y de mi intervención en el periódico joven y del posible beneficio de la iniciativa. Después de pararse y volverse a sentar tras el saludo a unos recién bañados y recién perfumados que entraban, manifestó él su deseo de ser presentado a los demás miembros de *Basta*. Ya no quedaba ningún *scone* en el plato, cuando acometió, no sé por qué repentina derivación, el tema de las virtudes teologales, lo que motivó —señal de decadencia verbal— una nueva evasión de la dueña de casa, que se apartaba y venía con entrecortada curiosidad en medio de un derroche de exclamaciones de saludo, risas y corteses protestas.

—Porque, ¿qué es un príncipe sin caridad? Abominación. Regresión. Fuente de odios y por consiguiente, antipolítico. La doctrina de Maquiavelo, con su desprecio sistemático de la caridad, cae vencida en la práctica imperial de Felipe II, el príncipe piadoso. La singular eminencia del dogma católico consiste en encerrar en su entraña numerosos sistemas completos de filosofía histórica y moral. No uno solo, sino múltiples, que se armonizan congruentemente hasta tocar la cima. Vea usted, ¿no es acaso la caridad el origen de una estructura completa de pensamiento, de comportamiento y hasta de salud orgánica? ¡Ah, la caridad —su tono era duro y solemne— como principio y fin!

Rechazó mis no muy entusiastas objeciones con respecto a Felipe II, el suspicaz y el intolerante.

—No hay que creer en la leyenda del "demonio del mediodía" —sostuvo—. No hay que atender a la anécdota cuando se piensa en la materia de la historia; hay que atender a su sentido inspirador y realizador. La historia posee un sentido metafísico. Los resultados aparentes y temporales, accidentales, de ese sentido, carecen, amigo, de importancia. Los hechos no componen la historia como si fueran muebles metidos en un cuarto. La historia es la armonía en que esos hechos se organizan en un panorama vastísimo. Por eso, históricamente hablando, algunos hechos que parecen protervos a los débiles aparecen a los lúcidos como necesarios...

La señora de Estalión me reclamaba, y me aparté con ella para saludar a otra gente. Trajeron oporto y bizcochuelo. Vi desde lejos a Guerrero y a su mujer haciéndoles los debidos honores. Ella hablaba animadamente. Él se daba un severo y apolíneo descanso. En la sala se levantaba y decrecía alternativamente un rumor de conversaciones que tendían hacia el brillo por la vía del estrépito y de la carcajada.

Un reloj de cima decorada, esculpido en vieja loza de Delft, señalaba más de las ocho. Resolví despedirme. Los Guerrero se levantaron al propio tiempo, y, conmigo la señora, caminaron hasta la puerta. La calle estaba negra. Vi la niebla y el alto reloj blanquecino en la torre máxima de una capilla con verja.

Respiramos en la calle, al despedirnos, pesado vapor de agua. Un bulto oscuro tropezó con Jazmín Guerrero. "¿No ve por dónde anda?", increpó él al bulto, indignado. El bulto tardaba en despegarse: era un hombre encorvado y corpulento, metido en un gabán de invierno y conservaba una mano en alto como quien preserva un florero de caer y destrozarse. "¡No ve por dónde anda!" El hombre se desvió y Guerrero se sacudió la ropa, mirándolo. Vi la cara del hombre en la semioscuridad neblinosa. Era un ciego, vendedor de lápices. Mantenía los lápices en alto para que no se le cayeran al ser chocado. Buscó la pared y siguió andando, sin excusarse.

—¡Yo no sé cómo se pueden ver espectáculos así en una ciudad como ésta! —protestó Guerrero.

Se arregló la corbata. Tenía una cara de asco.

Mientras me extendía la mano asegurándome magnánimamente que me llamaría por teléfono, su mujer, con aquella voz en falsete que parecía quebrarse al salir como el cristal caliente ante el hielo, rompió, protestando, en una melopea filantrópica.

XIX

Eran los últimos días otoñales, los últimos días apacibles, y nos gustaba ir por la noche hasta la punta de los muelles en el viejo puerto.

Todo era allí río, luna, algunos paseantes discretos, guardacostas solitarios y míseros fotógrafos ambulantes. En las cercanías de la Prefectura, estos últimos se estacionaban a la espera de hipotéticas parejas, con la máquina anticuada y voluminosa cubierta de fotografías amarillentas representando a gentes que parecían costear a la sazón el lago rosado de la vida —con traje negro y azahar en la solapa— y que ahora estarían gruñones y hoscos convivientes en el tedio. Por allí había un bar que se llamaba *First & Last* y por allí se había besado —olvidada del mundo— mucha gente. Por allí se llegaba, a través del pavimento cubierto a veces

dole una tarde en un parque uno de los cantos más sublimes de *Childe Harold* —*There was a sound of revelry by night*—, que usted escuchaba transportada, más que por la intrínseca sublimidad, por la leyenda bajo la cual miss Glowston le había ardorosamente presentado a Lord Byron. No pertenecía a esas familias de aluvión que de pronto irrumpen en las jóvenes aristocracias. Nació habituada a la familiaridad con las cosas de calidad, segura de sus propensiones, de sus gustos, de sus preferencias y rechazo, y a los quince años sabía distinguir, estimar perfectamente, con una sola mirada, la diferencia que separaba a un Gros de un Delacroix, la distancia que va de un grosero dibujante alemán a un Ingres. Igualmente, en materia de libros, personas, situaciones y cosas, eludía desde adolescente esos vanos comentarios y esas discusiones estériles que si son enojosas y frecuentes en los hombres cobran en boca de las mujeres el máximo de grotesco: se contentaba ante las cosas o las actitudes ajenas que le disgustaban, con pasar ante ellas sin reconocerlas, indiferente al mal gusto y la avilantez y la vileza, ante el desplante y la ordinariez, como si se tratara de cosas ante las que cualquier juicio sobra y se contamina. Desde criatura emprendía largos paseos solitaria y se paraba ante las plantas, ciertas flores curiosas, ciertos signos naturales de distinción, con la espalda un poco echada hacia atrás para mirarlos mejor, con más reflexiva amistad, como si le gustara sostener un diálogo silencioso con esas especies de su raza. El refinamiento de su sensibilidad era así tan consubstanciado, tan natural, que parecía usted al hallarse ante las cosas genuinamente hermosas, nobles y verdaderas, no descubrirlas, sino reencontrarlas, lo mismo que si hubiera vivido con ellas mucho tiempo, en una vida anterior.

De modo que lo que parecía haberle sido dado con más lujo por la vida era su facultad de reconocer lo genuino, su rechazo inmediato, y previo a la deliberación argumental, de todo cuanto contuviese, por mínimo que fuera, un germen de adulteración. Creció, así, como crece la magnífica tuberosa, la orquídea o la floración de altura, egregia en sí misma, regia por derecho propio, bien asentada y orgullosa sin vanidad, según el principio de aquellas cosas que por una ley secreta, pero fatal y eternamente reconocible, son elegidas para venir a este mundo con un mandato de primicia. El grande es grande donde esté, así en el imperio como en el llano, y si la vida no le trajo a usted las equívocas prebendas con que afilan su vocación las naturalezas ambiciosas, la dejó intacta y regente en su magnífica carnadura personal.

Todos habíamos visto un retrato suyo muy hermoso que la representaba con *jotpurs* y una casaca de montar, traje que revelaba singularmente cómo era de fina y al mismo tiempo de sólida y esbelta. Todos habíamos visto ese retrato y todos esperábamos del destino algo diferente a esto que Cosme Gómez nos contaba ahora, matizado con alusiones a lo que su adolescencia había sido en materia de esplendidez de figura e inteligencia. Sin embargo, lo que amasa al fin la grandeza última de ciertos caracteres, es su porción de derrota y no su parte de triunfo; incluso en las especies zoológicas, el mundo no es inclemente sino con los más delicados. Así, pues, aquella mujer joven cuya entrada en los salones cambiaba, según la expresión usada por alguien, la atmósfera existente, que provocaba una expectación y un silencio destinado en los cuadros de fasto a lo más altivo y lo más puro, pasó por entre todos esos hombres de su clase y poder sin detenerse a responder a ninguno en especial, y mirando a todos con aquella elegante ironía de la que nació alguna vez la ajena malevolencia. Parecía que le bastaba con la certidumbre de su propio dominio, con existir, ver, oler y sentir según sus órganos finos — y que todo lo demás era fortuito, trivial, inconsistente. Todo esto —¡no crea que no se sabía!— sin sombra de petulancia, sino con la misma naturalidad con que el día prescinde de la noche hasta el momento de ir a encontrarla.

Extraordinariamente culta y con un sentido de selección en sus lecturas ·tan agudo y preciso que le permitía espumar, cada estación, en el río de la literatura universal las pocas expresiones valiosas que se salvaban de la superficie, no podía tolerar que se infiltraran en su vida, que pudieran gravitar sobre usted, valores de otra categoría que aquellos en que había descansado siempre. Por eso, en plena juventud, se sintió literalmente asqueada por la clase de cortesía y cortejo que empleaban con usted los hombres de su alrededor; la maquinaria de un interés ambicioso, de un juego bursátil del matrimonio, parecía invitarla a entrar en su rodaje. Se sintió repugnada, asqueada — y se cerró un poco más, su fisonomía cobró en los salones un aire cada vez más aburrido, ligeramente desagradado, levemente nostálgico de otra cosa. El día en que se decidió y se casó con Cárdenas, lo hizo por rebeldía contra aquel sistema de situaciones y por piedad. Quiso casarse con ese hombre pobre, metido en insolubles problemas como una criatura abandonada en la noche, escaso de medios materiales, intelectuales. Era una naturaleza simpática, abierta, y no tenía ese fondo de falsa virilidad, o sentencioso y vacuo compadrazgo, que la asqueaba en los hombres de su generación. Se casó con lo más indefenso que halló, con lo más vulnerable — por oposición a tanta interior pedantería y almas de relumbrón, desesperadamente vacías. Sin embargo, no abrigaba ningún sentimiento real de amor hacia él. Se lo. había dicho claramente, sonriendo, cuando consintió, ante su insistencia, en acompañarlo en la vida. Él, por lo menos, respetaba dignamente sus gustos y la escuchaba y atendía con admiración casi infantil lo que usted pensaba y expresaba. Usted no admitía —y se lo había dicho en todos los tonos— que la creyera superior a él, no ignoraba lo falso y nefasto de semejantes calificaciones entre gente llamada a convivir en paz. Pero él insistía, joven y sin complejos, en llamarla superior, y verla y seguirla como tal. El casamiento se efectuó con el lujo del mundo al que los dos pertenecían. Durante dos años vivieron en el campo, en una de sus estancias que rehicieron a su placer. Luego vinieron de nuevo a la capital; Cárdenas quería continuar ejerciendo su carrera de abogado. Usted tenía entonces veintiún años. Había nacido el mismo año que yo.

Su previsión tuvo pronto una confirmación sombría. Sólo los caracteres muy puros, extremadamente insólitos e inteligentes, pueden soportar en el mundo de los hombres, y al ir a convivir con mujeres, la sensación de la superioridad de ese otro ser. Cárdenas no era uno de esos caracteres. Notablemente bien dispuesto al principio, no tardó en resentirse. Pensaba todo el día en su inferioridad, y la vida en un lugar solitario multiplicaba esa insoportable molestia. Comenzó a añorar, a desear la ciudad, a desear mezclarse con otras gentes, diluir en la multitud mundana esa especie de vergüenza que lo roía y que tenía, lo que era más horrible, vergüenza de avergonzarse.

Hicieron aquí, como antes de casarse, intensa vida mundana. Pero si un resorte bueno tenía usted en el sentido de la influencia sobre él, ese resorte estaba ya roto. Cárdenas bebía desmesuradamente, había dado a su vida un ritmo imposible, exactamente como si quisiera olvidar alguna ignominia. Esto, a usted, la ofendía, la disgustaba en forma extrema, sin que esa ofensa y ese disgusto se revelaran nunca en su apariencia, que siguió siendo serena y no turbada. En uno de los bailes más fastuosos de la temporada hubo un pequeño escándalo que algunos ánimos de buena voluntad, gracias a sus buenos oficios, ahogaron de inmediato. Era en una mansión riquísima, residencia de una familia de aristócratas recientes. La concurrencia bailaba en el salón principal, mezcla de estilo moderno y Luis XVI según la vacilante receta de un arquitecto de moda. *There was a sound of revelry by night*. Una verdadera multitud dejaba escapar sus exclamaciones, sus chistes, sus celos, sus olores y el brillo de sus lustrosos betunes, en medio del derroche más fantástico de luces, y ceras, y plantas. El jardín estaba casi a oscuras, deliberadamente, casi a oscuras, salvo los farolillos de pergamino bastante ocultos y discretos. Su marido, en aquel jardín, aquella noche, ante una de las aristócratas recientes que acababa de conocer, llevó su osadía hasta la obscenidad. La señora escapó indignada, confundida, muy roja de cólera. Hubo un cuchicheo de maridos. El suyo entró en el salón principal con entera calma. Y el rumor, la noticia, circuló solapadamente de persona a persona y llegó hasta usted y pasó sobre usted y fue todavía más allá. Nada en usted se nubló. Siguió, alta y digna, hablando y sonriendo y saludando del modo más correcto del mundo a todo aquel que se le acercaba y que disimulaba peor que usted el momento. Cuando salió del baile esa noche, era la misma figura tranquila que había entrado, lenta en el andar, con los bellos hombros descubiertos, velados sólo por un ligero chal, al aire de la noche.

Varios meses después tuvo usted su primer hijo. La criatura creció débil y enfermiza, hostigada por una sensibilidad de inhumana delicadeza. Era frágil hasta lo increíble, más allá de su piel rubia.

Esto fue lo que contó aquella noche Cosme Gómez frente al río nocturno.

Subimos caminando por la calle Viamonte. Más adelante, en la mal alumbrada proyección de la calle, distinguimos las primeras casas de departamentos, el edificio de la Facultad de Filosofía. En aquellas calles solitarias se notaba un tráfico inusitado, gente que bajaba hacia las arcadas del Paseo Alem. Alguien preguntó por Jiménez. Yo lo había visto un minuto, por la mañana. Estaba tal vez más elusivo y ya no contaba nada de él. Su internación en esa zona de sombra nos inquietaba verdaderamente.

XX

No sería sincero ocultar que yo mismo me mezclé por aquellos días con mujeres bastantes turbias en lo que concierne al modo de vivir. No pretendo con este calificativo —ni mucho menos— establecer un juicio beato; aludo más bien con el término *turbias* a una falta de vías claras para salir de su estancamiento, y a una especie de hundimiento creciente en lo que se podría llamar la dorada desmoralización, estado en que esas personas aparecían refugiadas.

Acudían a todos los medios artificiales posibles para proveer a su abatimiento interior de un aire especioso, de un clima de encanto falso.

Me hice cargos a mí mismo. Pensaba haber faltado a un deber de relativo ascetismo, a esa calidad y esa sobriedad militar que reclamaba mi obra y las preocupaciones reales de mi vida. Tuve una gran vergüenza de aquel intermedio frívolo, pese a que no había ocupado más que algunas horas muertas y a que no le di otra significación que un entretenimiento sin importancia. Con todo, siendo tan poco significativos en sí, no lo fueron tanto en el sentido de marcar una etapa: entrañaron las últimas licencias de ese tipo en mi vida. Las mujeres, como especie ligera, como género placentero y profuso, dejaron entonces de existir para mí. Ya su raza no siguió existiendo sino bajo su faz dramática, individualmente diferenciada, en su aspecto, no de goce, sino de radical encuentro humano.

Volví a pensar en usted con preocupación, con terrible, subterránea simpatía. Ya usted me dirigía, me alentaba con su lejana presencia, en la pausa de mis fatigosos trabajos, en mis insomnios nocturnos, en la soledad de aquel cuarto cuyos balcones daban a la calle rígida, al desierto.

Sobrevino un tiempo de mucho trabajo. Leía, pensaba, escribía, encerrado, a fin de evitar las eternas tertulias, las conversaciones, las bromas de toda hora. A veces salía de mi cuarto con una demacración y un aspecto de agotamiento visibles, que escandalizaban a la dueña de casa y al doctor Dervil. El doctor me recomendaba tónicos que ya no se vendían en las farmacias, de puro viejos. Luego yo tenía que soportar sus insistentes indagaciones acerca de si había bebido o no lo prescripto. Se quejaba, resentido, de nuestra falta de credulidad ante su experiencia de las cosas de la vida. El viejo médico inclinaba su pesada cabeza sobre el hombro izquierdo en una actitud que le era característica, y exclamaba: "¡Qué generación! Yo soy como un viejo elefante que hiciera doscientos años que acomoda lentamente su instalación en la tierra, y ustedes son gente que viven como en una estación de tránsito, esperando no sé qué trenes y como si se fueran a ir en seguida. Parece que cada nueva generación viniera a vivir cada vez más rápida y provisoriamente. Yo creo que dentro de poco la vida va a ser, en esencia, una cuestión de pocos días... Un poco de intensidad, y abur."

Entonces vino a vivir a la pensión un viejo pequeñito, tímido, encorvado de espaldas, sonriente y apocado, muy cortés, que parecía agradecer la posibilidad de vivir, sin ser perseguido, con las manos cruzadas a la altura del pecho según las cruzan en estampa los pastores metodistas. Usaba en la calle una galerita negra y se acariciaba constantemente las manos, como agradeciendo con gesto beatífico cada palabra que se le dirigía, y que le daba la sensación de estar repentina e inmerecidamente destacado de la confusa masa general. Este humilde personaje sufría tormentos sin cuento durante el tiempo en que estábamos en la mesa. El doctor Dervil lo llamaba a ratos en apoyo de sus opiniones, y nosotros hacíamos lo propio para la oposición, de modo que el tímido recién llegado no sabía si quedarse con el uno o con los otros; por lo general se manifestaba listo a dar la razón a los dos bandos.

Este hombre era un antiguo profesor de humanidades. Lo supimos a los muchos días de haberse instalado en nuestra casa. Ira Borescu, oriundo de Rumania, había nacido cerca de las bocas del Danubio y seguido la carrera de químico en un laboratorio de Galatz, hasta que tuvo que emigrar a los Estados Unidos, donde vivió una vida miserable dando lecciones de alemán en los barrios judíos. Hablaba griego y latín correctamente; inglés y alemán, discretamente; francés e italiano, pasablemente; español y portugués, deplorablemente. Pero su conocimiento en las cuestiones propias de la civilización del Mediterráneo y de las viejas culturas etrusco-romanas era perfecto.

Consideré el hallazgo de Ira Borescu como un regalo providencial. Comencé a tratarlo como a un rey. Lo llamaba a mi cuarto y le regalaba cartuchos voluminosos de pasas de uva, su bocado predilecto, cigarrillos griegos, potes de leche Yoka, libros de arte que ostentaban arcaicas muestras de las vocaciones más antiguas del hombre y que empezaban con la reproducción de la mano roja pintada en el techo de la Cueva de Altamira. Lo escuchaba religiosamente. Me deleitaba oírlo discurrir, a solas los dos, con su ingenua y sólida sabiduría, de las cosas más sublimes y secretas que el lenguaje de los hombres ha conservado en sus despensas recónditas. Me desesperaba mi imposibilidad pecuniaria de ayudarlo suntuosamente, de establecerle un cómodo estudio donde no hiciera otra cosa que ahondar todavía más su conocimiento de los orígenes de la sociedad, conocimiento que asumía en su ánimo el carácter mágico y deleitoso de una revelación. Me inquietaba la necesidad de hacerle olvidar la faz miserable e inmediata de su vida, la necesidad de hacerle volver los ojos brillantes y cándidos hacia el enorme mundo milenario en que su sabiduría podía, por inigualable privilegio, proyectar los fenómenos cotidianos, apreciándolos, reduciéndolos y conformándolos según las reglas del tremendo paisaje de los siglos.

Anduve por la ciudad con aquel viejo muchos días, conmovido. Se paraba él ante las escalinatas de piedra nueva, ante los pórticos de reciente mampostería. Su rostro pulcramente afeitado tenía, a causa de aquella nariz de base ancha y de aquellas dos arrugas tensas y profundas que bajaban a los lados de la boca, pronunciándolos, no sé qué cosa de simiesco. Pero hablaba y parecía hermoso. Su voz tenía una monotonía de *canto fermo*, sostenida, igual a sí misma en su sonoridad rauca.

Me contestaba con argumentos de esperanza cuando yo le hablaba de la sordera de nuestra tierra frente a las cosas del espíritu.

—Ciertamente —decía—; un país donde no se producen de modo natural expresiones de arte tiene que ser un país donde no se vive, porque inmediatamente que se comienza a vivir comienza a moverse ese mecanismo que se llama sensibilidad, y se produce entonces esa descarga del alma que es el arte en sus diferentes formas. Cuando un país se pone a crear es cuando se pone a saber y a decir lo que ha vivido y lo que está viviendo. Piense en *Os Lusiadas*. Piense la parte que le cabe a Florencia en la *Divina Comedia*. Mientras no se sabe cómo se vive es como si no se viviera. Es la puerilidad — y ustedes están todavía en la etapa animal de la puerilidad como organismo actuante. Mientras no se sabe cómo se vive se está viviendo una vida animal, y el tipo de vida animal no es ciertamente el tipo de vida destinado a nuestra raza. Que vive más quien más vive con el cuerpo, es un prejuicio que urge dejar a los *facchini* — ¡ah, ellos lo necesitan bastante para su propia consolación! Se ha tratado de fundar una filosofía de la vida elemental en el espíritu de algunas pinturas etruscas halladas en las tumbas de aquel pueblo que en materia de arquitectura había llegado hasta manejar sabiamente el *opus quadratum*. Pero esas no son más que invenciones. Si yo sueño con alguna posibilidad para nuestra especie, es con la posibilidad de que la humanidad salga del primitivismo que hay detrás de su genio. La única razón decisiva es la razón histórica; cada ciclo de vida histórica tiene sus reglas tan diferenciadas del anterior y del que le seguirá, que en el fondo la vida está obligada a reinventar a cada instante su instrumental; por lo general los pueblos no inventan a tiempo los instrumentos que requiere su hora histórica; los pueblos grandes son los que inventan a tiempo. En esa constante labor de acomodación, interviene el arte de dos únicos modos: siendo profético o siendo elegíaco. El arte profético es el que se adelanta a tal acomodación de los pueblos a la circunstancia histórica, y el elegíaco, el que llora su fracaso. Es inútil querer imitar: la imitación es siempre la muestra de una falta de acuerdo entre el hombre y la realidad. (Le complacía en forma muy visible seguir la oscilación de su pensamiento andante y volviente.) El genio de los pueblos consiste en tener la originalidad y la pujanza de descubrir, en un minuto dado, el instrumento que necesitan para explorar por sí mismos la montaña de las circunstancias contemporáneas. El caos de nuestro tiempo consiste en que unos quieren imitar a los etruscos y otros a los chinos, unos tal imperialismo, otros tal otro, ignorando que la grandeza imperial de un pueblo puede consistir precisamente en su misión de no querer ser imperio en un momento dado. ¡Es increíble la dosis de fatuidad fatal de que son capaces algunos pueblos! Y es increíble, al propio tiempo, lo difícil que es dar con el instrumento que conviene a la hora... ¿Y qué se inventa al fin de cuentas, qué inventa la historia, por sublime que aparezca en los capítulos de los libros de texto? Fíjese usted en nuestra actualidad archi-civilizada, en nuestro hermoso y próspero universo: cada vez el planeta se superpuebla más y no sabemos qué va a ser de nosotros mañana, socialmente hablando. ¿Cómo implantar el orden en medio de ese tumulto en que hombres y más hombres van acumulando día tras día nuevas piedras? Por momentos yo creo que vamos a volver a la anarquía y a la existencia individual, predatoria y salvaje... ¡Ah! ¿Qué sabe la humanidad de sí misma? La historia no es más que la lección de cómo la humanidad ha estructurado sus pasiones antihumanas. Nada más. ¿Y si el espíritu de la historia se hubiera equivocado? ¿Qué habría sucedido si, en vez de alentar la diáspora de las patrias, la humanidad se hubiera dirigido desde los primeros siglos de conciencia a organizar una sola, tremenda Confederación? Yo no sé nada de esto y nadie sabe nada de esto. Encontramos al nacer las cosas así, y morimos dejándolas así. ¡La vida humana es tan corta para aprender algo!

Se paraba ante mí, pequeño y perplejo, con sus mil arrugas en la frente y las cejas interrogantes. "Si yo sueño con una posibilidad —repetía—, es con ésa: con la posibilidad de que al fin, socialmente, rompamos con nuestro pobre primitivismo infatuado. Si en este sentido se pudiera hacer alguna vez algo grande, algo realmente grande... Pero las teorías que parecen de comunión, no sirven todavía más que para dividir."

Todo eso lo llevaba a hablar delicadamente del sentido de las civilizaciones primitivas y a revelar su conocimiento de ciertos secretos peculiarísimos y reveladores de las más actuales y desconocidas como la civilización arábiga. Era sorprendente la habilidad con que, lentamente, lo llevaba a uno a la lección de cómo ciertos primitivismos han sido, con respecto a nosotros, verdaderas teorías ejemplares, estructuras superiores. Y esa voz salía del cuerpo más diminuto, indefenso e insignificante del mundo.

Bien valdría la pena de que se escribiera alguna vez el estudio de cómo las naturalezas humanas, al azar de sus encuentros mutuos, se fecundan entre sí y fertilizan en incontables planos y en diferentes provincias del ser. Este sería un tema para Goethe, puesto que fue él quien sostuvo que "sólo entre todos los hombres es vivido por completo lo humano". Las vocaciones y direcciones de una vida individual, ¿qué habrían sido en este o en aquel caso, de no habérseles presentado tal amistad, tal lección, tal encuentro, que ha sido después decisivo en esa vida? Es decir, la *ucronie* de Renouvier trasladada del plano social al terreno de las relaciones individuales. ¿Hasta qué punto habríamos sido iguales a lo que somos, si no hubiéramos encontrado en nuestro camino a aquellos a quienes hemos encontrado y que nos han dado, bien la leche shakesperiana de la ternura, bien el aprendizaje del odio sistemático, bien la instrucción frutal en cuanto a nuestras direcciones y actitudes culturales? Yo creo, por ejemplo, que uno de los mayores padecimientos de Hispanoamérica es la falta de expresión madura en sus individualidades, el grávido mutismo de sus gentes, esa imposibilidad de *servirse* los unos a los otros gracias a la experiencia asimilada y comunicada. En los países integrantes de las clásicas civilizaciones, el hombre se comunica los instrumentos de su sabiduría, el genio instruido ofrece su propio peldaño al que viene hacia él de abajo y lo ayuda a subir utilizando esa experiencia explícita. En los nuestros, en cambio, pueblos todavía en agraz, cada hombre necesita construirse sus propios instrumentos y cuando quiere hacer la casa ha de comenzar hasta aprender cómo se maneja la pala. Siendo, por otra parte, la emulación tan decisivo factor, faltan aquí sujetos con quienes emular, y es así como todo aquel que manifieste en nuestras latitudes un asomo de genio, crece solitario y áspero en el páramo.

Yo no acertaría a decir bastante, en lo que me concierne, cuánto obtuve de mi encuentro con este modesto profesor de humanidades, cuya significación y apariencia eran, contemporáneamente al enriquecimiento que a mí me daban, indiferentes y nulas para tantos otros. Uno de los más descorazonadores asombros que sufren en la vida los hombres de cierta vida interior, es ver lo deleznables que son para el mundo común las calidades de aquellos seres sobre quienes han hecho ellos reposar "su porción de credulidad". A medida que se vive, se ve que la vara de la sensibilidad es un metro desusado, ignorado, hasta ridículo, y que en el universo uno aparece siempre sorprendido con respecto a la subordinación de los valores. Por lo demás, hay una sola cosa para la que nada han servido los millones de años, el progreso, las técnicas, la filosofía, y es el conocerse los hombres unos a otros con lucidez. Aunque conozca los pormenores más íntimos de la vida de la persona a quien se acerca, cuando un hombre se encuentra de pronto frente a otro sin terceros que mitiguen la situación, lo ignora tan totalmente, le es tan específicamente ajeno como la piedra al jugo del helecho que la abraza. De mis amigos habituales, nadie sabía a ciencia cierta lo que podía darme, intelectualmente hablando, ese hombrecito de Galatz llamado Ira Borescu.

¡Qué incontables aventuras, sí, las que el alma ajena nos depara en sus recintos más secretos! Basta para emprenderlas con que ellas mismas dejen por algunos instantes de cuidar sus puertas y se avengan a acompañarnos, olvidadas de lo que saben de sí y sólo atentas a irse descubriendo con nosotros.

El hombrecito de Galatz vivía, menos en éste, en cualquier rincón del mundo durante los años mil quinientos. Miraba los fenómenos actuales en una especie de milenaria perspectiva y con unos ojos pequeños y penetrantes, imbuidos de arcaica riqueza. Al hablar, aun al abordar las conversaciones más triviales, un hombre acusa sus fronteras (por eso los hombres verbosos son los de fronteras más próximas). Las fronteras del profesor Borescu coincidían con las de un buen catador de su tiempo, nacido en cualquier pueblo italiano del esplendor humanista. Cuando yo me acercaba a él, tocaba esas fronteras, iba hacia ellas, extendía mi mundo, me parecía pasar más allá de mi propia vida actual y fortuita. Y al propio tiempo —siendo esto lo más curioso, lo más valioso—, nada de anacrónico en él; al contrario una modernidad que venía de lejos, un sentido de la realidad con las raíces nutridas en una remota temporalidad. Sólo América le parecía una gran incógnita, tierra irreductible a su teoría de la vida.

Leíamos juntos los viejos textos. Él parecía un devoto anacoreta de la *Epístola a los Pisones*. Sólo de tiempo en tiempo pasaba por sobre su serenidad, para aflorar inquietamente, su relativismo lógico. Tan pronto decía, citando a Samuel Butler, *For truth is precious and divine, too rich a pearl for carnal swine*, como la contraria, citando a Farquhar, *truth is only falsehood well disguised*. A las ocho, con las últimas luces del día, yo lo llevaba a los sitios semioscuros bajo la capa monótona de la ciudad. Él miraba indiferente la piedra nueva. Tenía un modo de levantar los ojos hacia uno como si viviera soportando interiores castigos. Yo trataba entonces de descubrir nuevos motivos capaces de atraer su atención. Le mostraba los mil brotes en que nuestro mundo rompía, las calles turbulentas, las diagonales. Desde los más altos balcones le enseñaba, abajo, el inmenso y estrecho desfiladero, el abismo hirviente, la ola de vida que llegaba arrastrándose desde el interior del país. Desde los muelles le enseñaba el río, el río digno, el Río de la Plata, induciéndole a pensar en esa nobleza austera, en esa rica quietud parecida a la esencia de nuestra tierra toda. El profesor Borescu contemplaba la inmensa extensión de agua sin comprender. Esta decorosa belleza, esta nueva forma, esta expresión inesperada de expectación hecha paisaje, de paisaje hecho destino, no entraba en el sistema secular de su alma.

XXI

Unos de esos días llegó a Buenos Aires cierto personaje de maneras afectadas y fisonomía histriónica y jovial, de alguna fama, poeta del grupo cerrado de Bloomsbury, y yo lo visité en su alojamiento: me venía recomendado por carta, desde Dublin, por un Mr. Ayling, antiguo viajante entre Inglaterra y la Argentina. El viajero sufrió a poco de llegar un leve ataque de gripe, por lo cual redoblé hacia él mis atenciones. En sus habitaciones hablábamos, entre carcajadas y microbios, de Dryden y de Pope. El ardor de mis veintitantos años me hacía defender a los poetas más avanzados casi con tan poco fundamento como él, refinado, abogaba por la literatura menor del siglo de Ben Johnson. Una noche, al bajar las escaleras del hotel donde el recién llegado vivía, me encontré de manos a boca con madame Daugat, una matrona rica que paseaba noche y día por los sitios elegantes de la metrópoli sus inverosímiles alhajas y su voluminoso aburrimiento.

—Me han dicho que escribe usted en un periódico revolucionario —me dijo.

La miré sonriendo por dentro.

—La palabra revolucionario está tan desprestigiada que ya no se sabe lo que quiere decir. A ver, pongámonos de acuerdo.

—En una publicación —agregó— que quiere cambiar demasiadas cosas y va a dejar de salir pronto...

—Ni lo que quiere cambiar es tanto ni va a dejar de salir tan pronto.

Le contesté un poco en broma mientras me daba tiempo de pensar, menos en broma: cuando el río suena... ¿De dónde había sacado tal versión este viejo ejemplar embalsamado de un fasto anacrónico? Cambiamos otras dos palabras más; dijo que todas las actuales corrientes de ideas le parecían igualmente desdeñables —puso una cara de asco—; al fin desapareció en el interior de un ascensor, y yo salí a la calle con ganas de ver a Acevedo. No lo había visto en los últimos días. El progreso de *Basta* estaba cristalizado por aquellos días en un tiraje de cinco mil ejemplares. De este tiraje, se agotaron pronto los primeros números; luego la demanda quedó reducida al público fiel de unos *unhappy few*, a unos tres mil complicados, a unos tres mil leales. ¿Por qué, pues, iba a dejar de salir? Al contrario, si el público, lógicamente, no aumentaba, se acrecía sin cesar el número de gente que visitaba la redacción. También había aumentado la cantidad de cartas anónimas insultantes, lo que constituye siempre, en este tipo de empresas, un síntoma extremadamente propicio. Más: Acevedo se encontró una noche en su casa con tres orquídeas intensamente azules, de pulposos bordes blancos, con una tarjeta cruzada por la más nerviosa de las caligrafías de mujer. La tarjeta decía: "A la inteligencia nueva", y Blagoda la comentó sarcásticamente en la cervecería, lo cual no obstó para que se empeñara en que la tarjeta estuviera expuesta con las tres orquídeas sobre la mesa, en la redacción, a los ojos de los flamantes adeptos, como si tal presente constituyera uno de esos reveladores signos mundanos que acompañan siempre el gran prestigio.

Llamé por teléfono a Acevedo y me dijo que tenía casualmente dos lunetas para el teatro francés. Podíamos comer juntos a la noche e ir luego al Odeón. Durante la tarde, la niebla se hizo mucho más densa. A las nueve nos encontramos en ese restaurante vecino al teatro donde solían darse una amistosa tregua los caballeros mejor pensantes y las damas peor actuantes. Tanto los unos como los otros departían con esa superior displicencia de la gente que conoce demasiado el mundo y se lo mete en el bolsillo. En el restaurante, cuyas mesas estaban divididas en sectores por medio de balaustradas negras, brillaba una iluminación exagerada muy poco en armonía con lo reducido del lugar. Comimos rápidamente y pasamos luego al teatro. El repertorio oscilaba sin visible embarazo entre lo más moderno y lo más viejo. La primera actriz era una joven artista francesa de cabellera rojiza y semblante muy pálido, rígida y angulosa como esas inglesas de edad difusa que ha popularizado el turismo internacional. Su voz tenía un eco gangoso que, si chocaba al principio, se hacía después asaz agradable. Era lo mejor del elenco y el resto de los cómicos la servían como oscuros satélites. Junto a mí estaba sentada una muchacha de traje azul y puños de piqué blanco, vestida como una normalista. *"Tiens; c'est assez drôle* —dijo a su compañero, refiriéndose a la primera actriz—: *elle semble aimer cette autre femme."* Aunque durante las pausas la primera actriz no quitaba en efecto los ojos de la otra —la fugaz Panope— el juicio resultaba un tanto temerario. Pero la justicia popular no se basa en mejores fundamentos.

Nuestra atención, tenaz, no descansó más que en los intervalos. Viendo a Hipólito extender honorablemente su brazo rechazante, yo recordaba el cuadro de Guérin y me parecía descubrir junto al joven actor el galgo señorial y dinástico. Otra vez pasó por nuestra sangre la réplica de Fedra:

Quand vous me haïriez, je ne m'en plaindrois pas,
Seigneur Vous m'avez vu attachée à vous nuire;
Dans le fond de mon coeur vous ne pouviez pas lire.
A votre inimitié j'ai pris soin de m'offrir.
Aux bords que j'habitois je n'ai pu vous souffrir.
En public, en secret, contre vous declarée,
J'ai voulu par des mers en être séparée,
J'ai même defendu, par une espresse loi,
Qu'on osât prononcer votre nom devant moi.
Si pourtant a l'offense on mesure la peine,
Si la haine peut seule attirer votre haine,
Jamais femme ne fut plus digne de pitié,
Et moins digne, Seigneur, de votre inimitié.

Veíamos la regia agonía de la mortal madrastra, la vuelta de Teseo, el recato de la delicada y noble Aricia. El gran ritmo nos vaciaba por dentro de nosotros mismos, y éramos, por unos instantes, dóciles conductores de la tragedia. Con la reivindicación de Teseo para su hijo —*allons de ce cher fils embrasser ce qui reste*— salimos del teatro después de medianoche.

Todos los teatros terminaban a esa hora. En aquella calle central desembocaban los racimos de hombres y mujeres vestidos con traje de noche. Las precoces ediciones de los primeros diarios matutinos expelían el llamado de sus grandes titulares: *El "Buenos Aires" partió ayer a las ocho de Paramaribo — Poincaré analiza la situación actual de Ma-*

rruecos — *Pilsudski es en Polonia árbitro de la situación.*
Caminamos en dirección a la calle Corrientes, en cuya esquina algunos productos derrochaban una publicidad babilónica.

—Es harto curioso —decía Acevedo—: una mirada superficial que dirigiera sobre este mundo encantador cualquier huésped de paso venido de otro planeta, le dejaría la sensación desoladora de una formidable y odiosa pista donde los hombres dirimen, uno a uno y todos, el más importante papel en una gigantesca anarquía; y sin embargo, el único absoluto por el que combaten sin descanso los hombres en la tierra es la paz. Cómo será de grande esta aspiración, que hasta la guerra se hace por la paz. Y la única cosa legítima y conmovedora que redime a la humanidad de su ferocidad, es esta pobre y modesta voluntad de paz oculta en el fondo de sus gestos más tremendos y de sus actitudes más furibundas. Más allá de sus espantosos conflictos, Fedra la sanguinaria, *la fille de Minos et de Pasiphaé,* no perseguía —llano al fin entrevisto entre ardientes zarzas— más que un poco de paz. Las más grandes pasiones son las que acumulan la sed más tiránica de final plenitud. Aquel pobre viejo Unamuno que quería gloria y no paz, no conocía, se negaba a reconocer el fondo último de su incesante vigilia. Se creía nacido para la angustia, y su angustia no era más que una conciencia más dura y dolorosa de su necesidad de paz. Por eso pienso a veces en los déspotas con una invencible benevolencia. Y por eso los ideólogos y los falsarios no dejan de serme repugnantes — hasta el día en que los veo convictos de su equívoca aberración. Los hombres para mí más admirables y claros son los que combaten sin mentirse a sí mismos y que tienen en las manos las armas, no porque adoren su dionisíaco heroísmo, sino porque saben que combatir está en su condición de hombres y deben hacerlo sin premio. En cualquier orden de ideas, los bravos de profesión me producen un asco lindante con el vómito...

Entramos en una pequeña cigarrería de la calle Esmeralda. Acevedo compró su paquete acostumbrado de cigarrillos, esos cigarrillos largos y estrechos de tabaco habano envuelto en papel dulce. Yo, que cambiaba siempre de marca, elegí entre los *Royal Derby* y los *Macedonia.* Un retrato de Henry Clay presidía allí la vidriera llena de pipas y fragantes tabacos de diferentes hojas, junto a la típica carabela en miniatura.

Doblamos por la calle Corrientes: vimos las verjas del templo evangelista, las pizarras con los servicios del día anotados con tiza blanca.

Los faroles blancuzcos estaban velados por la niebla; las aceras, húmedas. Representantes de todas las nacionalidades se dejaban andar por la ancha calle entre cafés, restaurantes y salones de espectáculos, bajo el reflejo de los letreros luminosos.

Un hombre, un turco debilucho de cara morena, nos ofreció algunos de los objetos de buhonería que llevaba para vender, exhibidos en una bandeja sujeta al cuello por medio de dos correas.

—Fíjese usted —dije a Acevedo—. Quizá lo mejor de nuestro destino sea lo fuerte y viviente de un movimiento encaminado, lo fuerte y viviente de una marcha con los ojos altos, con los ojos fijos en el espacio que hay que cubrir. Observe esta calle. Todo lo estático es desorden; en cambio, el desorden mismo —la gente que camina, las luces efímeras pero intensas, las formas del tiempo materializado— asume la categoría de un orden, pues es ritmo. Lo estático es la arquitectura, esta arquitectura nuestra, hecha de horrible e imprevisora imprevisión, construida sin que pueda verse detrás de ella una mano inteligente, una ciencia inspirada. El hombre de París, de Londres, de Amsterdam, nace proporcionado con el ritmo ancestral de unas obras materiales que se parecen a él, que son la expresión sólida de su espíritu racial, nacional; nosotros nacemos a la visión de las tentativas informes de los que nos han precedido: a nuestra vez, debemos intentar, debemos improvisar, debemos encarar la organización de una armonía en que cristalice —a fin de saberlo definitivamente en su aspecto corpóreo— nuestro espíritu. Lo único que tiene sentido, dramaticidad, es, así, la aventura de nuestra marcha, toda esta gente, todo lo que esta gente está construyendo de la nada con el solo acto de vivir.

—Por eso —convino él—, por eso nuestra obra de soledad, por eso, es melancólica y no alegre; por eso es melancólica hoy y será alegre mañana. Como carecemos de patrones, de prototipos esenciales a que ajustar la labor, nuestro trabajo se torna a la vez difícil y ciego. Es como si acarreáramos piedras para una catedral no planeada. El esfuerzo se hace más duro, la voluntad tiene que ser también más tenaz puesto que trabaja en el desierto.

Caminamos algunos pasos en silencio. Acevedo agregó con aire reflexivo:

—Me pregunto constantemente desde hace días si nuestro periódico podrá subsistir; si no tendremos que pactar aun dentro de nuestra casa. Es decir, si no tendremos que recurrir a ese elemento esencialmente político que es el pacto, y dejar mezclarse a nuestra palabra la de ciertos advenedizos, la de ciertos ambiciosos, la de ciertos desaforados por interés. Pues quizá lo que valga en alguno de nosotros sea lo que hemos amasado en la soledad, y quizá es precisamente eso

137

lo que no sirve, lo que no se puede transmitir, lo que no es más que para algunos y no sirve para todos. En cambio, quizá no sirva colectivamente más que la voz del demagogo, pues su lenguaje —y por lo tanto su alma— es el lenguaje que los otros entienden, que a los otros explota y a los otros sirve, siendo la verdad lisa y llana que el explotador es esclavo de aquel a quien explota.

Pensé en lo que había dicho Madame Daugat aquella tarde al salir del hotel. Pero no quise comentarlo ni preguntar nada.

Pasamos frente a la típica fachada francesa del Círculo de Armas y nos detuvimos en la esquina de Florida. El embajador de Inglaterra, que salía del club, pasó ante nosotros en un viejo y ruidoso Austin. Un cartero distraído saltó a su lado y el automóvil dobló como una flecha.

Atravesamos la calle y seguimos hacia el paseo Alem. Allí la circulación se calmaba. Volvía algún elegante de visitar los bajos fondos, que ni eran tan bajos ni eran tan fondos, que sólo eran calles marginales, miserables, malolientes y sucias. Pero algunos hombres llevan una existencia tan aburrida, que les basta con entrar en un sitio llamado "La doncella de Boston" para sentirse actores en una exótica, misteriosa y galante picardía.

—Yo no sé —dijo Acevedo—. Quisiera evitarlo, pero a medida que trato a mayor número de gentes, más me invade un amargo pesimismo con respecto a los argentinos. Acuérdese de Fedra y de lo que decía Boileau de esa mujer trágicamente apasionada. Decía Boileau que su dolor era virtuoso. Nosotros, como país, carecemos de dolor virtuoso. No hemos incubado nunca nuestras ideas en la atmósfera que las fortifica y que las templa; las hemos concebido siempre en un clima de comodidad demasiado confortable, y las hemos ordenado hacia la obtención de una mayor comodidad, esto es, de una comodidad más hecha a las peculiaridades de nuestro personal temperamento. Hasta las ideas más extremas, que en los otros países son sustentadas por hombres extremadamente radicales, extremadamente pobres, son en nuestro país enarboladas por hombres extremadamente complacientes consigo mismos, los cuales con su actitud extrema no quieren más que extremar su pedante voluntad de poder. Este es un país sin héroes, sin sufrientes morales, es un inmenso país librado a la inmensa orgía de una inmensa complacencia de sí. Por eso, los que queremos un país mejor, y sufrimos por quererlo, somos tenidos por elementos de confusión y desconcierto, como huéspedes intrusos que se presentan en mitad de la comida.

Llevaba las dos manos metidas a medias en los bolsillos

del saco y entre los dos dedos libres de una de ellas humeaba el cigarrillo. El resplandor de las escasas luces nos acompañaba en las arcadas bajo las que nos habíamos detenido. Lejos, enfrente, se alineaban los bancos desiertos de una plazoleta.

—Para que una tierra alcance un gran destino, necesita haber sido sufrido a borbotones. Solamente los tenores se hacen mientras se complacen en su canto...

Reímos pensando en los tenores, y nos fijamos con curiosidad en un alegre grupo de calaveras que subía de "La doncella de Boston", del "Molino Rojo" o del "Avon Bar", cantando una canción picante. A guisa de tambor mayor, marchaba al frente uno de esos jóvenes ya maduros que han hecho profesión de un ocio exquisito, el joven chileno Aldúzar. (Entre las infinitas variedades de la especie humana, hay una cuyo medio biológico es el salón; esta variedad consta de cuatro tipos: el bruto bello, el bruto gentil, el bruto ingenioso y el bruto absoluto. En aquel grupo reconocimos con un saludo los róstros de otros tantos representantes de los cuatro tipos. Aldúzar pertenecía al grupo del bruto ingenioso: su *embonpoint* permitía apreciar de una ojeada cómo había sacrificado todas las vanidades a la vanidad de tener *sprit* y tratar bien su cuerpo, contrariamente a la aspiración del bruto bello — cuyo único instrumento de grandeza es su armonía física, su apariencia plástica. El bruto gentil es el que cuenta memorables anécdotas en los salones y confunde la palabra *coleccionista* con la palabra *colectivista* y la palabra *sifilítico* con la palabra *filatélico*, con lo cual logra que las anécdotas sean memorables mucho más por la versión que da de ellas que por la versión que recibió; pero que tiene buenos sentimientos y no habla demasiado mal de la gente. En cuanto al bruto absoluto, la especie más numerosa, posee subtipos tan diferentes y complicados que sería imposible entrar a detallarlos; el bruto absoluto es por lo general el supremo pedante y puede ser, en su vida civil, gobernante, director de banco o jefe de comité político; se trata de un animal instintivo que se mueve a fuerza de obnubilación concentrada, transformada en energía vital y espíritu de empresa.)

Al pasar a nuestro lado, Neto Aldúzar nos sorteó con una mirada indiferente y siguió dirigiendo el torpe canto de los aristócratas borrachos. La niebla prestaba a su rostro hinchado de bebedor una palidez cadavérica.

—¡Oh, bueno, bueno! —dijo uno de los acompañantes, un gordo vestido de *smoking*, cayéndose de cansado.

El grupo entero se detuvo para dar fuerzas al que se quedaba atrás. "Oh, bueno, bueno", repetía el otro, el gordo vestido de smoking, pretendiendo deshacerse de los brazos.

—Éstos se empeñan como nosotros en ignorar la realidad —dijo Acevedo con sorna.

Me pidió que lo acompañara unas cuadras. Caminamos por el Bajo extremadamente oscuro hacia la Plaza de Mayo.

—A propósito de la palabra "realidad" me gustaría escribir algunos artículos en *Basta* —insinué—. Hay palabras que sufren el destino de las prostitutas veteranas, cuya cotización depende del color con que se les envejezca o se les mejore la cara. La palabra realidad es una de ellas. Se la solicita demasiado y ella se burla de los que la cortejan más. Me gustaría escribir sobre el sentido de esa palabra. Ante todo, ¿qué es eso de confundir realidad con practicidad, realidad con política práctica, con pragmatismo? Siempre la disparada hacia el simplismo. La realidad es una cosa compleja, y si se trata de la realidad nacional, la cosa se complica todavía más. A cada rato se olvida que la realidad es una estructura, que tiene pisos, arriba y abajo. Lo absurdo es juzgar a la realidad como un hecho; no lo es: es un proceso en constante transformación, es una arquitectura que se modifica y se transforma. Se habla de una realidad, en la jerga sociológica y periodística de nuestros *intelectuales*, como de una parálisis; como una parcialización cristalizada a que todos debemos aspirar. Pero la realidad es la suma que producen ciertos factores necesariamente conjugados, y por lo tanto no se produce parcialmente sino como un advenimiento de naturaleza múltiple. La realidad de un cáncer no es la misma en dos enfermos de naturaleza diferente. Incluso en sí misma, se divide la realidad generosamente. Por eso, si usted habla de las contingencias espirituales de un pueblo, le dirán hoy a usted que no está en buen camino porque ignora "la realidad", que es el problema agrario, con lo cual lo que se confunde es realidad con inmediatez; en verdad esa inmediatez no es más que una pequeña parte de la otra gran compleja realidad. Con esta limitación del punto de vista limitamos nuestra vida cotidiana a una serie de actos desprovistos totalmente de proyección y de alcance.

Llegamos a la primera bocacalle desde donde se veía el ruedo de pequeños jardines que circundan el edificio de la Casa Rosada.

—Se podría agregar de paso —añadí— que la especie de mentalidad más detestable no es la del positivista, sino la del positivista que se cree un idealista absoluto. Éste es el que especula con las concepciones más limitadas, que son por cierto las más despóticas, de la realidad. Cuanto más restringida es en un hombre la concepción de la realidad, más cruel y despótica es la concepción de la justicia, su idea de la política, su noción de la economía, su culto del nacionalismo. Por eso, a lo largo de la historia, los grandes rebeldes contra esas formas restringidas y opresoras son las grandes mentalidades poéticas, cuya concepción de la realidad es la más alta, la más extensa de todas y, por consiguiente, la más profética y ordenadora a la larga.

Quizá a Acevedo no le parecería eso bastante oportuno y se calló. Entonces señalé algunos aspectos más concretos en que pensaba hacer descansar mi artículo. Asintió. Pero veía las cosas de otro modo: "Desde luego —dijo—, las concepciones de la realidad pueden ser vastísimas y diferentes, pero los instrumentos para operar sobre ella son limitados y se ajustan al principio físico de la palanca. La realidad es como el cuerpo del hombre: grande, sí, pero que reacciona súbita y totalmente en el reflejo producido por el pequeño martillo de níquel. Sobre la realidad hay que obrar con medios tan contundentes y tan simples. Lo que a nosotros debe importarnos sobre todo es buscar nuestro instrumento de acción, aquel que nos permita obtener la mejor influencia y el mejor funcionamiento de esa influencia."

Nos separamos. Regresé despacio en la fresca noche de junio. La escoria internacional se volcaba como una secreción calma del tiempo en la acera cubierta de arcos. Estaba contento, había caminado toda la noche escuchando el dulce canto que en nosotros prende de pronto la hábil vida. De tanto en tanto se escuchaba, hacia el nordeste, el pitar de una sirena, sonido que la humedad de la atmósfera tornaba ligeramente sordo y pastoso. Al llegar a mi casa me crucé con un hombre bastante torvo a quien había visto entrar y salir muchas veces. Subí a mi cuarto y me puse a trabajar en lo que estaba escribiendo. Anoté algunas cosas. A la madrugada me desperté sobresaltado: me había dormido con la cabeza apoyada en el brazo. Me acosté. Se oían en lejanos empedrados los carros, las ruedas de los repartidores del alba.

XXII

Al volver de la calle, días después, durante el lluvioso crepúsculo, encontré a Jiménez y a Anselmi instalados en la sala.

La chimenea estaba encendida. En la ciudad hacía mucho frío y daba gusto refugiarse en aquel cuarto de aire caliente.

Alegremente vestido de gris con su saco de *sport*, Anselmi castigaba las teclas de un antiguo piano de pared, intentando descifrar el *Concerto en La Mayor Nº 23*, de Mozart. Jiménez, inclinado hacia adelante en el sofá de grandes brazos, parecía contemplar prolijamente el movimiento de las manos de Anselmi. "De todas las maneras de asesinar —me dijo intencionadamente señalando con el mentón al pianista— yo no conozco ninguna que se parezca más al asesinato." Anselmi giró sonriendo en el taburete. "Son reminiscencias de infancia" —se excusó. "Pero ya no puedo leer a primera vista." Volvió a enfrentar las teclas y atacó de memoria algunos compases de una célebre marcha. Jiménez y yo coreamos en broma la famosa letra.

Apareció en la puerta —como quien viene de la calma al tumulto— el doctor Dervil, con los anteojos puestos, un libro en la mano, un viejo saco de fumar y zapatos de paño negro. "Parece el espectro de la justicia", dijo Jiménez. "De la justicia que viene a poner fin a toda esta licencia." "No —dijo el doctor—, el espectro de la Justicia debe tener la forma de una injusticia andante en estado de clamar; y yo soy un hombre justo, un buen señor instalado en el justo medio de todas las cosas, de todas las categorías..." "Así..." —indicó Anselmi, y tocó demostrativamente unos cuantos acordes calmos, severos y suaves—. "Sí", dijo el doctor, "así". "Dulce estado de la honorable medianía". comentó Anselmi. "Beatitud." El doctor se paró en medio de la sala. A su izquierda salían de la pared, agresivos, los cuernos del ciervo que había dejado en el cuarto junto con la reproducción bajo vidrio del discurso de Gettysburg, un norteamericano misógino. "Nietzsche se olvidó —dijo, hundiéndose en uno de los sillones de viejo cuero— de que entre las olímpicas alturas de lo dionisíaco y las sublimes planicies de lo apolíneo, existe una región intermedia donde se está bastante bien sin que lo vengan a buscar a uno una mañana para llevarlo a la hoguera o al altar. Una región donde se puede soñar medianamente con las aventuras más esplendentes gracias a una mediana copa de mediano vino Borgoña."

Abría los brazos en actitud dulcemente persuasiva, como un bienaventurado. Se asemejaba a una de esas figuras de burgrave, felices, adiposas y de piernas abiertas, que colocaban los pintores flamencos junto a los odres y las bordalesas. Cortó con los dientes la punta de un largo cigarro de hoja casi negro, lanzó un suspiro de satisfacción y nos produjo el sedante efecto de que se repantigaba en su muelle anonimato, en esa provincia donde viven ignorados los lentos gustadores de la vida.

—Yo —agregó el doctor con el fósforo prendido en el extremo del cigarro— he hecho de la medianía mi pequeño templo. Otros peregrinan en lujosos viajes a Jerusalem, sueñan con visitar al Gran Lama, cultivan, beatos, la edificante amistad de los *swamis* o se propinan el remedio extremo y sublime de ascéticas reclusiones, interrumpidas sólo por tal o cual venial explosión de mal genio. Otros, como ustedes, consienten en permitirse el lujo de algunas insensateces redentoras, cuyo mejor mérito es el ser insensatas, y por consiguiente, deliciosamente inútiles. Todas son formas de huida. Yo me resisto a buscar esos expedientes de evasión y, olvidado de la existencia de algo que se llama experiencia mística o experiencia heroica o experiencia gloriosa, me conformo con la experiencia modesta de mis medianos vínculos con todo. De ese modo, en vez de hacer de mí mismo un agente de acción, me hago un agente pasivo de excelentes reflejos. El cinematógrafo y el teatro me facilitan por dos pesos buen caudal de gloriosas demasías, me las incorporo y las vivo durante una hora, sin perjuicio de que descienda después a la experiencia democrática de la leche con tostadas en un bar automático. Ustedes creen que todas las cosas tienen una seriedad ineludible, y yo creo que todas las cosas tienen una seriedad eludible. Es cuestión de moderar la conciencia y alentar la imaginación. De noche yo me pongo a leer a Shakespeare o a Voltaire, y tengo en mi cuarto la visita de Kemble, aquel actor cuya sonrisa dijo un inglés que se parecía a los adornos plateados de un féretro, y de Federico el Grande, cuya sonrisa se perdía entre las rajaduras de unas mejillas y un mentón de qué sé yo cuántos años... Mi medianía es como un órgano cuyos resortes conozco perfectamente y cuyos recursos sinfónicos están en perfecta y dócil relación con mi estado de ánimo. ¡Qué diablo! A veces tengo ganas de dejarme de grandezas y decirle unas cuantas verdades al presidente Hindenburg después de su carta a Loebel a propósito de eso de la confiscación de los bienes. ¿Han leído ustedes los diarios de hoy? "¡Ni un pfening para los príncipes!", gritaba la gente en las calles. Puedo darme el gusto de decirle al presidente, desde mi cuarto, lo que pienso de la política... ¿Qué me importa que no lo oiga? Lo digo. Me despacho a mi gusto. Soy feliz. Créanme: el andar metiendo el cuerpo de uno en todas partes no es el mejor de los procedimientos para dar libertad a las propias inclinaciones... Mejor es hacerlo en casa.

Anselmi, grande, se levantó del taburete y se fue a parar de espaldas al enorme espejo con márgenes doradas que ornaba con su pequeño reloj la parte alta de la chimenea. La leña rojiza crepitaba detrás de sus piernas. Habló, mirando de soslayo, con gran seriedad:

—Ese ideal resulta demasiado pálido, mi querido doctor, cuando se nace, como en el caso de Jiménez, como en el caso del querido y delicado Jiménez, con una increíble voluntad de poder... Entonces toda la personalidad está erizada de resortes, como un camión blindado de ametralladoras; y la imaginación es sólo el punto sensible de donde parte la ofensiva. Me atrevo a pensar que para Jiménez ha de ser usted un acabado ejemplar del primitivo *homo heidelbergensis* de Mauer. Hoy en día hay que alistarse en las especies más evolucionadas. En las especies ambiciosas.

La dueña de casa cerró tras sí la puerta del departamento y entró en el corredor seguida de un chico vestido de un modo extravagante. La señora y el chico se pasaron a la puerta de la sala para darnos las buenas noches. La señora llevaba en la punta de la cabeza un sombrerito florido. El chico usaba un inmenso sombrero azul de alas levantadas y un no menos enorme cuello de Eton. La señora echó una mirada vigilante a los muebles y la alfombra de Esmirna, que era uno de sus motivos de orgullo. Desaparecieron.

—Parecían salidos de un cuadro del Aduanero Rousseau —sugirió Jiménez—. La patrona tiene esos ojos llenos de estupor vacuno que hacen la gloria de los pintores revolucionarios. No hay duda de que la naturaleza propone originalidades difícilmente asimilables, de una agresividad pasmosa. La naturaleza no comparte sus principios, querido doctor.

—¿No ve, no ve? —insinuó Anselmi—. Ya lo decía yo que Jiménez no iba a estar de acuerdo...

Estuvimos charlando en la sala hasta la hora de la comida. Luego nos congregamos en torno a la gran mesa cubierta con un mantel cuadriculado, para hacer los honores a un arroz cuyo advenimiento semanal anunciaba siempre la señora con especiales recaudos. Después del arroz vimos aparecer un pollo a la cacerola con hongos y una salsa cuyo olor presentíamos desde el momento de sentarnos a la mesa. El profesor Borescu y el doctor Dervil habían optado por guardar un religioso silencio ante una prueba tan respetable de la prodigalidad de la dueña de la casa. Temían, evidentemente, que la palabra les diera ese asomo de petulante seguridad en que pudiera originarse un aumento de precio mensual de la pensión. Acentuaban su timidez y su modestia.

Anselmi y yo estábamos contentos de tener allí a Jiménez y a la señora Boll, que comían siempre fuera. Ambos observaban un aire de extrema, callada discreción, y los rodeaba no sé qué cosa de misterio y de tristeza. Ella estaba más pálida que nunca. Jiménez, que la miraba rara vez durante la comida, habló más de lo habitual. La luz de la araña suspendida sobre el centro de la mesa, reverberaba en sus lentes. Comentamos el último número de nuestro periódico y algunos puntos de la política del momento. El profesor Borescu hizo dos o tres preguntas leves a fin de informarse de la situación.

Después de la comida, Anselmi se fue a un cinematógrafo, mientras Jiménez subía conmigo a mi cuarto. Quería consultar no sé qué cosa en el texto de *El Príncipe* y no lo tenía entre sus libros. Yo poseía la obra completa del astuto teorizador del *Opusculo dei Principati*, verdadero nombre de aquella obra, y, muy subrayados, su *Discurso sobre Tito Livio* y su *Historia de Florencia*. Siempre me ha gustado conocer bien lo que detesto.

Me puse a arreglar la leña en el fuego, arrimé un poco de papel y luego lo encendí. La chimenea tiraba maravillosamente. Jiménez se sentó —no digo se dejó caer, porque ningún abandono turbaba nunca sus movimientos un poco afectados y deliberadamente lentos— en aquel sillón que casi no tenía ya forma, a fuerza de vivido, de usado. Lo que yo amaba sobre todo en aquel cuarto era precisamente la saturación de vida concentrada por el tiempo en cada objeto. Incluso la leña, depositada fugazmente en la cesta, me parecía adoptar allí una fisonomía familiar.

Jiménez copió del libro la parte que le interesaba. Yo arreglé mis papeles sobre la mesa. Contemplé contento un manuscrito terminado, que me gustaba bastante: era preciso y rápido de ritmo. Con verdadera curiosidad, Jiménez se levantó y vino a hojearlo. Me pidió que se lo leyera; yo no tenía ganas de hacerlo, le dije que lo haría en cualquier otro momento, y nos pusimos a hablar de libros. Jiménez defendía la concepción maquiavélica de la política y yo adhería a la concepción aristotélica, negando que la primera fuera más eficaz en la práctica del poder. "Por lo demás —le decía yo— la política no necesita fundarse en tal o cual principio realista o en tal o cual principio moral, puesto que por definición es instrumento y no fin; su principal necesidad es la de una enérgica polarización de argumentos populares y una gran fuerza de choque para reexpedir esos argumentos y reflejarlos sobre la masa. Es natural que una política sea buena, no en cuanto se inspire en ideas más abstractas y altas, sino en cuanto sea más colectiva y nacionalmente eficaz. Una política que se inspira en la venta de cerdos en gran escala, puede ser más perfecta que otra que se inspira en la contemplación de los astros. El motor decisivo es siempre su energía inmediata. Yo estoy lejos de confundir la moral con la política; mas, entre dos argumentos que ofrecer a la energía gobernante, prefiero según mi criterio los mejores a los peores. He ahí todo. No pretendo cambiar una política por una moral, sino fundar *moralmente* mi propio juicio."

Jiménez arrimó el sillón a la chimenea y se sentó frente a mí; yo estaba de pie con la mesa delante. Cruzó las dos manos delgadas, de dedos algo arqueados, bajó la barbilla, y argumentó de nuevo con firmeza en favor de las ideas del secretario del Estado florentino. Estábamos de acuerdo en considerar la energía como el elemento más vital de todo arte, fuera el de hacer croquetas o el de gobernar pueblos. La conversación trepó a un terreno más alto cuando hablamos, a propósito de mis lecturas recientes, del obispo Berkeley, en quien había encontrado por fin a un hombre plantado en el mundo moderno, pero capaz de moverse en el orden de las ideas con una naturalidad y una sencillez equiparables a la de los más jugosos pensadores primitivos.

Hablamos de muchas otras cosas. El clima del cuarto era agradable y tranquilo.

Le confié mis preocupaciones de aquellos días, la preocupación de no vivir bastante.

—Empujado por una fuerza que coincide —¡afortunadamente!— con aquello que llamaba Schiller la mejor virtud y la más necesaria del intelecto, la aspiración a no dejar de mejorar nunca, siento que me voy metiendo en una red de huidas intelectuales como la hormiga en el tronco que taladra. Cada vez más adentro, y por consiguiente cada vez más apartado de otras cosas. Día a día voy reduciendo mi tiempo a una especie de intenso trabajo de topo en el subterráneo de mi literatura, en mi preocupación de crear, y de nutrir esa creación. El topo avanza cada vez más hondamente en la materia de su preocupación; pero, a medida que se interna de cabeza, el mundo va quedando afuera. De este modo, lo que voy ganando en afinamiento de la sensibilidad lo voy perdiendo en el sentido de las presas que la sensibilidad necesita para que su extensión no sea estéril, inhumana o nula. Es como un cazador que caminara alucinado entre el torbellino de perdices buscando la perdiz más gorda, la perdiz que está más allá, la perdiz regia, y debido a la cual va a acabar al fin por perder todas. Toda gran cultura implica un gran egoísmo. Si Platón reservaba para los poetas un lugar tan poco honroso en su República, no dejaba quizá de tener principalmente en cuenta que el propio rapto inspirado es nefasto, humanamente hablando, a menos que vuelva a tocar la tierra después de haberla perdido. Por eso, este gran sacrificio, este casi ascetismo o esta casi excentricidad de encerrarse a mejorar el propio caudal interno y no cotizable, me produce momentos de desolación, me lleva a esas atmósferas de alta mar donde se oyen con más·fuerza que nunca las sirenas del mundo viviente, del que, si no nos aferramos hoy a lo que emerge, tal vez nos tengamos que ir mañana con las manos desnudas de vida.

—Esa es una cuestión eminentemente temperamental —dijo Jiménez, sentándose en el borde de la mesa—. Eminentemente temperamental. Porque una vida regida por la cultura puede ser nada para una naturaleza y todo para otra. Acerca de esto, nadie se ha puesto de acuerdo. Si para Platón la felicidad no tenía nada que ver con nuestras inmediatas andanzas terrenas, para Aristóteles estas últimas eran decisivas en cuanto al supremo bienestar. Yo no creo que tú pertenezcas a la especie platónica, sino al revés; tal vez tu mejor tipo de cultura no sea más que lo que recojas directamente del suelo y del tiempo, con prescindencia de todo libro.

Le señalé la reproducción magníficamente coloreada que estaba en un ancho estante, entre los libros alineados. Era la Torre de Babel, de Brueghel. El cuadro mostraba la sabia sección arquitectónica de las torres espirales, abierta igual que un cuerpo muerto que enseña sus vísceras. Como una sinfonía, se organizaba, armónicamente decreciente en sus planos desde el más estrecho de la cumbre hasta el más vasto de la base, la torre tan extensa que cubría casi todo el primer plano, con la densa ciudad al fondo. Casi invisibles en lo gigantesco de las amarillentas galerías, cumplían algunos obreros sus tareas, cada vez más ralos en los siete pisos fundamentales hasta llegar a la desierta parte inconclusa y alta que visitaba una nube. El monarca, con su manto armiño y celeste, era recibido abajo, en el primer plano, por una genuflexión de operarios. Bajeles y jangadas traían, por el agua azul, útiles materiales. La monstruosa estructura de la torre, acabada a la izquierda, mostraba a la derecha, hasta la médula, su monstruosa caries circular de piedra. Y en concéntricos círculos, subían hasta el firmamento, tan claro, los nítidos pisos sucesivos del riguroso flanco concluido, levemente rosa en sus curvas fachadas.

—¿Qué puede proporcionarle a uno ese cuadro, por prodigioso que sea, o qué puede dar el mejor libro donde se cante al destino de esa torre, en comparación con la aventura humana que supone y que ficticiamente rehace? Su belleza no es más que una alusión. La miseria de las ideas y de las imágenes reside en que no son más que alusiones. Alusiones, eso sí, inventadas por los que tienen más memoria, que son los que tienen más genio. Alusiones inventadas para llenar en el alma la ausencia de una realidad correspondiente. Yo me siento a menudo como un impotente evocador de dichas y desgracias muertas antes de nacer, pero por cuya experiencia real cambiaría gustoso, si esa experiencia fuera posible, toda mi obra. Y sin embargo, este sacrificio de una parte de la vida a una posibilidad de afinación de los órganos íntimos, me parece necesario y hasta justo. Lo que detesto es mi falta de unidad, es el no poder prescindir sin recuerdo de la parte de existencia a que renuncio. Y sin un ascetismo real, hecho de complejas renuncias, ¿a qué se puede llegar?

—Sí; es cosa de enfrentarse con la propia vocación y pelear cuerpo a cuerpo con ella.

—Pero en el caso de la literatura, ¡qué riesgo, el de no haberse al fin agarrado cuerpo a cuerpo más que con un atajo de palabras!

Jiménez rio. Estaba vestido de azul y los lentes le daban un aspecto delicado, casi de adolescente.

—Yo estoy seguro de no errar —dijo—. Porque me agarro cuerpo a cuerpo a la vida y no la suelto. No soy un contendiente que pueda llamarse riguroso, ¡pero no la dejo respirar! La tomo por todos lados y me anticipo a encontrarla en los malos ratos que me prepara.

Fui hasta la chimenea y removí un poco la leña. Jiménez me miraba, sonriente.

—¿Cómo está la señora Boll? —le pregunté.

Por unos instantes, él permaneció sin contestar, con las dos manos unidas a la altura de los labios, reflexivo.

—Es una pregunta oportuna, perfectamente oportuna —dijo después—. En este caso, estoy aferrado al pedazo de vida que Inés representa, como la hiedra a la pared. Me gusta. Me gusta esa mujer. Me gusta mucho más de lo que yo podría razonar respecto a los motivos por que me gusta. El entendimiento entre un hombre y una mujer es la cosa más misteriosa del mundo. Depende de acordes demasiado sutiles y demasiado oscuros para que sea una cosa inteligible. Pero, por lo mismo que no es inteligible, cuando la recíproca adecuación de dos se produce, ese algo tan recio y subterráneo y compacto e inexplicable como un tubérculo... Uno cree haber decidido el tono de vida que a uno ha de gustarle en una mujer; y de pronto, todo eso se trastorna, el ejemplar de eso que encontramos y que creíamos apto para nuestra vida carnal, nos complace cerebralmente y nos deja el cuerpo frío, mientras lo más opuesto, lo más inesperado, lo que habríamos creído al imaginarlo más ajeno a nuestra sensibilidad, al encontrarlo, nos llama a sí con la más irresistible de las violencias...

Se apartó de la mesa y se acercó también a la chimenea

y los dos estuvimos mirando el fuego; la leña chica contagiaba a la grande; los pequeños cuerpos de madera se entregaban crepitando.

—Y sin embargo —dijo Jiménez—, yo no soy feliz en esta unión. Soy feliz, pero en una región cubierta de brumas espesas, como si mi placer interior fuera un contendiente que se siente vencido... Es sumamente extraño que nuestra unión con mujeres que nos completan tanto, tenga en definitiva un fondo áspero; que no sea en el fondo más que sufrimiento y lucha. Creo que si viviera con ella de otra manera sería mucho más feliz.

—No estarán bastante tiempo juntos. Hay que cuidar esos hoyos que la ausencia abre en el ánimo. Se llenan fácilmente de penuria.

—Nos vemos todos los días, pero tal vez eso no es bastante. Tal vez sea necesario vivir en compañía.

—¡Pero no puedes hacer eso, ahora!

Me contestó con calma:

—¿Por qué no? ¿Por qué no? ¿Qué sentido tiene la vida que hago?

—Estamos empeñados en algo —le recordé.

—¡Ah, en algo tan improbable, en algo tan específicamente ideal, tan específicamente remoto! ¿Qué es, al fin? Una nueva juventud, una nueva conciencia... La parte optimista del círculo que al fin se cerrará con una decepción y con un definitivo acomodamiento a las cosas tal como son.

Pensé que las circunstancias habían llamado en esos momentos todo su ser a un compromiso carnal, y que desde ese plano reaccionaba ante otras responsabilidades menos materiales con un pesimismo derrotista.

—Hay pasiones que levantan, que hacen de uno algo diferente y menos pesado, y otras que acaban con uno, que apoltronan. ¡Cuidado con estas últimas!

Jiménez se echó a reír.

—¿Pero qué clase de moralismo es ése, qué clase de moralismo? ¡Qué argumentos tan rudimentarios y tan lejanos de toda posibilidad de hacer bien! Mira...

Me llevó hasta la ventana y levantó la cortina. La fría noche de julio había dejado las aceras desiertas. Las luces del almacén de la esquina, con su vidriera llena de botellas, parecían más pálidas que nunca, y en el mísero bar que hacía cruz dormitaban solitarias las letras del nombre del establecimiento.

—Eso que está ahí —sostuvo—, ese aire, ese frío, no están regidos por ninguna precaución teórica. Lo que tiene de fuerte es su libertad de progresar y de resistir en el

tiempo sin otro principio que el de ser lo que son. Yo no
me escondo ante el advenimiento de la vida. Recojo todos
los frutos y los resisto o los asimilo según lo que soy. Que
me hagan bien o que me hagan mal, eso dependerá de la
calidad de mis órganos. Las precauciones teóricas son escondrijos, abominables escondrijos destinados a los que cultivan
la metodología o la gazmoñería. ¿Por qué no ha de ir uno
libre y desnudo al encuentro de las circunstancias?

—Me parece perfecto —le dije—. Sólo que esa es una
teoría de los medios. Una teoría según la cual los medios
justifican el fin. Y no creo que sea precisamente un modo
de pensar congruente con las ideas maquiavélicas... Denun-
cia una falta de consecuencia.

—Me río de la congruencia —contestó—. Me río de
todas las cosas que no me sirven para vivir. Me río de las gentes que se rigen por catecismos. Al propio Jesucristo no
le estorbaba la piedad para empuñar un látigo cuando era
necesario.

—Eso es tomar las cosas demasiado en serio.

—Yo las tomo. Me hundo hasta los tobillos en las cosas
y prefiero salir lleno de barro del pantano, pero saber a
qué atenerme con respecto al pantano.

Sonreí.

—Ayúdame a echar más leña.

Fue hasta el cesto y me alcanzó un trozo de tronco y
luego se limpió cuidadosamente las manos con el pañuelo
de hilo. Lo hacía todo con parsimonia y gran serenidad.
Tenía un dominio sobre sí sólido como sus afirmaciones.

Nos pusimos a hablar, a propósito de Inés Boll, de la
influencia que habían ejercido las mujeres en nuestra existencia. Yo le dije qué mal me explicaba la actitud de los
cultores de una virilidad a grito pelado —sociólogos, revoltosos, políticos de tertulia— que presumían de menospreciar
a las mujeres y no las contaban para nada en su vida. La
prueba de una gran naturaleza se revela en su actitud
frente a ellas. No ha habido en la historia un solo hombre
que no haya sido conocido y revelado antes que nadie por las
mujeres, desde los Evangelios hasta la historia napoleónica,
pasando por todos los revolucionarios en desgracia. Me acordé de un actual dictador europeo cuyos años de amargura
lindante con la muerte fueron nutridos por la paciente
confortación de Margarita Sarfatti, su Ninfa Egeria. Me
acordé de Lou Andreas-Salomé, amiga de Nietzsche.
Me acordé de Madame de Warens. Me acordé de Mary Shelley. Los hombres que no buscan ávidamente en las mujeres de
su tiempo caracteres extraños y pujantes a fin de multiplicar ellos mismos misteriosa y complejamente su propia

acción, son grandes castrados del carácter, son los grandes y estériles misóginos, los grandes impotentes. Pero toda esa teorización tan prolija no estaba llamada más que para llenar el amable tiempo que transcurría entre nosotros en el refugio de mi cuarto; la señora Boll no justificaba, por cierto para terceros, virtudes demasiado visibles... Pero Jiménez estaba de acuerdo; él la comprendía en el círculo de la excelencia; aunque siempre un poco sombrío, reservado, lacónico con respecto a ella.

Oímos un largo chillido y luego su caída en un canto increíble. Nos era familiar. Una vez por mes la señora Ana atacaba en la sala aquellas arias en las que rompía quién sabe qué oscuras reservas de histeria y franca locura. Sola ante el piano vertical, anónima y desesperadamente heroica, daba rienda suelta a su periódico delirio.

Vinieron días de gran frío y la gente se imaginaba que iba a nevar sobre Buenos Aires.

Como era tan plana y tan extensa, la ciudad parecía yacente a la intemperie, echada de espaldas, inmensa y yerta al lado del río, cuyo estuario era tan ancho que sus aguas daban la impresión de hallarse inmóviles.

El vaho de las bocas de las mujeres empañaba a la salida de las tiendas los espejos de bolsillo. La gente nocturna salía de los teatros embozada. Las enseñas pendientes de lo alto de los negocios parecían agitarse en un helado coloquio con el aire. Los serenos de las obras encendían transidos su parvo fuego, mientras los últimos transeúntes eran perseguidos por el alma de las calles desiertas.

Yo me sentí de nuevo lleno de amor por mi obra, por la vida que vendría después del sacrificio; trabajaba de un modo incesante.

A la medianoche la sirvienta me dejaba en el cuarto una tetera y un poco de leche fría.

Trataba de salir lo menos posible. Al anochecer caminaba rápidamente cuadras y cuadras llevando todavía la cabeza caliente con imágenes, pensamientos, planes, ideas.

Era un dulce tiempo de siembra.

XXIII

En aquel julio inclemente se incorporó a la revista Jazmín Guerrero.

Cada naturaleza lleva en sí su propia sentencia y ley. No hay personalidad que se defina, según los principios de esa sentencia y de esa ley, por otro medio que por su creación visible; así, no es filólogo ni bandolero quien lo prefiera y lo diga, sino aquel que cometa específicamente esos oficios. En los limbos de "inteligentsia" que rodean a las canteras artísticas de cada país, aparecen de pronto especímenes de meros aficionados cuya virtud mayor en el concierto donde actúan es el rápido desdén; pero como el desdén necesita también su ejecutoria, y como quien más desdeña es por lo general quien menos hace, estos ángeles terribles de los salones mueren al fin en el caldo de su propia insuficiente suficiencia. Éstos son los que resuelven de pronto que Cervantes era un cero y que hay que estar sólo al lado del Mío Cid, o los que al día siguiente afirman lo contrario según la moda circundante, bien por simpatía o bien por sistemática negación. En ningún sitio del mundo habrá ejemplares más numerosos de este tipo de inteligencia como en Buenos Aires, puesto que aquí —tanto en lo material como en lo moral— el vestirse bien por fuera se acepta por calidad sobrada: todas las demás pueden desplazarse sin mayor examen. Jazmín Guerrero se había hecho una reputación sobre esa base: su indumentaria espiritual descansaba en un armatoste teórico. Le parecía, por ejemplo, que ser tomista en filosofía y reaccionario en política eran actitudes que concordaban lo bastante bien como para poder sostener la cabeza erguida a mil quinientos metros sobre el nivel de los demás mortales.

De pie sobre esas teorías rígidas, miraba el mundo sin temor. Estaba aislado por ese cordón sanitario de tipo dogmático, nadie podía atropellarlo ni sorprenderlo: era como una estatua de bronce vestida con ropa de calle azul.

Cuando lo presenté, una tarde apacible de julio, en la redacción de la revista, se entendió inmediatamente con Blagoda porque Blagoda era *snob* y le gustaba la posición aristocrática y el aire olímpico del joven abogado; también, siendo al propio tiempo un jactancioso y un descuidado, le encantaban, como la flauta a la serpiente, aquellas corbatas de seda armada y rica que parecían, por su lujoso azul marino, recién compradas en "Brighton".

Blagoda, adelantándose a Acevedo, que ocupaba su sillón directoral, le ofreció, como al descuido, una taza de café. Guerrero la rechazó con indiferente cortesía.

—Yo soy sobrio y austero en mis hábitos —dijo—. Me gustan los hombres y las costumbres enjutas. No llevo nada a la boca fuera de la hora de mis comidas, y a esa hora llevo poco.

Blagoda habría querido ofrecerle el champagne que —aunque no precisamente de Reims— bebía a veces en los bares. Se sintió molesto de no haber podido ofrecer al visitante más que el vil café de lo de Acevedo. Supuso que iba a pensar mal de nosotros.

—Es un estimulante necesario cuando hay que ponerse, de buenas a primeras a enfocar enérgicamente un tema —dijo, a modo de excusa. Se acordó de su padre cuando le decía en la trastienda del tenducho: "Aprende a hacer buen café. Los que han nacido para siervos pueden hacerse, gracias a ese arte, dueños de los amos." Sintió en las mejillas una oleada de resentimiento. Y de pronto, a la defensiva, volvió por los fueros de su ironía, que era como el contraveneno segregado por la piel de ciertos sapos—: Aunque no necesitará usted, naturalmente, por su género de vida, de estos latigazos artificiales.

—No me gustan más latigazos que los que yo administro —contestó maliciosamente Jazmín Guerrero—. Mi casta es de los que los dan, no de los que los reciben. Espero que sean ustedes de mi familia. *Basta*, según entiendo, es un látigo.

Acevedo hizo rechinar el sillón, avanzó el cuerpo, con los brazos sobre la mesa. Examinó a Guerrero antes de hablar:

—Sí —dijo—, es un látigo; pero entendámonos: que no está en nuestras manos sino en las manos de un principio. Mañana puede volverse contra nosotros, si traicionamos. Yo no creo haber nacido con un látigo y he creído en cambio muchas veces merecerlo; lo que más me atrae, por lo demás, en el ejercicio de la crítica, es la ocasión que me ofrece de llamarme a mí mismo a su regla.

—¡Ah, eso es todo un apostolado! —dijo Guerrero, ligeramente sarcástico—. ¡Un apostolado! Eso es muy interesante y está bien, pero tiene el inconveniente, en la práctica de la política y de las ideas, tiene el inconveniente de su peligro: poder suscitar dudas nocivas. La duda es debilidad. En materia de política y de ideas, no hay derecho a ser débil. Con la debilidad elevada al rango de virtud se gana el reino de los cielos, pero no se conquista el poder. El poder es de los fuertes natos, de la casta más fuerte; el fuerte es el brahmán de la política. El fuerte es el capaz de nacer con el látigo y no soltarlo más que el día del Juicio Final.

Hablaba de un modo sardónico.

—Esa es la cartilla del ambicioso. No creo que seamos —comentó Acevedo sonriendo y mirándonos a Blagoda, a Anselmi, a Lorrié, a Jiménez y a mí— un puñado de ambiciosos. Eso sería una forma de candor del que nuestra falta de santidad nos tiene todavía muy lejos... No. Lo que nos diferencia de los políticos y sus grupos es precisamente que el interés no pesa en nuestra balanza. Por lo menos el interés de los cargos públicos, eso que se llama *poder*.

Guerrero hizo un gesto con los hombros como significando: "Allá ustedes."

—Yo soy una cabeza política —señaló—. Veo las cosas y sus remedios de urgencia; para aplicar esos remedios, hay que apoderarse de ellos, y cuanto antes mejor. ("Qué imbéciles son éstos" —pensaba—. "Qué imbéciles son.")

—No somos un partido político. Eso es lo que usted olvida a cada rato —dijo Acevedo.

—No importa. No lo son, pero pueden serlo. Sin ese fin posible no me explico a dónde van. ¿Quieren, o no, tener influencia? ("Qué imbéciles son.")

Todos intervinimos entonces en la conversación. Como un tropel. Se trataba de precisar qué clase de influencia. ¿Influencia política, influencia moral? Yo le dije exaltado que la voluntad de los grupos intelectuales combatientes en un tipo de periodismo como el nuestro varía enormemente según las circunstancias de cada país; en los países donde las estructuras políticas, morales, sociales, son fuertes, ese tipo de periodismo no tiene objeto si no se aplica a un fin preciso e inmediato. En un país como el nuestro, en cambio, reciente, en formación, lo que se trata es ir despertando los distintos miembros dormidos, así como se despierta de su sueño a un gigante que es de entraña delicada y al que hay que tratar con cautela. Para hablar de un país joven se necesita, aunque no lo parezca, mucha más cautela y precisión que para dirigirse a un público de sedentaria cultura. Porque no es otra cosa que un flagrante error histórico el pedir a los países algo que no pueden dar en el momento de su formación en que eso se le reclama. Nuestra obra no podría ser, entonces, más que el son que se canta para llamar la atención de los distraídos, de esos distraídos que se movilizarán después por su cuenta en grupos lúcidos.

Jazmín Guerrero escuchaba sin alterarse, dando golpecitos en el brazo del sofá con su cigarrera de oro, un pequeño estuche adornado en uno de los ángulos con los signos heráldicos de su nombre, que lucían realzados en su solemne esmalte negro. No parecía convencido, ni poco ni mucho. Las naturalezas como la suya no tienen tiempo que perder. Claman por la acción, padecen hambre y sed de predominio. Toda pausa les parece tiempo perdido. En ellos la reflexión se parece al gatillo en el arma de concurso: hay que tocarlos apenas: es peligroso. Por consiguiente, fue al grano. Él quería redactar algunos artículos. Acevedo se

echó hacia atrás en el sillón, sonrió complaciente, paciente.
¿Pero sobre qué podía escribir? Adujo en seguida su tema.
Sobre la teoría del golpe de Estado. Quería glosar a Cur-
zio Malaparte, remontarse hasta los días de la República
florentina e intentar una interpretación de Dante Alighieri.

Se puso de pie. Fue a pararse al lado de una de las
estanterías llenas de libros y apoyó con un aire de comodidad imperial el brazo derecho en la parte alta y tallada
del mueble. No usaba monóculo, pero toda su apariencia
estaba llamando ese bruñido símbolo de soberbia civil.

Desde lo alto de su casi inmóvil excelencia dejó caer
sobre nosotros, frase por frase, su teoría de las autocra-
cias. Su voz parecía, como un piano de concertista, obedecer a dos manos: una era enseñante, pontificante; la
otra, un tanto despectiva, un tanto indiferente. "...Pero yo
no creo sino a medias en *De Monarchia*. Para mí la Iglesia
y el Imperio no pueden oponerse sino ser potencia conjunta,
son las dos manos supremas que intervienen en la misma
organización ideal..."

Este hombre parecía no haberse ocupado nunca más que
de objetos trascendentes; sin duda, cuando veía una es-
tampilla soñaba con ver alguna vez su propia imagen en
ella, y la pegaba al revés... Era difícil concebir que alguna vez hubiera abierto una lata de sardinas, cocinado unos
huevos fritos, gustado hasta chuparse los dedos la delicia
de una salsa, haber gozado alguna vez algo hasta el
grito...

Yo creo que serían las nueve de la noche cuando salimos
de la redacción. En ese momento hablaba Blagoda. Quería
sorprender a Guerrero con su erudición sobre la técnica
del golpe de Estado. Unos cuantos echamos a andar adelante en dos grupos; Blagoda y él se quedaron atrás; de
rato en rato se detenían, discrepaban, en la avenida. Un
hombre se detuvo a mirarlos, luego siguió.

Jazmín Guerrero no nos había contado su más oculto, su
más íntimo complejo. Algunos de sus amigos de la infancia lo sabían. Quizás, entre los elementos que más impaciencia daban a su hambre de poder, se contaba aquella
circunstancia primera e inmodificable, aquella circunstancia
irrisoria y un poco grotesca: el haber sido bautizado con
un nombre de pila frente al que el bélico apellido se rebelaba impotente, cohibido, casi en ridículo...

En aquel retrato que recorté de la edición ilustrada de
un diario dominical, estaba usted sentada en el negro suelo
encerado de un salón de su residencia, vestida con un
traje de gasa, espléndida y distante. La cabeza descu-

bierta surgía gloriosamente de un ancho y rígido cuello de chal. Y alrededor de usted no había más que flores blancas — gardenias, begonias, jazmines del Cabo. Sus grandes ojos serios miraban fijamente, abstraídos. Y esa fijeza lejana, inescrutable, desconsolaba y entristecía.

Le mostré la imagen al profesor Borescu.

—*Isn't she proud, and beautiful?* —le pregunté.

—Es —dijo. Y se enfrascó en consideraciones eruditas sobre las variaciones de la belleza desde los tiempos de Cam y Jafet, sobre el fondo elegíaco oculto en la belleza de las mujeres bíblicas, sobre la delicada fisonomía de Leonor de Toledo en el retrato de Agnoldo di Cossimo il Bronzino, sobre San Agustín y su modo de ver la unidad como forma de belleza, sobre la interpretación de Klemtgen de la belleza humana como elemento de deleite, sobre la identidad de los rasgos anímicos de la mujer con sus rasgos físicos, punto en torno a lo cual le parecía perfectamente posible erigir una teoría de la participación de las mujeres en la historia.

Yo miraba su retrato y sonreía ante la disertación.

Una inmensa multitud se movía en la capital. La ambición era una ola; la furiosa actividad, un río precipitado. Densas masas de urgidos y de ambiciosos confluían y refluían como cuantiosas migraciones en las infinitas redes de coches y tranvías. En los alrededores del Jardín Zoológico trabajaba el corazón latiente, la diástole y la sístole de las muchedumbres; el centro era la sanguínea cabeza; el norte, los hombros; el oeste, los brazos; el sur industrial, las piernas musculosas. Todo ese fasto, todo ese tráfago —las grandes corrientes humanas arrebatadas hacia el centro— estimulaban el ánimo, ahogaban el ánima. La argentina especie reclamaba en la urbe el plato de lentejas. El espíritu estaba abajo, muy abajo; hondo, muy hondo en ese cuerpo apresurado.

Allí estaba el argentino fuera de sí, allí estaba el argentino librado a su alteración. ¿Cuándo se iba a estimular el ánima y a bajar un poco la precipitación en el ánimo?

Yo pensaba que mientras no sucediera eso no sabríamos ni lo que somos. Ni el coraje del capitán vale si ignora adónde le guía el propio espíritu.

¿Adónde iba este coraje, esta rapidez, este interés, esta ambición; adónde iba este pueblo?

Estos hombres que se veía, no eran el hombre argentino sino por fuera. En los tumultos, en los negocios, en la política, en la diversión, en los regresos a sí mismos después de la cotidiana alteración, ¿qué eran? ¿Qué eran en el fondo estos prósperos, estos pródigos? ¿Crueles, blandos, feroces, inteligentes, venales, claros o bien oscilantes entre todos los extremos?

Sí. Había que sacar a la superficie lo bueno profundo de un pueblo que se entrega sin cálculo a las circunstancias. Había que traer a la superficie su material interior de sueño, la médula de su genio entrañable, a fin de que no lo ahogaran, con traición, las fortuitas circunstancias, la cadena de fortunas multiplicadas, el acumulamiento de hechos materiales.

Yo vivía preocupado por ese ahogo del espíritu de nuestro pueblo. Alguna vez, en un acto u otro, lo veía surgir; pero para sumergirse en seguida. Caían sobre él las almohadas de una práctica actividad, acallándolo, sofocándolo.

Por debajo de esa furia yo era sensible a la corriente de dolor, a esa fuente silenciosa y desventurada en que el río de un pueblo se prepara para su liberación y su grandeza.

Juan Argentino, nuestro hombre —me decía—, es explotado por el que lo vende. Lo que importa es que busquemos en todas partes, obstinadamente, a *Juan Argentino*. Que lo distingamos de su expoliador, que le demos el lugar que ha merecido por su digna desventura. *Juan Argentino* es el ignorado, el desconocido; en cambio, Juan Inglés, Juan Italiano, Juan Alemán, todos esos juanes, son los amos. *Juan Argentino* es como un niño; es menester, entonces, que hagamos de él el hombre nuevo.

"*Juan Argentino* —me decía— siente en la ciudad, sufre y espera en el campo, vive en todas partes de su tierra. A ese sentimiento, a ese dolor, a esa presencia hay que darles inteligencia, expresión."

En armonía con estas ideas tracé entonces un plan literario. El plan consistía en revelar a través de muchos cuadros diferentes que lo pintaran en distintos aspectos de su vida, a *Juan Argentino*, es decir, a ese personaje profunda, íntima, descuidadamente nuestro. Estuve muchos días pensando en el personaje. El libro se llamaría *Las cuarenta noches de Juan Argentino*. Las cuarenta vigilias, los cuarenta desvelos, las cuarenta penurias de la conciencia que se va a echar a andar, que se prepara para la marcha en el tiempo. Y serían cuarenta novelas, cuarenta · historias de cuarenta procesos humanos.

XXIV

A principios de agosto tuvimos un desencanto. Yo había notado en Acevedo un aire reticente, o entre reticente y pensativo. Lo observé, en la redacción y en el *Lunamoon*, adonde nos tocó ir casi una semana seguida para tomar un café con cognac y hablar del periódico. Aproveché una semana de mala racha, en que nada de lo que escribía me salía bien, y entregué más horas que de costumbre al contacto con la publicación y con la gente del grupo. Como yo venía del mundo de mis personales problemas literarios, podía observarlos como un extraño, con el ánimo limpio de parcialidad. Desgraciadamente, cuando quise dedicarme más al periódico, ya era tarde.

Acevedo contrató por esos días a una secretaria alemana llamada Herminia Molder. Estaba preocupado por estudiar comparativamente algunas leyendas populares nuestras con algunas leyendas alemanas. Herminia Molder le traducía centenares de leyendas por cincuenta pesos mensuales. La mujer era fea y hombruna, con sus alarmantes trajes sastre, pero terriblemente inteligente. Estimulado por ella, el trabajo de Acevedo progresaba en forma extraordinaria. En un mes llegó a reunir trescientas leyendas argentinas y a seleccionar un número tres veces mayor de tradiciones alemanas.

Una vez se produjo cierta discusión desagradable en el *Lunamoon*. El tema eterno. Había quienes querían orientar los artículos del periódico hacia el ataque personal; no veían otro modo de estimular el pequeño tiraje paralizado, la atención reducida de los lectores. ¿Cómo podíamos aceptar eso? ¿Cómo aceptar semejante degradación? Cuando salimos de allí, Acevedo me tomó del brazo. "Esto se acaba", me dijo. "Ya empieza a cansarme." Manifesté mi asombro. Quise disuadirlo. "Mañana hablaremos", me dijo. Volví a casa con Anselmi. Al día siguiente, por la tarde, me llamó Acevedo por teléfono.

—Sólo saldrán dos números más —me dijo refiriéndose al periódico—. Mi decisión está hecha. A menos de que quieran encargarse ustedes de seguir publicándolo por su cuenta. Pero yo, me retiro de cualquier modo.

Cuando él hablaba así, era inútil insistir.

—Lo diré a los demás el martes próximo en el *Lunamoon*.

Aquel martes nos reunimos en pleno. En el vasto salón amarillento había olor a vino y pescado frito. Jiménez fue con traje de *sport*: se iba a la mañana siguiente a un pueblito de la costa del río por ocho días. "Luna de miel", sonrió Anselmi, casi siniestro. A las diez, Acevedo no había llegado todavía. Algunos que llegaron antes de su hora habitual de comer, se hicieron servir sendos bifes a caballo con papas fritas. Jazmín Guerrero calentaba en el hueco de la mano su segundo vaso de cognac. Sentados en el extremo opuesto de la mesa, junto a la gran vidriera donde se leían al revés las letras de *Lunamoon*, Encina y Plon Vivar bebían el más dulce *cherry-brandy*; escuchaban sin hablar; como dos conspiradores. Cuando uno de ellos quiso fumar, pidió a Guerrero un cigarrillo y éste hizo pasar de mano en mano su lujosa cigarrera. Los dos partidarios del Estado con inquisición y con pira hacían siempre cuartel aparte. Blagoda hablaba a gritos con Lorrié. Como siempre, Tauste apoyaba con signos de cabeza las aseveraciones de Blagoda. Anselmi miraba continuamente, con gran atención, a Encina y Plon; de tiempo en tiempo se volvía a mí y me guiñaba el ojo. Yo miraba a Tauste y veía que en el fondo estaba triste. Sin duda, Blagoda lo había informado ya sobre la decisión de Acevedo y la desaparición de *Basta*. Era un muchacho sencillo y yo tenía mucho afecto por él.

Se acercó a la mesa un vendedor de billetes de lotería con sus décimos y sus quintos plegados en una cascada de papel azul.

—Este hombre nos ofrece el mejor instrumento de salvación —dijo Blagoda.

—Más eficaz que un obispo... —sostuvo Lorrié.

Encina y Plon Vivar sonrieron despectivamente.

—Por lo menos, estos billetes pueden conducirlo a uno a practicar frecuentes, equitativas y saludables simonías... —agregó Blagoda—. País de loterías, país de Simón el Mago.

—No sé quién era Simón el Mago —dijo Lorrié.

—Una especie de gran burgués argentino —explicó Blagoda con suficiencia— nacido por casualidad en Samaria, fundador de la filosofía gnóstica, que quiso comprar a los apóstoles Pablo y Pedro el poder de conferir el Espíritu Santo.

El vendedor de lotería recorría la mesa con ojos expectantes. Su voz parecía tener hambre. Su apariencia, su expresión y su ropa destilaban un descorazonamiento arcaico. "Les recomiendo el entero terminado en 777, señores." Jazmín Guerrero pidió que le alcanzara los diez décimos. El billete entero tenía el número 44.777.

—Me alegro de que sea usted un adepto del alcance esotérico del número siete —dijo Guerrero al vendedor—. Reconoce, por lo que veo, la virtud de esa cifra, que acusa al paralelismo místico entre los planetas y los metales. Parece comprender que las siete iglesias y los siete espíritus que publicaron la alabanza de Cristo y los siete sacramentos y los siete pecados penitenciales y las siete horas canónicas de la jornada y las siete plagas y los siete demonios y la expedición de los siete contra Tebas y los siete sabios de Grecia *(septem sapientibus)* —pronunciaba el latín como quien regusta un trago dulce— y los siete años del año sabático de los hebreos que multiplicados por siete hacen el año jubilar, no fueron meras casualidades numéricas sino que formaban parte de un misterioso orden ritual y simbólico. Muy bien. ¡Me alegro de encontrarlo!

El vendedor lo miraba asombrado, cargado con su desánimo de siglos.

Jazmín Guerrero insistió sin dejar ver su cruel sorna.

—¿Pertenece a los adeptos de esa cifra teológica por razones reverentes o por razones profanas?

El hombre de los billetes, cohibido, no sabía si echar a reír buenamente o indignarse.

Jazmín Guerrero sacó su cartera y le pagó y guardó, doblados, los diez décimos, cosa que decidió por la más beatífica sonrisa la vacilación del vendedor. Con esa adquisición, Guerrero no sólo concitaba a la fortuna, sino que pasaba por dispendioso ante los que rodeábamos la mesa, y demostraba su magnanimidad hacia el infeliz a quien acababa de hundir con su juego de superioridad. Bebió un trago de cognac y nos miró con indiferencia, tosiendo en forma tranquila y persistente como el barítono que se aclara la garganta.

Por la puerta de la esquina entró Acevedo.

Se sentó y habló con todos apaciblemente. Dijo que había trabajado toda la tarde en las leyendas y que estaba cansado. Luego significó que lo que tenía que decir no era grato: la cesación de *Basta* le parecía una necesidad. El público respondía con la creciente insensibilidad de un organismo invadido por la parálisis. Habían sido infructuosas todas las tentativas por aproximar a la publicación gente capaz de ayudarla económicamente. "En este país —dijo— algunas ideas parecen buenas, de pronto, a la opinión. Son aplaudidas y compartidas como se aplaude en un circo el salto mortal del acróbata y se comparte su emoción. Durante el tiempo que dura la prueba, existe ese estado de comunión, esa solidaridad, esa intensa simpatía; pero a la salida del circo nadie tiene el deseo de acercarse al acróbata y felicitarlo cuando se marcha por la puerta de los artistas. Se nos ha seguido así — con aparentes aplausos y con indiferencia real. Este pueblo está preocupado en otras cosas. Está dormido. Está embotado. No conoce más que el estado de deglución y el estado de digestión. Yo pensé que se le podía despertar con un canto serio. Ahora veo que no. De estos sueños despierta la vida. El despertar no puede ser ayudado. Viene por un sobresalto o una conmoción. Hay una cosa inmatura en este sueño; y creo que nuestro esfuerzo es por consiguiente también prematuro. Tal es, por lo menos, lo que yo pienso."

Insistió en su comparación. "...el estado de deglución y el estado de digestión. Todas las demás horas de un organismo noble le son desconocidas".

De distintos puntos de la mesa se levantaron protestas. "No, no podía dejarse el campo así. Era menester luchar con obstinación, insistir, insistir aún, repetir el esfuerzo hasta ver su resultado." Escéptico, Acevedo jugaba con la cucharita, golpeando con ella el plato de la taza de café. "No —decía solamente—, no." Jazmín Guerrero sonreía burlón como aseverando por dentro: "Semejante falta de garra no puede llevar a otra cosa. Tiene forzosamente que llevar a espectáculos tan bochornosos como éste, como esta fuga, como esta resignación."

—Tal vez nuestra mejor misión en esta sociedad —dijo Acevedo— consista ante todo en una acción personal, después de la cual vendrá la colectiva. Todavía somos demasiado diferentes los unos de los otros, las posiciones no están sólidamente fijadas frente al problema de un mundo nuevo. De pronto confundimos el desinterés con la ambición, no sabemos si llevamos adentro lo uno o lo otro.

Sin duda, algunos comprendieron la alusión. Pero ya nadie insistió sino para manifestar cierta pena y cierta decepción. Éramos una veintena. Blagoda propuso que si el periódico dejaba de aparecer, el grupo conservara al menos su contacto. Podíamos reunirnos dos o tres veces por mes.

Reclamaba con los ojos el apoyo de Jazmín Guerrero, de los "efebos". Anselmi le arrojó un jacinto blanco que había en un vaso de flores medio marchitas. "Muy bien." Guerrero convino en que la supremacía de las *élites* debe procurarse a toda costa —"a hierro y fuego"— y trató despectivamente a Tocqueville, "ese conde francés que descubrió la democracia". Anselmi se echó a reír, lo cual creó entre todos cierto fugaz embarazo. "Tocqueville era un gran tipo", dijo Anselmi. Guerrero contestó con una risita de despecho y una mirada feroz.

La conversación asumió matices más complejos. Surgieron, disuelto ya de hecho el solo vínculo de unión, o sea el periódico, las animadversiones individuales y teóricas latentes en el grupo. Al cabo de una hora y media de estar allí, las cosas comenzaban a ponerse agrias. Volaban de lado a lado las generalizaciones más enfáticas y sumarias. Las ideas tomaban un cariz ofensivo. Acevedo me miró fijamente, significativamente, atrayendo mi atención hacia el verdadero sentido de semejante desavenencia. Sentí que me quería decir: "Este espectáculo prueba hasta qué punto nuestra unión era artificial y, por lo tanto, hasta qué punto podía dar el seguir agrupados resultados artificiales."

Los "efebos" fueron los primeros en levantarse e irse. Tenían un aire huraño de *yearlings*. Blagoda les recordó que debíamos reunirnos nuevamente. "¡No sé para qué!", dijo uno de ellos encogiéndose de hombros. Más tarde nos levantamos todos. Anselmi, Jiménez, Blagoda, Tauste y yo acompañamos a Acevedo hasta su casa. Guerrero tomó un taxímetro y se llevó a dos o tres en él. Harían una estación en su departamento de la calle Guido para beber un Napoleón genuino y resarcirse así del mal cognac del *Lunamoon*. (De paso les mostraría, habano en mano, sus estatuillas seudocaldeas, sus cortapapeles adquiridos en los *bric à brac* europeos, su ejemplar de la mascarilla de Oliverio Cromwell comprada por un puñado de chelines en un chiribitil de Maiden Lane.)

"Volvemos a nuestro aislamiento personal", nos dijo Acevedo a Anselmi y a mí mientras miraba pensativamente el fondo de la calle nocturna. "Desde el segundo número del periódico yo he tenido la convicción de que predicábamos en el vacío. A eso se ha unido luego la parte de impureza que los ambiciosos y los petulantes traen a esta clase de empeños. A nada temo más que a la podredumbre que empieza adentro del fruto. Pero habría valido la pena segregar de nuestra propia casa a los indeseables si el eco de nuestra acción hubiera sido otro. Ha sido escaso. Cada vez se hacía menor. Pero si este país tiene su indiferencia, yo tengo mi orgullo. Me llamo al destierro de mi propio trabajo. Ya amaneceré algún día. Por lo pronto, lo que vale, el movimiento inicial, los primeros números de *Basta* quedan ahí, hechos. Seguir habría sido debilitar la significación de ese documento que ahora dejamos." Siguió hablando, con una convicción sin amargura, de la madurez del país para las grandes inconsciencias productivas, pragmáticamente válidas, que se estructuran como una segunda conciencia, y de su inmadurez para ciertos actos cuya esencia consiste en una suma de valiosas autoseveridades. Para decir: basta de estupidez pública y baja política, hay que empezar por dar el ejemplo. Todo el mundo cree que eso está bien para los demás pero que no hay necesidad de que uno se empeñe en lo mismo. Que los otros hagan por uno... "Dejad que los puros sean puros por mí" —tal es la voz que va cundiendo, dejando el tendal de hipócritas aprovechadores y crápulas en olor de santidad.

La luna estaba de nuestro lado. Caía gloriosamente con su cascada lechosa sobre el ancho paseo que venía des-

atándose en su camino de asfalto desde el nudo frondoso
y macizo del parque. Se las arreglaba para enriquecer con
su alternado juego blancuzco y sombrío las fachadas de
las viejas casas, los modestos balaustres, las rejas de hierro
herrumbrado. Casi físicamente sentí la impresión de un
repentino vacío. Juventud es voz que está por decirse; temprano tumulto agolpado ante demasiado estrecha puerta;
voz que no tiene voz. De ahí que lo que está más cerca
de la juventud sea el pronunciarse, que lo que la juventud
reclama más vivamente es pronunciarse. Las juventudes que
por una causa u otra no pueden decir su palabra, pronunciarse de un modo u otro, se frustran más tarde, y no
en la realidad exterior, sino por dentro. Algo se nos arre-
bata: la posibilidad, esa posibilidad cuya ilusión nos pro-
porcionó durante poco tiempo el pequeño periódico, de
insertar en la realidad común una fiebre, una disconformidad, un sistema de previsiones violentas. Había sido un
pequeño puente, pero un puente. Y estaba roto.

Mientras caminábamos los pasos que nos separaban de
la casa de Acevedo, nosotros tres pensábamos seguramente
lo mismo. Pero hubiera sido indelicado insistir, siendo,
como era, que Acevedo costeaba enteramente la publicación. Callamos.

Nos despedimos frente a la puerta de su casa. Me dijo
que me llamaría para mostrarme el progreso de su trabajo
en las leyendas.

Subimos con Anselmi a pie por el Paseo. Al llegar al
centro, después de haber pasado por el Gaiety Bar, Anselmi quiso comer a toda costa unos panqueques que le
gustaban con gula. Lo acompañamos, comentando lo que
había sucedido. Jiménez se mostró asombrado de la incontinencia de Anselmi, que devoraba su manjar como Enrique VIII las martinetas de Escocia, y protestó su necesidad
de no acostarse demasiado tarde para poder madrugar.

Pero cuando llegamos a casa daba ya la una el reloj
de la Torre de los Ingleses.

XXV

Casi seráfico en el halo de esfumación que lo envolvía,
más apocado y pequeño que nunca, el profesor Borescu
trataba al día siguiente de convencer a la señora Ana, en
el corredor, de que no era deshonra, sino al contrario
un alto título de honor, el haber tenido que sustituir ella
personalmente en la cocina, con su bagaje de preciosas experiencias relativas al pavo trufado y a la gallina aderezada

con salsa blanca, a una voluminosa cocinera insolente que la había plantado, después de robarla.

—Créame —yo escuchaba desde mi cuarto la suave voz del profesor— que es la profesión más directamente vinculada con todas las aristocracias, no sólo con las de sangre sino también con las espirituales... Archestrato de Siracusa llevó la ciencia de la cocina a un plano realmente metafísico, y su teoría del conocimiento se había extendido y generalizado tanto, gracias a su sabiduría de las viandas y las regiones favorables a la cinegética, que el propio Epicuro la adoptó como su guía. Su poema, la *Gastronomía*, es tan importante como cualquier obra primitiva de inspiración heroica. ¡Qué no diremos, señora, de Numerio de Heraclea, Philoxene de Lérica y Hegemón de Thason! La dinastía culinaria de los Apicios fue en Roma tan ilustre como la familia tribunicia de los Graco. Mucha gente ignora que Marcial, el famoso Marcial, escribió no sólo el elogio poético de uno de los Apicios, sino un notable elogio de los aperitivos, que se llama *De gulae irritamentis*. No hablemos de la Edad Media; de los *maître queux* de Felipe de Valois; de Nicolás Fouquet, cocinero de Margarita —de Vatel—; de Carême... Básteme decirle, señora, que en la fachada de algunos de los castillos más antiguos de Inglaterra se alternaban los títulos heráldicos de la familia con los títulos nobiliarios de los cocineros. Y para no hablar sino de los cocineros privados, acuérdese usted de que en la Biblia también se vale Abigail de ese arte para subyugar a David y le ofrece cinco ovejas guisadas y cinco medidas de grano tostado; y así le fue fatal a Marco Antonio el modo como Cleopatra preparaba el salmón, y al marido de Agripina el modo como ésta guisaba las setas. Casi todos los príncipes y casi todos los grandes artistas han dejado en la historia de la cocina algún modo particular de preferencia: la princesa de Conti, el famoso *Carré de Mouton a la Conti* que le gustaba a Luis XIV; la reina Ana, los famosos platos preparados *after the Queene Anne fashion*; — y si el cardenal Richelieu fundó una academia de letras, el cardenal Wolsey fundó, para no ser menos, en Hampton-Court, una cademîa de gastronomía... Ya ve cómo meterse de vez en cuando en la cocina es como hacer una inmersión en un campo de gloria, antes que en un lugar de ignominia...

Yo oí desde mi cuarto los "¡Oh, oh!" de la señora Ana y el silencio que su confusión puso antes y después de esas exclamaciones. Después emitió una de esas risas disimuladamente reticentes con que paraba generalmente todo halago, y aseguró al profesor que no se hiciese ilusiones, que todos comeríamos mal mientras ella estuviera a cargo de las sartenes.

Salí al corredor. La señora me dio los buenos días, se excusó, se fue. El profesor se encogió todavía más en su cuerpo menudo; parecía cohibido por haber sido descubierto en flagrante delito de disertación. Me sonrió con su ancha boca suplicante y tímida de quien no deja de temer. Lo invité a charlar un rato en mi cuarto. "Es un aspecto tan interesante de la vida, históricamente hablando", me decía, excusándose.

Le regalé una de las pipas nuevas que había sobre la chimenea y un tarro empezado de viejo y meloso tabaco inglés. Me dio las gracias con un tono plañidero. Yo tenía al lado del sofá una fotografía, que representaba la noche, la tiniebla rota por un débil farol, en una calle de la ciudad. Parecía el escenario desierto de una tragedia, en que la noche era el solo incorpóreo personaje. Cada vez que entraba en mi cuarto, el profesor Borescu la miraba atentamente, concentrado, instantáneamente feliz, como si esa fotografía lo ayudara a pensar, a evocar, a recordar. También a mí me ayudaba; era como una ventana abierta en la gran habitación cerrada al invierno.

El profesor me confió que aquella tarde iba a dar su primera lección, en un palacete de Palermo, cerca del Bosque, al hijo del señor Somberg. Somberg era un financiero muy rico, de origen judío, socialmente importante, buscado y halagado, cuya fortuna alargaba a lo largo y a lo ancho del país pesados seudopodios. Se contaba de él que era tan conservador que regateaba con los vendedores los centavos del precio de algunos juguetes para sus hijos pequeños, juguetes escogidos siempre entre los de madera a fin de que duraran más. La especialidad del señor Somberg consistía en comprar negocios sumidos en el crepúsculo; él los levantaba después de haberlos depreciado. Yo lo conocía por no sé qué casualidad. Gracias a una carta que le di para él, Borescu obtuvo una hora de lección diaria. Le pagaban treinta pesos por mes. El profesor no tenía ninguna importancia; la importancia mayor o menor del caso residía en el origen de la recomendación. Presentado por el arzobispo o una persona influyente o tal o cual conde tronado, la asignación del profesor habría aumentado, no incalculable sino calculablemente, en proporción. Presentado por mí, el profesor valía treinta pesos mensuales.

—Pobre profesor Borescu —le dije—; no hay la menor perspectiva de que yo sea arzobispo o duque. Lo siento por usted.

El profesor, considerablemente hundido en el sillón, protestó que treinta pesos por mes le resultaban algo así como un regalo caído del cielo.

Empezamos a revisar juntos algunas descripciones del país recogidas por mí para documentar una novela futura. A través de esos datos, el profesor veía crecer ciudades en poco tiempo, detenerse el crecimiento material de las poblaciones y sobrevivir esa pausa moral, intelectual, espiritual en que parecían ir a detenerse todos los lugares urbanos de nuestra tierra.

—¿Cuándo vamos a salir de este marasmo? —me preguntaba yo.

Él seguía hojeando los papeles, sonreía. En seguida se ponía a teorizar. "Casi todas las metrópolis de conformación babilónica..." —comenzaba. Su actitud era la del que pide excusas.

—No. No es lo mismo —le decía yo—. Todos los hombres tienen proyección, los malos como los buenos. Proyectan hacia afuera la figura que encierran en el alma. Aquí los hombres no proyectan esa figura, proyectan una figura que se inventan para andar mejor por entre las cosas. Son como esas criaturas que no saben lo que tienen adentro y que se manifiestan crueles o violentas porque no saben cómo son. Hombres cuya alma no proyecta su sombra. El día que tengamos nuestra expresión, será diferente. Es triste no tener una literatura, una poética que nos revele. Primero, a nosotros mismos, y después, a los demás. Somos como una religión no revelada. Por eso, algunos, yo, quién sabe cuántos en el país todo, sentimos tanto apuro por decirnos, por hallarnos, por proyectar hacia afuera un vocabulario de hombres de una misma familia que deben decir lo que son para que se les conozca. No tenemos ni teatro, ni novela, ni poesía, fuera de algunas obras episódicas — o tal vez importantes, pero primarias. Algunos creen que un pueblo se manifiesta literariamente con el canto del paisano; no: un pueblo se manifiesta, más que por lo que es, por la suma de cosas a que aspira. Eso es proyección. El paisano ruso, el paisano inglés, el paisano español no están en sus cantos populares sino representados en un sumario escorzo. El paisano ruso, el paisano inglés, el paisano español, donde están íntegra, trascendentalmente, es en la esencia de una literatura que ellos mismos no entienden, pero que los revela por la misma grandeza que ella alcanza. Lo pequeño alcanza solamente a lo bajo; pero lo grande toca lo de abajo y lo de más allá. El pueblo español está todo en el *Cid*, pero el pueblo argentino no está todo en *Martín Fierro*. Un pueblo se revela enteramente por la literatura de su pasión o de su gesta militar o civil; la otra literatura, la meramente popular o menor, sólo descubre los medios en que esa pasión o esa gesta llenan sus grandes pausas de acción.

Lo miré sin hablar, a ver si se daba cuenta de aquello, y me pareció que sí.

El profesor tenía un aire lastimoso con su pequeño cuerpo metido en el traje demasiado grande y aquella cadena de oro negruzco de la que colgaba el vulgar dije.

—No hay en ningún país literatura auténtica, valedera, trascendente, fuera de la que es augural o profética —le aseguré, alcanzándole un fósforo encendido para su pipa—. Nosotros no tenemos ni sombra de esa literatura: parece que no hubiéramos vivido nada o, lo que es más delicado, que no hubiéramos *previsto* nada. Hemos tenido, tal vez por la rigidez con que hemos crecido, una concepción siempre *actual* de la grandeza; nunca una concepción intemporal y absoluta de nuestro destino. Y el destino no es una nebulosa. El destino de los parias puede ser una nebulosa. Pero un destino verdaderamente digno de ese nombre es una imagen cuya presciencia se posee en términos bastante precisos dentro de su posible multiplicidad. Los pueblos no se comunican esa imagen de su propio destino más que por el instrumento oral y por el instrumento literario. Por eso me es desesperante no ver asomar en torno, no ver crecer del suelo de este país, una armónica literatura; si ella no existe, es porque tampoco en la conversación, en la vida, surge alguna vez, en esta tierra, la imagen de nuestro destino.

Borescu escuchaba religiosamente.

—Nos dejamos andar —agregué— al azar de nuestras ganancias. Somos la improvisación misma. Pero, aun en el orden de las improvisaciones, hay una improvisación inspirada y otra que no lo es. Nosotros somos la que no lo es. Yo aquí, en este cuarto, noche y día, quisiera poder articular algunos fragmentos de la imagen de lo que realmente somos y de lo que realmente seremos. Pero como tal vez yo soy demasiado poco para verlo, como tal vez mis órganos de visión son tan precarios, como tal vez nadie lucha bastante por ver más, por aguzar más los órganos de la sensibilidad — sigue nuestro mutismo, y seguimos así, andando al azar, sin ton ni son, es decir, sin tono único de alma ni sonido que la represente.

No pude menos que echarme a reír: —Salvo el tono y el sonido de los falsificadores, que se apuran a gritar en los parlamentos, en los gabinetes, en las tertulias, en los diarios — y cuya voz no dice nada más que la pobre cosa que es la palabra cuando no tiene capital que la respalde...

El profesor se detuvo ante una anotación que halló en los

papeles. Puso el mazo de carillas en las faldas. "Juan Argentino... ¿Qué quiere decir este nombre? Juan Argentino..."

—Juan Argentino es el hombre que tenemos que hacer todos, con nosotros, aquí. El hombre nuevo, pero que nace de la sangre, de la impotencia de todo lo que se frustró en el viejo, y también de lo que en él hubo de mejor o de más válido. Juan Argentino, querido profesor, es el espíritu del hombre a quien debemos dar cuerpo en este país. ¿Comprende? Levantarlo, hacerlo, darle vida, darle solidez y diferencia de los otros, como Dios hizo al suyo. ¿Qué tierra puede decir que ha nacido hasta que no ha definido a su hombre? ¡Ninguna, ninguna! Juan Argentino tiene que ser algo claro, sensible, neto; ofensor y ofendible, viviente; hecho de negación y de aceptación — ¡pero no, por Dios, una vaguedad sin nombre, sino algo concreto en su persona, tan real como el José López a quien encontramos en la calle! Si no lo encontramos para que él resista algún día, nos van a vender a todos como ovejas.

Señaló con el índice nudoso un pasaje en los manuscritos

—Aquí hay un error —afirmó—. La misma idea está repetida en el período con tres frases diferentes. ¿No indica esto una vacilación del juicio? ¿No indica que no estaba bastante pensada la frase y su fórmula única hallada?

Me acerqué a él y advertí el período que me indicaba en la hoja llena de tachaduras e incisos, de ideas y vueltas del pensamiento, de apuro en las palabras.

—Sí —le dije—, ¿pero la repetición, no es la vida?

—No en literatura —aseveró—, no en literatura.

—¡Pero es que ya no se trata de literatura! Se trata de nuestra propia sangre. De defenderla y darle fuerza hasta llenarla de lucidez...

—*Contradictio* —negó sonriendo—. ¿Cómo dar lucidez mediante una anfibología? ¿Cómo dar lucidez mediante una ambigüedad?

Levantó el índice en un gesto aseverante. Protesté:

—¿No hay anfibología en un canto, no hay ambigüedad en un canto; no hay las dos cosas en un arrebato, en un acto de sinceridad, en una expresión cuya levadura es la pasión, o sea la vida misma cuando se olvida de sus límites? ¿No hay anfibología y ambigüedad en todo trance del ánimo cuando es más pujante que la palabra? ¿En la afirmación, en la disconformidad, en los grandes movimientos de la conciencia?

—Sí, pero entonces no hay que escribirlo —dijo el profesor—. Entonces no hay que escribirlo. Basta con vivirlo.

Y chupaba inútilmente la pipa apagada.

Ya ve; yo era entonces muy joven. Tan joven, que estaba lleno de esperanza. Tan joven, que no me molestaba, en las largas caminatas por el puerto, el frío de aquellas noches de agosto, la humedad, lo inclemente de aquel año. Sí, yo era entonces muy joven.

Usted también.

Por aquellos días mucha gente debía pensar en lo extraña que era; en cómo todos los contratiempos los resolvía siendo más solitaria y más bella. En su mundo, mucha gente hablaba de usted. Yo me acercaba a veces a ese mundo, donde tenía amigos, a menudo desagradables encuentros, muchas veces ecos excesivos para mi obra que empezaba. En las conferencias, en los conciertos, en los salones de algún hotel, una y otra vez, sentía de pronto, pronunciado, su nombre. Escuchaba sin aparentarlo. La conocían por fuera; para alguno tenía prestigio, otros hablaban mal; pero los que hablan mal tienen un modo especial de hacerlo cuando se refieren a algo cuya excelencia los lastima mientras lo están desestimando. Los hombres de su mundo son en Buenos Aires curiosamente ininteligentes. Todo lo tocan sin penetrarlo. Las mujeres lo son menos, pero no tienen ojos para mirarse entre sí. Se miran con ojos prevenidos o con ojos débiles. Su visión está siempre emocionalmente desplazada.

A través de todo eso, yo ya veía en usted lo que se iba a ir consolidando, cristalizando más tarde. Tenía todos los días, al caminar por las calles, la esperanza de verla. Era algo calmoso, sin prisa. Pero usted salía cada vez menos. Vivía en su casa, leyendo, recibiendo a algunas personas, las más inteligentes de su mundo, y discutiendo vehementemente con ellas acerca de aquellos libros, acerca de la explicación de las cosas, los hechos y los individuos. Nada la dejaba indiferente; pero la perseguía, sobre todo, una pregunta, y era sobre la causa que explicara en el mundo ciertas constantes desgracias. No sé si había leído entonces la pregunta de Marivaux, pero era una pregunta de su casta: "¿Por qué, nosotros que somos tan limitados en todo, lo somos tan poco cuando se trata de sufrir?" Yo sabía que había tenido algún tiempo atrás el último hijo que seguramente iba a tener, dada la amarga división planteada entre usted y Cárdenas.

Usted habría querido ver en esas criaturas a dos naturalezas fuertes escapadas de la sombra. Pero aquella debilidad, aquella cosa tenue que los dos chicos tenían en el alma, aquella vulnerabilidad que les salía a los ojos, revelaban que no habían escapado del todo a la ley de la madre. Fue, esa comprobación, como si en su entraña hubiera abierto una cruz con un mellado cuchillo. ¡Cómo debía dolerle, cómo debía sangrar! Sobre todo, el primero, el mayor, mostraba tal deficiencia en su estructura nerviosa. Estaba tan desprovisto de defensas. ¿Qué podía aguardarle, al estar así constituido...? El menor era más fuerte, pero la misma sangre los irrigaba. Una sangre de padecimiento —pensaba usted— y no de triunfo. Yo a veces me despertaba de noche y pensaba en su vida. No podía tolerar imaginármela. Los que la veían, los que hablaban con usted, decían, sin embargo, que su espíritu estaba fresco, que jugaba con aquellas dos criaturas tristes como con dos seres perfectos, que se reía con ellos y les contaba proyectos. Pero cuando yo la veía pasar sola, sin sospechar usted que la estuviera alguien viendo, su mirada no me engañaba. Era como si sus ojos ya no miraran más que para pedir razón por aquello. Toda usted era esa pregunta terrible.

A su alrededor crecía el boato de la más artificial de las vidas.

Se deleitaban proponiéndole juegos de ingenio. Cárdenas le consultaba alguno de sus asuntos; luego se olvidaba de su consejo, hacía lo que le venía en gana. Usted sonreía, moviendo la cabeza.

Por aquellos días de agosto me contaron lo que usted había dicho a un amigo hablando de Desdémona. La heroína de Shakespeare, esa mujer modesta, dócil y dulce, la rebelaba. Todas las blanduras la rebelaban. Y, sin embargo, estaba hecha de una materia tan vulnerable y sensible como la pulpa de la hoja cuando la penetra la uña. Vulnerable y sensible, pero lo contrario de blanda. Inclemente hacia su sensibilidad y su vulnerabilidad. Se parecía a esos seres de voluntad augusta que durante el combate se rehusan al sueño y se mantienen de pie, erguidos, callados, en vela.

Alguien me ofreció presentarme a usted. Miré de frente al que me lo proponía. Yo me creía poca cosa. Yo me creía una indignidad que trata de hacerse digna. Esperaba. Mi fe trabajaba por dentro. Le dije que no.

Salí de las salas del Museo donde había alguna que otra cosa que ver y tanto anodino y malo — meditaba allá adentro eternas pesadumbres después de su agreste baño la ninfa de Edouard Manet, sollozaba una linda cabeza dolorosa, descansaba su amarga teoría el cortejo funeral de Juana la Loca. Caminé, atravesando la plaza, hacia la calle Esmeralda, y bajé por Maipú hacia el circuito de los cinematógrafos. Estaba lleno de esa soledad en que los hombres destinados a crear algo depositan las monedas tristes de su tributo a la obra. Todo lo que ha de ser de algún beneficio para los otros ha de incubarse lejos de los otros y, lo que es todavía más cruel, a pesar de los otros. Nadie comprenderá exactamente cuánta yugulación de uno mismo, cuánto cruel alejamiento, cuánto tiempo de gravidez y voluntad implican las páginas de tal o cual libro que después se hojeará indiferentemente o con desgano, tal vez con vago interés, quizá con entusiasmo. Me acerqué a la boletería del lujoso cinematógrafo, pagué mi localidad, entré en la sala a oscuras y avancé guiado por ese hombre que me abandonó con un programa en la mano a las vicisitudes de la historia proyectada en la tela. Me encogí en la silla y vi moverse a la trágica en una escena de llanto e ignominiosa traición. Estaba ahí ya, sentado, descansando, rodeado de sombras, en la sala a oscuras, caliente de cuerpos vivos. Esas sombras eran gente. Esa gente era diversidad. Esa gente era una multitud. Esa gente era un mundo. Esa gente era Buenos Aires.

Otras veces, yo había estado con amigos, con amigas entre esas sombras. Ahora estaba solo. Aquel denso mundo me rodeaba, me apretaba, se ceñía en torno a mí, me incorporaba a su masa. Aquel mundo de sombras me comprendía; yo lo tocaba. Me era familiar. Me era coterráneo. Me era naturalmente conocido y a la vez distante, ignorado y extraño. Ese mundo era parte de la masa viva de mi ciudad. Esas sombras, aquel día, como yo habían amanecido, como yo habían almorzado, como yo habían hecho cosas, como yo estaban ahí. En aquel momento algo dormía en todas ellas. Y lo que dormía, era lo que cada una de ellas era. Cada una de ellas era un individuo de la farsa activa; cada una, ante la ficción, a su vez una ficción. Cada una, una pausa. La pausa de aquellos hombres era, en la sombra, su intervalo de ficción. Cada una dejaba por una hora su ficción, se adhería a la otra; se solidarizaba, se rechazaba una con la otra, gozaba, dormía o sufría, con la otra. Allí estaba el gran señor cuya impotente y cotidiana estatua se levanta en los terrenos del engaño: que representa valer veinte y es uno, o menos que uno. Allí estaba el gobernante mediocre que grita una necesidad nacional de reaccionar contra la mediocridad. Allí estaban el sensual y el cínico que pasan por prudentes y por rígidos. Allí estaba el sabio oficial, administrador de su nombre según se administra la renta de una casa de pisos, a fin de poder subir sin gastar. Allí estaba la presidenta distribuidora de los premios a la virtud, cuya vida empezó en un interesado fraude conyugal. Allí estaba el condecorado por fuera, oscuro por dentro. Por una hora, todos ellos descansaban.

Salí del cinematógrafo, triste. Me parecía haber perdido

mis medios de acción a fin de contribuir un poco a que fuera saliendo de sus refugios subterráneos la gente más auténtica, más sencilla y más limpia.

¡Cómo quería yo a esta ciudad! ¡Cómo quería a todo el país y cuánto me gustaba ilusionarme e imaginar canteros profundos de inteligencia, de dignidad, de nobleza! Así como en el fondo de la orquesta reconocemos la nota final del oboe, yo sentía perfectamente la presencia de pasos cuya dirección estaba todavía aislada y desorientada, pero que serían pasos confortantes cuando llegaran a la superficie, cuando invadieran el territorio sesible de la nación.

Quizá yo ya estaba en comunicación con alguno de ellos. Mi primer libro había traído, como trae la red al ser retirada, una pesca de almas. Pero la gran mayoría de ellas me eran desconocidas. Ignoraba su calado, su dirección, lo que reclamaban, lo que eran, lo que querían.

Por la noche me dirigí a la biblioteca de mi antigua Facultad para consultar algunas obras. En el salón reinaba una atmósfera de silencio. De tiempo en tiempo los que estudiaban levantaban la cabeza, se distraían; luego volvían a leer con atención. Al margen de los textos que pedía, había notas anónimas, manuscritas; algunas de esas notas eran insultos, otras eran juicios sobre los profesores, sobre los hechos de la actualidad, sobre los políticos. Una de esas notas sostenía que en nuestra tierra la política es el sumidero, cuya boca devora cuanto hay de más putrefacto, de más descompuesto, de más inservible. "Aquí la gente se mide por el valor de sus ambiciones materiales —decía la otra nota—. ¿Para qué nos servirán estos libros? Aquí el más digno es el que aparece capaz de ambicionar mayor número de lujos domésticos." Había observaciones inteligentes, protestas sinceras y gritos extraños. ¿Quiénes habían escrito aquello y dónde estaban? La vida es un regimiento de soldados dispersos.

Pero cuando algunos de esos soldados se agrupan en una misma voluntad, entonces comienza la historia. De ellos depende que esta palabra se escriba o no con mayúscula.

El día siguiente fue nublado y oscuro. Desde la mañana, Buenos Aires, envuelta en su capote de invierno, parecía una ciudad nórdica. Al mediodía almorcé sólo con el doctor Dervil y Borescu; Anselmi visitaba a no sé qué parientes. Algunos obreros trabajaban en una iglesia cercana y la casa se había llenado de un polvo blanco y molesto. El profesor Borescu tenía las solapas de su saco negro cubiertas de polvo, cosa que estropeaba bastante su modesto atildamiento. Le dije que no lo iban a recibir así en casa del señor Somberg y tomó la cosa muy serio. Comenzó a golpearse las solapas con las dos manos. "Los pulmones le suenan como una bolsa de cuero", dijo el doctor Dervil. Su tono era un tanto irónico, y el profesor Borescu nos miró como excusándose de tener pulmones, sobre todo de tener pulmones que sonaran así. Dijo que todo él estaba hecho de un vacío sonoro y que no lo podía remediar. El doctor no se mostró conmovido por ese exceso de humildad; siguió bebiendo su sopa como quien oye llover.

Salí después del almuerzo a caminar. En la calle Tucumán, frente a la puerta de una librería pequeña, me di de manos a boca con Mercedes Miró. Salía abrazada a sus libros, hermosa en su levitón militar negro y sus guantes negros, con una orquídea blanca en el pecho. La librería —"La boutique"— estaba atendida por dos muchachas francesas; las dos eran horribles pero entendían mucho de libros. Mercedes me mostró, en medio de sus explosiones de entusiasmo, lo que llevaba: poemas de Claudel y un libro de Cocteau ilustrado por Lhote. "Leña para una noche blanca entre dos viajes", me dijo. Venía de Valparaíso y se iba al Sur. Su coche se paró ante la puerta. Brillaba la enorme carrocería negra. "Te llamaré al volver", me gritó. El chofer me saludó y cerró la portezuela. El resultado de la inspiración de tres hombres iba ahí, apretado al cuerpo tibio.

Volví a mi trabajo en *Las cuarenta noches.* Llevaba cuatro horas de lucha cuando entró la sirvienta a llamarme con unos ojos despavoridos. Fui al teléfono. Hablaban desde un pueblito cercano, desde Las Barrancas. Hecha un nudo de llanto y desastre, Inés Boll me comunicó el accidente, me dio las señas de la casa donde Jiménez estaba sangrando. Golpeé en el cuarto de Anselmi. Por suerte acababa de llegar y salimos, confusos y disparados, hacia la estación del Retiro.

XXVI

Me acuerdo de aquello como de algo no tan absurdo como parece, no tan vulgar. ¡Qué sé yo! Pasó, y fue tremendo, y tuvo su importancia.

Tras media hora de conjeturar y deplorar —Anselmi daba la razón a sus advertencias prudentes— en el tren lento, llegamos. El río toca allí la costa pantanosa, y se alza en barrancas bruscas, verticales. Hay una desolación crepuscular de parques en lo alto; abajo atraviesan las vías del tren el terreno leganoso, de pronto sembrado en breves cuadros. Arriba envejecen en terrazas abiertas por calles terrosas las villas y los *chalets*, frondosos de enredaderas, con anticuado mirador, balaustradas y galerías donde se ve de pronto, entre el verde, una sección de vidrio azul. Desde el bajo se ven dormitar en los parques, en medio de tanta vejez y aparente abandono, las Dianas Cazadoras y los belvederes, chorreados y averiados, abrumados por la ignominia y el descuido.

Preguntamos en la estación y nos indican, a los cien metros, la casa buscada. No se ve en el atardecer avanzado más que la techumbre oscura y los balcones corridos en la parte superior de la fachada blanca de cal. Avanzamos por la calle solitaria costeada a la izquierda por las barrancas, que se nos aparecen ahora menos abruptas, de declive más lento. Todo parece desierto, todo parece abandonado.

Había que cortar por una calle transversal y subir la pendiente. Ya tan cerca no se veía la casa, sino el jardín y las terrazas verdes que la rodeaban. La puerta estaba arriba, la puerta era un solo batiente largo de madera barnizada. Llamamos. Se abrió la puerta de la casa; vimos, sobre el fondo de luz, la figura de Inés Boll. Lloraba incesantemente, sin hablar, con hipo, y todo en ella era desorden, y vino hacia nosotros corriendo y se llevó el pañuelo a la cara. "¡Tenía que pasar!", sollozaba y repitió aquello sin empezar a explicarnos nada. Sentimos gran alarma. Entramos en el gran *hall* de la casa, que sólo contaba arriba, aparte de ese recinto, con un baño y un dormitorio. Jiménez estaba sentado en un sillón, con la cabeza casi totalmente vendada. Nos precipitamos hacia él. Nos saludó riendo con la voz. No se le veían los ojos: "Vean qué desastre. Debo parecerme a un moro con turbante." La voz tenía un alarde riente, pero sonaba extrañamente quebrada, con un fondo impresionante, casi trágico. Estuvimos un minuto inmóviles, indecisos, interrogantes. Le pusimos al mismo tiempo la mano en los hombros. "¡Pero qué ha pasado!" Sentimos que Jiménez se callaba. Tenía el mentón y las manos frías y parecía un herido de guerra atado a su sillón. Todo lo preguntamos de golpe, mientras mirábamos el cuarto. Nos sentamos, e Inés explicó, entre los espasmos del desconsuelo, que el marido conocía ese sitio a donde ellos iban a pasar algunos fines de semana. El hombre había venido al caer de la tarde con el ánimo de hacer acabar todo aquello en un escándalo. Hubo una discusión terrible. "¡Prostituida!" —le gritaba, según ella, el marido—. "¡Prostituida! ¡Hay que terminar con esto; vas a cortar tu asunto con este individuo!" Jiménez quiso echarlo a golpes. Se fue contra él y el otro, sin dar un paso, lo golpeó criminalmente con el bastón en la cabeza. Estallaron los lentes sobre los ojos. Ella le vio bajar por la nariz y la boca un cortina de sangre. Ante Jiménez cubierto de sangre, enceguecido por el golpe, el otro, se fue, todavía lleno de insultos; se alejó enfurecido, ella salió colgada de su saco, gritando para que lo detuvieran, hasta que tropezó con el cantero de césped y cayó. Ella creía volverse loca, dijo, mientras le lavaba los ojos en el baño y le sacaba los fragmentos de vidrio. Lloraba y la sangre se mezclaba a la sangre. El lavatorio estaba lleno de sangre. Ella le ató un pañuelo a los ojos, salió a la calle a buscar quien trajera un médico; encontró a un jardinero vecino y éste trajo al doctor de la quinta de enfrente. El médico lo volvió a curar, lo vendó. Eso era todo. Había que observarlo hasta ver los vidrios que tenía en los ojos. El médico dijo que lo llevaran a la ciudad y que lo viera un cirujano. Inés Boll se calló; temblaba y lloraba. Nos dio la espalda, con la cabeza entre las manos. Se tiró, materialmente se tiró, sobre Jiménez en el sillón, a sollozar. Le miré el vestido azul manchado de tierra, el cuello de irlanda, las medias de seda, tanta coquetería de pronto aniquilada. Apreté la mano de Jiménez y le aseguré con Anselmi que no le quedaba más que tener una gran paciencia. Descansar, no pensar en lo que había pasado, no pensar en eso para nada. Siempre hay tiempo para desesperarse, vale más esperar todo el tiempo posible antes de desesperarse. Pero lo llevaríamos a casa. Naturalmente, Anselmi se levantó. Estaba lívido. "¿Adónde vas?", le dije. Me contestó casi sin abrir los labios, seco. "A la policía; voy a la policía." Jiménez estaba callado, serio. Volvió a hablar con voz fuerte, pero quebrada. "Lo peor sería que me quedara ciego", dijo. Tenía las manos como dos garras en los extremos de los brazos del sillón. La señora Boll lloraba, ahora de pie. Dije que iba a buscar un auto y salí con Anselmi. "Adiós, dijo éste, está acabado. Ciego, ciego." Le dije que no, que quién sabe. No era posible decir nada. "Ciego, ciego." Ella se quedó en la terraza. Estaba blanca en la oscuridad. Había oscurecido mucho. Cuando llegábamos a la puerta oímos un grito estridente, un grito de ella: "¡Todavía está allí, todavía está allí!" Un hombre estaba parado en la esquina, a cien pasos. Tenía un sombrero de fieltro negro con el ala baja y un bastón. El grito de Inés Boll resonó en el aire quieto del anochecer. Cuando el hombre oyó el grito, empezó a bajar por la pendiente. Anselmi corrió y yo corrí. El hombre dobló hacia otra calle en el extremo de la bajada de tierra. El farol central, que iluminaba sólo la bocacalle, nos permitía verlo bien; pero cuando llegamos abajo ya no se veía. Otra bocacalle, sin luz, se prolongaba en varios caminos; éstos se cerraban pronto en alambrados y árboles. Anselmi tomó hacia el lado de las vías y me señaló el lado opuesto: "Fíjate por ahí", dijo. Caminé unos pasos y encontré la calle oscura y cerrada. Volví hacia el lado por donde iba Anselmi. Salimos a la avenida asfaltada y vimos la estación solitaria y a la luz de los faroles de la estación, la figura del hombre que atravesaba el alto puente por encima de las vías. El hombre se detuvo en la mitad del puente y volvió hacia atrás. Caminaba apurado pero sin correr. Atravesamos la estación y el jardín del jefe que estaba al lado, lleno de rosales. Huyeron pollos y gallinas. El pedregullo crujió al ser pisado. Salimos de la zona de la estación. Durante unos instantes no vimos nada. "¿Dónde está?", preguntó Anselmi. Yo no veía más que, a la izquierda, los terrenos pantanosos del río, la superficie oscura, las luces de la ciudad formando a lo lejos una gran escollera; y a la derecha, de nuestro lado, el camino, las barrancas. En las faldas sombrías surgían, entre los bejucos y las ramas salvajes, las lianas, las trepadoras, el cuerpo aprisionado a medias de una Afrodita del novecientos, algún mirador casi destruido, las viejas quintas descuidadas, devoradas por los árboles, por la invasión de los yuyos, hábiles y solapados en su avance. Nos metimos en un barrial, salimos agarrándonos al alambre tejido que limitaba una propiedad. Entramos en una calle más ancha; la calle ascendía hacia la parte alta de la barranca. El hombre reapareció. No era alto y lo veíamos como una masa oscura. Iba muy adelante caminando por el centro de la calzada. La luz de los faroles le daba en la espalda. Llevaba el bastón en la mano derecha, con el cayo para atrás como quien lleva un máuser. Anselmi echó a correr hacia adelante. El hombre volvió la cabeza, se desvió un poco hacia la angosta acera bordeada de verjas. Anselmi le empezó a gritar que se detuviera. Los gritos resonaban secos e intensos en la noche desierta. El hombre se detuvo e hizo frente. Esperó a que llegara Anselmi. Me apuré. El hombre vino hasta el centro de la calle. Como quien se deshace de un lazo y cae brutalmente, el cuerpo de Anselmi se adosó al otro cuerpo. Se abrió y descargó cuatro golpes secos. Se oyó en el aire el ruido de los impactos. Quise intervenir y Anselmi me gritó que lo dejara. El sombrero y el bastón del hombre cayeron al asfalto, el pelo se le vino a la cara; tenía la cara más agria y venenosa que he visto. Anselmi le pegó en el vientre, el hombre se encogió, lanzó un feroz manotazo; Anselmi lo golpeó de nuevo en el mentón, luego en la frente. Cada impacto sonaba macizo. Retrocedieron hasta la acera y los dos tropezaron.

en ella resentimientos ni odios; lo que tenía era una conciencia sin ataduras falsas, una conciencia que se movía inteligentemente ante los problemas, sin dividirlos sumariamente en pecados y virtudes. Me gustaba hablar con ella y me desagradaba físicamente: sus facciones eran demasiado rudas y secas; esta conciencia libre tenía una cara de jansenista. Pronto la dejé de ver.

No quise por nada del mundo aceptar ciertos cargos cuyas ofertas me rozaban. Me negaba a perder mi condición de trabajador forzado entre las cuatro paredes de un cuarto hacia el que tenía seguramente tanto cariño como el duque de Marlborough a las ancestrales paredes y a las armaduras de Blenheim Palace; tanto cariño sin duda como el señor Somberg podía profesar hacia la residencia de su amigo más envidiado. Ahí tenía mis libros en ediciones baratas, pero rotos de tanto usarlos, es decir, libros que no fueron leídos para componer una erudición, para armar un sistema, para fingir sabiduría, sino devorados, luchados, queridos, preferidos, olvidados y reencontrados, y cada uno de los cuales —yo lo sabía— guardaba para mí sus quejas, sus ingratitudes o sus indulgencias.

No podía acostumbrarme a la ausencia de Jiménez. ¡Qué protesta sorda, inútil, cada vez que pensaba en un accidente de esa especie!

Sobrevinieron días de avance en mi obra, en *Las cuarenta noches*. Anotaba los nuevos episodios posibles y pasaba mucho tiempo comprobando, mediante ese mecanismo interior tan preciso que rechaza lo falso y sin el cual se vicia cualquier arte, la relación armónica existente entre la luz del acontecimiento contado y la naturaleza profunda del pueblo que quería ir definiendo a través de las alternativas de ese único héroe. A veces le leía algún capítulo a Anselmi. Él lo encontraba bien. Se iba; yo me quedaba a solas, revisando las páginas. No me parecían bastante buenas, las rompía, y entraba de nuevo en una zona de aridez, de sequedad. Recorrí muchas partes del país. Conocía casi todo el norte, el litoral, un poco el sur. Di algunas conversaciones sobre literatura a diferentes grupos jóvenes. Los encontraba con una avidez, con una necesidad de ser otra cosa que la farsa del país actual, que la mediocridad empavesada. Durante todo el día, en esas ciudades interiores, hablábamos con esa gente joven de la nación, de lo que queríamos para ella, de sus grandes peligros y sus fatales desaciertos. Brillaban con urgentes hambres esas cabezas en que ningún fuego se había apagado todavía. Se daban angustias por saber mostrar las mejores cosas que tenían a su alrededor, los hombres, las obras, los lugares. Yo me iba, dejando en la estación a toda esa gente que esperaba algo, que esperaba tanto, a esos solitarios, a esos corazones anónimos. . .

Me daban ganas de hacer algo por ellos; ¿pero qué podía hacer yo, pobre trabajador de sobresaltos y de letras, simple ejecutante de personales exaltaciones? No podía hacer más que incorporarlos a esos sobresaltos, a esas letras, a esas exaltaciones. Escribí con ellos un episodio de *Juan Argentino* adolescente. Del que quiere conocer la forma de su propio contorno y se ve, contristado, en un espejo donde las imágenes perceptibles son las de otros individuos deformados y grotescos, que no se le parecen pero que están ahí delante.

Mas había personas, amistades que me solicitaban constantemente desde sus sitios de frecuentación, en la capital misma, personas bien dispuestas para el buen vivir y la buena conformidad. Comenzaron a sentirse contra mis ausencias, mis informalidades, mi desgano hacia ellas. Entonces dieron en decir: el orgulloso, el frío, el pedante. Cuando las veía de vez en cuando, trataban siempre de aplicarme una punta de fuego, de insertar tal o cual indirecta irónica, o bien se callaban en desconfiadas pausas.

—Este es el país del destino —me decía una y otra vez el profesor Borescu—; este es el país del destino. Lo verán algún día. Pero tendrá que pelear como Jacob con el Ángel, sin parar hasta hacerse bendecir.

Cuando estaba muy fatigado, me iba a un pueblito que estaba al lado del mar, en la costa meridional del Atlántico. Miraba trabajar a los pescadores, me gustaba ver el mar, tan parecido a la eternidad, tan parecido a nuestra lucha, su obstinación avanzante y la protesta sorda de su regreso. Y no sé por qué presentía que algo me iba a pasar con él.

Por cierto indicio de una carta de una mujer que la conocía a usted bastante —un simple detalle dicho al pasar entre otras noticias grises— supe lo que por entonces le sucedía. En aquel pueblito casi aislado de la tierra, yo era el espectador de esta distante tragedia:

Usted estaba viendo el crecer a la razón, el amanecer a la conciencia de esa criatura triste que era su hijo mayor. Todo el día estaba con él, todo el día lo miraba, todo el día estaba al acecho de ese grito en que el chico iba a protestar· contra usted, a quejarse de vivir, a recriminarle haberlo traído sin piel a un mundo en el que se oyen risas terribles y cuya luminosidad se sospecha. Tenía derecho a gritárselo, a lanzar su tremenda queja; usted la esperaba, la aceptaba — y la hería, más que todo, que el tiempo pasara sin ser dicha. No quería dejarlo solo, a fin de estar siempre allí cuando ese grito fuera gritado. Desenvolviendo las horas de esa espera, el tiempo maduraba en el aire. Y cuando usted volvía de esa sombra, de ese pozo, al contacto con las gentes, parecía venir de otro mundo, de otra profundidad, venir desgarrada, haber dejado allá los recursos que este mundo requiere para dar a una fisonomía su sonrisa y su movilidad.

Pero la vida no deja hilos sueltos; los recoge y anuda a su paso.

Usted regresaba a este mundo, yo venía a mi labor costeando trabajosamente las noches.

Un día recibí de mi padre la expresión de esa voluntad por la cual me cedía en vida sus moderados bienes. ¿Para qué iba a seguir él siendo depositario de lo que ya, por los derechos de la vida misma, era de otro?

Acogí esa resolución sin otro sentimiento que el del buen amparo que traía a mi trabajo original. Inundé mi casa de elementos de cultura.

El profesor Borescu, Anselmi, el doctor Dervil se sirvieron a diario de aquel banquete de aventuras impresas y encuadernadas. Incluso la dueña de casa se interesó por el Quijote cuando vio enormes y prestigiosos grabados. Me parecía extraño poder regalar, poder distribuir discretamente cosas deseadas. Eso fue todo.

Seguí atado a una mesa llena de lápices, de libros rotos, de tinta, pero visitada fastuosamente por los huéspedes más increíbles que un hombre pueda llamar. Fuera de eso, me pasaron todas las cosas que le pasan al hombre como tal hombre. Tuve evasiones y caídas, disgustos, dudas, estados temporarios parecidos al amor, entusiasmos pronto disueltos, un odio cada vez más robusto por los que traicionan a esta tierra.

Y así pasaron ocho años.

LIBRO SEGUNDO

LAS ISLAS

XXVIII

Cierta noche de la primavera de 1934 llegué en busca de alojamiento a la aldeíta inglesa de Wimbledon.

Más allá del adusto edificio de la rama local del Barclay's Bank se extendía la calle ancha, bordeada de *chalets*. Salió aquella noche a abrirme la puerta un ser anacrónico, un hombre de otro siglo, quinqué en alto, con la nariz roja de vino y la palabra dura, tartajosa y áspera.

Era la casa de unos buenos burgueses de Surrey, y me pareció desde el principio propicia a lo que me convenía, que era entrar en la observación de Inglaterra desde un rincón perdido, solitario y casi anónimo del país.

Me instalé allí con el escaso equipaje para la corta temporada prevista; había dejado en París toda la gran impedimenta. El dueño de casa resultó un compañero excelente para las noches de ocio o de insomnio; si bien su tema predilecto —el papel nefasto de la paz en la moral de los hombres, y sus personales recuerdos de la guerra contra los boers— era su único tema, contaba episodios divertidos y pintorescos con su lenguaje dificultoso pero abundante. Por lo demás, pronto me informó su mujer, fingiendo una de esas típicas desolaciones de celosa despensera, que no llegaría nunca a impedir que su marido diera cuenta de una botella diaria de whisky escocés. Mr. Jibbonings despreciaba la economía. Era un dionisíaco. Nadie sabe lo que importa encontrar a un borracho locuaz en un sitio donde todo nos es desconocido. Noche a noche alenté sus relatos, estimulé su memoria, aplaudí sus rasgos de ingenio, sin contar con que Mr. Jibbonings me proporcionaba informes preciosos sobre tal o cual aspecto de Londres.

En lugar de entregarme dócilmente al tumulto de la metrópoli, yo quería guardar un sitio de descanso y de reflexión. Pasaba todo el día en Londres y me recogía de noche en la calma del pueblito. Mrs. Jibbonings me traía todas las mañanas un regalo de manzanas; Mr. Jibbonings aparecía al rato en mi cuarto y aprovechaba la ocasión de dar un ejemplo de madurez, de frescura o de redondez, para apropiarse de una de las frutas, que saboreaba con calma o con prudente precipitación, según estuviera lejos o cerca su intolerante consorte. Mr. Jibbonings me traía el *Daily Mirror* y refería todas las noticias a su conocimiento de la naturaleza débil de los hombres y su necesidad consiguiente de estimulantes rotundos, tales como una guerra o una inundación.

Mr. y Mrs. Jibbonings creían que yo era con seguridad representante del *Foreign Office* de mi país. Pese a mis tentativas no muy insistentes de convencerlos de lo contrario, pensaban que un viajero procedente de regiones tan lejanas e inciviles como la tierra de donde yo venía no puede desasirse tanto de su latitud sino movido por las ruedas poderosas y secretas de la diplomacia universal.

De vez en cuando iba yo a Londres con el propósito de quedarme allí tres o cuatro días consecutivos. Dejaba atrás, en Wimbledon, a una hora de ómnibus, toda la literatura inglesa que leía esos días, y me alojaba en un hotel y una calle aparentemente ignorados pero que estaban en el centro mismo de la capital. El hotel era el Craven Hotel; la calle, Craven Street.

A la izquierda, a poco más de cien metros, estaba el Embankment, el Támesis. Hacia el otro lado, al salir de Craven Street, uno se encuentra de manos a boca con el tramo final del Strand —representado por un económico Lyon's, por una pequeña cervecería— y con un Nelson sideral y minúsculo que vela, resguardado a su vez por la sedante calma de los cuatro leones terrenos, los destinos de la National Gallery. Todos los días atravesaba yo esa región y entraba al mediodía por Regent Street para almorzar en el Café Royal o en un restaurante español perdido en cierta callejuela emboscada. Era la primavera, y un Londres soleado y sonriente, caluroso. Al viajar cada día en la maraña de ómnibus de dos pisos desarrollaba yo una actividad no menos importante que la misión de los brumosos políticos desembarcados por los vagones en Victoria Station o que la misión de los expertos joyeros embarcados hacia Amsterdam o que el ajetreo de los especuladores matinales en Threadneedle Street; la actividad que desarrollaba tenía una espléndida, poética red entre Bloomsbury —el sueño de los faraones expuesto a perpetuidad junto a los manuscritos del British Museum—, las salas de conciertos, las tablas donde se alzaba la voz nasal de los actores en *Back to Methuselah* y el sedante verdor vespertino de Kensington Gardens. Una de las más grandes aventuras de la vida consiste en prolongar o reconstruir las más ricas pistas humanas. Me atraía pues, fuertemente, al llegar a esa atmósfera enrarecida del norte, encontrar al fin, en los restaurantes, en las calles, recién venido de la inerte homogeneidad argentina, aquella diversidad de tipos, tonos, ademanes y conversaciones. Era como pasar de un quieto panorama germinativo, a una provincia actuante y virulenta. En las primeras iglesias barrocas de Bahía ya se desata ese canto que el Atlántico mecerá dulcemente hasta ir a desarrollarlo del todo en la resuelta orquestación del genio europeo. Vamos desde este mutismo a ese golfo de palabras. Y después, cuando ya nos arrastra ese aire, todo es casamiento con el espíritu de sitios, cosas y personas; todo es seguir la pista de los fundadores mágicos —llámense Caballero de la Tabla Redonda o Juana de Arco o Juan de Gante o Paolo Uccello— a través de sobrevivientes praderas, castillos, templos, baptisterios. Así, durante tres meses busqué y seguí en Londres reveladoras pistas. En "The Burgrave's Inn" se puede conversar aún con la sombra del peregrino de Bunyan. En Charing Cross se puede encontrar, según aseguraba el doctor Johnson a Boswell, la marea de la humana existencia. En las piedras que forman la cruz latina de San Pablo se puede hallar el rastro de Etelbert, rey de Kent, converso por el monje romano Agustín en la sexta centuria. Y también puede suceder —¡ah, americanos!— que no se halle ninguna de esas cosas.

Me sumergí a mi gusto, durante muchos días, con enorme deleite, en la fuente de la inspiración de Milton, cuya lectura recordaba a Samuel Butler ese instante en que el puente de Fleet Street envuelve prodigiosamente en sus caprichosas nubes de humo la cúpula de San Pablo. Conocí a muchos intelectuales y a un médico joven muy simpático llamado Ferrier, que vivía en Bruselas y con el que hablábamos de los hombres y de los santos. Durante otras semanas, en cambio, no hablé con nadie, absolutamente con nadie, salvo las palabras rituales con la servidumbre del hotel. Miraba, veía, pensaba — y nada más. Era bastante; era demasiado. Pero la fisonomía de Londres resultaba, con todo, demasiado seca, demasiado árida. El Sena me llamaba, con su denso aglutinamiento de sombras latinas.

Decidí, por consiguiente, despedirme de Mr. Jibbonings y de Mrs. Jibbonings. Los dos manifestaron un sentimiento que llegaba hasta las lágrimas y que evolucionó —al tocar el consuelo de las libras— hacia una serie de decrecientes, aunque ruidosas aspiraciones nasales. Mi necesidad de contacto con Inglaterra estaba por el momento saciada. Había seguido muchas de las encantadoras pistas; me había llenado de imágenes y preguntas y respuestas para mucho tiempo. El inglés es, por excelencia, el hombre a quien encontramos demasiado hecho. Su complexión moral, su hermetismo sin edad, no le dejan ya vacilaciones o dudas, o esas complacencias a pesar de uno mismo que hacen la humanidad profunda de ciertos caracteres. El inglés, una vez que posee su armadura, se la coloca hasta en el alma. Hombre de un pueblo joven, me importaba, más que encontrar esa fosilización admirable, hallar expresiones de transición, hombres en marcha, espíritus en quienes el destino impresiona todavía como algo no rígido, no fatal, sino considerablemente misterioso y modificable por el sentido de las operaciones naturales del alma. ¿Cómo sentirse atraído por un pueblo sin edad, en vez de ser dócil al llamado de los que todavía, pese al tiempo, no han cesado de buscarse y de multiplicarse por muchas zonas de su espíritu, que no se contentan con los caminos de su genio y le buscan nuevas rutas y constantes, distintas experiencias?

Un mediodía llegué a Dover y por la noche estaba comiendo en "Fouquet's", en medio de aquel París deliciosamente atesorado en las manos de lo intemporal. Esa noche trajo muchas otras. Era una vida al aire libre de la inteligencia. Como se trataba del país de la inteligencia, es decir, de la imaginación, todo parecía removerse. ¿Cuánto tiempo viví en la rue d'Amsterdam, en la rue de l'Échelle? No mucho, pero las jornadas crecían hacia arriba y hacia abajo. Entonces cada día me parecía un universo; hoy veo todo eso como una imagen que sólo ha conservado un centro claro y cuyos bordes son esfumación, una imagen que conserva, en su contorno, sólo *il pallore ed il odore di qualche primavera dissepolta*. Todavía exudaban gotas balzacianas las paredes de la rue du Faubourg Saint Honoré. Era magnífico comprobarlo por sí. Me iba al encuentro de los frutos materiales porque, en esa ciudad, ellos *también* tenían el gusto de lo espiritual. Comer *croissants* en la rue Royale tenía el sabor de lo espiritual; y el sabor de lo espiritual tenía el largo pan llevado en la mano por los transeúntes, la carne preparada al *Chablis* blanco; y el sabor de lo espiritual tenía la gente que entraba y salía de la ciudad por el león de Belfort.

Pero quería buscar los estratos todavía más profundos, así como preferimos en verano la fruta de sombra, densa de espera y concentración. Me metí en el bosque humano de los que aspiraban a llegar y no de los que habían llegado. Es siempre el mundo más cálido, y el menos vulgarmente humano a fuerza de contener los elementos de una disconformidad sobrehumana.

La vida americana tiene esto de sumario y de rudo: es proporción entre hombre y materia. Nada que acuda a paliar tan extremo resumen. En la proporción de la vida europea interviene otro factor, el hijo incorpóreo de tal encuentro: la memoria y el pasto de meditación que todo rezuma; y esto tiene sustancia viviente, con esto nos encontramos los americanos como con un cuerpo; y de pronto nos gusta, en ese mundo, encontrarnos a solas con ese cuerpo.

Lanzaba mi ocio al hallazgo de todo aquello, sin intrusos, sin intermediarios. A veces, ante una u otra cosa, pensaba que me habría gustado verla con usted. A veces, cuando lo pensaba, en la vaga semioscuridad de un templo de ambiguos vitrales, o al lado de una fuente, o en el fondo sobrecogedor de una calle de mil años, sorprendía mis propios labios moviéndose. Me reía de mí mismo y echaba a andar, alegre, triste. Me metía en algún sitio lleno de gente, pedía algo para tomar, y miraba a todos esos caracteres en quienes la raza había dejado una estructura fatal y rígida.

Hablé qué sé yo con cuántos intelectuales, con cuántos artistas, con cuántas mujeres de la calle. Son gentes que tienen una filosofía personal, porque nada los ha protegido y nada obtienen sino a cambio de su sangre, y esa filosofía no es nunca igual en dos casos. Son la diversidad y la sal de la tierra. Son el gran consuelo... cuando no hablan de los otros. Son enternecedores, y a veces grandes, cuando descubren el fondo de su jirón fracasado y cuando comentan lo que esperaban, sin acordarse de vociferar contra lo que han obtenido.

Yo creo que la vida no debe ser una meditación sobre la muerte sino una meditación sobre la vida, y sólo me retiene a su lado la gente que mira las cosas, aun las más insignificantes, aun las que parecen invitar menos a la meditación, con la actitud de quien hubiere venido desde una región noble a este planeta para hacer una compulsa sincera —sin importársele que ello prospere o se hunda— de lo que es digno y de lo que es indigno, de lo que se parece a una vegetación de altura y de lo que se parece al juego de defraudador y del solapado.

Hacía más de seis meses que no tocaba mis originales. A veces anotaba alguna impresión... la mayor parte de las veces me abstenía de hacerlo, dejaba que las formas se acumularan en mí con su estado anterior a la letra.

Ésta saltaba grotescamente frente a mi ventana, moviéndose levemente al viento de las tardes en la enseña de M. Loubiot, tapicero.

XXIX

Un día salí de París. Tomé una mañana el tren azul que pasa por Milán y sigue la ruta del norte.

A las tres horas de viaje bajé en Como. Me había vuelto a hostigar la idea de aislarme totalmente y escribir. Era una tarde nublada y, respondiendo a mi telegrama, me esperaba en la estación el ómnibus del hotel. La estación quedaba en un hueco, y el aire húmedo fijaba densamente los verdes en la falda de la montaña. Sobre la estación pesaba un sopor espeso. El conductor del ómnibus discutió exuberantemente alguna cosa con el mozo encargado de disponer los equipajes sobre el techo del vehículo; luego éste arrancó con estrépito, como si el hombre quisiera descargar su ira en los frenos y aceleradores. Las montañas italianas tienen en los días de sol un aire de claridad vistosa, pero en las horas de tormenta cobran una faz extremadamente grave e imponente; su color se recoge, su vegetación parece estrecharse, los límites con el espacio cósmico se muestran duros y cortantes como un filo de acero azul. El verde es uno solo, sobresaturado. Los caminos desaparecen en la escarpa frondosa. Todo eso se veía desde abajo; Cernobbio queda en la planicie. Al anochecer llegamos a Cernobbio. Es una población pequeñísima, con un inmenso y hermoso hotel sobre el lago, una mansión de cuatro cuerpos rodeada de jardines y abrigada en una cavidad, entre enmarañados picos de vegetación verde oscura. El hotel estaba junto a la orilla del lago. El lago era la cosa más hermosa del mundo. Uno veía su inmenso plato azul tendido entre las altísimas montañas, enfrente mismo del hotel, las casitas blancas escalonadas, los senderos descendentes, la vegetación espesísima y la atmósfera grandiosa del conjunto. El lago parecía la boca viva de un enorme animal acuático de piel azul. Atravesé los jardines y entré en el cuerpo principal del hotel. Las galerías interiores estaban dispuestas en forma de crucero, y frente a la puerta, al fondo, se veía la terraza abierta al lago, donde bailaban parejas apretadas y desde donde venía un estruendo de motores de avión. Mientras pedía al gerente la habitación, el ruido infernal no me permitía hacerme entender. "Los aviones", dijo el gerente, a modo de disculpa, con una sonrisa untuosa. Luego tomé el ascensor en el hall atestado de huéspedes y subí hasta el tercer piso y respiré con gusto en la ventana de mi cuarto abierta a uno de los anchos picos. Los jardines del hotel y la montaña comenzaban a llenarse de sombras. En la explanada de acceso a la puerta principal había un enjambre de automóviles particulares. Cerré las celosías, encendí la luz, abrí la máquina de escribir y la coloqué sobre la mesa. En el cuarto había dos camas y una chimenea; sobre la chimenea brillaba el jade de una estatuilla y una pequeña reproducción coloreada de la cabeza de Neferit. Miré los bellos planos demacrados, imperiosos, de la mejilla, en la figura de la reina antigua. Luego me desnudé y preparé el baño y saqué de las valijas la ropa que necesitaba. Fuera seguía oyéndose el ruido de los hidroaviones al descender sobre el lago.

Después del baño encendí un cigarrillo y me senté ante la máquina de escribir, junto a la ventana abierta. Tenía puesta mi *robe* de seda negra, que se había roto en los codos y estaba mal cosida. Puse una hoja de papel en la máquina y estuve un rato pensando. Nunca me había sentido tan solitario. En Londres, en París, en Florencia conocía a algunas gentes; pero aquí estaba absolutamente solo, perdido entre las montañas, en un hotel donde no hallaría una cara familiar. Examiné las cosas que me acompañaban en el cuarto. Las cubiertas de las camas eran de madrás verde. La estatuilla de jade no tenía nada de particular; el espejo que había sobre la chimenea tenía un marco de yeso con ligeras ornamentaciones barrocas; el cuarto era alargado, agradable y espacioso, y tenía doble puerta, tal como se usa en los países muy fríos de Europa. Los dos *placards* estaban a los lados de la cama. Había un pequeño mueble de madera completado con una horma de pie, destinado a que se calzara uno cómodamente. Las toallas, así como las fundas de las grandes almohadas, eran de lienzo rico y tenían un suave olor a alhucemas. Bajé los ojos sobre el teclado de la máquina y pensé en todo lo que había escrito, meses atrás, en los cuadernos que iniciaban la novela americana. En aquel momento comenzó a sonar el timbre del teléfono. Me levanté y, sentándome al borde de la cama, descolgué el auricular. Me pedían que bajara a una de las casillas telefónicas de la gerencia para atender una comunicación de San Francisco. "Tiene que ser un error", dije al telefonista. Insistieron; me vestí rápidamente y bajé. El gerente me saludó con una reverencia al tiempo que me señalaba el gabinete de comunicaciones. Estuve esperando un rato, oyendo el "aló, aló, aló, aló, Cernobbio; aló, aló, aló, Cernobbio; aló, aló..." Salí de la casilla hecho una furia. "¡Yo no me llamo Huepffer!", dije al gerente. El gerente me miró con unos ojos enormes, confundido y sin saber qué hacer.

Eran las ocho, no valía la pena volver a mi cuarto. Salí a la terraza extendida sobre el lago. La terraza tenía el aspecto trivial de los sitios destinados al té y a la danza en los grandes hoteles, con sus pequeñas mesas, sus ancianas señoras pintarrajeadas, sus conquistadores peculiares y sus señoritas inofensivas; pero la vista era maravillosa: el lago de aguas brillantes, redondo y extenso, bordeado de altas colinas anochecidas, cuajadas de villas, parecía corporizar su presencia y llevarla al hotel, maciza, sensible. Sobre la superficie del lago descansaban los aviones de grandes alas cremosas. Pero las lanchas seguían surcando las aguas con estrépito, raudas y casi volcadas sobre un lado. Pensé que no había visto en ninguna parte un espectáculo parecido, un espectáculo en que el paisaje tuviera una calidad tan humana, tanto color y tanta sensualidad. La mayoría de los paisajes me habían dado una sensación de infinidad, de amplitud serena y desafectada del hombre; pero en este caso, el lago, las montañas, se apretaban entre sí, acercándose a los humanos con el mismo movimiento de ardor y viva latencia. La montaña tenía en la noche una densa hermosura palpable. El lago era un cuerpo. Nadie se acercaba a mirar estas cosas; un tropel de gente elegante se movía, bailando, entre las mesas. Hombres de pantalón blanco y mujeres con ligeros trajes vistosos; cabezas increíblemente cuidadas, de nuca fina.

Caminé por el jardín, a la orilla del lago, donde había un pasamanos de hierro y un embarcadero para las lanchas. El jardín formaba un martillo verde, doblado sobre sí para alejarse en dirección opuesta al lago y ascender, entre escalones, hasta la falda de los picos interiores. El hotel tenía un pequeño edificio adyacente destinado al alojamiento de las embarcaciones a motor. Me acerqué a ese edificio y vi desde allí, con mayor claridad, a la luz de un foco distante, el caserío incrustado en los montes fronterizos, al otro lado del agua. ¿Qué almas vivirían ahí, con ese cuadro próximo y esa activa serenidad? ¿Cuánto costaría una casa en ese punto? ¿Qué vecindad habría? ¿Qué pueblos próximos? Un hombre y una mujer, jóvenes, desembarcaron en el atracadero; ella traía el cabello flotando al aire, despeinado, caminaba con aire juvenil y rápido; los dos se dirigieron a la terraza, sobre la que caía una escasa luz amarillenta proveniente del interior del hotel.

Anduve cerca de media hora caminando por los alrededores y luego regresé. La terraza se había vaciado rápidamente. El comedor y las galerías estaban llenos. En el comedor se oía un ruido de conversaciones. Entré y pedí al *maître* una mesa y comí de manera frugal. A mi derecha comía un viejo señor británico con dos hijas; a mi izquierda, una señora sola, de luto, que sorbía lentos tragos de leche leyendo un libro. El salón era tan grande que yo no alcanzaba a distinguir a todas las personas que lo llenaban. Todos los hombres comían de *smoking*, y yo tenía puesto un traje azul. Una muchedumbre de mozos —preparado atuendo del primer día— desfiló por mi mesa, ofreciéndome especialidades del hotel. Pedí un vino blanco de marca, seco y fuerte. El señor británico no me sacaba los ojos de encima. La orquesta era bastante mala; el violín desafinaba considerablemente, como si el que lo tenía entre manos se hallara perdido en lejanas abstracciones; tocaban piezas monótonas y, por supuesto, el *Danubio Azul*. Había momentos en que parecía que el hilo de música del violín se iba a cortar. La señora de luto levantó los ojos y los clavó en mí, duramente, y luego volvió a bajarlos sobre su libro. Cuando acabé de comer me senté en uno de los sillones de la galería interior del hotel, junto a una veranda desde donde se veía el lago magnífico adormecido en la atmósfera nocturna. Entró un chico uniformado, con un paquete de periódicos bajo el brazo; le compré un diario italiano de la tarde, lo abrí y me puse a leer. El asesinato de aquel jefe de Estado seguía envuelto en el mayor misterio. ¿Habían sido manos pagadas por otro gobierno, las del asesino, o bien se trataba de una tragedia privada de la que se cuchicheaban circunstancias horribles? Los telegramas que reproducía el diario eran contradictorios. Unos sostenían la primera tesis, otros aseguraban que no cabía dudas acerca de la certidumbre de la segunda. Realmente curioso es seguir el combate de las agencias noticiosas pugnando por llevarse ventaja en la carrera de lo sensacional.

La noche era fresca y clara. Habían salido muchas estrellas y daba gusto estar sentado allí, leyendo el diario. Enfrente, en el cuerpo de la montaña, todas las casas estaban a oscuras. Sólo entre las más altas brillaba una luz solitaria, una luz apenas visible, ensordecida por la noche. Eché la cabeza hacia atrás, en el sillón, y sentí en la frente el aire nocturno. Comencé a pensar en los personajes de mi libro; pero todo se borraba en mi imaginación, las figuras sólo se me presentaban como trozos desprendidos de una naturaleza demasiado vaga para resistir con éxito a las cosas fuertemente concretas que me rodeaban en aquel momento. Al fin me entregué por completo, con atención resignada, a la lectura del periódico italiano, en el que había una reseña sobre el último tomo de Freud, recién traducido. El autor del artículo discutía violentamente los puntos de vista del "viejo sátiro vienés". Era un artículo insolente y desprovisto de razón. Dejé el periódico, estuve un rato más mirando el lago, y luego subí a mi cuarto y me acosté.

Me despertó, muy temprano, a la mañana siguiente, el ruido de los motores, que resonaban en la caja sonora formada en torno al lago por las montañas. Me levanté, me afeité, me bañé y salí a la atmósfera matinal. Tres o cuatro jóvenes se paseaban por la terraza en traje de *sport*; en el desembarcadero de las lanchas, sentada sobre los tablones de madera con las piernas colgadas sobre el agua, reía una muchacha de poco más de veinte años, haciendo señas a los tripulantes de una de las pequeñas naves ruidosas. Me acerqué a ella y la miré y ella me dijo, en francés, "Buenos días". Tenía un cuerpo ahusado y joven, muy blanco. Le pregunté por la temperatura del agua del lago y, agitando las piernas rápidamente, me dijo sonriente que estaba helada. La lancha con sus amigos llegó al desembarcadero, y uno de los hombres jóvenes, que vestía un pantalón de franela y una fresca camisa abierta en el cuello, saltó a los tablones y estrechó riendo la mano de la muchacha. Ella subió a la lancha, abrió los brazos en un gesto de alegre bienvenida y se sentó en el medio de la embarcación. Los vi alejarse y a mi vez caminé hacia los jardines del hotel. Era una mañana fría y deliciosa. Todas las ventanas del edificio estaban abiertas al sol creciente, pero los habitantes parecían dormidos; por una de las ventanas de la izquierda se veía a un hombre vistiéndose frente a un espejo. Caminé durante más de media hora por la minúscula calle central de Cernobbio, donde se multiplicaban las casas de belleza norteamericanas y los negocios colmados de fruslerías con una inscripción que decía *Souvenir de Cernobbio*. Luego regresé al hotel y estuve sentado a la máquina frente a la ventana abierta, tratando de organizar un poco mi memoria y mis ideas.

Por la tarde me dediqué a estudiar a los huéspedes del hotel. Eran gentes sin gran interés, con excepción de una mujer alta, de negro, muy hermosa, que conversaba todo el tiempo, aunque mostrando desanimada indiferencia, con un personaje bajo y calvo cuya cabeza se incrustaba pesadamente en los hombros. La mujer hablaba y bebía sin cesar, en la galería. El resto de los pasajeros era la fauna eterna de los hoteles internacionales. Pronto me aburrí de ver tantos rostros y gestos monótonos, y abrí un libro que había recibido noches antes. Era de un irlandés y mostraba el encuentro salvaje del autor con la vida, su *melancolía aguda*, sus aventuras, sin trascendencia intrínseca pero que contenían la intensa vibración ante la vida de un temperamento febril e impetuoso. Había en los irlandeses una cosa de fanatismo solitario y huraño que me era simpática. Me parecían hombres sombríos, azotados, tenaces, al lado de quienes la vida no es nunca innocua.

Me habría gustado visitar las islas de Synge, su entraña desolada y bella; sus rocas ásperas, su agua como metal.

Casi todas las mañanas salía yo a caminar por las montañas. Las mañanas eran frescas y luminosas. El propio sol brillante del mediodía encontraba resistencia a su ardor en la tierra fresca y húmeda. Había pequeñas sendas escarpadas en los altos filos. Yo me mantenía en la planicie o casi a su nivel, andando por los caminos más bajos. Veía las granjas, rodeadas de paredes bajas de ladrillo, y las viviendas de piedra bruta. Los habitantes de los alrededores tenían la piel de tal modo atezada, que sus rostros parecían máscaras rígidas, de oscuro cobre. Los hombres trabajaban en mangas de camisa, con grandes sombreros, y las piernas marrones de las muchachas brillaban al sol. Las colinas se sucedían unas a otras durante una gran extensión, abriendo entre sí bocas de planicie y verdes gargantas comunicantes.

Cerca de la montaña, en el lado opuesto al hotel, se mantenían todavía en pie los restos de un viejo acueducto y, como si el tiempo hubiera querido sustituir aquella función perecida por un signo de vida permanente en aquella zona de planicie, donde crecían los helechos en medio de la tierra negra y los bancos de arena, se veía correr debajo de una de las arcadas una fina corriente de agua azul, que parecía reciente en su rápida evasión por entre piedras. Me detuve a mirar el acueducto, y vi la consistencia muerta del adobe. Como la garra prendida a una roca en plena caída, luchaba pétreamente contra la disolución, aquella masa de otra edad. El arroyo tenía algo de infantil, con su rumor apenas audible y su color fresco y su claridad y el modo como sus aguas se levantaban de pronto en cascadas diminutas para volver a caer lloviendo sobre su cuerpo y seguir andando con aquel largo ritmo que serpeaba. Había plantas apenas visibles que se arrojaban en la corriente. El acueducto y el arroyo estaban perdidos en una franja cóncava ahondada entre dos colinas. Por la garganta del norte, la perspectiva natural se ensanchaba hasta ya no verse; por la garganta del sur, allí donde se juntaban las colinas, se veía el comienzo del camino rústico que iba hasta Cernobbio y se volcaba luego en la carretera real, tendida hasta el burgo de Como. Me acerqué a la colina que tenía más próxima, y la ladera me pareció de pronto erecta y brutal, con su repentino recogerse en una masa sin límites. Estaba tan cerca de la falda que no veía ya los distintos acantonamientos del color, y la vegetación, que me había parecido antes una fronda conglomerada, cobraba ahora individualidad y espacio en cada planta. Veía la piel del monte, negra, y la piel de las plantas, verde, oscura, clara, en su infinita variedad diferenciada.

Pasaron cinco días así. Mi trabajo avanzaba, y yo distraía la mayor parte de mi tiempo andando por los alrededores y llegándome hasta Como. Sólo había cambiado algunas palabras con un comerciante de Riga que convalecía de una enfermedad a los bronquios. Era hombre de poco hablar, con una historia llena de peripecias. Su hija se había casado con un vago príncipe indostánico, y le escribía cada tres meses cartas incongruentes y extrañas. Pero ¿cómo se puede ir al Indostán? Todo lo que contaba el comerciante de Riga tenía un aire extremadamente absurdo. Y decía las cosas con el semblante apresado en una expresión contrita y desesperanzada. Había cambiado algunos saludos circunstanciales con otras gentes. El barón Morgen y la mujer alta de negro que lo acompañaba no me quitaban los ojos de encima; cuando entraba en los salones del hotel, yo los veía mirándome, callados y sin pestañar. Una mañana llegó en automóvil cierto matrimonio norteamericano bastante simpático a quien yo había conocido en el curso de alguna reunión, en nuestra embajada en París. Eran muy jóvenes y reían constantemente. Tomaban la vida a la broma y vivían en un perfecto equilibrio entre la locuacidad y la ebriedad. Pero estaban siempre dispuestos a cualquier cosa que fuera; lo mismo lo hubieran acompañado a uno a un servicio religioso, que a escalar los picos del Harz o conquistar la Abisinia. Él se llamaba Ernest Bartlett; ella Bret. Cuando bebían más de lo común —es decir, una decena de *cocktails* por día— se ponían serios y rígidos. Parecían no oír, ni ver ni hablar, ni sentir, ni discriminar — sino quererlo acompañar lealmente a uno hasta la consumación de los siglos. A mí me resultaban divertidos y habría deseado que se quedaran en el hotel Villa d'Este. Pero, a los dos días los llamaron de Berna y partieron como una exhalación, alegres y un tanto mareados. En seguida recibí una postal en la que había tres palabras y dos firmas; las firmas estaban unidas por un guión y decían Ern-Bret; las palabras se referían a la vida y decían: *Take it easy. Not worth of more.*

Una noche al volver al hotel se me acercó el gerente en el *hall*, diciéndome que el barón Morgen le había pedido que me presentara. Le pregunté quién era el barón Morgen y me dijo que era un barón checo que tenía algo que ver con la diplomacia. Accedí y seguí al gerente hasta el bar, donde había muchas personas sentadas en bancos altos frente al mostrador, en medio de un derroche de luz. Se oía el ruido de los dados y los comentarios de los que jugaban. El bar estaba amueblado con piezas de níquel y madera natural; esto le prestaba un aspecto simpático. Al entrar, vi sentados, no en el mostrador, sino en torno a una mesa, hacia uno de los extremos del salón, al barón checo y a la mujer alta de negro. El barón se puso en pie y sin esperar la presentación me tendió la mano.

—¿Cómo está usted? —dijo—. Madame Lascaboya, el señor Tra...

—Tregua —dije.

—Tregua —repitió—. Yo soy el barón Morgen, de quien usted no se acuerda y que ha comido con usted, una noche, hace probablemente dos meses, en lo de Albert Lenain.

—Ah, tiene usted razón —dije.

No me acordaba de haber comido con el barón en lo de Albert Lenain. Había estado dos veces en lo de Albert Lenain; en las dos ocasiones, entre otros muchos invitados. "Tiene usted razón" —repetí. La mujer era en efecto muy hermosa; vestía un traje de seda negra, perfectamente sencillo, abierto en ángulo sobre el pecho apenas sobresaliente, pero erecto; la piel del cuello era mórbida y tenía dos vueltas de perlas en torno. El barón accionaba pesadamente con una mano corta y abotagada en la que brillaba un anillo con el dibujo de una serpiente y dos diminutos zafiros en el sitio de los ojos. La mujer me miraba con una sonrisa fríamente cortés, sin mover los ojos ni los labios.

—A través de Lenain le conozco a usted tanto —insistió el barón—, que no habría dejado pasar esta oportunidad sin completar ese conocimiento con algunos momentos de conversación.

Agradecí, sin decir nada, con un movimiento de cabeza. El barón clavó en mí sus fijos ojos sonrientes de reptil.

—¿Un martini, un bronx, un baccardi? —ofreció.

—Bronx —dije directamente al mozo. Lenain era conservador de un museo de antropología y tenía algo de viscoso y repulsivo, y usaba el cabello grotescamente corto, al rape, y sus amigos comentaban escandalosamente sus amores secretos con un oficial de la policía de Berlín, a quien Lenain dirigía cartas encendidas llamándole *mon être*. El abdomen del barón Morgen, cruzado por una cadena de oro blanco, salía excesivamente de madre y le hacía respirar con fatiga. Madame Lascaboya miraba y fumaba sin decir nada. Aquel momento era frío e incómodo. El barón levantó su vaso, brindó el contenido a Madame Lascaboya; luego, con aquellos ojos diminutos que brillaban de sorna irónica, a mí. El "bronx" que le habían servido estaba mal preparado. Madame Lascaboya abrió su cigarrera y la vio vacía; le ofrecí uno de mis cigarrillos y lo aceptó, dándome las gracias. Le pregunté si era checa, checoslovaca.

—No —respondió—, de otra parte.

Pregunté al barón si iban a estar mucho tiempo en Italia.

—La señora y yo somos simples amigos y nos hemos encontrado aquí por casualidad —dijo el barón—. Ella partirá en estos días para el norte y yo estaré todavía un tiempo aquí; luego, antes de regresar a Praga, pasaré unos días en mi casa de Lugano, que no es cómoda, pero donde hay pinos, un lindo bosquecillo y agua.

Hablaba con una entonación particularísima, enfática y al mismo tiempo melosa, como si cada palabra arrastrara una equivalencia no explícita y quisiera subrayarlo. El silencio se volvió a hacer tirante. El barón comenzó a hablar con voz lenta, insinuante, monótona. Sabía perfectamente cuándo había llegado yo, y de dónde venía y mi modo de vida en París, entre gente de arte y ricos aficionados. En seguida, como para no dejarme tiempo a que preguntara nada, aludió a los últimos problemas europeos, a su falta de solución. Durante un largo monólogo abundó en sentido común. La mujer de negro lo miraba, me miraba, miraba a los hombres encaramados en los altos bancos junto al mostrador y entrecerraba los ojos a fin de evitar el humo de su cigarrillo.

Cuando el barón, respirando con fatiga, acabó de hablar, Madame Lascaboya me preguntó a boca de jarro:

—¿Es usted americano?

—Sí, del Sur, de la Argentina.

—Conocerá usted allí a los Barheim.

—No —contesté—, no conozco a los Barheim.

—Es extraño —dijo, y se quedó mirándome con sus grandes ojos, inmóvil.

—¿Por qué le parece a usted extraño que no conozca a los Barheim?

—Porque son americanos del Sur —contestó.

Me reí, y ella siguió inmutable. ¿Era perspicaz o estúpida? ¿Glacial por naturaleza o glacial por actitud? Sus largos brazos blancos seguían pasivamente la línea de los brazos del sofá. Tenía un² abandono denso. Su languidez pesaba. Su seriedad no se conmovía. Yo no sabía de qué hablar con el barón. Le pregunté por Karel Capek. Él se encogió despectivamente de hombros.

—¿Cree usted hoy en la literatura? —me preguntó.

—No —le contesté.

—¿En qué cree usted?

La pregunta me hizo reír.

—¿En qué cree usted? —insistió el barón.

—Creo —dije— en un progreso del hombre que comienza en la destrucción de sus propias resistencias racionales, en un dejarse avanzar como si no le importara nada de sí mismo, en un automenosprecio que lo salva. Creo en unas pocas cosas verdaderas.

—¿A qué resistencias racionales alude usted?

—A las que generalmente opone uno a creer y vivir según su propia forma natural.

—Yo no creo en ningún progreso del hombre —dijo el barón.

Madame Lascaboya miró al barón desde el fondo de su elegante pasividad.

—Yo no creo en ningún progreso del hombre —repitió él—. La humanidad ha llegado a su extremo culminante. El hombre ya no tiene delante más que el fuego y la muerte. Su "progreso" son esas dos vías. Ya no queda sino ayudarlo a que lleve adelante sus fines, a que llegue al fuego y a la guerra.

Luego, enigmáticamente:

—Yo soy de los que se apresuran a ayudar al hombre a llegar a esos fines que se ha propuesto.

—¿Qué quiere usted decir?

—Ya lo sabrá usted, tal vez, algún día —contestó el barón—. Es necesario ayudar al hombre a que acabe consigo mismo. Hay que dar a la perversidad su alimento...

Pintándose los labios con una barra de *rouge* muy oscuro que salía de un estuche de oro, Madame Lascaboya dijo lentamente:

—¡Qué propósito tan ineficaz! Son precisamente los hombres los que le ayudarán a usted a ir al fuego y a la muerte. Acabará usted siendo un animal guerrero, barón Morgen.

—No —sonrió el barón cínicamente—, sino uno de los hombres que conducen a la guerra.

Inmediatamente, cambiando de tema en forma brusca, me preguntó si quería acompañarlos a comer. Dije que con gusto, y fuimos al comedor y el barón pidió al *maître* que pusiera un cubierto más en la mesa redonda que tenían junto a uno de los ventanales. Luego se apresuró a pedir él un *fiaschetto* de Barbera tinto y un plato de pastas. Por el ventanal se veía el jardín y la garza blanca, fría y ensimismada. Del jardín se levantaba un aura deliciosa. Madame Lascaboya pidió todavía un *cocktail* y me invitó a que hiciera lo mismo, y luego decidimos los dos, riendo, oponernos al barón y elegir para la comida un Capri blanco. Madame Lascaboya apoyó las manos en la mesa sin inclinar su busto erecto, aristocrático. Tenía el cabello muy tirante y ceñido, echado todo para atrás, lleno de reflejos brillantes; su frente era alta y tenía una nobleza altiva y prescindente; sus ojos parecían no pestañear nunca y, seguramente, eran pardos; mostraban en la noche una calidad muy negra, inmóvil. Sus palabras eran pocas, rápidas y cortantes, como si deseara librarse pronto de la necesidad de tener que recurrir a ellas. Quizás eran muy pocas las cosas que les interesaban en común, y llegar a precisar esas cosas resultaba arduo y lento. Ella me miraba de frente mientras el barón hablaba. A mí me parecía agradable poner los ojos en esa piel cuidada como la piel de una reina; en esa piel que parecía irse librando de tener que tocar las cosas. El barón no cesaba de hacer observaciones intencionadas sobre todas las circunstancias que tenían que ver con su propia existencia mundana y elegante; insistía en que no había que confiar del todo en los secretos culinarios de un gran hotel, y a este efecto relataba lo que le había pasado cuando preguntó en la Tour d'Argent el dosaje de los componentes de una sopa de tortuga. Subrayaba estos cuentos con sonrisas llenas de malicia sarcástica y apoyaba las manos en sus muslos, permanecía mirándolo a uno inclinado lateralmente hacia el lado opuesto, como quien observa el efecto de una tela que acaba de pintar. El barón me parecía anacrónico y ridículo; Madame Lascaboya lo escuchaba inexpresivamente, como quien oye llover. Habíamos bebido una botella entera de Capri, y pedimos otra. El barón protestó que era superior su Barbera. Me extendió un vaso a fin de que le tomara el olor. Lo olí y le dije que era muy bueno, y tomé un trago del vino blanco de mi copa. Pasó cerca un coronel británico, de uniforme, y saludó al barón con una inclinación de cabeza; era un hombre alto y de facciones enérgicas que se parecía a Lord Kitchener. Madame Lascaboya lo siguió con la vista. El hombre se sentó cerca y echó a su alrededor una mirada en la que había algo de irritación y de impaciencia.

Cuando el mozo trajo el café, el barón me ofreció un cigarro y, como yo le manifestara mi preferencia por los cigarrillos, se molestó visiblemente. No dijo nada, encendió su habano, arrojó el humo hacia arriba echando atrás la cabeza, que formó una sola masa con los hombros. Hablando del conde K., Madame Lascaboya le dijo sin alterar su tono que detestaba a los intelectuales porque eran seres de moral desordenada y repugnante, y que el conde K. era un estúpido y un traidor. Lo primero no me pareció a mí muy discutible, pero la palabra estúpido me pareció femeninamente caprichosa. El barón respiraba con dificultad. Se volvió hacia mí y me dijo seriamente:

—No dudo de que usted sea un hombre a quien interesan los problemas generales del mundo. Es joven e inteligente y, aunque no hubieran otras, estas dos cosas bastarían.

Le plantearé a usted algunos problemas de mi país y me dirá usted si la conducta de otras naciones es, a su respecto, justa. Hungría abriga la pretensión de rescatar de Yugoslavia, Rumania y Checoslovaquia, a tres millones de húngaros, sin contar con una exigencia extremada en cuanto a la revisión de fronteras. Semejante exigencia comportaría el anexionarse la orilla izquierda del Danubio con el resultado, para nosotros, de una práctica privación de acceso a ese río. Por otra parte, los eslovenos quieren su autonomía frente a los checos. La división no puede pues ser más grande y el problema del Danubio se transforma para nosotros en una amenaza considerable. De este problema local puede surgir la conflagración general, esta vez espantosa. A mí no me interesa restituir a su unidad los miembros del Santo Imperio Romano, pero sí tratar por todos los medios, abandonando las soluciones por la paz, siempre ilusorias, de asegurar a mi país una fuerza tal que le asegure el respeto ajeno o la posibilidad absoluta de las mejores alianzas. La cuestión de quién irá a la guerra unido con quién, es fundamental en estos momentos para todos los países de Europa.

El barón hablaba trazando con los dedos, entre los que conservaba el cigarro, rayas invisibles en el mantel. Su aire era autoritario; su voz, baja. ¿Adónde iba a parar con todas esas razones oratorias? Yo le dije que mis conocimientos sobre el punto eran insuficientes, y que sólo había leído algunas declaraciones del conde Bethlen sobre el problema de Hungría y su fronteras.

—¡El conde Bethlen no abre la boca sino para contradecirse! —replicó el barón con furia. Hizo una pausa, llamó al mozo, nos miró interrogativamente. Madame Lascaboya pidió un *fine*, y nosotros dos lo mismo.

—Pero vayamos al grano —dijo el barón—: ¿No se interesaría usted nunca en el destino de un pequeño país para cuya grandeza ulterior no hace falta sino una pequeña cruzada en su beneficio? ¿En qué está interesado usted hoy en Europa? Ciudadano de una tierra de paz, lejana, no tiene afortunadamente preocupaciones ligadas con ella. No conoce las zozobras de una inquietud constante por la suerte de la propia nacionalidad. Pero está lleno de aptitud crítica, de perspicacia, de valor y de lucidez operante. Ahora bien, mi país necesita hombres como usted. Los servicios que le prestan sus propios ciudadanos en el extranjero son particularmente insuficientes. Y en cambio estas personas gozan de favores considerables por parte del gobierno. Su labor es pagada a precio de oro, sin contar con el predicamento a que el carácter de su servicio los hace acreedores cuando vuelven a nuestra tierra. ¿No se avendría usted con mi gobierno a fin de ser encargado de algunas misiones interesantes en el extranjero, discretas, atractivas en sí mismas, que tal vez ocuparían algunos ocios suyos, significándole en cambio la confianza y el favor... ¿cómo diré?... práctico, positivo, de un Estado?

Lo miré, y reí sin decir nada. El barón tenía en la mano extendida en un gesto de explicación, de espera, la palma vuelta hacia arriba. Sus cejas ralas se alzaban interrogativamente.

—¿Por qué se ríe usted? —me preguntó.

Seguí callado, riendo. Madame Lascaboya se echó atrás en la silla; era la primera vez que dejaba descansar su busto erecto. Volvió lentamente la cabeza y clavó sus grandes ojos en la garza que se había aproximado al ventanal.

—¿Por qué se ríe usted? —repitió el barón Morgen.

—Me parece una proposición ...cómo le diré... cómica.

—No tiene nada de extraña. Ni de sinuosa. Es una simple sugestión que le formulo guiado por el buen espíritu con que valoro sus condiciones personales.

—Gracias —le dije.

—Son misiones de confianza llenas de interés intrínseco, vivas.

—Gracias. Mis preocupaciones son de otra naturaleza, y bastante absorbentes, por lo demás.

Le decía esto sin dejar de sonreír, porque esta contratación de espías a quemarropa era extremadamente divertida. Mi sonrisa no le hizo al barón ninguna gracia. Envuelto siempre en una nube de cortesía, sus ojos no podían sin embargo disfrazar aquel fondo irritado. Conservaba los carnosos labios entreabiertos. A los pocos minutos, con suma habilidad, cambió de conversación. Luego nos levantamos los tres. Madame Lascaboya saludó al coronel británico y salimos del comedor. Fuera, la noche estaba muy agradable y el número de lanchas había decrecido en el lago, cosa que devolvía a la superficie del agua su inercia profunda. Estuvimos caminando a lo largo de las terrazas, yendo y viniendo entre el enjambre de gentes vestidas con traje de noche. Hablamos con cordialidad, y el barón se mantuvo circunspecto y un poco más reservado. Poco antes de medianoche los dejé para subir a mi habitación y leer un rato. En el camino encontré al gerente, que me hizo un elogio de la noche y caminé unos pasos a su lado.

—¿No le parece una espléndida noche, señor?

—Espléndida.

—¿Hay noches así en América?

—A veces.

El gerente tenía ganas de preguntarme más cosas de

América. Pero subí al ascensor y permaneció él abajo, saludándome. Tomé un baño tibio y me acosté y abrí un libro y comencé a mirar las letras, sin leer. René Ferrier, tres meses atrás, me había hecho aquella invitación con insistencia; quería que pasara unos días en su casa de Bruselas. No estaría mal, pasar unos días en su casa de Bruselas. ¿Cómo sería su casa de Bruselas? No me había dicho en qué sitio estaba de esa ciudad oscura y fría. ¿Estaría cerca del bosque, tan sombrío, su casa de Bruselas? Quién sabe dónde estaría. La calle se llamaba Leopoldo I. Yo había conocido tres años atrás a una belga extraña, de Bruselas, una mujer sensible y hasta (seguramente) sensual, que había vivido enamorada de un fantasma: del Rainer María Rilke que veía a través de los libros de Rainer María Rilke. Nunca supe bien cómo era esta mujer de Bruselas. Tenía treinta años. Vivía en la Argentina, al lado de un comercio donde se vendían imágenes y artículos litúrgicos, era hija de una francesa malhumorada y grosera, y vivía en una alucinación constante, con su pasión por el Rainer María Rilke que veía a través de los libros de Rainer María Rilke. Yo salía bastante con ella, pero no me parecía al Rilke que ella veía a través de los libros de éste. Me hablaba mucho de esto: había conseguido hablar de esta abstracción como de un hombre. A veces la veía llegar alegre, excitada, como si hubiera estado con él; otras veces venía por la vieja calle con aire apesadumbrado. Luego no había vuelto a tener noticias de esta mujer. Tal vez la casa de Ferrier quedara cerca de aquel barrio sucio y triste del que ella me había hablado. Tal vez no. Más tarde apagué la luz, y el cuarto se llenó con la noche de Cernobbio. Entró con una presencia viva, lenta, abrazando las paredes, los muebles —abrazándome a mí. Abajo pasaban los automóviles, metiendo ruido desde que aparecían en la cuesta.

El tiempo cambió y comenzaron a hacer días excesivamente fríos. Madame Lascaboya y el barón Morgen se pasaban el día fuera del hotel, en Como, donde conocían a algunas gentes. Yo no podía soportar aquel hotel lleno de espectros frívolos. Estaba hastiado. No podía salir sino un rato por las mañanas. Me pasaba las tardes encerrado en mi cuarto, leyendo, echado sobre la cama. Saltaba de repente hasta la máquina, escribía dos líneas y luego nada, vacío. Con la ventana cerrada, el cuarto tenía un aire sumamente triste. La cabeza de Neferit parecía demasiado muerta. Las horas pasaban. A las cinco me subían el té. Cambiaba algunas palabras con el mucamo, Charles, o con la mucama, *fräulein* Holss. Charles me tenía simpatía y me contaba el modo como robaba el gerente y el odio que le tenía toda la servidumbre; *fräulein* Holss era silenciosa y gorda. Tenía un novio en Basilea, un novio comerciante, y le había mandado por aquellos días un retrato en el que aparecía comiendo, de jarana con otros amigos que eran a la vez amigos de *fräulein* Holss; la fotografía los representaba en un restaurante suizo, y el novio de *fräulein* Holss levantaba el vaso de cerveza mientras tenía el brazo puesto en el hombro de su vecina, una rubia de trenzas anudadas sobre la frente; *fräulein* Holss conocía también a esa mujer y estaba indignada contra ella; me dijo que no podía trabajar tranquila desde que había recibido aquella foto y que en cualquier momento le asaltaría un impulso y tomaría el tren para Basilea; *fräulein* Holss me mostró la fotografía y yo adiviné en su silencio que su cerebro funcionaba preguntándose si aquel brazo del comerciante colocado en el hombro de la mujer ocultaría una simple amistad, un festejo, un amor, una traición o alguna otra ignominia de este jaez; yo miraba sus manos gordas y pensaba en el placer con que se cerrarían sobre la garganta de la amiga de Basilea.

Al fin, una tarde, resolví irme. Envié diez palabras telegráficas a René Ferrier. Dos horas más tarde estas palabras estarían en la calle Leopoldo I. Tomaría el tren de la mañana.

Por la noche vi al barón y a Madame Lascaboya. El barón tenía un aire contrito cuando entraron los dos por la puerta principal del hotel, y ella, con un saco de piel suelto sobre los hombros y un pequeño canotier de forma similar a los que usaban los marineros de la armada de Nelson —estrecho de alas y bajo y ancho de copa— caminaba con la cabeza alta, distraída, apretando un montón de revistas francesas debajo del brazo.

—¿Se va usted hoy? —me preguntó el barón.

—Mañana a las ocho —le dije—. Iré hasta Como y tomaré el tren allí.

—Cuente usted con un amigo.

—Del mismo modo —le dije.

—¿Ha leído usted las últimas noticias? —preguntó el barón.

—No. Solamente las de anoche. ¿Qué hay de nuevo?

—Los pactos. ¿Cree usted que Italia y Francia se mantendrán unidas en el último momento?

—Es difícil asegurarlo. ¿Lo sabrán los gestores del pacto?

—Uno de ellos lo sabe demasiado bien...

—Usted es siempre el mismo antifascista —le dije.

El barón no contestó. Madame Lascaboya escribía algo con un pequeño lápiz de plata en una agenda de mano. Me extendió el papel.

—Si pasa usted por Berlín en abril o mayo —dijo—, búsqueme en esa calle.

Fui a desdoblar el papel para fijarme en las señas.

—No —dijo ella—; después.

El barón Morgen le dirigió una mirada fría y rápida. En seguida, sin variar su tono, me dijo a mí:

—De cualquier modo, todas estas no son más que postergaciones del incendio. Pronto bailaremos. Escríbame a Lugano. Tendré siempre placer en recibir sus noticias.

Me dijeron que comerían en Como. Me despedí de ellos en la galería. Los vi alejarse, subir al ascensor: el barón, bajo y de pasos cortos; ella, alta, hierática, con un paso igual y recto que lograba cruzando mucho los pies sobre la misma línea.

Se me acercó un empleado del hotel, de *jacquet*, con la cuenta metida en un sobre. El sobre tenía impreso delicadamente el nombre del hotel, el dibujo de un teléfono y un escudo y las palabras: *Golf 18 hs.* Fui a la gerencia y cambié dinero, y el empleado selló la cuenta y la dobló y me la devolvió. Entré en el salón de escribir y redacté rápidamente una carta. Había dos o tres personas más escribiendo y en el salón flotaba un olor a tabaco egipcio y a extracto. Cuando acabé de redactar la carta me levanté para ir al comedor. En la galería volví a cruzarme con el barón y Madame Lascaboya, que salían. Nos dijimos otra vez adiós afablemente, sin pararnos. Entré en el comedor lujosamente iluminado. El mozo se me acercó. Saqué del bolsillo el papel que me había entregado Madame Lascaboya y lo desdoblé. En la pequeña hoja de la agenda había una señas, escritas con lápiz, apenas legiblemente. "Hohenzollernstrasse 67." Doblé el papel. El mozo, que esperaba, me alargó la lista.

XXX

El expreso internacional atraviesa la región montañosa; después, sucesivas planicies de cultivo; luego, otra vez la montaña. En el trayecto hay tantos túneles, que la lectura de un libro se hace imposible y exasperante; un continuo y ruidoso entrar y salir de cuevas oscuras. En una de esas cavernas estuvo el tren detenido cerca de veinte minutos. Los vagones se llenaron de humo y olor a carbón. Casi todos nos ahogábamos y empezamos a salir del tren y a caminar por el túnel en dirección a la pequeña luz blanca que se divisaba al fondo. El desperfecto se compuso y el tren arrancó, al fin, de nuevo.

Todas las estaciones se parecían increíblemente: grandes recintos sombríos con vidrios y complicado herraje en el techo, y puestos cuajados de periódicos y revistas, y hombres que ofrecían desde sus pequeños carros de mano provisiones de vino, refrescos, panecillos y platos de pasta *asciutta* fría. Cuando el tren llegaba a una de esas estaciones abiertas por sendos extremos, se veía a algunas personas correr hacia las portezuelas y ventanillas en busca de los que esperaban. Se veían también soldados del ejército italiano con sus uniformes grises y el quepí alto y ancho en la parte superior y un ángulo de camisa negra asomando por debajo de la chaqueta. En los quioscos se veían desde lejos, abigarradas, las carátulas de los libros británicos de la colección "Albatros" y las portadas de las publicaciones ilustradas. Aquella mañana había mucha gente en las estaciones; de pronto aparecían jóvenes tirolesas con sus sombreros alpinos y sus fuertes rodillas al aire. Los pisos de lo andenes estaban regados, y se respiraba un aire fresco debajo de las anchas bóvedas resonantes. Yo había comprado al pasar por Chiasso *Il Corriere della Sera* y había recorrido rápidamente los títulos. Se comentaba todavía un discurso de Mussolini al pueblo de Brindisi. El Duce había dicho: "El régimen no reclama de nosotros más que espíritu de iniciativa, obediencia a las leyes del Estado, fidelidad a la causa de la Revolución y de la Patria." Demasiadas mayúsculas para que el espíritu de iniciativa pueda respirar libremente. Yo había leído hacía poco las conversaciones del primer ministro con Ludwig, y el nivel de ellas me había parecido mediocre. Con todas estas teorizaciones dialécticas y, un poco arbitrarias, de qué valían aquellas palabras que me había repetido una amiga y a quien se las había dicho Mussolini y que yo hallaba hermosas y sencillas: "¿Por qué me pregunta usted si estas gentes son felices? ¡No me lo pregunte usted —había dicho—, no me lo pregunte! De noche, a medianoche, a la madrugada, me despierto sobresaltado, pensando: este pueblo, en esta casa, en esta ciudad, en esta tierra, este pueblo, ¿será feliz —estará bien—, sufrirá algo? Pensando en eso me recuerdo sobresaltado..." Sí, era hermoso y sencillo. Seguí leyendo las noticias que traía *Il Corriere della Sera*. Desastres en Argelia; descubrimiento de un complot contra el jefe de la guardia de hierro en Rumania; muertos en el océano.

El vagón de segunda clase en que viajaba tenía dos

puertas en los extremos, y casi todos los compartimientos estaban vacíos. Después de Chiasso, comenzaron a llenarse. En Chiasso subieron al tren dos hombres en cabeza, vistiendo camisas negras y pantalones militares y botas negras; se sentaron frente a mí en el compartimiento y me saludaron con una inclinación seca. Uno de ellos frisaba en la treintena; el otro podía tener cuarenta y cinco años. Retiré la valija de mano que había colocado en el asiento de enfrente y la puse en la malla que corría por sobre el respaldo del mío. Los dos hombres hablaban en italiano rápido y difícil de captar. En la valija marrón de uno de ellos se veía una etiqueta con la inscripción: "Sottosegretario —P. N. F."—, luego el nombre de una localidad. Detrás de ellos vino una mujer con la cabellera de un rubio casi blanco, alborotada, y un abrigo verde. Se asomó al compartimiento, miró a uno y otro lado, y se fue. Al rato, cuando el tren se había puesto en marcha, volvió, acompañada del guarda, trayendo un equipaje increíble con el que se llenaron todos los rincones vacíos del compartimiento. Uno de los hombres de camisa negra hizo un gesto de malhumor, sacó un paquete de cigarrillos, encendió uno y echó el humo con fuerza hacia el lado de la ventanilla. El humo blanco se alzó pesadamente hacia el techo. En la puerta del compartimiento, tomándose de uno de los pasadores del corredor para conservar el equilibrio en medio de las sacudidas del tren, apareció un individuo de aspecto bohemio ofreciendo retratarlos por una lira; llevaba un lápiz grueso y una cartulina, muy limpia, fija en un tablero de madera. "No, caro" —le dijo uno de los oficiales en camisa negra. El individuo se asomó al compartimiento de al lado. Antes de ser famoso, Panait Istrati, humilde fotógrafo callejero, había recibido durante quién sabe cuántos años contestaciones parecidas, en el paseo de los Ingleses, de Niza. Quizás este hombre que acaba de irse se acostaría todas las noches, a su vez, con pensamientos parecidos a los de Panait Istrati. Agrio de resentimiento hacia las cabezas obsesionantes que se movían negativamente; pensando a la luz de una mala vela que ya es hora de comenzar a destruir y que más vale ahogarse en un pantano que andar ofreciendo retratos a los burgueses de panza próspera; y arrojando con furia la novela de Balzac *Piel de Zapa* o cualquier otra, con todas esas idealidades imaginarias, mentiras. Quizá, como Panait Istrati, alternaría; caminando por países del sol vivo, aquellas feroces ideas incendiarias con amores cándidos de fondo pueril y sentimental, y levantaría la jarra de cerveza fresca en cualquier posada a la salud de la muchacha de trenzas que reía estentóreamente a su lado y le hablaría, con gran derroche de palabras y gestos, de la vida que podría llevar en un lado u otro con tal que ella se decidiera, y gritaría y cantaría desaforadamente sin poder limpiar de aquel rincón de su conciencia la frasecita — no, caro — no, caro — no, caro — no, caro — no, caro — no, caro —. No, querido. ¡Claro que no, querido! ¡Claro que no, querido!

Uno de los oficiales entabló con el otro una conversación técnica sobre ciertos puntos de aviación. La mujer del abrigo verde dormitaba apoyada en la ventanilla que daba a la galería. Comencé a leer "The Fountain", en inglés. En el libro había muchas citas, Platón, Coleridge, Milton, Shelley, John Donne. Pero aquellas citas no eran vanidosas y muertas: hay hombres que infunden vida a las viejas frases citadas, un extraño movimiento activo y presente y eterno. Abandoné el libro para contestar a los empleados de la aduana, que tomaban nota de las declaraciones en pequeños cuadernos. Los empleados hicieron un saludo militar a los oficiales de camisa negra y despertaron a la vieja que dormitaba. Los oficiales de camisa negra se levantaron luego y salieron del compartimiento comentando risueñamente algo que tenía que ver con la llegada a Lucerna y las personas que ahí les esperarían.

A fin de acortar el viaje yo había decidido almorzar en el último turno. Me levanté y fui al comedor y encontré un solo lugar vacío, precisamente en la mesa donde estaban sentados los dos oficiales. Me miraron y me extendieron amablemente la lista. Les di las gracias. Antes de comer habían comenzado una botella de Chianti. El mayor de los oficiales tenía un semblante enfermizo y demacrado; el otro era fuerte, sólido, risueño, locuaz. El primero hablaba con frases cortas y precisas. El otro hablaba constantemente con voluble animación. Ambos se presentaron, al cabo de unos instantes, y yo les dije a mi vez quién era. Al más joven le debió resultar agradable que yo fuera escritor y no viajante de comercio o agente de seguros, y me hizo unas cuantas preguntas acerca de mis preferencias con relación a la literatura italiana. Nos pusimos prontamente de acuerdo en cuanto a dos o tres nombres, con ese deseo convencional de concordar que se tiene en este género de conversaciones. Me dijeron que iban a Lucerna, por unas horas. Como ni ellos habían estado antes allí, ni yo conocía la ciudad suiza, nuestra conversación no pudo en ese sentido progresar mucho.

A las dos y cuarto se detuvo el tren en Lugano, con gran estrépito de hierros y vapor de agua. Había un hervidero de gentes en la estación y una mujer de blanco corría de un lado a otro tendiendo la cara hacia el tren, con los labios entreabiertos y en las pupilas una sonrisa de gozo y expectativa. Los pequeños automóviles porta-equipajes metían un ruido infernal en la plataforma de la estación. Se oían gritos y conversaciones en voz alta. Nos llamó la atención, a los oficiales y a mí, la cantidad de gente que circulaba por los andenes. Uno de los oficiales afirmó que Lugano debía de sobrepasar ya los treinta mil habitantes y el otro exclamó que ni en sueños, que no debía pasar de los diez mil sino tener todavía menos. A decir verdad, no me interesaba mucho el número de los habitantes de Lugano. Las mesas del comedor comenzaron a desocuparse y muchos de los pasajeros que lo llenaban descendieron allí. Se saludaban con otras personas en el andén, se volvían a los mozos del cordel y les daban órdenes precipitadamente, antes de desaparecer por la gran puerta que comunicaba las plataformas en el *hall* central. Dos personas que acababan de subir ocuparon la mesa vecina a la nuestra; el mozo vino y colocó un mantel nuevo y repasó los cubiertos y dispuso las copas. Miré a esos hombres, que eran seguramente suizos: uno de ellos usaba una pequeña barba cortada al estilo de los grandes duques rusos, rubia y cuidada, mientras su compañero tenía ese aire de infantilidad perenne que se halla en algunas caras de hombres solitarios y doloridos. Este último clavó sus ojos en los dos oficiales de camisa negra y los retrajo luego tími-damente. Se sentaron uno frente al otro. El tren arrancó al cabo de diez minutos y vimos los brazos que quedaban atrás agitándose en un saludo y los cuerpos inclinados hacia ade-lante con un pañuelo en la mano. Al poco tiempo corrían de nuevo entre montañas. Entraban y salían en túneles: al hundirse en la galería negra, el ruido del tren se hacía sordo y resonante.

Uno de los oficiales, al ver el encabezamiento del perió-dico que yo guardaba en el bolsillo, me preguntó si ha-bía leído el discurso de Mussolini en Brindisi.

—¿No le parece a usted un bello momento de Italia? —me preguntó el oficial más joven.

—Sí —dije—. El país está en pie.

El oficial de la fisonomía enfermiza y demacrada seguía en silencio mirándome con ojos fijos y serios.

—¿Tiene usted inclinación por la teoría fascista del Esta-do? —me preguntó después, sin que se moviera un ápice de su rostro.

—No —le dije.

—¿A qué ideas adhiere entonces? —me preguntó.

—Supóngase usted un hombre que acabara de salir del

mar hacia la tierra buscando un punto en que acostarse y permanecer y descansar. Más que su inteligencia, su instinto está en juego; lo que su conciencia busca es una fe; la fe no es una cosa de razón. El momento más grave de un hombre es el de esa plasticidad en marcha que va hacia una forma, que tienta, que busca. La conciencia opera secretamente; es necesario que su decisión se produzca sin empellones ni falsos entusiasmos.

—¿A qué tanta espera? Se trata de un proceso eminentemente volitivo e inteligente que se decide con rapidez en un cerebro.

—No se decide con rapidez en una conciencia. Hay conciencias lúcidas por sí mismas, hay conciencias que echan los frenos y obligan a esperar, que sujetan a la razón.

—Yo creo que un intelectual debe sentirse más cerca de una concepción espiritualista de la vida que de un espejismo materialista basado en intereses y máquinas.

—Un intelectual no es nada. Un intelectual es una palabra. No hablemos de intelectuales, hablemos de hombres.

—Precisamente.

—¿Precisamente qué?

—Precisamente, el hombre no puede adelantar por sí solo, *caro*, el hombre tiene que adelantar en masa, corpóreamente fundido con el todo social...

—Lo cual es también una idea comunista.

—...pero iniciando su adelanto en una esfera interior e individual y no en el culto de organizaciones y elementos exteriores. Mussolini cree en el progreso moral de la humanidad.

—Yo no creo mucho en un progreso moral que se base en el ajuste de un pueblo a una disciplina práctica. No confundamos los órdenes. Cuando un hombre crea o cree auténticamente, es decir, desde un fondo ardiente y religioso, su trato está empeñado con fuerzas de naturaleza sobrehumana, y entonces ningún poder humano puede importarle o reducirlo. Una causa sí, una cruzada; nunca un poder meramente organizador de la política.

Me preocupaba la diferencia entre lo espiritual y lo temporal.

El oficial joven habló entonces con fervor enfático del Régimen y yo lo escuché y asentí sin entusiasmo, un poco distraído. Los movimientos de los dos suizos de la mesa de al lado habían comenzado a llamarnos la atención. Era curioso verlos cambiar entre sí atenciones y gestos tiernos de enamorados. El hombre de la barba rubia y traje castaño partía a veces un bocado y lo llevaba en su tenedor, con amoroso deleite, a la boca de su compañero. Éste agradecía y masticaba, y sonreía al otro con gusto. Comieron fruta; luego helados. El hombre de la barba rubia significó en voz baja al joven suizo de la cara infantil que el aire de la ventanilla podía hacerle daño; protestó éste que no, pero el otro quedó inquieto y preocupado por aquella ventanilla, y al fin se incorporó y la cerró con un gesto de reconvención por la ligereza del otro. A los oficiales italianos, aquel intercambio tierno y delicioso les causaba risa. Sonreían mostrando sus dientes blancos que resaltaban más por el efecto de la camisa negra; el más joven me guiñó el ojo suspicazmente. El hombre de la barba rubia hablaba con voz suave, que no percibíamos sino en su tono, aplicando pequeños golpes con la palma de la mano en el revés de la de su compañero, que tenía el brazo izquierdo indolentemente extendido a lo largo de la mesa. Usaba en la muñeca una finísima cadena de oro; la muñeca era pálida, sin vello. "¡Lástima de gente!" —dijo el oficial del rostro enfermizo. El joven suizo recogió el brazo, se incorporó, extrajo una cartera del bolsillo y mostró al de la barba rubia algunas fotografías y éste lanzó dos o tres exclamaciones de contento. Los dos se rieron arrimando las cabezas por sobre los platos de fruta. "¡Lástima de gente!", repetía el oficial. El otro de los fascistas me miró con sorna, diciéndome: "Un problema resuelto." El mozo trajo una botella de whisky que había pedido el mayor de los oficiales. La botella estaba empezada y el oficial reclamó y dijo que abrieran una nueva. El mozo fue, y volvió trayendo la nueva. El fascista más joven le sirvió y agregó un trozo de hielo y levantó su vaso y propuso: "Por el Duce."

—Por el pueblo italiano —dije.

—Es la misma cosa —dijeron los dos.

Bebimos. Los dos suizos nos miraban ahora con recelo. La cara del de la barba rubia estaba seria y su boca tenía cierta acritud. "Adoradores furtivos", comentó con la misma sorna el joven fascista. La camisa negra le quedaba bien. Realzaba de un modo muy fuerte la palidez viril de su rostro. Esas camisas fueron usadas por los primeros fascistas en señal de luto por las primeras víctimas de su empresa. Debía ser entonces, más que en ningún otro momento, bello, aquel símbolo cívico de un dolor y de una voluntad apareciendo bajo la ropa común. Y luego, era fácil imaginar cómo aquel duelo masculino, sobrio y determinado y lleno de coraje, debió ser algo aspirado por el pueblo al ver cómo lo llevaban, con tan serio orgullo, esos primeros pocos hombres. Sí, un luto masculino, un bello gesto lleno de discreta solemnidad había sido al principio. Después...

—Durante la guerra —dijo uno de los dos fascistas, el que mostraba un semblante desencajado y poco sano— vi pasar algo realmente extraordinario con una de estas naturalezas de efebo. Nuestro regimiento se hallaba en Bolzano, acuartelado en una casa donde había estado instalada hasta meses antes una usina de luz eléctrica. Era en 1918, y estábamos cansados y descorazonados. Del frente llegaban noticias pésimas. Durante las comidas, y prácticamente a toda hora, manifestábamos, individual y colectivamente, lo poco que podíamos soportarnos ya unos a otros. Cuando llegaban mensajes de la avanzada de combate, la noticia que traían era seguramente amarga. Las comidas nocturnas, cuando ya nada nos infundía paciencia (ni aun el optimismo que el sol derrama sobre los hombres reunidos en un campo), creaban en torno a la mesa una atmósfera de bromas sangrientas, de vagos resentimientos y de furia. Éramos pilas de excitación, de rabia sorda. Sólo una de las personas que se sentaban en torno a esa mesa donde comíamos treinta hombres, escapaba a ese agrio tiroteo a grito pelado, no obstante ser tal vez, por su propio carácter, el señalado para recibirlo. Era un muchacho delgado, de maneras finas y amaneradas, de apellido Fanelli. Tenía un aire indolente y aristocrático. Al principio, meses antes, cuando llegó de Roma donde había desempeñado funciones de privilegio en el ministerio de guerra, fue el blanco de sarcasmos y tratos capaces de poner a prueba la paciencia de un Job. Pero él recibía estos ataques crueles con la misma distracción alejada y tranquila con que se movía en el mundo, distante. Andaba por la vieja usina, por el camino lleno de polvo blanco que bajaba de Bolzano, con el cigarrillo caído entre los labios, el paso lento, la mirada clara y abstraída. Su alejamiento era frío y aristocrático. Evidentemente, había en él tanto de femenino y poco viril, que su alto cuerpo parecía, a los veintiocho años, el cuerpo de un frágil adolescente. Recibía las bromas sin pestañear —como no fuera para evitar el humo ascendente del cigarrillo siempre nuevo que arrojaba antes de fumarlo hasta la mitad— y jugaba con la caja de fósforos moviendo sus dedos cuidados, de falanges largas. Solía ir hasta la Catedral y los soldados que pasaban por allí lo veían contemplarla, desde cierta distancia, y luego entrar en ella. Su extraña dignidad acabó por darle, naturalmente, una jerarquía, y todos nos cansamos pronto de atacar aquella naturaleza refractaria. Más aun, gradualmente, se vio la curiosa función que aquel hombre cumplía en el regimiento. Como nuestros nervios estaban à *bout de force*, los preparativos para un ataque se desarrollaban en medio de una desmoralización grande, de una desazón indecible, de un deseo de acabar con todo aquello, deseo que se manifestaba bajo la forma de un miedo casi telúrico. Entonces, en esos momentos, cuando nos hallábamos todos alineados para ir hasta la primera línea, exasperados y a la vez aterrados, la presencia entre nosotros de Fanelli adquiría una calidad particular: lo mirábamos y veíamos su extraordinaria calma no turbada, sus ojos claros volviéndose a uno y otro lado con lentitud, el cigarrillo humeando entre los labios... Latía detrás de esa actitud un desprecio tal por la muerte, un despego tal de la vida, una serenidad tal, que la acción contagiosa de ese ánimo nos ganaba, nos reducía. Sentíamos una suerte de gratitud hacia él, y cuando sonaba la hora cero y corríamos entre el grito y los ruidos de la blanca flagelación de un estallido y el silbido sordo de la granada — sabíamos que él estaba allí, sereno... Esta superioridad sobre la vida, sobre la muerte, sobre la guerra y sobre los hombres instalada en ese carácter que no era ciertamente lo que se llama "viril", en aquella naturaleza que tenía no poco de femenino, me ha hecho pensar muchas veces en cómo nada tiene que ver un aparato exterior, ostentoso, de virilidad y valentía, con esa cosa infinitamente más preciosa, infinitamente más rara, infinitamente más secreta que es el coraje del alma.

El fascista joven sonrió. Le dije:

—Sí, pero no propague usted la desvirilización del hombre.

—*Prosit* —brindó el fascista joven, y bebió.

Hacía rato que habíamos dejado atrás Ballinzone. De tiempo en tiempo veíamos bellas cuchillas nevadas, colinas sumidas en su abstracción glacial. Llamamos al mozo y pagamos cada uno nuestra adición y dejamos unas liras sobre la mesa, y el mozo las vio y dijo: "Gracias." Pasamos al compartimiento.

El joven suizo de la barba seguía deshaciéndose en atenciones hacia su frágil compañero. Los dos oficiales fascistas estaban de muy buen humor; eran simpáticos y francos. Uno de ellos se parecía a Luciano Bonaparte. Me aseguró que si llegaba yo algún día hasta Turín me mostraría cosas muy poco conocidas de esa ciudad hermosa, y que los turistas jamás ven. Lo pasamos muy divertidos hasta las cinco de la tarde. Una hora después, los dos militares descendieron en Lucerna. Nos estrechamos las manos y el mayor de los dos me dijo: *Addio, caro. Fortuna per lei.* Luego, ya en el andén, repitió: *Addio, caro.* Tenía algo de franco, algo rico en su naturaleza que lo hacía parecerse a nosotros, los americanos del sur. Vi a ambos caminar por el andén, con sus botas y sus camisas negras y sus valijas de mano, y luego desaparecer entre el gentío.

Al día siguiente a las siete de la mañana llegué a Bruselas.

A esa hora, las estaciones están envueltas en una bruma azul. Cuando el ruido del tren resonó bajo los cristales y hierros, me asomé a la portezuela y vi el andén desierto, excepción hecha de los empleados de hoteles, con los nombres dorados de los establecimientos en sus gorras, pugnando con un dedo en el aire por predominar sobre los demás y atrapar al cliente. Luego llegó corriendo, sin alientos, Ferrier.

Me alegró ver de nuevo su cara pálida y sus sienes canosas de hombre joven que ha vivido. Pero lo alto de su cabeza estaba más negro y brillante que nunca; la frente, ancha, con aquel ligero pliegue que le formaban las cejas dando al rostro una expresión de tristeza animada, de sensibilidad. Vestía un traje gris pizarra y una corbata clara. Era un hombre corpulento y atrayente. Me abrazó y me pegó con la mano abierta en la cara, en los dos brazos, cariñosamente:

—¡Qué tipo singular: meses sin dar noticias y de repente un telegrama, y aquí!

—Sí —le dije—. Todos tenemos que esperar la llegada, a nuestra vez, de otros mensajes, antes de poder partir.

—¿Otros mensajes?

—Órdenes que quién sabe de dónde vienen, secretas. Tal vez del fondo de nosotros mismos, tal vez desde esa terrible distancia, tal vez de otra parte...

Le tomé afectuosamente del brazo.

—Metafísica pura —dijo él—. Si has venido a abismarte en un océano de metafísica puedes meter estas valijas en el tren y volverte. ¿Qué hacías en Como?

—¡Qué sé yo! Vagar.

—Vagar —repitió, mientras miraba al hombre que cargaba las valijas en un gran automóvil—. Siga a nuestro taxímetro —le dijo. Luego me miró, riendo:

—Estás fuerte, joven. Un perfecto animal. Un animal metafísico. Debe de ser un buen alimento, la literatura.

—Muy bueno. Excelente.

—Aunque a veces indigesto.

—A veces indigesto. Sí, muchas veces indigesto.

La risa iluminaba su cara pálida. Pero me pareció que una zona oscura señalaba sus párpados y que en la parte interna de los ojos había algo de amarillento, de cansado. Le pregunté cómo le iba y qué hacía.

—Lo mismo que tantos hombres: unos días viviendo la muerte; otros días muriendo la vida... Cuando creo haber llegado a un sitio, resulta que estoy en el otro opuesto —dijo sonriendo.

—Eso es también metafísica.

—No, no. Vida, vida.

—Me congratulo de verte filosofar, al fin.

—Basta con que un hígado no funcione bien para que un hombre tenga una filosofía, una actitud ante la vida.

Iba erguido en el asiento.

—No lo digas despectivamente: el hígado es una víscera que ha desempeñado siempre funciones aristocráticas, mitológicas, desde que el águila se lo devoraba a Prometeo hasta la creación de los grandes sistemas pesimistas.

—Es una víscera noble —dijo—. Se siente insultada por el alcohol. Yo soy demasiado grosero para ella y no para de armarme escándalos y darme disgustos.

El taxímetro pasó frente al Hôtel de Ville. La masa del viejo edificio, austera, sombríamente hermosa, levantaba su inmensa fachada negruzca. Levanté los ojos hasta su aguja más alta y sentí la misma impresión profunda que me había hecho la primera vez que la vi en un grabado. Las pequeñas calles adyacentes estaban dormidas en la atmósfera brumosa. El cielo estaba encapotado y no se veía sino una gran nube sin límites, amenazante, pesada. El automóvil entró en una larga avenida.

Ferrier me miró fijamente sin hablar, sonriendo, cordial, hundido ahora en el rincón del coche.

—¿Con qué porcentaje de buen humor vives?

—Uno por ciento —contesté.

—No está mal.

—No, realmente, no está mal.

—¿Y las pequeñas satisfacciones?

—¿Cuáles?

—Fama —dijo—. Éxitos.

—Se escriben doscientos millones de libros al año en el mundo por otros tantos autores. ¿Qué se puede pretender, que se puede ambicionar?

—¿Mujeres? —dijo.

—Harto. (Pensé en usted. ¿Tenía algo que ver con eso?)

—¿Hombres, libros? —dijo.

—El eterno retorno. Viejas cosas. Viejas lecturas. Viejos hombres. Se vuelve siempre a lo primero.

—Es el momento de las grandes simplificaciones —dijo—. Yo ya lo he hecho. He llegado a las más grandes de las simplificaciones. Pero soy menos refinado. Me contento con el fruto humano y con el fruto de la tierra. Mujeres... vino. ¿Qué te parece? Mujeres, vino. Nada de sofismas. Nada de aspiraciones abstractas. Hundirme más en la tierra. Cada vez más. Hasta que tenga un metro por encima de mí. ¿Ves? Yo no vuelvo nunca. Cada vez más adelante, hasta hundirme en la tierra, que es el destino con que estoy en ella. No dar molestias al destino; es mejor así... Cuéntame. ¿Cuál es la mujer más bella, la más interesante que has conocido desde que no te veo? ¿Cómo era?

—Era una mujer joven, solitaria y angustiada, de Neuilly.

—Cuéntame. ¿Cómo era? Cuenta.

—Lindísima. Temblaba ante todas las cosas de la vida y no le tenía miedo a ninguna.

—Vibrante —dijo él—. ¿Vibrante, eh?

—Sí —dije—. Vibrante.

El auto se detuvo. La casa de Ferrier era pequeña y tenía delante un jardín que compartía con el edificio vecino. Una fachada limpia y dos ventanas claras que exhibían cortinas de muselina. Las ventanas eran de guillotina y estaban abiertas y dejaban escapar, sueltos al viento, los extremos de la muselina blanca. Era muy agradable ver el contraste de las muselinas blancas, de las paredes blancas, con el verde recortado y fresco del césped. A pocos pasos, en una plazuela, se elevaba el chorro de una fuente. Junto a la puerta de la calle había una pequeña placa de bronce apenas visible que decía: *Dr. Ferrier, clínica médica.*

Yo estaba tendido en la cama fumando cuando entró Ferrier, después del almuerzo. Se había puesto un bata de fumar color castaño y yo estaba en mangas de camisa. Ferrier fumaba una pipa con tabaco Virginia y la pieza se llenó pronto de este olor. Era un tabaco fuerte y acre. Mi cuarto era claro y daba al ala izquierda del jardín y se veía el césped y la fuente. Sus únicos muebles eran una cama sin respaldo; una mesa oscura para escribir, con la superficie brillante y lisa, y una biblioteca baja, gris, que recorría el flanco entero del muro y formaba en su centro un armario. Por encima de la biblioteca colgaba un antiguo grabado. En el cuarto había también un sofá. Mi máquina de escribir estaba sobre la mesa. Junto a ella había puesto yo algunos libros. Libros blancos, franceses; libros encuadernados, ingleses. Formaban dos pilas. Al entrar en el cuarto, Ferrier se acercó a esos libros y los estuvo mirando. Yo me fijé en la cabeza del joven intelectual ruso Maiakovsky, clavada a uno de los listones verticales de la biblioteca. Ferrier advirtió la dirección de mi vista y dijo:

—Una de las víctimas.

Luego, más lenta y reflexivamente:

—O simplemente uno de los héroes —agregó—. Uno de los héroes cuyo sacrificio era necesario a fin de demostrar que Rusia no es hoy clima para la poesía. La gran poesía viene de la rebelión de un alma atada. Es menester una nueva revolución en ese país. Tal vez se están formando ya a los bordes del Volga sus profetas.

—La poesía de Maiakovsky era bastante subalterna —dije.

—Su poesía escrita —alegó él—. Su poesía escrita era mala.

—¿Tenía otra?

—Por supuesto: su vida, su muerte. Su suicidio en aquel hotel.

—Existe bastante de pornografía sentimental en todo eso. Me desagrada —le dije.

Ferrier estalló en una risa franca, como si yo no le hablara seriamente, y me arrojó el libro que estaba hojeando y me dio con él en un hombro. Fue hasta la biblioteca y me señaló un botón que se confundía con las perillas del pequeño armario.

—Cuando estés muy aburrido —me dijo— abre esto.

—Era una radio.

Dio vuelta al dial y se oyó primero algo semejante al rumor de un disco rayado y luego, creciente, arrolladora, una armonía; después, estridente, una música de orquesta. Ferrier graduó el sonido de la radio. La habitación se llenó de un cántico monótono, agrio y extraño. Era la voz de una mujer y la acompañaba el acento susurrante, masculino, quejumbroso, de una boca cerrada. Con gesto rápido, Ferrier cerró la llave del aparato.

—No te alarmes, querido —dijo—. Este es un recurso extremo. Exactamente como tragar la última dosis antes de explotar de aburrimiento.

Luego vino y se repantigó en el sofá. Tenía los pies largos y delgados, las canillas delgadas, las piernas delgadas. Había algo en su fisonomía de extremadamente fatigado, de exhausto. Era un hombre gastado. Era un solitario tremendo, como lo son, por una fatalidad permanente, todos los hombres capaces de amistad en un grado muy fuerte. Vi cómo estaba de disminuido y de envejecido.

—Bueno. ¿Qué quieres hacer, qué quieres ver, cómo quieres vivir, aquí en Bruselas? —me preguntó.

—Haremos lo que tú quieras —le dije—. Yo trataré de trabajar un poco por las mañanas.

Se quedó un momento pensativo, apoltronado en el sofá, jugando con una cadena de oro blanco.

—Será un poco triste hacer lo que yo quiera. Ya te he dicho que no quiero más que dos cosas —dijo—. Te mostraré mujeres.

—Está bien —dije—. Muéstrame mujeres.

—Mujeres espantosas. Mujeres que han pasado y que están todavía en el mundo. Como quienes han perdido el tren para irse y se detienen morosamente a esperar el otro.

—Bueno. Es una situación humana. Puede tener interés.

—No, no es una situación humana. Es algo peor. Es una situación de ex humanidad.

—No dejará de tener algún valor, algún interés, ver a gente que se sobrevive.

—O que se sobremuere —dijo.

—O que se sobremuere.

Llamó, y apareció un muchacho de mejillas verdosas, metido en un saco blanco. "Cognac" —le dijo Ferrier. El muchacho me miró con ojos naturalmente desolados, como pidiéndome no sé qué tácita ayuda, y desapareció. Hubo un ruido de botellas en el cuarto vecino. Luego el muchacho reapareció, trayendo una bandeja. Los vasos eran grandes, como para servir refrescos.

—Una gota —dije—. Nada más que una gota, por favor.

—No —dijo Ferrier al muchacho—. Una gota no se sirve nunca. Sírvale al señor lo que debe tomar un huésped cuando se trata de festejar su llegada.

—Basta —dije. El muchacho siguió echando, cohibido ante las dos órdenes.

—Lo peor que podía ocurrir es que te comprometieras a hacer lo que yo quiero y luego anduvieras con regateos.

Durante la pausa de silencio que siguió, cuando estábamos con los vasos en alto, oí un ruido claro de pasos que llegaba de la casa de al lado. Seguramente un hombre iba y venía por la habitación contigua. Me pareció sorprendente la delgadez del muro. Pensé que se oirían hasta las conversaciones. Interrogué a Ferrier sobre su vecino y me dijo que era un antiguo oficial del ejército belga, acogido al retiro. Agregó que parecía un hombre culto y que llevaba una vida oscura.

Seguimos conversando. Al rato llamaron a Ferrier desde el consultorio. Yo me quedé arreglando mis cosas y me afeité y me di un baño, y me puse un traje claro y una camisa azul. Di vuelta a la llave de la radio, por curiosidad, y oí unas palabras en alemán, proferidas con tono de predicador, y la volví a hacer girar, cerrando la transmisión. Estuve un rato agachado, revisando los títulos de los libros que había en la biblioteca. Siempre me había proporcionado deleite hacer amistad con los libros al llegar a alguna parte donde los hubiera, observar la atmósfera de letra y espíritu que rodea a las gentes. Allí encontré los tres tomos de la *Anatomía de la melancolía*, de Burton, y un tomo sobre Gracián, y el libro de George Gronau sobre el Ticiano. Ninguna novela: dos o tres antologías poéticas, y el *Ulysses*. El *Ulysses*, con sus ochocientas páginas y el profuso viaje de Stephen Dedalus y sus monólogos exteriores e interiores. Las últimas páginas no estaban cortadas. Tal vez, si se hubiera tratado del viaje del artista adolescente, Ferrier habría cortado las páginas. Pero el *Ulysses* no, el *Ulysses* es demasiado caótico para que un hombre sin caos pueda aventurarse en él. Una vez, a su autor, James Joyce, le había dicho un crítico: "Hay tanto caos en usted que tengo confianza en que podrá usted crear un mundo." ¡Qué palabras tan claras y fundamentales! Era extraño el proceso de James Joyce. Yo siempre había pensado con dilección en este proceso. Cada vez lo veía más claro. Primero, James Joyce niño, en un colegio religioso de Irlanda —en un colegio religioso, es decir, donde la norma es *religare*, unir—. Sale de ese *sancta sanctorum* y se va a Trieste y vive hundido en sí mismo, totalmente olvidado del *religare* y hasta con secreta furia contra los hombres entre quienes creció su infancia. Cada vez se hunde más, no en el mundo en extensión, sino en un mundo en profundidad, abisal, que al llegar a las más bajas profundidades se hace, como el mar, también extenso. Cada vez más, cada vez más, cada vez más, este maestro de Trieste se hunde en el saco de sí mismo. Es un saco tenebroso, resonante, profusamente habitado, en el que encuentra cada día nuevos rasgos dantescos, nuevos hallazgos pequeños y a la vez fabulosos, complejos, oscuros meandros. Y este hombre crea al fin una verdadera metafísica del subconsciente, y su desamparo moral es cada vez más grande, más atroz, a medida que se hunde en nuevas profundidades de su propio individuo. Una metafísica del subconsciente. Es el buzo que se persigue a sí mismo de un modo sordo e implacable, todo lucidez hacia sí y retracción del mundo. Y tanto se va Joyce del universo hacia lo profundo de su océano subconsciente, que aun físicamente se mutila de la vida exterior, y pierde la vista, y permanece ciego al mundo circundante y vivo, soterrado, en su encarnizado y lúcido descubrimiento de los espacios abismales. Deviene el hombre monstruosamente ensimismado, desagregado. El hombre que organiza un sistema interior de apariencia cósmica, novísimo mundo del ser, donde se hallan espacios cósmicos, naturaleza vegetal, emociones, regiones pétreas, analogías con raras prolongaciones montañosas, ríos del alma, formaciones larvales, especies diversas oscuramente multiplicadas en el ánima, valles, gargantas, géneros diferenciados, partículas masculinas, partículas femeninas, océanos, ciudades

del alma, constelaciones, regiones ardientes, regiones frías.
Lúcidamente hundido en este mundo subterráneo — James
Joyce, el ciego.

Ferrier me fue presentando la ciudad.

Le gustaba compartir la densa poesía de la capital. Como
en sus tiempos de solitario había platicado mucho con los
muros, las ilustres y gastadas losas, las figuras escultóricas
de los atrios, y hasta con ese aire que parecía tan viejo como
las mismas cosas, era un compañero ideal: la capital lo
acogía hasta en los secretos más profundos de su intimidad.

Hablábamos de política y de arte religioso. Aun en sus
tiempos más críticos, la historia tiene remansos de recapitu-
lación. El hombre se pregunta entonces por su culpa, o por
su suerte, por lo que le queda de pujanza o de miedo. A
continuación vuelve la furia; pero ese alto de meditación
ha sido hecho. Aquellos meses belgas, europeos, me parecían a mí un remanso. Podíamos hablar aún de ese cielo
social al que acudían, ya peligrosas, nubes lentas. Todo no
se había perdido aún, nos quedaba la reflexión, y sus palabras. Y éramos dos vehementes.

Yo aseguraba a Ferrier que lo que me preocupaba era
aferrar los grandes ritmos. En el movimiento de un altar,
como en el movimiento de una calle, como en el movimiento de un sistema de ideas o experiencias humanas,
recordaba una afirmación perfecta al sostenerle que no me
importaba más que el fervor *qui ne se prend pas pour fin*,
al decirle que para la religiosidad de un arte importa más
la actitud del ánimo creador que la naturaleza del objeto
representado.

Ferrier era un poco brusco y primario. No le preocupa-
ban mucho esos distingos. Participaba de las cosas en una
forma inmediata, buscaba abrazarse a ellas, confundirse con
ellas — lo cual implicaba desde luego cierto estado de confusión en disponibilidad.

—¡Abajo el refinamiento! —exclamaba acariciando en el
frente de un edificio una piedra rústica, después de haber
elogiado a la broma el busto de una flamenca, redonda y
maciza como para Rubens.

Una noche le dije que mi nombre traducido al francés era
"Trêve".

—Tregua, tregua —comentó—. ¿Qué quiere decir eso...?

No me llegaba otro eco de Buenos Aires más que las
semanales cartas por avión, algunos paquetes de diarios, tal o
cual noticia perdida en los periódicos belgas. Estas noticias

fortuitamente aparecidas en los diarios de Bruselas eran por lo general falsas y representaban a nuestro país como algo tan indefinido, irreal y confuso como el eco de algún drama pasional ocurrido en un punto ignorado del globo y del que se desconocieran con precisión hasta los personajes y las circunstancias. Pero en una de las cartas, su figura, la de usted, volvía a aparecer y a moverse. Era una carta de alguien que no ignoraba lo que esa crónica de un alma podía contener, contenía para mí.

Aquello había sucedido al empezar el invierno. La solían ver atravesar los parques del norte con sus dos hijos: usted iba sola, adelante, con el mayor; detrás iba la *nurse* con el otro. Este último era rubio, tenía los ojos inteligentes, fuertes, limpios, y parecía, por su delicadeza, y su mirar despejado, lúcido, su expresión altiva y algo dura, un lindo modelo de Gainsborough. Desde algunos meses atrás, Cárdenas estaba cometiendo graves errores. (¿Errores?) Su ambición política se había desatado y, en el halo turbio de vinculaciones ocasionales que en torno a él se cerraba, los observadores más sagaces descubrieron pronto a esos típicos agentes, a esos intermediarios, que como el águila lenta no dejan de planear circularmente en torno a los hombres de influencia que pronto van a quemar las naves del escrúpulo y a dejarse comprar. Este ser a quien el nombre de usted estaba atado, había nacido para ciertos tipos de embriaguez; cuando se abstenía de beber, necesitaba ahogarse en la idea de su propia capacidad de mover ligas, combinaciones, pactos. Usted veía cernirse sobre su casa algo más desagradable y más sórdido que cualquiera de las desgracias posibles. Y temía, temía por ese hombre que al lado de usted misma quería conquistar poder y monedas contantes y sonantes para poder hacerlas saltar en sus dos manos como testimonio de un triunfo y de una excelencia de método tan bueno como cualesquiera otros. Muchas noches, en la biblioteca de su casa, Cárdenas reunía a aquellos buitres: tenían nombres sajones, eran exclamativos, cínicos, ruidosos, y hacían sonar sus carcajadas como gritos desafiantes frente a la calma muerta de Mr. Addison y Mr. Carlyle, justamente durmientes en los plúteos. Muchos de aquellos señores llegaban a tomar cognac y café con sus mujeres, vestidas por Drecoll o por Chanel, y usted fue al principio glacial y cortés según el más estricto protocolo. Yo la veo entrando, alta, como quien afronta una pena, en esa biblioteca ocupada por los bárbaros. En el hueco de una de las estanterías de roble, su marido guardaba un busto del cardenal Richelieu. Los sutiles emisarios de extrañas empresas se paraban con las piernas abiertas metidas en los pantalones cuidadosamente planchados, echando humo ante los hinchados párpados en yeso del obispo de Luzón, fautor de la humillación de los señores. El zorro se mira a su modo en el espejo.

Una noche usted se había visto frente a uno de aquellos visitantes de su marido, frente a uno de aquellos *compradores*. Era el gerente de una poderosa empresa extranjera. Era un perfecto europeo, con su indumentaria rica y al mismo tiempo afectadamente austera —ropa oscura y botines negros—, con su rostro estupendamente afeitado, con sus uñas pulidas, con su expresión untuosa, pausada, precisa, con sus ademanes lentos, persuasivos, tranquilos, ponderados... Hablaba con la parsimonia y delicadeza de un rufián dulce, con modos de duque. Usted sintió la repugnancia que le inspiraba esta especie de reptil. Pensó que es mucho más inmoral el que compra que el que vende. Y sin embargo, a este caballero, a este gestor de negocios, lo único que se le transparentaba a través de esa cortesía que parecía un sarcasmo, era un viscoso, disimulado, decorado desprecio por la gente a quien compraba.

Digámoslo rudamente: en pocos meses, Cárdenas, amigo de diputados y diputado inminente por un partido ocasional, estuvo —vacilo por usted al decir la palabra— vendido a cuanta empresa de capitales foráneos le vino a las manos. A esto le llamaba él "una gestión de influencias". Usted veía crecer las proporciones de ese fraude. Tenía vergüenza y asco hasta de protestar, tan desnudo de reparos, tan frío le parecía ese sistema establecido. Un día le dijo a él: "Yo no quiero ver a esta gente. No quiero verla." Cárdenas la miró con esa mezcla de irresponsable puerilidad y astuto desenfado en que se había tornado su carácter. No dijo nada. Era un modo de subrayar lo arbitrario que había en usted y lo inamistoso, puritano y duro de su falta de cooperación en el éxito de su carrera. "Como quieras" —subrayó después, echando al aire la bocanada blanca del Henry Clay.

Usted se sintió más metida en su celda andante, más huraña, más herida, más áspera — en el fondo, más desesperada. A los pocos días tuvieron un encuentro agrio. Aquella atmósfera de indignidad vestida de boato la hacía temblar de indignación. Su casa, la ciudad, el país apestaba de esos mercaderes que llevaban los bolsillos cargados de propuestas equívocas envueltas en papel de seda y que comentaban con sorna la "maleabilidad diplomática" de algunos argentinos. Usted, que no podía más de asco hacia semejante especie y hacia semejante conclusión, tenía al cómplice bajo su techo. Y en el fondo, a este hombre le tenía lástima, le tenía tanta compasión que no podía siquiera despreciarlo.

Él, a su modo, puerilmente, irresponsablemente, creyó también poder comprarla, adormecerla en su lucidez. Extremó su urbanidad conyugal, sus cuidados, le aconsejó breves viajes al campo, al mar. Se jactaba, del modo más indirecto y discreto posible, de haber podido amasar su propia renta, paralela a lo que producía el patrimonio de usted. "Todo lo tuyo sigue siendo hasta el último centavo enteramente tuyo." Usted levantaba los ojos, lo miraba, le parecía mentira tocar el fondo de aquella conciencia, y que en el fondo de aquella conciencia pudiera tener, bajo la máscara pública de ponderación y solemnidad, semejante porción de incuria profunda.

Se sentía deprimida, humillada. Hablaba todas las noches con sus hijos, riendo, pero con aquella amargura, con aquel sangrante sentimiento, con aquel dolor. Tenía demasiado orgullo para hablar siquiera con su padre. Lo calló, lo guardó adentro. Ahí, que se quedara y que cortara, por dentro. Una mañana, en julio, recibió —era el aniversario del casamiento— una gigantesca canasta de orquídeas reales, espléndidas y todavía perladas de agua en su piel aristocrática, delicadamente salvaje. Ordenó que las devolvieran a la casa de donde procedían. En el comedor, a la hora del desayuno, Cárdenas la recibió con un aire de interrogación y cordial asombro. "No las quiero —dijo ella—. No las quiero." Y habría gritado.

Pero, entre todas las cosas del mundo, el grito era lo que estaba más lejos de usted. Salió aquella mañana a caminar. Se obligó a serenarse. ¡Ah, esos paseos por Buenos Aires en que aplacaba sus fluviales tormentos! Caminaba mirando enternecida la entraña de la gran ciudad, las casas viejas, los puentes, las residencias más antiguas, los jardines. A veces iba hasta Belgrano y, en automóvil, mucho más allá de Belgrano. Se bajaba en Martínez, en Florida, o bien bajaba a los pueblos del otro lado. Miraba lentamente las quintas. A veces se paraba y permanecía mucho rato inmóvil, cautivada, ante una planta. Y de nuevo en la ciudad, recorría con los ojos el fondo natural de tantas cosas argentinas. Pensaba que todo eso iba a ser, en una forma u otra, vendido; que todo eso estaba siendo vendido. No podía soportar esa idea. Pero la tenía que soportar sola, la podía confiar tan sólo a las mismas cosas de que se trataba. Eran como usted y tenían su lenguaje para usted. Como usted, callaban la sólida protesta. Y al caminar entre ellas, usted parecía dispuesta a ligarse, a ser una con ellas, a serles leal hasta que hubieran del todo desaparecido.

Tal vez, en esos momentos, habría deseado encontrar secretos aliados, descubrir los cantones de oculta solidaridad que sin duda existían en la ciudad puesto que en ella dichas cosas limpias y naturales existían. Llevaba un sollozo adentro. Y sin embargo, a fuerza de parecerles soberbia, las gentes no se atrevían apenas a hablarle. Era como un recelo — o, quizás, como un misterioso respeto.

Así fue haciendo usted en su jardín un cultivo de flores nativas. Tenía una casa de verano con extenso parque, donde podía mantener, casi para usted sola, un jardín retirado, con un estanque antiguo de musgosa mampostería entre ramas crespas y hojas pulposas y opulentas, tuberosas, plantas vivas, hojas invasoras. Allí llevaba, cultivaba, su diálogo íntimo con ellos, y desenredaba entre ese follaje soberbio, un tanto áspero y violento, su madeja pensativa. ¡Qué dolor, hacerse un mundo ilimitado en un mundo pequeño! Usted desechaba cualquier casual, cualquier posible apoyo, se resistía a mostrar su parte llagada, se recluía —garra de mujer en brazo exangüe— cada vez con más obstinación en esos caminos de aislamiento.

Los singulares gestores proliferaban riendo y hablando en la biblioteca con zócalos de roble de su casa de ciudad.

XXXI

Salimos a caminar por las calles en las primeras horas de la noche. Con excepción de lo que sucedía en el Boulevard du Midi, la ciudad estaba muy poco iluminada, cosa que contribuía a dar a los viejos edificios un tono todavía más tenebroso y opaco. Estábamos lejos de toda esa región sombría, vegetal y boscosa que hace el orgullo de los bruselenses y que se extiende hacia los alrededores del jardín Botánico. Las calles que atravesábamos eran modestas y oscuras. Tenían aquellos graciosos, curiosos nombres: "Fossé aux loups", "Rue au berre", "Rue de la putterie", "Montagne aux herbes potagères".

Por momentos, junto a las casas viejas y sencillas, elevaban sus agujas de filo sutilísimo algunas torres del siglo XII. Uno se explicaba el nombre de las bruselas de relojero al mirar aquellas puntas que abrían en el cielo una negra sangría. Ferrier me mostraba algunas cosas, y decía algunos nombres y unía a esa información el relato de un tradición sangrienta o sentimental. Pasaban a nuestro lado gentes solitarias, sin carácter, pobremente vestidas. Una mujer alta cruzó de pronto la calzada, abrió un portal de una sola hoja, nos miró con ojos brillantes, recelosos, y desapareció en el zaguán a oscuras. No solamente Brujas; todo Flandes, desde el Escalda a Brabante, tiene un aire de depresión y muerte en otoño. Todavía subsiste algo, no rescatado por la alegría de vivir y la mutación natural del tiempo, de la desolación del hombre en la tierra y del medieval pavor perpetuo al infierno. Arriba, Dios, inasible; aquí abajo, la tortura, perdurando. El hombre perdido entre casas en su soledad infinita; sus ojos, alucinados, fijos en el espacio interminable; y esa desolación — saliendo del ser, corriendo por las calles, habitando las casas, saturando con su oscura esencia el mundo. Esto se siente en las ciudades de Flandes, en Bruselas; se siente en Gante, en Ypres. Cada calle de Bruselas parece estar muerta en otoño, habitada por la presencia de esa muerte flotante e inmóvil.

Más allá de la plaza de la Bolsa brillaban las luces de un pequeño restaurante. Leí sobre un letrero verde la palabra "Rumpelmonde". Oíamos desde fuera la música, y entramos. El *maître* era un hombre alto, vestido con el capote verde nilo de los cosacos, una fila de cartuchos en el pecho y los pies metidos en unas botas cortas. Cruzó el salón y vino a saludar a Ferrier e inclinó la cabeza y apartó las sillas para que los dos nos sentáramos. "¿No ha venido Blanche Alost?", le preguntó Ferrier. El *maître* movió negativamente la cabeza, y luego sonrió mostrando sus dientes amarillentos, perdidos por el tabaco. "Vendrá seguramente —dijo—; pero más tarde." Era un salón enorme y estaba, con excepción de los músicos y dos parejas que ocupaban mesas distantes, solitario. Flotaba en el aire un olor a aguardiente quemado. Las decoraciones del comedor eran peregrinas. A la izquierda, en uno de los muros, advertíase la más curiosa de las transcripciones plásticas. Se trataba —pintada al óleo, pero con colores acuosos y apenas nítidos— de sucesivas imágenes desarrolladas en una sinfónica progresión y que representaban a lo largo de diferentes tablas unidas, al hombre a través de diversas fases de su existencia: veíasele primero reconcentrado ante un libro abierto, en un cuarto pobre; luego sentado ante un escritorio en un cuarto rico; luego sentado a la cabecera de la cama de una joven enferma; luego paseando su viudez por un parque; luego pensando ante una charca; luego ensimismado ante otros dos hombres que hablaban. En todas esas escenas el personaje aparecía obseso y taciturno; sólo en la última, su fisonomía radiaba de gozo, sus pupilas brillaban con un placer tal que todo el óleo del pintor no había bastado para dar a ese resplandor toda su verdadera potencia — y en esta última escena, el personaje aparecía rodeado de bellas mujeres, comiendo ante el mantel blanco de una mesa de hotel. El infantil simbolismo de ese fresco, cuyo fin más propio hubiera sido el de realzar los méritos de un tónico medicinal, era objeto sin duda de la vanagloria del dueño del "Rumpelmonde".

—Es necesario que conozcas a Blanche Alost —dijo Ferrier.

—¿Quién es? —le pregunté.

—No se puede hablar de ella, no se puede aludir a ella así como así. Es necesario que la `conozcas —dijo—. Es necesario verla.

Pero Blanche Alost no estaba, y el *maître* vino otra vez y se inclinó con un ademán de cortesía e hizo alzar con el mozo una botella acostada en una cuna de paja. La botella estaba cubierta de telas de araña y en la etiqueta rota se podía leer apenas la palabra *Bourgogne*. Ferrier asintió y el *maître* miró al mozo y el mozo se retiró con la botella. La orquesta atacó un preludio de Tchaicowsky. Los músicos eran jóvenes y tocaban con un aire circunspecto y estaban en la actitud del hombre que produce con sus manos sólidas algo dulce y evanescente y melodioso.

Lentamente fueron llegando clientes al "Rumpelmonde". Tenían la apariencia de pertenecer a la alta burguesía. Aparecía reflejada en sus rostros esa satisfacción vanidosa que produce en los seres de vida mediocre y rutinaria el entrar en un restaurante inmenso y ser halagados por un *maître* y recibir en la cara el reflejo de las arañas lujosas y sentirse por unos instantes epicúreos y poderosos. El señor grueso y parsimonioso que entró con su mujer y su hija parecía ser presidente de alguna corporación. La hija miraba con languidez y la madre con voracidad; el señor grueso miraba con pesada satisfacción de sí mismo.

En un intervalo entre dos platos, Ferrier me contó la historia de una familia burguesa, muy conocida en la capital, que había sido ingeniosamente explotada en aquellos días por un escultor tronado. Al fin el escultor, después de hacer el amor a la hija, había seguido a los padres un juicio a raíz de no haber cobrado el importe de una estatua que había ido a adornar el jardín de los burgueses. Éstos tuvieron que pagar una suma ingente de francos y el escultor quedó transformado en una suerte de héroe picaresco y travieso que invitaba a beber hasta a los camareros de café, vengando a una muchedumbre de anteriores expoliados por el expoliado. Después del fiambre vino una suprema de pollo, realmente deliciosa; luego el *maître* preparó junto a nuestra mesa una tortilla al ron, levantando del calentador cristalinas llamas azules. El baile había comenzado en la pequeña pista cuadrangular que se extendía junto a la plataforma de la orquesta. Cuando sonaron las primeras notas del St. Louis Blues, aumentó el número de parejas en la pista. La hija lánguida del señor que parecía presidente de una corporación salió a bailar en brazos de un mocetón rústico, congestionado y de movimientos torpes.

Tres mujeres jóvenes giraron en aquel momento con la puerta rotativa de cristales e irrumpieron en el salón y se detuvieron de golpe al llegar a las primeras mesas. Las tres permanecieron un instante de pie, observando el salón. Eran casi de la misma estatura, bellas, muy bellas, con las cabezas al aire, destocadas, y los abrigos cruzados sobre los vestidos de gasa, un poco a la bandolera. Se desprendía de ellas ese aire lujoso que algunas mujeres agitan allí donde caminan.

Ferrier levantó el brazo y lo mantuvo así hasta que ellas lo vieron. En seguida avanzaron rápidamente por entre las mesas, y Ferrier nos presentó, y nos dimos la mano, y yo sonreí y ellas sonrieron y todos nos volvimos a sentar, mientras ellas llenaban el aire con sus perfumes fuertes. Ninguna de las tres era, vista de cerca, realmente bella; pero tenían las tres la sabiduría del afeite rumboso y, conociéndose tan bien, llamaban diestramente la atención sólo sobre los rasgos más favorables de su rostro, diluyendo los otros en una subordinación oportuna. De este modo, la solicitación de sus figuras era rápida — los ojos, la sorpresa, se veían llamados bruscamente, tenían que presentarse a admirar; no quedaba otro remedio.

Blanche Alost estaba entre ellas. Era una joven pálida, de mediana estatura, con los cabellos muy negros y tirantes, y el cuerpo ceñido por un vestido color lila. Puso su cartera sobre la mesa y estiró los brazos en un gesto de elegante desperezamiento.

—Tengo hambre —suplicó—. Me muero de hambre. Ferrier, por favor, me muero de hambre. Pida usted algo para mí.

Su modo de hablar era rápido, amanerado e insoportablemente caprichoso. Se echó atrás en el asiento de felpa que corría pegado a la pared. Me miró largamente. Yo adivinaba el sucederse de las preguntas en su cerebro y las contestaciones que su observación debía de darle. Ferrier conversaba en tren de burla con una de las otras dos muchachas. Ambas tenían el cabello de un tinte rojizo y eran más jóvenes que Blanche Alost. Una de ellas no ocultaba enteramente con el polvo de tonalidad ocre una pequeña cicatriz que le corría junto al borde superior del labio. Blanche Alost me preguntó cuándo había llegado. Le dije que esa mañana. Hizo una pausa y siguió mirándome, callada, atenta, secreta.

Un animador saltó al medio del tablado. Vestía de frac. Extendió los brazos y esperó en afectada actitud coreográfica a que se le juntara su "partenaire", antes de iniciar la danza. Blanche Alost sonrió a la "partenaire" y le hizo un signo de saludo con la mano. Estuve unos segundos mirando los labios descarnados de Blanche Alost. Una finísima capa de rojo los recorría. Eran atrayentes. En los momentos de risa se ensanchaban de golpe. Su rostro tenía un pálido color marfil en torno a las mejillas ligeramente pintadas.

Los cobres sonaban vibrando y los tres violines producían una combinación vertiginosa y estridente. El animador tenía a la "partenaire" en alto, cogida de una pierna y de la cintura. Con ella en alto, dio varias vueltas veloces en torno a sí mismo. Estallaron algunos aplausos ralos. Las tres muchachas comenzaron a comer en nuestra mesa y Ferrier sirvió a Blanche Alost una copa de vino blanco. Sonrió ella con expresión astuta y avanzó la pequeña bahía moldeada de sus senos, sobre los que lucía una gardenia.

—¡Qué cosa más complicada! —dijo aludiendo al plato que humeaba y acababan de traerle—. A pesar de estar muerta de hambre prefiero a todas estas exquisiteces unos pobres huevos al plato.

—Pues yo —dijo otra de las muchachas, se llamaba Alice Bomekens— me pondría rápidamente neurasténica si tuviera que limitarme a la insoportable monotonía de las comidas caseras. Necesito encontrarme todos los días con algo en que la inventiva del cocinero se haya ingeniado encarnizadamente. Lo contrario de la sencillez, es mi norma.

—Naturalmente, para estas cosas; sospecho que sólo para estas cosas —insinuó Ferrier con expresión inquisidora.

—Y para otras también, por supuesto —dijo la muchacha—, puesto que, si no, la existencia se haría tan aburrida...

Mientras las botellas de vino blanco, luego de vino rojo, iban desangrándose sobre nuestra mesa, saqué a bailar dos veces a Blanche Alost. Eran danzas muy lentas, sincopadamente morosas, y yo sentía su cuerpo a la vez tenso y abandonado contra el mío. Ella bajaba la cabeza hasta casi apoyarla sobre mi hombro y se dejaba llevar, paseando sus ojos muy abiertos y a la vez distraídos, absortos, sobre los ocupantes de las mesas del comedor, que se nutrían abundantemente entre risas y *mots d'esprit*. Esta expresión absorta se alternaba constantemente en Blanche Alost con rasgos de viva animación repentina, lo cual era' como ver a una figura alzándose en saltos ágiles y cayendo en seguida en pozos de los que le costara salir. Su conversación se limitaba a comentar las cosas presentes, pero a veces se prolongaba en frases que traían recuerdos, secas anécdotas. En el fondo se adivinaba la llama, la pasión.

A las once de la noche todos habíamos bebido demasiado. El propio *maître* comenzó a considerar superfluo apoyar con halagos y reverencias los pedidos de nuestra mesa. Las tres muchachas dieron fin a cuatro cajas de *Muratti's*, sin contar con las botellas de aguardiente escocés. Ferrier se empeñaba en demostrar a una de las muchachas cómo las teorías soviéticas sobre el amor no han cambiado un ápice los prejuicios viriles hacia el otro sexo y cómo la libertad de la mujer no ha hecho sino aumentar los celos y otras reacciones de naturaleza prehistórica; la muchacha protestaba con energía, agitando negativamente la cabeza. Blanche Alost se sintió de pronto impelida hacia mí en un movimiento de inesperada franqueza, contándome con expresiva vivacidad las circunstancias que rodearon su casamiento con un noble vienés, casamiento que marcó después con una nube negra la vida de Blanche.

—Mi marido era nieto de un aristócrata de Lieja —dijo—. Sólo su padre y él constituyen la rama austríaca de la familia. Lo encontré por casualidad, una noche, a la salida del teatro lírico en el Sacher Café, y me casé con él dos meses más tarde porque tenía una voz rotunda y cierto imperio en toda su persona. Era un hombre rudo. Daba la sensación de que yendo con él podía una apoderarse del mundo. Esto me gustaba, convenía a mi carácter. Fuimos a vivir a una casa del barrio más sombrío de la ciudad, emplazada cerca de unos terrenos desmontados donde no había más edificios que una iglesia de confesión protestante y el edificio moderno en cuyo segundo piso vivíamos. En nuestra azotea había un anuncio de jabones con la figura de una mujer pintada sobre un fondo de olas. ¡Cuántas horas y horas he estado no viendo otra cosa que esa imagen! Los cuatro primeros meses de vida en común pasaron agradablemente; no teníamos muchos puntos de contacto ni gustos parecidos, pero nos parecía que esta división estaba subordinada a la unión más profunda con que marchábamos hacia el tiempo. Sin embargo, son los pequeños gustos los que separan, mucho más que las grandes cosas. A mi marido comenzó a gustarle quedarse por las noches en el Kursaal con dos o tres bailarinas rumanas que llegaron con un contrato; esto, a mí, comenzó a asquearme.

—Explicablemente —subrayó Ferrier con los ojos brillando entre la ironía y una fingida seriedad.

—Pero yo era entonces un ser inerte —continuó Blanche Alost—. Mi vida estaba llena de inercia, como este vaso... Viví petrificada en una atmósfera de repugnancia y esterilidad durante tres años. Era como haber vivido una vida. Salí de ese baño comida por los ácidos. Y no lo rompí siquiera por mi propia cuenta: mi marido fue internado, en plena crisis, en un sanatorio para intoxicados. Yo no tenía ya fuerzas sino para huir. Estuve dos años en Zurich devolviendo sistemáticamente las cartas que me llegaban de la familia de mi marido. Pero, en cierto sentido, mi vida verdadera estaba ya vivida. Mi vida verdadera había sido ese fracaso. Nada se podía recomenzar; lo único que m. quedaba por hacer era vivir diferentemente. Es increíble cómo de pronto un acontecimiento nos mata: lo que vivamos después ya no es lo mismo, arrastramos algo muerto con nosotros, servimos a esa cosa muerta. La única ventaja de haber pasado por uno de esos acontecimientos mortales que sobrevienen en algunas vidas, es la ventaja que asignaba Nietzsche a la muerte. El único privilegio de ciertos ciclos terribles del vivir, es el no tener que volver a pasar por ellos. De aquella inercia ha surgido en mí una desesperación por vivir al día, por quemar cada hora hasta su última porción visible. Pero todo con la evidencia de que una parte en mí ya no se compromete en nada y todo lo actual está vivido desde una región no profunda de mi naturaleza, hacia afuera.

Yo incliné la cabeza hacia adelante, mirándola desde ese ángulo. Me acordé repentinamente de Mercedes Miró.

—¿No hay ya para usted pasión posible?

—¿Pasión? ¡Qué horror! Apasionarse es durar. Y lo que yo quiero es precisamente no durar. Lo que yo quiero es combustión. Desvivirme. ¿Sabe usted lo que es desvivirse?

—He encontrado hace mucho en Buenos Aires a una mujer que se parecía mucho a usted, pero lo definía al revés.

—¿Inglesa?

—Argentina.

—No, entonces debía ser otra cosa, diferente de mí.

—¿Por qué?

—Porque ella era de otro país del planeta.

—Pero, ¿es posible creer que puedan existir determinantes geográficos en materia de temperamentos?

—Por supuesto —dijo ella—. Fuera de duda. En esta tierra, nada en nosotros manda, todo está mandado. Geografía, o tiempo, o accidente, lo que sea. Estamos mucho más que predestinados; estamos predeterminados.

Como Hamlet, yo habría querido decir reflexivamente: *words, words, words*; pero me limité a reponer el contenido de whisky en el vaso de Blanche. *Ne s'interrompant que pour prier*, ella bebía con algo que pudo llamarse pasión si no hubiera sido porque no se daba cuenta siquiera de lo que estaba bebiendo. Si en el vaso de whisky le hubieran vertido jerez, no habría dicho una palabra. Sus ojos estaban iluminados. De tiempo en tiempo hacía un gesto de saludo a los conocidos que iban a sentarse en diferentes sitios del salón, después de bailar cada pieza. Un hombre joven se le acercó y la saludó efusivamente. Cuando el joven se retiró, Blanche volvió su mirada hacia mí. Yo sabía que mentía y que era apasionada.

—Ese hombre —dijo— tiene un modo magnífico de llevar la cabeza. Hace muchos meses que me ha puesto sitio. Dice que lo traigo loco. El día que yo ceda, su modo magnífico de llevar la cabeza habrá desaparecido. Lo mejor que tienen los hombres, física y moralmente, es lo que les proporciona la experiencia de cierta dignidad solitaria. Puede decirse de una manera general que cuando se los multiplica por otra unidad pierden bastante. ¿No le parece a usted?

Yo sentí un indecible cansancio. Tenía ganas de acostarme. Estaba cansado y había dormido mal la noche anterior. Ferrier miraba a Blanche Alost con ojos inmóviles, cargados y un poco tristes. Ella no cesaba de hablar, de agitarse, de hacer este o aquel gesto con sus largos brazos desnudos. Las voces de las tres mujeres se oían incesantemente.

Al fin, cuando ya era muy tarde, Ferrier pidió la adición y pagó y salimos del "Rumpelmonde". Se trataba de dejar a cada una de las muchachas en su casa. Detuvimos un taxi y Ferrier preguntó a Blanche con marcada acritud:

—¿Vives todavía donde vivías ayer?

—Exactamente —contestó ella—. Vamos primero a llevar a estas jóvenes a Lamont, 3.

Calles, plazas, más calles. Íbamos con tres mujeres elegantes y ebrias. El aliento impregnado de alcohol se mezclaba en las exhalaciones al olor de las esencias, que eran exactamente las de moda, que se oían en los vestíbulos de los grandes hoteles. Lanvin, Coty. Íbamos callados. Estábamos en ese punto hasta donde han llegado las palabras y que no pueden ya pasar, en ese natural punto muerto de la conversación del que ya no se puede salir con gestos o artilugios verbales.

Una de las muchachas tarareaba monótonamente el *fox* de moda. Blanche Alost estaba metida en el fondo del coche, con la cabeza echada hacia atrás y los ojos cerrados. Ferrier y yo estábamos uno a cada lado de ella; las dos muchachas adelante, en los traspuntines. Ferrier seguía mirando a Blanche con encarnizamiento. Ella se sobresaltó.

—¡Pero qué es esto! —gritó—. Todos ustedes son gente acabada...

—Acabada y disponible —dijo una de las muchachas.

—¡Qué vergüenza! ¿Cómo se puede perder un instante, un segundo de vida? Seamos cualquier cosa, charlatanes, estúpidos, locos, cualquier cosa, menos un paquete de seres mortalmente aburridos.

Tenía, en efecto, mucha vida. Tenía una vitalidad atractiva y fuerte.

XXXII

Los domingos salíamos a los alrededores de la ciudad en alegre grupo. Los otros días, noche tras noche, andábamos de restaurante en restaurante, con pausas en algún café. Las dos muchachas parecían pupilas de Blanche Alost; la respetaban mucho; no hablaban sino mirándola en los ojos a fin de sorprender un gesto, un movimiento de aquiescencia o de desautorización. Durante el día, con excepción de la hora en que salíamos a almorzar, Ferrier y yo nos quedábamos en la casa de la *rue Léopold I*. Era una calle de poco tránsito en la que se podía vivir con bastante tranquilidad.

Yo permanecí horas tendido en la cama, leyendo. Mi cuarto me parecía muy agradable, con todos aquellos volúmenes flamantes a los que en su mayoría conocía yo de fama pero que no había leído nunca. La literatura de este siglo es para mí un pozo tristemente vacío. Con excepción de Proust, de Joyce —pese a sus terribles defectos— y de Kafka, todo me parecía literatura menor; es decir, literatura que nace de una razón razonante y que no trasciende más allá de la peculiaridad críptica de esa razón razonante. Estaba convencido de que la complejidad de nuestro mundo exige una literatura compleja: el viejo sistema de la notación narrativa y unilateral de episodios es un medio necesariamente abolido; los principios preceptivos y retóricos de Aristóteles han cesado hoy de regir, sufren una pausa: el actual tormentoso otoño humano reclama ser representado por un hombre en el que viva, parejamente a esa atmósfera, una multitud de fuerzas divergentes y contradictorias cuya coexistencia esté trasladada a la obra sin haber sido desnaturalizada en una fórmula artificial y sintética; el arte de hoy no puede ser un arte simple, normativo, equilibrado, sino un arte que se parezca a una tormenta. Es decir, hecho más de germen y de explosión, de vehemencia militante, que de artesanía o equilibrio. ¿No hemos llegado acaso al fin de una retórica y al comienzo de otra nueva? Se acabaron la *tabatière à musique*, la bella maquinita de encantar a pequeñas dosis, la golondrina de Shelley, la delicia lírica. En algunos tiempos históricos el arte de los pueblos

ha sido apologético con respecto a la grandeza nacional de
que procedía; en otros tiempos, ha sido profético, o sea un
canto anticipado de cierta armonía nacional revelada, in-
cluida. Hoy la frase de Hamlet vuelve a ser real: el mundo
está desquiciado, se ha salido de los goznes: todo gran arte
tendrá entonces la misión actual de descubrir los elementos
para la acomodación de ese quicio. A esto se le puede llamar: una cruzada, una marcha, una larga y tortuosa marcha
a la intemperie, sin delicia, cruda. Hoy el arte es militación
o nada.

A mediodía se presentaba Ferrier con su delantal blanco
de médico, el aparato para preparar *cocktails* en una mano y
los vasos en la otra. Lo depositaba todo en la mesa y abría
el aparato de níquel y servía cuidadosamente el licor en los
vasos. Yo lo veía, divertido, hacer diariamente esa operación. Después Ferrier se me acercaba, alargándome uno de
los vasos.

—Primer intermedio báquico —decía.

Cada día ostentaba un nuevo delantal impoluto, de hilo
fresco y recién planchado, como si el contacto con la enfermedad y la sangre no fuera a dejar nunca su marca en la
superficie de esa prenda. Su tez morena estaba cada día
más oscura.

—Tú no me agradeces estas atenciones —decía después.

—Ya lo creo —contestaba yo, riendo—. Te las agra-
dezco; mucho.

—No, no me las agradeces. Tiene razón Blanche Alost.
Eres una mala bestia indiferente.

Iba y llenaba suavemente su vaso. Cuando yo le preguntaba algo concerniente a sus enfermos, rehuía el tema.

—Estoy no sé cuántas horas metido en eso, en esa niebla
de fiebres y dolores y quejas. Tengo derecho a respirar un
poco fuera de ella. No me pidas que te cuente cómo he
hecho un sondaje en el lagrimal o qué pomadas he recetado
para una eccema del torso. Sería demasiado estúpido. —En
seguida, casi sin pausa, con un tono francamente contrito—:
Siento que te aburras. Esta ciudad negruzca, parda, en este
tiempo...

—No seas idiota, no me aburro. Al contrario, me divierte
mucho verte, a ti y a tus amigas. Hacen lo que les viene
la gana y no lo ocultan. Son gente honrada.

—Sí —decía él—, ¡pero qué círculo vicioso! La vida nos
tiene cercados, confinados. En cuanto soñáramos con esca-
parnos nos encontraríamos con la pared, los muros, o el
oso; con el gran vacío.

—¿Quiénes son los que no viven así?

—Los que se han encontrado —refutaba Ferrier—; lo que han dado a su vida una unidad, un sentido.

—Pero esos son los héroes en esta guerra blanca del mundo...

—Sí, verdad, y nosotros los soldados rasos.

—Claro.

—La carne, de cañón.

—Tal vez los que estamos esperando el momento del heroísmo.

—¡Bah! —decía Ferrier—. ¡El momento del heroísmo! ¿Qué quiere decir eso? ¡El momento del heroísmo! ¿Vamos a luchar por la causa de los chinos?

Después seguía bebiendo un largo rato, sin decir nada, sentado en el brazo del sofá cuyo respaldo tocaba los libros de la estantería. Cordialmente atraído por esa naturaleza en la que había un nublado fondo de amargura, yo trataba de percibir el origen de aquella dolencia moral. Pero Ferrier se cerraba, se replegaba, así como un cefalópodo oculta la cabeza. En realidad, era un producto de cierta Europa vencida que gira en la pista de su propio desconcierto; sin embargo, además de eso, ¿cuál era el conflicto íntimo de ese hombre que se negaba a volcarse, a expresarse —en un sentido profundo—, y se abroquelaba en una altiva displicencia?

Caminábamos algunas cuadras antes de ir a almorzar. Atravesábamos esas viejas callejuelas que quedan detrás del Hôtel de Ville y que tiene los nombres más raros del mundo.

Luego entrábamos al restaurante valón que durante tantos años había recibido las visitas puntuales de Ferrier. Una muchacha de voz gangosa cantaba aires monótonos en aquella atmósfera macerada por el fuerte olor de los guisos y el picor de las especias. El dueño era un hombre obeso, cojo, que se acercaba a hablar de la guerra de 1914 y que reeditaba sin cesar la historia del *crapouillot* que le destruyó el muslo. Ferrier le daba bromas que el hombre toleraba mal, enrojeciendo. Eso había durado años.

XXXIII

Me fui una noche andando por las calles que rodean el edificio de la Bolsa. Retornaba desde tan lejos, desde las calles bruselenses, a la meditación de *Juan Argentino*, a ver a este héroe envuelto en la maraña de la que tiene que librarse para sacar la cabeza sana y, al fin, respirar. Se me venía al espíritu el mapa real del país, y por la superficie de ese gran cuerpo que alza desde la Tierra del Fuego su joven vigor, veía correr allá lejos, distintamente, el río de aguas turbias, el río de la sima. El río penetraba sigilosamente por todos los meandros de la gran ciudad. El río traía embarcados a los compradores al gabinete de mucha gente. Esa mucha gente formaba el complejo principado de las influencias, del poder. De manera que el combate, el día que lo diera *Juan Argentino*, había de librarse allí, en ese río, contra esos negros contendientes, esos impuros, los compradores. El río llegaba con abominable frecuencia a la casa de algún opulento y senatorial señor. Llegaba a la casa de ese señor, de ese doctor Larguirós, cuya novela escribía justamente por entonces para la masa de mi libro, para el volumen de *Las cuarenta noches*; llegaba a la casa de ese señor cuyos pasos volví a describir, al volver, aquella noche, en la casa de Ferrier, sin oír más que ese apenas perceptible ruido de guerra que hace la pluma al combatir con el papel:

"Este señor —el honorable— sale de su estudio de Buenos Aires. Son las siete. En el ascensor, tres vecinos, tres oscuros abogados, se descubren. No osan hablarle (uno de ellos le ha agradecido ayer tamaño favor: una cátedra de historia en el más viejo de los establecimientos de educación). ¿Quién se atrevería a interrumpir su compostura ministerial? Todo el mundo es dócil y reverente, en este país, ante el 'honorable'. Es como Moisés, el profeta. ¿Quién se atrevería a importunar a Moisés en un ascensor, cuando se ha dignado entrar democráticamente en esa caja? Este señor —el honorable— se siente como Moisés, el profeta, al bajar en el macizo ascensor, los ocho pisos que lo separan, físicamente, del suelo. Gruñe, pero sonriente, al pasar primero ante una invitación unánime. Como está satisfecho y tiene en qué pensar, va a pie. Que él vaya ese día a pie, es un homenaje a la ciudad. Siente, siente en las luces, siente en las caras, siente hasta en las piedras, que la ciudad se lo agradece. Ese paso elástico, casi rígido, con que atraviesa entre la turba que llena a esa hora del anochecer la acera, frente a la plaza, de la Catedral, es un signo de la raza a que pertenece, que es la raza de los grandes, de los decisivos, de los activos eminentes — no la de los parias librados a la lentitud de una morosa y nacionalmente ineficaz preocupación. Como ha dicho un filósofo —¡sea por esta vez!— de Mirabeau, él es, por excelencia, el ocupado; nunca el preocupado. Lo que a él le importa es hacer. No hay otra grandeza más que la de la acción. La acción, o sea el realismo. Si no despreciara a los siervos, pobre estirpe, a los que llaman intelectuales, a esos peores proletarios y peores que la

235

baja burguesía cuyo destino comparten, se sentaría a escribir un tratado a titularse, secamente: *Del realismo*. No de la realidad: del realismo. Distingamos. Es menester distinguir. Realidad es una cosa: realismo es otra. La realidad es una hipótesis; el realismo es un sistema. El sistema más fuerte es el que proporciona mayor vigor de supervivencia, más enérgico caudal de poder, de primacía. Aquel que tenga la llave del realismo puede pasarse tranquilamente de la realidad, puede olvidarse de ella; pues el realismo es *más realidad* que la verdadera realidad. Realismo es lo que él es. Todo él es realismo; su carne es carne de realismo, su intelecto es la razón del realismo, y sus ropas —cortadas por el mejor sastre según se ve y según se padece— son las ropas del realista. Su norma, con que abre y cierra los diálogos que quiere resolver dogmáticamente y sin apelación, es ese 'Hay que ser realistas' ante el que las naturalezas primarias se quedan pesadas de perplejidad, torpes, con lo cual el realismo se anota de inmediato otro punto. Dobla por la Diagonal y entra en ese corto desfiladero brillante, lujoso de luces y colosales frentes. En la vida no hay más que dos alternativas: o se come o se es comido. ¡Pobres diablos, los que se descuidan! 'No es nada' — un pobre diablo acaba de toparlo y le pide excusas aunque es el pobre diablo quien ha tambaleado. ¡Hay que hacer así: decir no es nada y pasar! Toda su plenitud, su autoridad, su prestigio en las esferas más importantes de la nación, se lo debe a ese modo categórico de enfrentar las cosas. En las cajas de este Banco por donde pasa, tiene títulos suficientes como para hacer la felicidad de un ambicioso; en aquel otro, también, y los diez pisos de esa compañía de seguros se levantan ahí imponentes, sólidos, enormes, iluminados en sus mil ventanas, gracias a su poder de influencias y a su predicamento cerca del gobierno. Si va a ser presidente, ahora, de un club exclusivo, a qué lo debe, sino a la convicción de no dar a su marcha la más mínima vacilación, la más mínima pausa, el más mínimo retardo... Sonríe pensando que hay todo un consorcio lamentable que se podría llamar el consorcio de la duda. A éstos se los arrastra la corriente. La duda es la... —pues no queda tan mal esa frase— la duda es la parálisis de la conciencia. Una conciencia fuerte no duda. Una conciencia fuerte se arroja, cubre los resquicios negativos, avanza y decide las cosas según su imperio. Y si hay un ligero fracaso, ¿qué es eso al lado de tantos éxitos?

"Camina seis cuadras así, abriendo un rumbo entre las gentes lentas y apelmazadas como moscas todo a lo ancho de la calle sin vehículos, de la calle Florida. Esos saludos que recoge, tímidos, son la comprobación de lo que representa. De lo que representa nacionalmente. E internacionalmente. Puesto que en muchas asambleas de directorios, nobles y señores conocen su nombre como el de un buen cooperador a los negocios argentinos y a la grandeza y progreso de sus empresas e industrias.

¿Qué emoción más grande que la emoción del poder, que la emoción de la influencia honda y extensa que alcanza a todas las regiones, a todos los rincones, a todas las oficinas, a todos los empleados del país? Firmar una tarjeta y que esa tarjeta abra en el acto las puertas más pesadas — ¿se podrá concebir placer más de soberano en una democracia? Hace apenas dos semanas convino con Gehens los detalles de su actuación como intermediario e influyente criterio ante los políticos. Gehens es un hombre extraordinario. Habla como Dios manda y se descubre al pasar frente a las iglesias. Calza esos botines de charol modernizado por el severo paño en torno al empeine, y su ropa aparece siempre flamante, inobjetable. Se expresa con una perfección tal, que uno se inclina a olvidar lo que entrañan sus palabras y a aceptarlas suavemente. Hace diez años que está en la Argentina y conoce a todos· los hombres del país como las arrugas de su mano de abate laico o de monarca, pálidas, pulidas... Una personalidad, sin duda. Sobre todo, qué modo de tratar las cosas más delicadas hasta con la persona más oscura dándole la sensación de que es esencial para el compromiso — ese significar: 'Diga usted que sí y yo cierro los oídos y ojos y no quedo sino agradeciéndole su buena voluntad...' Y de su cajón sale la corriente mítica de cheques, ese río blanco, cuya corriente arrastra sin alterar su feroz ritmo a jefes, diputados, concejales... Qué habilidad y qué simpatía de trato. ¡Es un Mazarino y merecería a la vez gabinetes y antecámaras vaticanas! Da gusto tratar algo con él, sobre todo sabiéndola rectificar a tiempo a fin de que no se lleve todas las ventajas. ¿Cuál de los dos estuvo más hábil en la entrevista de hace dos semanas? ¡Pero eso es historia antigua! El doctor mira el pavimento al cruzar diagonalmente la estrecha calle. Hoy mismo ha influido mediante unos simples trazos en un papel timbrado, ha influido decisivamente para que se resuelva una operación por la que recibirá del extranjero —como adelanto en un magnífico *gentlemen's agreement*— esos ochenta mil pesos cuyo destino ya tiene previsto para multiplicarlos casi sin transición... Y eso le valdrá más influencia — y a Adela la construcción del pabellón en la propiedad de Rosario de la Frontera. Se lo ha prometido; como es viva —¡una luz!—, sacará otra tajada, vaya a saber... uno de esos nuevos modelos del Cadillac. No

hay duda de que es el coche con más apariencia señorial.
También el otro era bueno, el Buick —el gris claro que le
llevaron a su casa (Adela quería adelantarse a los acontecimientos y mostrarlo en el *party* de fin de semana)— aunque se trataba, sin duda, de un coche demasiado de *sport*,
demasiado ligero para la inversión que representaba... ¡Bueno! Ya se va a cruzar a la salida del Club con ese audaz,
ese explotador, ese doctor Laplace que por la operación de
la chica —¡una apendicitis!— le pasó hace tres meses una
cuenta de veinte mil pesos. El error fue no hablar antes
con un cirujano de la compañía. Hubiera cobrado tres
mil pesos y a los ocho mismos días la chica hubiera estado
sentada en un sillón leyendo su *Ladie's Journal* o alguna
de las novelitas de Maurois. A propósito, ahora puede buscarle en la biblioteca lo que le ha pedido que le lleve —
una semana y siempre se olvida y vuelve con las manos
limpias, '¡Hola!' Caramba. Menos mal que no se ha parado
a darle la lata este zopenco de correligionario, este zonzo
que quiere purificar —*purificar*— por dentro el partido
Conservador. Lo propio de un partido Conservador es no
cambiar de forma. Un partido Conservador que cambia
de forma deja de ser un partido Conservador. ¡Qué idio-
tez de transformadores!

"El señor está ya en el *hall* frente a la desembocadura
de la escalera y la Diana de Falguières que se alza en el
central rellano. ¡Esa bendita Diana de Falguières! Cualquiera de los bocetos de Rodin que tiene en su escritorio vale
más que ese mediocre alarde de escultura clásica. Ya está
llena —'¡Hola!'— de viejos aburridos la biblioteca. 'Adiós,
amigo' —y afable y a la vez algo ceremonioso—: '¿Qué
tal, qué tal?' Caras nuevas. ¿Quiénes son? Ah, vamos a
ver qué dice el alemán Zubiaur. ¿Qué discusión? ¿Qué?
¿Hablando de los antepasados de él? Caramba. Sí, claro.
¡Ah, no, no, no! Esa rama de Juan Crisóstomo Rivera no
tiene nada que hacer con los Rivera —entre ellos Delfín,
el de la famosa frase: *La Argentina vivirá por encima de
toda rapacidad en su concepción del Continente*—, sus abuelos por la línea materna. No, no, no. Esos son otros Rivera.
Esos son unos Rivera de Chile. Buena gente, pero no
brillantes. 'A ver, señor bibliotecario, quiero algo para
mi hija. No sé. Una de esas novelitas. Algo de Maurois,
si hay. ¡No, qué Disraeli! Eso ha de ser un macaneo.
Lo que se puede saber de Disraeli está en el Larousse.
Déme una novelita.' ¡No, querido Zubiaur, no me hable
de eso! ¿Usted no ha leído mi artículo sobre el *Papel de
los Directores Extranjeros en la grandeza nacional*? Ahí está
todo dicho. Es no querer entender el espíritu de la

cuestión, la clave del asunto. ¡Lo que pasa es que son una punta de ignorantes! Y qué falta de realismo, qué falta de realismo... (Esta es una cueva de viejos imbéciles. Yo, con mis sesenta años y mis ocho hoyos cada tres días, los veo venir a la legua.) Ustedes no comentan el asunto sin estar en el *quid*, esperen y verán — son los capitales extranjeros la única posibilidad por decir así, instrumental, de la cuestión. Hay que fomentar lo que hagan. Ya verán ustedes lo que el país sale ganando.'

"Con su cabello cuidadosamente aceitado, su impecable saco castaño, su flor en el ojal, erguido como un cuarentón junto a la larga mesa cubierta de revistas y periódicos, el señor Larguirós recordaba a todos los lectores armoniosamente vetustos del viejo salón del Club la época bastante breve en que fue ministro. Estaba tan juvenil, tan fresco, respirando tanta desconfianza, opulencia, autoridad y buen sentido como entonces. Y hacía ya cuatro años. Daba gusto ver iluminarse sus mejillas sonrosadas y brillantes al sonreír con su imperturbable contento, rígido, un poco vanidoso. Sin embargo, al retirarse con el libro en la mano, le dijeron algo molesto. (Con referencia a su sobrino, que acababa de graduarse en la Facultad de Derecho.) Se sintió desagradado por ese comentario y esbozó con los labios un esguince de impaciencia y fastidio. 'Ya pasará —dijo—. Es demasiado joven, una criatura inexperta.'

"Llamó en la esquina un taxi y se dirigió, a través de las avenidas asfaltadas donde se apretaba a esa hora un tránsito endemoniado, a su palacete francés de la calle Rodríguez Peña.

"Mientras esperaba a que sirvieran la comida, entró en su biblioteca, abrió dos cartas que tenía sobre el escritorio y se sintió feliz. Pasaba una época de plena conciencia de su bienestar. Adela había abandonado esos modos bruscos y esos llantos incoercibles que le producía meses antes su úlcera gástrica. Las chicas habían entrado en razón y no escapaban de la mesa como lo hacían antes, en raptos de anárquica insubordinación, para irse a recorrer los *dancings* de los hoteles hasta el alba. Y ahí estaba en la pared, a un metro por encima de su cabeza, campeando entre la seda damasquinada del muro, el pergamino atiborrado de firmas que testimoniaba el respeto universal en medio del cual se desarrollaba y seguiría desarrollándose su acción de hombre de consejo. ¿Qué más podía desear? Tenía entre las manos —el papel blanco pero áspero, contrastaba visiblemente con sus uñas pulidas y brillantes— la invitación a participar en el Congreso de Juristas de Lima; y le habían confiado que era, por 'su buen predicamento', el candidato a presidirlo. Satisfecho, secretamente orgulloso, depositó cuidadosamente el sobre en el interior del cajón del escritorio, ordenó parsimoniosamente otros papeles y bajó la tapa del tintero, que representaba en un solo bloque metálico a San Jorge dando muerte al dragón.

"En el suntuoso comedor Luis XVI se sentaron, a poco de entrar Adela. Ella y él presidían, en las dos cabeceras; todo el resto era una gloria de gente joven, fresca, elegante. Las chicas habían invitado aquella noche a Jimmy Arguedas y a Jorge Cavalcanti. Las chicas contaban alegremente un encuentro inesperado: chillaban y reían hasta el exceso. Adela se levantó para ir a besarlo cómicamente cuando él le anunció que ya podía encargarse el nuevo coche. Toda la gente joven aplaudió a matarse. A las diez, tarde como siempre, se presentó el sobrino: un muchacho bastante agradable, verdaderamente juvenil y muy discreto de modos. Tuvo que contentarse con empezar por el lomo mechado; la disciplina de la mesa vedaba que le trajeran lo anterior. Juntó a las de los demás sus felicitaciones, pero halló al dueño de casa primero frío y después reticente. Él estaba sentado a la izquierda del señor Larguirós, al lado de él, y se entregó, ante esa actitud, a comer sin pronunciar palabra, a la expectativa. 'Nunca me ha gustado insistir en cosas que me parecen obvias —le dijo el honorable señor de buenas a primeras, bajando la voz para que no le oyeran más que el joven sobrino, y con cierto aire de desagrado y de alarma—. Pero cuando se olvidan ciertas cosas, a alguien le incumbe recordarlas. Me han vuelto a comentar en el club tus declaraciones a una nueva encuesta — tu posición en rebeldía contra ciertos hábitos políticos y sociales que se confunden con la médula misma de nuestra tradición familiar. Estás poniéndote y, tal vez, poniéndolos a todos, dentro del comentario general, en una situación que yo no podría calificar sino de visiblemente absurda. ¿Qué es ese grotesco hablar de un orden nuevo? ¡Orden nuevo! Hoy se comentaba en el club ese alegato último tuyo, tan violento, en favor de una reglamentación revolucionaria en el orden impositivo. Esto, todo el mundo lo suma a tus arranques reivindicadores. No puedo ocultar que me parece una posición falsa y que esa posición es, por muchos motivos, nociva; mucho más de lo que puedes calcular. Nosotros pertenecemos a una clase de gente que ostenta la camisa limpia; nuestro sitio está al lado de los nuestros. Otra cosa, otra actitud es, creo, una ligereza — tal vez una torpeza. Los hombres jóvenes se dan cuenta de esto tarde.

"Su camisa de hilo cortada según un modelo impecable

de *Edouard and Butler* soportó la mirada del joven. La imaginación de éste abarcó rápidamente un panorama de libras esterlinas, una lluvia de contratos, *gentlemen's money*, un lodo de influencias, a todo lo cual se mezclaban aquella camisa impoluta y aquella carraspera solemne y aquel hablar senatorial y extremadamente honorable... Al joven se le atrágantó el bocado de tomate *farci*. Podía —sí, lo estaba viendo— existir un derecho incontestable a fruncir el entrecejo y a guardar una compostura moderadamente fastidiada. El rostro humano no es más que dócil sirviente ocultador de operaciones a veces infames y generalmente increíbles. El joven eludió el tema, porque verdaderamente era sincero y porque verdaderamente tenía vergüenza."

XXXIV

Dejaba yo, por aquellos días, que la vida fuera creciendo naturalmente en mí. No quería perturbar la maduración de lo que tuviera que madurar en el terreno de mi naturaleza. Dejaba que la vida me fuera enfrentando con lo que me deparaba: vanidades, suertes, males, mandatos, bienes. Mi expectación, mi deseo y mi hambre, eran, sin embargo, incalculables.

Pero hay una vida rápida y una vida lenta. La vida lenta la vivimos por dentro, a gran distancia de la vida rápida, exterior. La vida lenta va acumulando en nosotros extrañas ansias, densas aspiraciones, muchos cansancios, la voluntad de llegar —así como lo aspiraba Whitman, el poeta— a enfrentar la noche, las tormentas, el hambre, el ridículo, los accidentes, los rechazos, imperturbados, inmutablemente imperturbados, como los árboles y los animales. "Pasivo, receptivo, silencioso." Eso y en lo que se convierte en nosotros el sedimento de tanta agitación, la borra de tanta artificial actividad.

Hay que dejar paso a la vida —pensaba yo entonces—. Por ella iremos, sin queja, con animación, adonde estemos llamados, adonde tengamos que combatir.

Cada vez que estaba solo volvía a estos pensamientos. El estar con Ferrier, o con Blanche Alost, el ir con ellos a cualquier parte, a un café o a un bar o a un restaurante nocturno, no modificaba tampoco, a decir verdad, el sentido de tales reflexiones.

El combate del hombre es hoy, pensaba, como nunca: terrible; todo en el mundo propone artificio, no vida, muerte. La vida es falsa; el arte, falso; las relaciones entre las cosas, falsas; las máscaras de cooperación que el orbe ofrece, falsas. Todos esos son números en una gran confusión de sumas y restas. Pero uno está fundido con esa vida, con esa confusión. ¿Cómo desprenderse, cómo destrozar los ligamentos sin quedar convertido en una fracción estéril de humanidad? Puesto que, en un sentido humano, aislamiento es esterilidad.

Mientras sorbía mi café con leche por la mañana, en la cama, con los diarios abiertos, pensaba eso. En un aparato de radio de la vecindad se oía un *spiritual* negro; la música crecía, se hacía plástica, penetraba en todas partes con su fluida potencia de amor y entrega y enriquecimiento y deleite para el que la reciba: oreja humana o planta o atmósfera. Todo el poseído y enriquecido por esa música, allí donde llegue, allí llevará belleza y fecundidad, llevará vibración y exaltación.

Sentía que yo quisiera también eso. Que el fenómeno humano, en toda la faz del mundo, tuviera similitud con esa forma de amor. Cada hombre como un canto — valiendo por la intensidad de su vibración, por lo generoso de su sonoridad, de su comunicabilidad, de su fuerza levitadora y activa. ¿Pero se consigue todo eso aproximando a los hombres, confesándolos, no haciéndolos desconfiar sino de sí mismos?

Nadie está todavía maduro para esto, la fe no está madura.

Si mi misión es escribir —pensaba—, ¿por qué experimento ese desgano profundo, ese abatimiento, ante las hojas de papel que debo ir cubriendo laboriosamente de signos, de signos que me costarán sangre? Y si mi misión no es ésa, ¿cuál es mi misión?

Y sentía que, a aquella hora, muchos hombres se estarían preguntando lo mismo que yo.

Me sentaba ante la mesa, sorbía el café a pequeños tragos, aspirando el olor de la deliciosa bebida caliente; esperaba, con la pluma en la mano, a que bajaran a mí las ideas, a que se presentara en mí la fuerza, la convicción, la energía ante la cual la mano no podría sino obedecer, no tendría sino que obedecer.

Durante una hora, durante dos horas, inquieto e inmóvil, seguía sentado ante la mesa, con el busto echado hacia atrás, de pronto avanzado, la lapicera trazando dibujos absurdos sobre las hojas blancas, en la primera de las cuales se veían diez líneas escritas, luego tachadas. Durante muchos minutos creía que iba a llenar una página, que iba a avanzar. Me penetraba una exaltación, un gozo súbito; todo mi cuerpo estaba volcado sobre la mano derecha, la mano que en ese momento ya no dudaba y escribía; pero a esa repentina luz seguía un eclipse. Bastaba una nube escéptica, la intrusión de este nuevo protagonista en esa escena que tenía lugar en el cuarto, para que la mano se detuviera y la mente perdiera atención y la conciencia pidiera tiránicamente aclaración e insinuara su disconformidad, su vacilación. En ese hombre que escribía, era una herida lo que estaba abierto, herida de la que manaba sangre y que producía dolor. Esa duda lo separaba de la materia que estaba dominando. A la alegría seguía un amargor, un desagrado, una gran decepción de todo.

Me paraba, caminaba por el cuarto. Otra vez me detenía ante los libros. El *spiritual* negro había cesado en la vecindad. ¿Es posible que toda esa literatura acumulada en esos libros de lomo rojo, blanco, amarillo haya costado tanto sacrificio, tanta vigilia y angustia? Ahora, al verlos a cierta distancia, parecen cosas inertes; pero abriéndolos, ¿qué rasgo de vida, qué movimiento físico o moral dejará de encontrarse, vivo, tiránico, en ellos? Cada uno de ellos contiene un hombre y una fracción de mundo; juntos, son precisamente el universo.

Me vestía, me peinaba ante el espejo del baño contiguo. Era inútil pensar en buscar a Ferrier a esa hora; trabajaba en el consultorio. Ya dejaba la máquina abierta, rompía la página en la que quedaban algunas líneas yertas, atravesaba el corredor y salía a la calle. En la tarde típica de fin de octubre una multitud se entrecruzaba y topaba en el hormiguero gigantesco.

El día anterior, por la noche, al salir de un cinematógrafo donde habíamos visto una Juana de Arco excelente, Ferrier me dijo: —Mañana conocerás a un italiano interesante, un emigrado antifascista que se llama Orio Scariol. Irá a almorzar con nosotros. Le he pedido especialmente que lo haga.

A las doce y media, en efecto, encontramos al joven italiano en el restaurante. Era un muchacho de treinta años, de maxilares anchos y ojos muy vivos. Me apretó fuertemente la mano. Vestía un grueso traje gris de casimir inglés y llevaba una corbata negra de lazo. Ferrier, deseoso siempre de tender entre las gentes todos los vínculos posibles a fin de apresurar la simpatía, no vaciló en relatar, primero a Orio Scariol, luego a mí, las particularidades de cada uno de los dos. Con un cordial movimiento de cabeza, Scariol interrumpió a Ferrier.

—Es muy sencillo, yo no tengo historia. Estudiaba arquitectura en Milán hace trece años. En aquella época, me hubiera hecho matar por la gente que seguía los principios sustentados por *Il Popolo d'Italia* con el señor Mussolini a la cabeza. Era demasiado joven. No lo suficiente, sin embargo, como para no advertir poco después que aquella aventura era siniestra, y que lo mejor que se podía haber hecho con aquellas gentes era quemarlas en la plaza pública. En junio de 1930 me alejé voluntariamente de Italia, asqueado, con el propósito de no dejar escapar la primera oportunidad que se me presentara para iniciar contra el actual régimen de mi país la propagación de un plan destinado a desprestigiar en el extranjero al demagogo máximo y sus secuaces.

Le pregunté:

—¿En qué consiste ese plan?

—No puedo decirlo. Pero si quiere usted estar más al tanto de lo que pensamos, ya podrá venir una de estas noches al antiguo teatro D'Harcourt, donde oirá al profesor Autoriello, en torno al cual nos hemos agrupado.

Yo había oído hablar ya del profesor Autoriello; pero de su obra científica, nunca respecto a su actividad política, que se me revelaba ahora importante. En honor de Scariol, Ferrier había pedido para los tres un plato de *gnocchi* a la romana y una botella de Chianti; además, llamó al obeso propietario y lo interrogó jovialmente:

—¿Ninguna de sus pupilas canta romanzas italianas?

—¡Son valonas, señor! —contestó el hombre corpulento, alzando las cejas, como quien señala la conveniencia de resignarse a la fatalidad histórica. Orio Scariol hizo un movimiento de impaciencia y miró a Ferrier con ojos que no ocultaban cierta dureza.

—Le ruego a usted: olvídese por ahora de que soy italiano. No recurramos al color local.

—No lo hacía por usted, sino por mí —dijo Ferrier—. Conservo de Italia recuerdos muy gratos. Me gustan las romanzas, entre otras cosas...

—Eso es lo más que se puede conservar de ella ahora: recuerdos. Hasta nueva orden.

—¿Es usted milanés? —le pregunté.

—Sí —dijo Orio Scariol—; pero, por favor, ¡no me nombre usted a Stendhal: un burgués que vivió transido de admiración por Bonaparte y las coristas y los divos del Scala! Cada vez que digo que soy de Milán me citan a ese admirador de pechos de diva.

—Era bastante para aquel tiempo —sonrió Ferrier—. Los primeros desnudos...

—El hombre que había creado a Julien Sorel no tenía derecho a ciertas cosas —dijo el otro retirando el salero.

Pensé que francamente no valía la pena poner tanta virulencia expresiva en una frase tan pueril —sin contar con que no había pensado acordarme de Stendhal—; pero la aparición de los humeantes *gnocchi* distrajo a los tres del tema. Venían, como los clásicos, en fuente de plata, seguidos por la sonrisa del propietario del restaurante; se mostraba atento a la sorpresa que iba a causar esa obra maestra, como si se fuera a anunciar el nacimiento del rey de Roma.

El almuerzo transcurrió muy animadamente. Orio Scariol siguió relatando sus primeras desavenencias con los hombres del Régimen, con los hombres que llevaban adelante la idea fascista, su rompimiento definitivo con ellos y lo que pensaba de ese estado transitorio. Ferrier emitía gruñidos afirmativos, entre trago y trago de Chianti. A los postres, Scariol sacó del bolsillo su bolsa de tabaco y armó el cigarrillo con un calma que contrastaba con sus gestos nerviosos. De sus palabras no habría podido decirse que eran inteligentes; tampoco torpes, pero todo lo que decía estaba originariamente —y visiblemente— impulsado por un doble motor: el odio y la impaciencia. Las dos finas arrugas que bajaban desde la base de su nariz aquilina hasta los bordes de los labios, se veían constantemente sacudidas por la fermentación de aquellos dos sentimientos. A pesar de lo cual, yo me sentía simpáticamente inclinado hacia este revoltoso en potencia, hacia ese ánimo en ebullición, hacia ese cerebro que ya no veía fenómenos en el mundo sensible, como no fueran signos reveladores del fraude político contra el que estaba en armas. Por lo menos, había tomado partido, peligrosamente, y sabía contra lo que iba. Como la estrella, no titubeaba, seguía encauzada en el surco abierto por su propia luz.

Una de las muchachas valonas —lucía unas mejillas rojas y anchas faldas flotantes de un color verde viejo— se acercó a la mesa y pidió algunas monedas, conservando el violín bajo el brazo desnudo hasta el codo. Los tres hombres dimos algo, y ella agradeció con una mirada glacial y distraída, yendo a reunirse con las otras.

Rechacé el cigarrillo que me ofrecía Scariol con el extremo del fino papel todavía no pegado, e interrogué:

—¿Comunista?

—No —dijo Scariol—, no soy comunista.

Luego, como viera que lo miraba todavía interrogativamente, añadió:

—No soy comunista si lo que entiende usted tal vez por comunista es estar afiliado al partido de ese nombre. No pertenezco a ningún partido. Soy demócrata, así como en los días de Cristo habría sido tal vez un rebelde y un cristiano; sin proclamarlo ni llevarlo como una bandera, sin que eso sea en mí una cosa con prolongación exterior de tipo práctico, sino algo cuyo proceso madura por dentro en el sentido de hacer más verdad la verdad.

Hablaba con un tono cortante, seco, mirándonos con los ojos entrecerrados a fin de protegerlos contra el humo del cigarrillo.

Ya no quedaba una gota de Chianti en la botella, y Ferrier pidió otra, impacientándose por la tardanza del mozo, gesticulando su protesta cuando éste llegó. Sus facciones se descomponían pronto, impacientes.

—¿No ha ido usted nunca al teatro d'Harcourt? —preguntó Scariol a Ferrier.

—Sí, una vez, hace dos meses.

—¿Le interesará al señor ir...? —dijo Scariol, indicándome.

—Por supuesto —dijo Ferrier.

—A las tres estará hoy allí el profesor Autoriello. Si no tienen inconveniente, yo los acompañaré con gusto.

Ferrier y yo asentimos, después de mirarnos. ¿Qué había en el teatro d'Harcourt? Ferrier no me había hablado una palabra de eso. ¿Qué podía hacer Autoriello, un hombre de ciencia, en un teatro, en el teatro d'Harcourt? Inútil cualquier conjetura. Nos sirvieron un riquísimo postre de cocina, ligeramente acaramelado, con un barniz de azúcar negra en la superficie.

—Ninguno de nosotros cultiva la nutrición como un arte —dijo Ferrier—. Creo que somos, en este sentido, productos degenerados y fríos. A mí, en otra época, comer me ocasionaba placer, y cuando he dejado de sentir ese placer he considerado el hecho como un signo de decadencia moral, como un acto de esterilización en lo que concierne a todo el dominio de un sentido.

—Es extraño que considere usted a un progreso como una decadencia —dijo Scariol, sin mirarlo.

—¡Ta, ta!... Ya apareció la concepción romántica de la cosa; lo extraño es precisamente que un revolucionario como usted pueda tolerar todavía ciertos resabios románticos de la peor estofa.

—Sí, por lo visto todo es reversible...

—Mire usted: he visto poner en boca de Rosa Luxemburgo una cosa simple y profunda —dijo Ferrier—. Rosa Luxemburgo conoció a un joven; le enseñaba el nombre de los árboles, de los pájaros, de las flores, de las plantas, le mostraba su complacencia y su satisfacción por esas existencias, y cuando el hombre se disponía a teorizar solemnemente ante ella sobre el socialismo, ella sonreía con maternal ternura, diciéndole, mientras le mostraba la dulce naturaleza de que estaban rodeados: "Cállate, *Junge*, cállate; esto es socialismo. Esto. Vida... para todos."

—Sí.

—Del mismo modo, comer bien, sentirse comer, ¿por qué no ha de ser un signo de vida generosa, de naturaleza rica? Es también una cosa de plenitud. En lo que me atañe, prefiero la gente que peca por incontinencia, por abundancia de salud, a la que se ha secado y vive de cautelas.

Orio Scariol replicó bruscamente:

—Todo eso me parece una perfecta insensatez. La continencia es, sencillamente, decoro.

Sin inmutarse, Ferrier se inclinó, como agradeciendo la frase con ironía. Yo intervine riendo. El asunto no valía francamente la pena... Scariol bajó la cabeza y sorbió un trago de la taza de café. No había nada en él que no estuviera pronto para la réplica virulenta. Aun aquella nube momentánea tardó en borrarse de su rostro; tuvo que pasar un rato antes de que sus facciones perdieran rigidez y volviera a esa manera de expresarse tan característica en él, que consistía en mostrar una suerte de negligencia e indiferencia detrás de las cuales ardía la pasión.

Al fin, a eso de las dos y media, estuvimos en la *rue* X, fuera del restaurante. El empeño de Ferrier por tomar un automóvil chocó contra nuestra oposición, y al fin lo disuadimos. Echamos a andar por la calle estrecha y breve que se volcaba pronto en otras arteriolas transversales. Un cartero discutía acaloradamente con una sirvienta junto al portal de una casa muy antigua, cuyo techo mostraba las polvorientas imbricaciones en declive. Yo no ocultaba mi curiosidad por la vida de Orio Scariol en Bruselas; pero el joven italiano persistía en su actitud reservada, hecha más de una especie de indolencia que de una auténtica voluntad de secreto. Con respecto al teatro d'Harcourt dijo que se reunían allí casi todos los días y que era una especie de cuartel general de emigrados italianos, socialistas de todas partes y descontentos sin distinción de procedencias. Era un centro de discusiones libres donde se podían sustentar todas las teorías, con tal de que fueran defendidas sin timidez, con una dialéctica en armas. Aquí no se trataba de *logos spermaticus*, sino de *logos bellicus*. Todo lo que tuviera olor de insurrección y reivindicación era bien visto. La tibieza, en cambio, era el único error que no se toleraba en medio de ese tropel de exilados y de taciturnos.

Al llegar a una de las plazas centrales, tomamos un tranvía. El ritmo de la ciudad parecía casi muerto. A esa hora, sólo en torno a la Bolsa se notaba un apuro de pasos, cierto tumulto, una congestión de corredores y agentes financieros. Antes de subir al tranvía, Ferrier compró en un quiosco un periódico de la mañana y lo desdobló, una vez sentado en el traspuntín. Con un gesto de inteligencia, en el que había no poco pesimismo, nos mostró la noticia que se anunciaba a dos columnas en primera plana y en la que se hablaba ya de los serios problemas territoriales de Europa, la conquista de África. En la fotografía se veía a un negro mutilado, la cabeza en la tierra, los brazos sin manos, los hombros envueltos en una especie de hopalanda blanca.

—Es claro —dijo Scariol—, la angurria del Estado está vuelta hacia ese sector y nada podrá retener esa angurria.

—Yo creo —dijo Ferrier— que el conflicto quedará en agua de borrajas a menos que otros intereses europeos se mezclen en el asunto y vuelvan a encender el fuego.

Scariol bajó la cabeza en señal de asentimiento. Conjeturas. Un mar de conjeturas, pensé, se extiende en estos momentos como una plaga, emitidas por todos los criterios de Europa; conjeturas y más conjeturas — cada cual sistematiza sus razonamientos y los lanza a la circulación. Los periódicos, cada vez más raudos en su difusión, acuden, al propagar todos esos puntos de vista, a crear esa confusión atroz de la que cada día será más difícil salir. Cientos de siglos ha tardado el mundo en edificar de nuevo esta torre de Babel, y el destino será siempre el mismo, el mismo de los hijos de Noé, con sus largos tratados y su hablar y hablar sin asidero. Conjeturas; mensajes retransmitidos hasta su total desnaturalización; furor periodístico; voces, voces, voces lanzando al aire la propaganda de las más fabulosas codicias que la imaginación humana haya aprendido a concebir y adorar.

Siguiendo una indicación de Scariol bajamos del tranvía y echamos a andar por una calle importante, luego por una especie de angosto pasadizo que se abría oscuramente entre un centenar de casas enfrentadas. La boca característica de un teatro se abría en esa calle, en una de esas callejas abortadas que se llaman "cités"; viejos carteles sucios con cabezas de artistas pintadas en amarillo y negro se pudrían sobre los muros del frente, cuyo rojizo revoque estaba descascarado y mostraba las aristas ya redondas de los ladrillos centenarios. En el *hall*, la boletería clausurada con sus barrotes comidos por el orín, el olor a humedad, la suciedad de las paredes, el mal estado de las puertas y la horrible cantidad de lodo acumulada en los peldaños de mármol de la escalera, se confabulaban para producir una impresión inmediata de abandono y de miseria. Sobre la calle, como un viejo brazo esquelético avanzando hacia la atmósfera, se extendía, desde la parte superior del porche, un letrero construido con hierros entrecruzados, donde podía mal leerse el nombre de *Théâtre d'Harcourt — Variétés*. En el techo del *hall* había una filtración, una gotera de bordes blancuzcos que dejaba empapado el arcaico *affiche* encarnado, fijo en una de las paredes laterales y que representaba a una bailarina de can-can, con sombrero de plumas, abultados pechos perversamente sostenidos por una breve malla negra, y unos muslos entrecruzados en posición imposible. Mientras yo miraba todo eso con curiosidad, Orio Scariol llevaba la delantera, atravesaba el *hall* rápidamente, abría la puerta que comunicaba directamente con la sala.

Allí se respiraba frío. Vimos una perspectiva de plateas solitarias y desmanteladas, dos filas de palcos sumidos en parecido abandono; y, más allá de los veinticinco metros en que se extendía la platea, un escenario. En el escenario había algunas personas de pie y otras sentadas en torno a una mesa. El escenario mostraba, en el fondo, las características paredes de ladrillo, sin revocar, los cordajes colgantes de las bambalinas y algunas destruidas y polvorientas piezas de *atrezzería*.

—Hemos alquilado este teatro en ruinas —explicó Scariol— por un precio irrisorio. El profesor Autoriello vive en los altos y paga, por todo, lo que pagaría por el alquiler de cualquier casa decente en Bruselas.

En la platea había muchos asientos rotos, sin respaldo; sentadas en la primera fila conversaban dos señoritas de aspecto equívoco, con rubias melenas crespas y morosos colores en los párpados y labios; una de ellas parecía haberse maquillado al revés y tenía los labios violáceos y las orejas teñidas de un rojo pálido. Los tres hombres que acabábamos de llegar subimos la escalerilla del escenario.

—¡Hola! —dijeron algunas de las personas que estaban agrupadas en torno a la mesa. Era un montón de hombres de fisonomía bastante diferenciada, casi todos jóvenes. El más alto tenía una nariz de águila en un rostro casi blanco.

A él se dirigió Scariol.

—¿Qué hay, Marchia? ¿No ha venido todavía Autoriello?

—No —dijo el otro—. No ha venido.

Orio Scariol nos presentó a Ferrier y a mí. Miradas curiosas, algunas un poco malévolas, cayeron sobre nosotros, se aferraron a nosotros. Las dos señoritas de la platea, silenciosas, también miraban con curiosidad. Sólo al cabo de unos momentos advertí que una de las personas que rodeaban la mesa, de pie en el lado opuesto a donde yo estaba, oculta por Marchia y dos individuos más, era una mujer. Pero su aspecto era sorprendentemente masculino;

rasgos herméticos, pómulos angulares y altos, labios apretados y sin dibujo. Esta mujer, supe más tarde que se llamaba Olga Beerkens; que había sido artista cinematográfica de una empresa muniquense y que se vio envuelta en un proceso, a raíz del cual emigró a Bélgica.

En actitud de buscar a alguien, Scariol hizo girar la vista y luego preguntó por no sé quién a la persona que estaba a su lado. "Estaba hace un rato aquí", le contestaron. Scariol se corrió hasta la puerta que comunicaba el escenario con las galerías y los camarines.

—¡Atkinson! —gritó—. ¡Atkinson!

Estuvo un rato atendiendo, y como no le contestara nadie volvió a reunirse con Ferrier y conmigo y con el resto de los que allí estaban.

—Esta es nuestra ágora —dijo finalmente—; un lugar bastante mísero pero que nos sirve a las maravillas para llenarlo de vociferadas aspiraciones y de ilusiones cualitativa y cuantitativamente llamativas en su planteo y en su proyección... En el fondo, todos somos unos decepcionados, gentes medularmente incrédulas, y sólo Autoriello conserva entre nosotros el sagrado fuego del candor.

Orio Scariol sorprendió la mirada de Ferrier, lanzada hacia las jóvenes de la platea, las que se perdían en ese mar oscuro de viejas sillas.

—En este teatro trabajaba una compañía de variedades. Esa compañía se arruinó después de haber representado aquí durante una cantidad considerable de años. Algunas de las coristas, aferradas al hábito como terribles abúlicos, seguían viniendo a esta sala, especie de fantasmas sonámbulos, y ha sido menester dejarlas andar por aquí a sus anchas...

Una de las señoritas pintarrajeadas observaba atentamente a Scariol, con una fijeza torpe en los ojos, como si ya se pudiera decir sin provocarles reacción las mayores ignominias respecto a ellas. Mientras tanto, en el escenario, yo cambié algunas palabras circunstanciales con uno de los hombres y con Olga Beerkens. ¿Escribía yo novelas? Sí, escribía novelas. Ella había escrito un diálogo —"social político", según sus propias palabras— en el que se llamaba a la mujer a una nueva noción de la libertad y a un plan destinado a darle funciones complejas en el mecanismo del estado. "Esos ojos —pensaba yo— están hechos para no ver las cosas sino a la luz de una lógica árida. No hay más que ver a esta mujer para advertir qué poco fecunda es en su naturaleza, qué poco podrá ser capaz de crear en lo humano y en lo sensible, siendo tan poco mujer como es. Pero se mueven en ella resortes mentales que no deben dejar nada —idea o sentimiento o criatura humana— sin transformarlo en un esquema mental, en una abstracción que está más allá del calor o del frío. ¡Y qué labios de calvinista, qué mentón afilado en su sequedad!" Para hablar, Olga Beerkens ponía las dos manos en el respaldo de una silla que tenía delante; luego discurría sin hacer un gesto, asexuada.

Eran ya las tres.

Yo no sabía todavía otra cosa. Yo no sabía que diez minutos antes de esa hora y desde muy temprano por la mañana, sin haber interrumpido su tarea sino para beber al mediodía una jarra de cerveza e ingerir sin moverse de su cuarto de trabajo algunas frutas, Cesare Autoriello se curvaba todavía ante su mesa, en el piso alto del teatro, corrigiendo papeles y pruebas de imprenta. La mesa era de pino común y había sobre ellas dos retratos; uno de esos retratos mostraba el busto potente, la cara ancha y enérgica, el cuello taurino de Benedetto Croce; la otra, en la que sonreía avanzando desde la abertura de una camisa blanca de *sport* una fisonomía joven, representaba al propio hijo del profesor Autoriello: Ezio. Sólo para mirar esta imagen interrumpía su labor, levantando los ojos y bajándolos sucesivamente, el viejo profesor que quince años antes había ilustrado una de las cátedras más antiguamente prestigiosas de la Universidad de Turín. Esa última imagen representaba lo que más había querido en el mundo, un pedazo de su carne y de su sangre; y eso estaba ahora muerto, enterrado en un cementerio de Bruselas, al lado de tantos muertos extranjeros... Cuando recibió la noticia de esa muerte, estando ya en el destierro que había querido imponerse a sí mismo como una protesta y como una ley de su propia moral, dudó, por primera vez, del sentido de su carrera de biólogo, a la que había dedicado cuarenta años de labor operosa. Graduado en Bolonia, junto a muchos condiscípulos de vocación incierta, vivió pobremente como un pequeño burgués demasiado distraído de sus necesidades prácticas, entregado, con un eterno fuego joven, a su vida de laboratorio; nunca hesitó y, semejante a la estrella de Goethe, su suerte estuvo en esta seguridad; a los cuarenta años era eminente: no se contentaba, ya en esa altura de su vida, con sus especulaciones puramente técnicas en el orden científico: había empezado a escribir anotaciones de su naturaleza filosófica, prolongando en el sentido del conocimiento de la razón última de las cosas sus años de experiencia especializada; de este modo, en el comienzo de su vida invernal, transformaba su empirismo de profesor en cierto dogmatismo inteligente y escéptico. Más

tarde, su país sufre un cambio total, y el dogmático abre
entonces los ojos a una realidad urgente, violenta; primero,
un lapso rápido de confusión, luego la seguridad de tener
que alejarse de su tierra a fin de ser sincero consigo mismo; Bruselas, los otros exilados, el teatro d'Harcourt, en uno
de cuyos pisos estableció su pequeño laboratorio de biólogo
y, en compañía de unos amigos, su gran laboratorio de rebelde y de propagandista insurrecto. Su hijo Ezio, escritor,
sociólogo, vivía en Londres; tenía menos de treinta años
cuando una tarde, en el proceso inicial de una neumonía,
mal atendido, en el cuarto de la casa de pensión que habitaba en Wimbledon, murió. Autoriello y su mujer estuvieron
a punto de enloquecer. Ese hijo que habían educado con
fervor, con inteligencia, con arrebatada ternura para que
fuera el producto humano mejor apercibido, mejor ungido
en el dominio de la inteligencia, del espíritu, del alma, ese
hijo — les era ahora, como su propia libertad lo había
sido pocos años antes, arrebatado. ¡Qué dolor, qué pesadumbre, qué desesperanza sacudió a esos dos viejos troncos
en la noche de su pérdida! Con sus palabras dolorosas,
Scariol, el íntimo amigo de su hijo, los enloquecía todavía
más. Fueron a buscar los restos a Inglaterra. El profesor
Autoriello estaba doblado, y su voz había perdido energía
hasta tal punto que se pensó que no podría hablar ya
nunca sino con un precario silabeo. Pero el tiempo, que
todo lo destruye, se complace a veces en estos juegos re-
constructivos: con un movimiento de vegetal que se rein-
corpora, él y su mujer fueron volviendo paulatinamente a
las cosas, a la vida. Volvían ahora con una pasión menos,
el amor. El odio hacia el opresor de su tierra, y la amistad que se profesaban mutuamente después de cincuenta
años de convivencia — eso les quedaba. El profesor, con
obstinado espíritu, empezó a compilar los papeles que su
hijo había dejado dispersos; quedaba casi completa, casi
terminada, una *Crónica de los últimos diez años de Europa
occidental*. Era un libro puesto al servicio de las mismas
ideas democráticas y liberales que, como su padre, había
profesado; pero era también el libro de una inteligencia
llena de juventud, de vigor, de osadía expresiva y de aventura mental. Cesare Autoriello quería reunir esos capítulos
y publicarlos rápidamente; pediría un prefacio a Croce (éste
no se negaría sin duda en virtud de su amistad con el
profesor y de la naturaleza de la obra). Autoriello pro-
clamaba que ésta constituiría un volumen de importancia
suma, y no permitió que nadie, ni aun Scariol, el íntimo
amigo de su hijo, metiera las narices en los originales, ni
siquiera en las pruebas, antes de corregirlos él mismo; sólo

cuando hizo esta revisión final puso el manuscrito y las tiras de papel impreso en manos de los hombres más adictos de entre los que se reunían en el teatro d'Harcourt. La obra estaría en condiciones de aparecer hacia los primeros meses del año siguiente.

Aquel día, a las tres menos diez, levantó sin duda la cabeza, miró ese retrato, luego la bajó, siguió escribiendo. Había tenido una discusión tres días antes, en el café "Albert Roi", con Scariol. Éste era demasiado vehemente, y estaba equivocado, y no hay elemento más nocivo que la vehemencia cuando está puesta al servicio de postulados falsos o simplemente de un error. ¿Adónde quería ir Scariol con eso de que él, Cesare Autoriello, ex profesor de histología en Turín, ex académico —títulos enumerados sarcásticamente por el propio Scariol ante la taza de chocolate hirviente—, estaba traicionando, con sus correcciones, la "Crónica", el pensamiento de su hijo? Lo que había corregido, lo había corregido no ya tan sólo racionalmente, sino buscando la forma de *mejorar* lo más posible la calidad intrínseca del trabajo de Ezio, es decir, *paternalmente*, con un criterio que no podía incurrir en error... Pero Orio Scariol golpeaba la mesa con los tres dedos abiertos: "¡No, señor; no, señor... no se aparta usted, aunque con la mejor fe del mundo, de haber cometido un acto que yo no dejaré, todos los respetos guardados, de calificar de vandálico...!" ¡Vandálico! ¡Vandálico! Siempre las grandes palabras. El énfasis juvenil, la declamación. Vandálico. ¡Qué lamentable falta de comprensión! Claro, si la juventud tuviera el juicio justo, pues no habría que corregirle un solo vocablo. Pero están lejos de ello. ¡Tan lejos! En el caso de su hijo, se había limitado él a suprimir partes inconvenientes y a modificar ciertos giros cuya audacia espontánea podía redundar en perjuicio de la obra al quitarle valor de mesura y ponderación, al quitar a lo documental lo que le corresponde de exacto y de frío... ¿No era, esto, hacer el mejor de los bienes a la obra? ¿No sólo respetar la memoria del muerto, sino dignificarla? *Dignificarla.* Eso, dig-ni-fi-car-la. ¿Entonces? Evidentemente, lo que Scariol sostenía era una perfecta injusticia. Pero la sinceridad de su amistad por Ezio justificaba, aun ante un padre insultado, cualquier impertinencia, cualquier exceso no razonado.

Él, Autoriello padre, estaba dispuesto a pensar así.

Llegó rápidamente al teatro, luego por la escalerilla al escenario, un joven rubio vestido con elegancia; con un pañuelo rojo que echaba a volar sus puntas desde el bolsillo del saco de casimir gris.

Scariol lo saludó en inglés.

—*Hallo, Denis! I've been waiting a long time for you.*

—*Well, here I am, my friend, here I am.*

Pronunciaba "here" en forma de "heea", aspirando la hache y apurando la *a*. Al ser presentado, repartió vivos apretones de manos entre Ferrier y yo y un señor de barba gris, de aspecto humilde, que había llegado minutos antes. Las dos muchachas de la platea le sonrieron, y Denis Atkinson les hizo un gesto amistoso con la mano, sonriéndoles cómicamente. Un hombre que irradiaba vida. Alto, casi atlético aunque fino de cuerpo, elegante. Llevaba una camisa gris y una corbata del mismo color, más clara. Se le miraba con agrado y él lo miraba con todo agrado, generoso de sí y sonriente.

—Quiero que lo conozcan ustedes —nos dijo Scariol a Ferrier y a mí, presentándonos a Denis Atkinson—; es un excelente amigo.

—Mucho gusto —dijimos.

—¿Son ustedes extranjeros? —preguntó Denis Atkinson.

—Yo no; soy belga —contestó Ferrier—. Mi amigo es americano, argentino.

—Argentino... —dijo Denis Atkinson—. He leído algo sobre ese país. Allí han estado O'Neill y George Kaiser.

—Sí —asentí—, eso dicen.

—A mí me gustaría mucho ir —continuó Atkinson—; es un país hecho de agua y de tierra y de cielo, no como estos países nuestros que tienen el color de la piedra, y donde todos los hombres parecemos una cosa vieja que ha sido abandonada sobre el planeta en vez de haber nacido en él.

Ferrier y yo sonreíamos amablemente. Scariol, que se había apartado un poco de nosotros, leía un periódico francés donde se destacaba un retrato del coronel de La Rocque, el jefe de los *Croix de Feu.*

—A esto no le tomo buen olor —dijo después, dirigiéndose a Olga Beerkens. La mujer miró el periódico con sus ojos inexpresivos y fríos. Los otros permanecían inmóviles, atentos, y daban la sensación de estar perpetuamente ociosos en la vida, a la espera de algo en que actuar.

En el escenario, de pie, estuvimos un rato hablando de cosas generales. Scariol se impacientaba con sus propios argumentos y razones, mientras Denis Atkinson no perdía su calma y su sonrisa. Cuando Scariol usaba la frase "reivindicación social" en el curso de la conversación, Atkinson se burlaba un poco diciendo los versos de Shakespeare:

"Remorseless, treacherous, lecherous, kindless villain

O, vengeance!"

"¡Imbéciles!", exclamaba Scariol aludiendo a los que todavía creían en una quimera autocrática, en las dictaduras de transición llamadas a sostener temporalmente el poder de la burguesía, "¡imbéciles! ¡Qué retardo les debe el mundo! ¡A cuánta vida nueva oponen su inútil y endeble recusación!"

Imperturbable, Atkinson escuchaba, luego plegaba sus labios sonriendo, divertido.

Era curioso observar a estos dos hombres que no parecían unidos por la misma voluntad de insurrección aunque sólo la posibilidad de esta coincidencia de sentimientos explicaba que estuvieran allí juntos.

En aquel momento se abrió una de las puertas laterales y entró en el escenario el profesor Autoriello. En su fisonomía de líneas adustas brillaba un resplandor de discreto contento. Usaba una corbata de lazo negra y traía bajo el brazo una cartera llena de papeles. Hizo un gesto amistoso con la mano, y se sorprendió luego al ver a dos personas desconocidas conversando con Scariol y Denis Atkinson. Su adustez volvió a hacerse total. Scariol le explicó quiénes éramos. Le felicitamos por su obra, por su privación de todo descanso.

—Nos gustaría preparar aquí un pastel explosivo —dijo Autoriello—, pero no preparamos más que tortas innocuas. . .

—Felizmente para algunos señores —agregó en seguida.

Las dos muchachas pintadas de la platea que seguían con gran atención, entre bostezos, lo que pasaba en el escenario, vieron cómo todos se sentaban. Atkinson descendió la escalerilla y se sentó también en la platea, separado de las muchachas por algunos asientos. Uno de los hombres que habían estado inmóviles al lado de Olga Beerkens extrajo dos periódicos del bolsillo y comentó un par de sueltos aparecidos aquella mañana, uno reaccionario, el otro antifascista: eran dos periódicos de Budapest. Tradujo en voz alta, con evidente dificultad, uno de los párrafos.

—No les basta con Stahremberg —interrumpió Scariol refiriéndose a los reaccionarios—; es demasiado legal: necesitan su pequeño *duce* salvado de las masas como Moisés de las aguas.

En la platea, Denis Atkinson levantaba la cabeza, con los ojos fijos en el techo, como si oyera música celestial; un cigarrillo pendía indolentemente de sus labios.

Las muchachas de párpados rojizos lo miraban con admiración y seguían sus movimientos, ahí al lado.

La conversación fue haciéndose cada vez más densa. El problema de la propagación del fascismo en el norte, ¿era en verdad —o no— un problema? A algunos de ellos les parecía una cuestión ridícula; otros pensaban que era un tema que valía la pena de ser atendido.

Un socialista de Amberes, bajo, calvo y aburguesado, manifestó con agrura:

—Todas estas discusiones son estúpidas. Es necesario ir y quemar el foco en el foco mismo. ¿A qué tantos cálculos vanos?

—¿Qué es eso de quemar el foco en el foco mismo? —preguntó Autoriello.

—Ir y matar —contestó el socialista de Amberes—. Que caiga uno, o dos, o tres, o cien; poco importa. Esta no es una cuestión de convicción ni de ideal en las masas; esta es una cuestión de hombres; el fascismo son uno, dos hombres, unos cuantos más que vigilan a retaguardia; eso es todo. El fascismo es una emergencia destinada a atajar lo otro, lo que está atrás, lo más importante, la verdadera ideología revolucionaria. Habría que buscar, entre nosotros o fuera, quien no tuviera asco de hacer lo que es necesario hacer.

Autoriello protestó, con dignidad glacial:

—Este no es un sitio para venir a decir tales cosas. Esa es una vía que no nos corresponde. Estamos aquí para condensar y encauzar la *conciencia* de nuestra verdad; para propagar esa conciencia, para contribuir de algún modo —por la difusión escrita o hablada del pensamiento— a que esa *conciencia* se haga *presciencia* en la gente joven. Esta es la mejor arma.

Scariol saltó como un tigre.

—Sí —dijo—, a condición de que se respete la verdad de la juventud tal como la juventud la ve.

—¿Qué quiere usted decir con eso? —preguntó Autoriello, mirándolo con cierta irritada perplejidad.

—Quiero decir que no es lo propio, que no es lo justo hacer lo que usted ha hecho con su propio hijo.

Autoriello golpeó indignado la carpeta negra que había puesto sobre la mesa.

—¡Vuelve usted a lo mismo, incurriendo en una torpe falsedad! Aquí tengo las pruebas del libro que mi hijo dejó escrito. Lo he puesto todo como debía estar, lo he revisado con amor, supliendo lo que él no pudo rever...

—¡Lo ha puesto como debía estar! No, profesor Autoriello, al contrario: no lo ha dejado usted como debía estar. No lo ha respetado usted fielmente desde la coma a la idea. Lo ha revisado, lo ha corregido, lo ha *tocado*. Yo he visto esas pruebas; me las ha leído usted y yo le he dicho que lo pensaba y usted me ha contestado: "seguiré corrigiendo". Corregir... ¿qué es eso? Sabe bien qué amistad nos unía con Ezio. Él iba más allá de donde usted va: él era un hijo suyo y por lo tanto estaba destinado a una proyección más extensa que usted en el tiempo, es decir, no sólo en la vida vegetativa sino en el conocimiento y las ideas: porque el problema que usted encontró de pronto en la madurez de su vida, él lo había encontrado en plena juventud, estaba en mejores condiciones para penetrarlo y sobrepensarlo. Su obra está escrita a conciencia; no hay cosa en ella que pueda ser variada sin traición al espíritu esencial que la anima. Usted quiere limarlo, moderarlo... Y eso es un atropello; como cualquier otro; como si hubiera sido quemado en auto de fe por la reacción. Eso es lo que usted no comprende, profesor Autoriello, eso es lo que usted no ve. Usted, intelectual; usted, hombre de ciencia. ¿Cómo no puede ver que su error lo llevará a mutilar la obra de su hijo, a matarla por partes antes de nacer? Si él hubiera vivido, le habría pedido cuentas por ello, con sublevación y dolor. Pero usted cree que esa obra no es lo suficientemente *moderada*, lo suficientemente *medida*, lo suficientemente innocua... ¡Qué aberración!

Autoriello tenía la voluminosa cartera negra asida como con dos garras, su fisonomía estaba inquieta, sus ojos llenos de una exaltada aflicción:

—¡No le permito a usted! ¡No le permito a usted!... Es falso, comprenda usted, falso... Si Ezio hubiera visto mis correcciones las habría aprobado; son retoques hechos de acuerdo con el espíritu de su obra. Comete usted una inexactitud al decir que la traicionan...

—No —dijo Scariol—. No cometo una inexactitud. Lo acuso a usted de violentar el pensamiento de un hombre que era su hijo y que era mi amigo, y cuyo pensamiento debe ser dado a las prensas intacto. Estoy lejos de cometer una inexactitud.

Todo el mundo guardaba silencio, un silencio incómodo. Denis Atkinson conservaba, solo, la misma actitud indiferente y quieta; de tiempo en tiempo volvía la cabeza hacia las dos muchachas que estaban sentadas en su misma fila, y las observaba; las dos cambiaban entre sí miradas de azoramiento y curiosidad, luego volvían a dejar sus cabezas rígidas de expectativa. Scariol se levantó y comenzó a pasearse por el escenario. Estaba sumamente nervioso, prendió un cigarrillo y lanzó el humo hacia arriba en una sola bocanada recta y rápida, mientras el profesor Autoriello, inclinado hacia delante sobre la mesa como agazapado sobre la cartera que contenía el libro de su hijo, y como si existiera el peligro de que esas páginas le fueran quitadas, manifestaba, ya sin hablar, su desagrado profundo.

—Toda esta discusión es inútil —dijo Olga Beerkens.

—¡Inútil! —protestó, irónico, Scariol—. ¿Inútil? Inútiles son las cuestiones de forma en que nos consumimos hablando todos los días. No ésta, que es una cuestión de fondo, grave; que es un signo.

Demacrado, Scariol levantó su bello rostro combativo y dijo con emoción y con fe:

—Ese es el terrible pecado, no de los hombres viejos contra los hombres jóvenes, sino de unos hombres que no se animan a confesar su decadencia y su senectud, contra el cuerpo entero de la humanidad. La culpa más grande de los viejos no es el envejecer sino el no aceptar la juventud. Porque al ahogar, al sofocar, al perseguir las formas impetuosas propias de la juventud ignoran que están atentando en sus fuentes contra los principios mismos de un mundo mejor, aunque los resultados de este nuevo mundo aparezcan improbables y dificultosos. Si la gente vieja se decidiera un día a experimentar lo que la juventud propone, tal vez alegrara con ello el instante de su propia muerte. Pero el terrible, incurable defecto de la humanidad consiste en su terrible miedo a las pruebas, en su terrible miedo al desequilibrio, cuando el único desequilibrio fatal es aquel a quien ninguno podrá después de tanta cautela eludir, o sea la muerte. Si los hombres viejos creyeran en la potencia y en la sinceridad de la juventud, habrían abierto las compuertas de algo más grande y rico y triunfal en un mundo de decadencia y de agonía.

—Exijo que me respete usted —interrumpió Autoriello, sin énfasis, sin violencia, con un fondo doloroso en la voz.

—Lo respeto —dijo el otro—. Lo respeto lo suficiente como para decirle la verdad; sin animadversión, pero también sin tibieza. De ese modo sostengo que lo que usted hace es terrible. Hay una voluntad de rectificación en usted, un virus de predominio personal, que se parece al peor de los imperialismos, al peor de los despotismos — y a la peor ceguera, a la peor sordera. Ahora va contra su hijo, mañana irá contra otra cosa. Violenta la palabra de una juventud encendida, apagándola, enfriándola, reduciéndola a la misma muerte del ser físico que la promovió, en lugar de dejar que esas palabras sobrevivan en su libertad cándida a la aniquilación de aquel ser. Yo se lo reclamo en su nombre y le aseguro a usted que nada cambiará en el mundo mientras insistamos en violentar la vida con nuestras deformaciones individuales, con nuestro prurito de predominio sostenido en armas. No es la rebeldía natural, no, ese furor instintivo, conservador, animal —diría— de la voluntad, esa rabia de hacer prevalecer nuestra pequeña y caprichosa y deformadora modalidad personal; no, es otra cosa, es una deformación de la conciencia, lo contrario de lo natural, una especie de cáncer de la civilización... Cada uno se erige en juez y quiere imponer violenta, ciegamente, la dudosa justicia de su propio arbitrio...

Autoriello levantó su brazo flaco, que dejaba salir de la arrugada manga unos dedos nudosos, nerviosos.

—¡Basta! —dijo—. Pongo punto final a este asunto. Se trata de algo cuya determinación me incumbe exclusivamente. ¡Ex-clu-si-va-men-te!

El socialista de Amberes propuso que se le volviera a leer unos párrafos del editorial del diario húngaro, pues no había aprehendido bien ciertos datos estadísticos. El hombre que antes mostró esos diarios, extrajo del bolsillo los impresos doblados y buscó con lentitud, en medio del silencio general, la parte pertinente.

Scariol se había vuelto a sentar y miraba a Atkinson, en la platea.

—Es en vano —le murmuraba, con un gesto—. Todo lo que había de viviente y combativo en Ezio, todo, anulado. ¡Y con qué seguridad, con qué falta de temor!

Autoriello, que sin duda no oía aquello palabra por palabra, escuchaba el refunfuñar de Scariol, veía de soslayo su gesto; pero había sacado un lápiz y apuntaba algo en un papel, con la actitud del hombre abstraído, del hombre que no quiere oír.

XXXV

Esa misma noche, Ferrier y yo nos hallábamos en el "Rumpelmonde" tomando un aperitivo con Scariol y Denis Atkinson, mientras esperábamos la llegada de Blanche y sus amigas. Era víspera de fiesta, y el restaurante estaba colmado, iluminado hasta la última bombilla de luz eléctrica, brillando hasta en las hojas de las grandes plantas de invernáculo que rodeaban la fuente artificial en el centro del salón.

Atkinson se reía a su gusto de un grupo de hombres vestidos de *smoking* que trataban a las mujeres que los acompañaban con gran estiramiento.

—*Mein Gott!* —decía—. *My God.* Parece una exhibición de jirafas protocolares. ¡Qué descanso experimentará esta gente cuando vuelva a su soledad y pueda desperezarse!

Ferrier y Scariol conversaban en voz baja; en el momento en que Atkinson dejó de hablar, oí la voz del joven italiano, a caballo de su tema. Su rabia era monótona.

—No se lo perdonaré nunca. Al dictador. No se lo perdonaré nunca a Benito Mussolini. Nos ha sacrificado. Ha inten-

tado matar en nosotros el principio de rebeldía sin el cual
un ser no merece existir. Ha querido doblegarnos y marchar
ignominiosamente sobre nuestra dignidad, como lo ha hecho
sobre la dignidad de los asalariados. Podrá haber hecho ca-
rreteras en nuestro país, pero esto — esto, ¡aunque caigan
ochenta diluvios no se lo perdonaremos nunca! Cree que ha
salvado a un pueblo por el heroísmo, rescatándolo desde la
inercia moral al heroísmo, cuando ha comenzado por matar
el principio de rebeldía en cada espíritu, la capacidad de
romper con todo y luchar con la frente alta sin pensar perpetuamente en el amo. No importa que un hombre quiera
hacerse el amo de los otros, mientras sea capaz de dejarles
las armas y luchar frente a frente... Pero mutilar, acallar,
ensordecer, envilecer, subordinar a una multitud reduciéndola a no ser fuerte sino en función de una servidumbre...
¡Qué asco, qué ignominia! ¡Qué asco de mí, qué asco de no
tener en la mano un fusil o una tea!

Denis Atkinson lo miraba impasible, fumando su Abdullah,
el cabello rubio perfectamente peinado, siempre con un resto
de olor a loción de alhucemas, los ojos inmóviles; Scariol
hablaba con el cigarrillo en un ángulo de la boca, caído.
Resultaba curioso ver lo que era cada uno de ellos. Por sobre
lo que se podía sospechar de espíritu combativo en sus
arrestos coléricos, Scariol no manifestaba de modo claro las
reacciones que permitieran saber si su naturaleza era auténticamente fría o apasionada: dejaba ver, sí, una gran
ambición, que aparecía acorde con lo que era de pretenciosa su indumentaria y de orgullosos sus gestos. Le gustaban las ideas, y en último término parecía no moverse sino
por ellas, haciendo abstracción del orden sensible, del orden
emocional. Hablaba con vehemencia cortante, sin vacilar, sin
aceptar dudas sobre sí. En todo esto exhibía siempre bastante afectación. Atkinson, en cambio, no tenía ninguna. Después de haber estudiado durante cinco años en el *Magdalen
College*, de Oxford, este niño de treinta y ocho años paseaba
su franqueza limpia, su aire distante, su elegancia viril y
simple por todo el continente. Le gustaba recitar a Synge, a
Shelley, a Keats y hasta, con indignación de sus amigos británicos, ortodoxos y tradicionalistas, a E. E. Cummings. Estos
ejercicios de poesía moderna le parecían necesarios, *sportivos* y sanos. Estaba siempre cerca de todo lo que tuviera
vida, pero como las gentes limpiamente vivientes van siendo
cada día más inencontrables, se sentía con demasiada frecuencia aburrido, alejado, irremediablemente sin interés en
los otros humanos. Los espectáculos *sportivos* eran mediocres;
los espectáculos teatrales, igualmente insoportables: había
acabado por embarcarse en esta campaña de ideas, en ese

antirreaccionarismo un poco dialéctico y bastante poco revolucionario —en el sentido efectivo del término— que tenía su sede en el Teatro d'Harcourt. Había acabado por seguir tal corriente a fin de no morir de aburrimiento, y cuando hablaba de marxismo o de las teorías generales del estado, parecía siempre como si lo hiciera con cierto interior desgano, con cierto disgusto, como si le pesara estar andando en un terreno teorético y cerebral en vez de moverse a su placer, con energía y diversión, en un mundo vivo de criaturas fuertes y apolíticas. Era lo bastante inteligente como para no ignorar que todos los temperamentos inteligentes y ricos pertenecen a grandes insurrectos, a constitucionales inadaptados; sabía que el talento es siempre un modo de inadaptación; pero no era lo bastante cándido para pensar que esa inadaptación puede encontrar su camino en la política pragmática y vulgar. No le gustaba la soledad, y para realizar sus gestos verdaderos —pescar en los lagos, salir en excursiones venatorias, hacer *camping*— habría necesitado alejarse, estar prácticamente solo. Por otra parte, su mentalidad no era rudimentaria y tampoco soportaba bien la compañía de gente estúpida. Se avino, pues, a la compañía de esos insurrectos líricos, que eran en el fondo buena gente.

Blanche Alost y las muchachas entraron en el salón ruidosamente. Una de ellas renqueando un poco, pues se había golpeado en una rodilla al bajar del automóvil. Los largos dedos aristocráticos de Blanche estaban amarillos de nicotina.

—Un retardo involuntario —dijo.

Presentaciones. Ni Scariol ni Denis Atkinson conocían a Blanche, pero Denis había visto esos ojos en alguna parte. Así lo afirmó. Ella recibió esa declaración con una carcajada. Ferrier le dirigió una mirada de recelo. El mozo se acercó interrogativamente.

—Jerez —pidió Blanche. Las otras dos muchachas pidieron lo mismo—. Bien frío —agregó ella.

—Se va usted a helar por dentro —dijo Denis Atkinson.

—Lo desearía —dijo ella—; pero, desgraciadamente, el jerez va a tomar mi temperatura. Y no yo la del jerez.

—¿Lo desearía en verdad?

—Claro, si el frío es una anestesia estupenda.

—Comprendo: miedo.

—¿Miedo? ¡Qué esperanza! Aburrimiento del dolor.

Blanche se volvió hacia mí.

—¿Qué tal?

—Muy bien.

—¿Puede trabajar, puede escribir?

—A ratos; poca cosa.

—¿Cuál es la dificultad?

—Interrogaciones importunas, repentinas que lo asaltan a uno. Siempre la misma cosa.

—¿Serán muchos los que pueden trabajar hoy, me pregunto, sin interrumpirse con esas interrogaciones?

—Oh, ya lo creo —dije—: los seguros; los que no han comenzado a preguntarse nada, los que no se preguntarán nunca nada, los que no vacilarán, los verdaderos dueños del mundo.

—¿Los verdaderos dueños? ¿Está usted seguro: los verdaderos dueños?

—Sí, sin duda.

—Yo ya no me exijo respuestas a mí misma —dijo Blanche—, y sin embargo no tengo la sensación de poseer nada. ¿Quiere un cigarrillo?

Bebimos una nueva vuelta de jerez. Seguía entrando gente al restaurante; merced a la inercia mecánica, las puertas giratorias batían todavía un poco hasta detenerse, después de lanzar de golpe a los que entraban. Blanche Alost tenía una manera pretenciosa de hablar que sacaba de quicio a Denis Atkinson. Aunque no en forma explícita, Ferrier, por su parte, sufría oyéndola. Scariol la alentaba, en cambio, riéndose con ella, mostrándole hasta qué punto le llegaba la intención de lo que ella decía. Ferrier estaba mudo. Yo no podía. explicarme estos cambios en él, estos ensombrecimientos repentinos.

—En definitiva —dijo Scariol acosando a Blanche con una mirada inmóvil—, es usted una mujer dominante a la que le gusta ser dominada...

—Los hombres son tan propensos a reducirlo todo a fórmulas simplistas —dijo ella, riendo—. Todo parece así demasiado fácil.

—Es una necesidad de clasificación, una necesidad de fijar la constante vaguedad de las mujeres, su infatigable falta de lógica.

—No sé lo que soy. Para decirle la verdad, no sé lo que soy.

—Sí sabe —dijo Ferrier rápido—. Una naturaleza llena de emociones transitorias, vacía de pasión. Una especie de ventilador, de carne y hueso.

Continuó mirándola fijamente mientras ella levantaba ·el tenedor con un bocado de jamón cocido. Blanche puso una cara de mimo, como quien se atemoriza ante tanta agresividad.

—*O poor, poor dear Blanche!* —dijo—. *Nobody helps her? Nobody?*

Scariol se inclinó hacia ella y le dijo algo al oído, y ella

se rio con una carcajada larga. Sus dos amigas protestaron:
qué eran esos secretos; la intimidad resultaba allí intolerable,
la diversión debía ser general. Blanche y Scariol seguían
riendo.

—Es usted un hombre vil —le dijo ella. Y me miraba.

Observé el modo como iba palideciendo Ferrier. Por su
parte, alegre, Denis Atkinson se había puesto a conversar con
una de las amigas de Blanche. La más bonita de las dos:
con unos ojos grises, una expresión suave y aquel traje ruso
tan rebuscado pero también tan elegante. La otra, que conversaba principalmente conmigo, parecía nórdica: tenía la
cara muy pálida, las cejas y el cabello muy claros. No
hacía más que referencias cortas a todo y se quedaba luego
silenciosa, con un aire de seria concentración y modestia.
Con frecuencia preguntaba cosas tontas.

Blanche coqueteaba abiertamente con Scariol; los dos
habían adoptado ese aire de secreto y risa tan característi-
co; hacían abstracción de los demás como no fuera para
mirarnos en son de burla. Una torta de manzanas cubierta
de crema riquísima motivó grandes exclamaciones, gritos.
"Esto bien vale la costumbre eslava —dijo Denis Atkinson—
de brindar dos veces antes y dos veces después, a fin de festejar el acontecimiento." Alzó su vaso, y bebió repetida-
mente. Luego tomó la palabra de nuevo:

—Cuando tenía veintitantos años —dijo— me emborra-
chaba solo en mi cuarto de Oxford ante un pequeño busto
de John Keats. Después he seguido emborrachándome solo
ante otros bustos vivientes que no han sido, me apresuro a
decirlo, de John Keats... El resultado es el mismo. Considerado desde un punto de vista social, el beber con exceso
es un acto de cooperación: uno se abandona, no ofrece resistencia y está dispuesto a creer en la universalidad del ingenio
humano, la gente más imbécil baila para uno en el plano
de una superior inteligencia y todo se convierte en lujo.
Es un acto de verdadera cooperación, de cooperación humana, y las viejas civilizaciones no lo ignoraban.

—Lo peor es que uno no sabe nunca hasta dónde lo va a
llevar ese acto —dijo Blanche.

—¡Bah! —dijo Scariol, que era sobrio—, nunca se puede
ir ni demasiado cerca ni demasiado lejos.

—¿Lo cree usted? —preguntó Blanche.

—Claro.

—Yo puedo ir siempre lejos, cada vez más lejos...

Se reía con una expresión insoportablemente insinuante.
Ferrier no le quitaba los ojos de encima. Después del café,
magníficamente preparado sobre la mesa por el *maître*, la
conversación se hizo general y todos participaron con mayor

o menor entusiasmo. La muchacha bonita de ojos grises contó el proceso de sus fracasados conciertos de clavicordio, en una especie de sala Gaveau sueca. Denis Atkinson dijo algo parecido a: "en tierra de tibios el fracasado es rey", pero la frase convenció poco. Tocaron un *blue*, y Blanche y Scariol salieron a bailar. Él era ligeramente más bajo que ella. En el cuadrado central bailaban algunas mujeres descotadas con hombres vestidos de oscuro.

¿Cuál es el elemento que pone en ciertas conversaciones alegres un misterioso fondo desesperado? Suele recorrerlas un veneno fluido, un aura deletérea. En un momento dado, eso se sintió aquella noche, se sintió palpablemente en la atmósfera, pese a las carcajadas de Blanche, que rompían cayendo sobre los cristales y sobre el mantel blanco y sobre las otras seis caras jóvenes que rodeaban la mesa. De pronto, la tensión estalló. Blanche acababa de decir, con la mano apretada al vaso que iba a depositar sobre el mantel:

—Estoy persuadida de que no hay nada que se compare a la voluntad de entregarse. Entregarse porque sí, porque se siente una deseada. Por un acto de desprecio humano, por un acto de suprema libertad, por algo que está más allá de los límites que impone la razón artificial. Más allá del ahorro, y del bien y del mal. Me parece que no hay un acto más bello, en su esencia, que ése: la donación de un ser. ¿No es cierto, no les parece a ustedes cierto?... No; estoy segura de que no les parece cierto. Es necesario intuirlo; no razonarlo; no pensarlo. Y son ustedes unos animales incalculablemente solemnes...

—No —dijo Ferrier—, eso no quiere decir generosidad. La verdadera generosidad no consiste en un impulso ciego ni en un arranque indiferenciado. Tal cosa se confundiría con el peor de los egoísmos. La verdadera libertad, la verdadera generosidad de sí, es precisamente lo que le obliga a uno a ahorrarse en muchos casos para darse mejor, a negarse una vez y otra vez a fin de poseerse antes de darse. ¿Quién podría darse si no se poseyera previamente?

Había en su voz una gran sequedad.

—Bueno —dijo Denis Atkinson, conciliador—, en el mundo no se habla más que de este modo, del modo como hablan ustedes: todo se puede sostener así con igual eficacia. Aun tratándose de las cosas más antagónicas. ¿Cuál es la verdad, cuál es la mentira? ¿Se puede medir tal porción de matiz con la vara humana? Déjenme que lo dude; el espíritu es deplorablemente impreciso en la práctica de la equidad y en la distribución de sanciones. Por eso yo no puedo ser fascista, por eso no puedo ser tampoco comunista. Cuanto más lo pienso, siento que no habría otro ideal posible para los hombres que el desear crecer desde la tierra hacia el cielo como los árboles, imperturbados, seguros del sentido de su crecimiento. Sin argumentos teóricos sobre esto o lo otro. ¿Recuerdan ustedes el poema de Whitman, Walt Whitman?:

Me imperturbe, standing at ease in Nature,
Master of all or mistress of all, aplomb in the midst of irra-
    tional things...

Yo sentí un contento repentino. ¡Aquello mismo, lo había pensado yo tantas veces! Y dicho por aquel hombre desinteresado y natural, sencillo y sin deformaciones, me gustaba mucho más que si lo hubiera oído decir a un profesor de metafísica. Observé a Atkinson. Atkinson hablaba de todo con naturalidad, en realidad eso era lo que daba descanso en él; siendo tan viviente se parecía un poco a la no prevención de las cosas irracionales. Habría sido tan difícil de insultar como una caja de madera; carecía de vanidad, de amor propio, y esto hacía de él una persona incomparable.

La orquesta, muy próxima, tocaba el preludio de Tannhäuser, pero el tono que imprimía a ese trozo era blanduzco y sentimental. Blanche se dejó caer hacia atrás en el asiento:

—Es algo que no hay que pensarlo —insistió.

—Sin duda —dijo Scariol—; no hay que pensarlo.

—¿Lo pensaría usted? —dijo ella.

—No, no lo pensaría —dijo Scariol.

—¿Lo haría, simplemente?

—Lo haría, simplemente.

—¡Bravo! ¡Es de los míos! —gritó ella. Reía como una loca. Ferrier no pudo contener su rabia.

—¡No te rías así! —le dijo.

—¿Por qué —preguntó ella con insolente asombro y una mueca hilarante que lo dejaba en ridículo—, por qué no me voy a reír así?

—Perfectamente —dijo Ferrier—. Me voy.

Pidió su cuenta desglosada del total. El mozo hizo su cálculo, asentó el resultado en un papel, lo arrancó y lo extendió. Ferrier sacó su cartera, pagó. Scariol, estupefacto, quiso persuadirlo de que se quedara, pero la decisión del otro estaba hecha.

—No, me voy; tengo que hacer mañana temprano.

Yo me levanté para acompañarlo. Ahora, sería, Blanche Alost fumaba un cigarrillo, fingiendo no prestar atención a lo que sucedía. Parecía aconsejarse por dentro: Reina, no te perturbes.

—*Au revoir cher* —me dijo, y como me viera sonreír—: *Be good to him. I'm so wicked!*

Los dos salimos del restaurante. Detrás quedó la música

de la orquesta, primero vibrante, grandilocuente, luego ensordecida hasta desaparecer. Fuera, los automóviles levantaban del asfalto una arenilla crepitante.

—¿Qué te pasa? —le pregunté en la calle—. ¿Qué ha sucedido?

—Es una prostituida —contestó—. No la puedo soportar.

Caminamos por una calle estrecha y oscura que formaba escuadra con una plaza. Después de dos o tres preguntas infructuosas, me di cuenta de que no podría vencer aquel mutismo. Del mismo modo como se levanta de la tierra y crece una hortaliza, se desarrollan en el mundo de hoy, crecen de su agonía, esta especie de terribles climas humanos: de pronto es un rencor, de pronto un odio, un resentimiento, que hacen atmósfera en un hombre y dejan escapar al aire neutro su vaho denso y pernicioso; y ese clima se va transmitiendo, ganando espacios, ánimos, y no se sabe en qué va a acabar, y nos contamina y también nos descompone. Es como si el descontento de un hombre consigo mismo y las cosas fuera la desmoralización que contagia el cobarde en la nave que hace agua.

—¿Quieres que bebamos algo aquí? —me preguntó Ferrier al pasar frente al café de Brabante. El exterior del establecimiento era simpático.

¡Beber, beber! No hacíamos otra cosa. Miré los planos pálidos de la cara de mi amigo; el furor interno ponía en sus ojos cierto cansancio, cierta tirantez final, que ya no puede consigo.

—Bueno —le dije.

—Es una mujer prostituida —dijo Ferrier—. No se puede con ella. Hay que considerarla como algo perdido.

Por la mañana, mientras Ferrier, en el consultorio, atendía a sus enfermos, yo salía a caminar, deseando concentrar mi atención en los puntos que quería ordenar y clasificar antes de ir adelante en la obra que había comenzado a escribir. Una de esas mañanas, la que siguió a la noche de la comida en el Rumpelmonde, al pasar por una florería, a no más de doscientos metros de la casa donde era huésped, me detuve con curiosidad para observar unas orquídeas de la estación. Eran flores de corola pulposa, sensual, y tenían algo de carne humana en su blancura ligeramente teñida de azul. Atraían con el mismo encanto cálido y corpóreo. Detrás de la vidriera, en el interior de la florería, había otros ejemplares extraordinarios; una muchacha rubia de delantal negro arreglaba un vaso con violetas de gran tamaño y gladíolos. Curioso, avancé, acercándome al mostrador. Interrogué a la muchacha y ella me dio con joven simpatía y entusiasmo todos los datos que le reclamaba sobre el cultivo de las magníficas piezas florales. La muchacha tenía sin duda un defecto en el paladar y no articulaba fácilmente las palabras; pero su amor por su oficio era tal, que parecía dominar su defecto y querer ser locuaz. Extendida sobre la palma de su mano me mostró una rara flor de altura, de dimensiones increíbles, con una especie de corazón rojo en el centro. La muchacha sostenía esa flor como acariciándola, llena de cuidado y ternura, sonriente.

Al dar las gracias y decir "buenos días" e ir a salir, vi el pequeño sobre con la dirección de Blanche Alost y la letra de Ferrier, que estaba puesto sobre el mostrador, junto al vaso que la muchacha había estado preparando. "Bueno..." pensé. Una reacción se había producido, evidentemente...

Aquella mañana, hacia el mediodía, encontré por casualidad a Denis Atkinson en el "grill-room" del hotel Deux Mondes. Conversamos un rato y decidimos quedarnos a almorzar allí.

Atkinson era muy locuaz y hablaba con alegría. "Hablo para sostenerme —afirmaba—, como el caballo del cuento ruso que se habría caído muerto el día en que lo hubieran desatado del coche." Estaba siempre contento de todas las cosas; la solución de todos los problemas parecía fácil a esa naturaleza que no temía a la vida en sus peores horas, ni a la muerte.

—¿Tienen algún buen vino alemán? —preguntó al mozo—. ¿Lieberfraumilch?

—Sí, señor —dijo el mozo—. Pero hay también Barbera y Capri. Tal vez los prefiera el señor...

—No, tráigame lo que le he pedido.

—¿Lieberfraumilch? —preguntó el mozo.

—Sí.

—Está bien; pero no se lo aconsejaría al señor...

—¿Por qué?

—No creo que el que tenemos sea de una buena cosecha, se lo declaro al señor.

—No importa, tráigalo; lo probaremos.

El mozo se fue y Atkinson hizo con el ojo un guiño significativo.

—La cátedra parda —dijo—. Tratarán siempre de evitar que uno se junte con lo que quiere, aunque no viene uno aquí a hacer otra cosa.

Agotamos la botella de Lieberfraumilch y comimos una raya negra a la *maître d'hôtel*. El mozo volvía a cada rato para hacer propuestas que le eran invariablemente rechazadas.

—Me gustaría mucho conocer un poco más de su vida —le dije—. Las criaturas humanas somos una familia tan díscola y dispersa que conocer a un hombre de veras, más allá de las resistencias que presenta, es haber ganado una confortante batalla.

—Conmigo —dijo Denis Atkinson riendo— ganará usted una batalla fácil. No tengo conflictos. No creo en los códigos morales preparados por la gente que necesita códigos. No tengo ideas que puedan burlar a nadie, ni por su originalidad ni por su peligrosidad. Simplemente, he vivido en tres mundos: un mundo bastante estúpido, de infancia, en Londres, vestido con trajes de terciopelo negro y cuello de encaje blanco, esforzándome, conminado por la costumbre, en decir las cosas con el lenguaje más difícil y "distinguido"; un segundo mundo, de esteticismo y sport en *Magdalen College*, practicando el box y la natación y el amor, leyendo a Suetonio y gritando con la copa levantada, en aquellas bacanales de bestias jóvenes: *cogito, ergo sum*, tirándonos con los libros a la cabeza; un tercer mundo: el mundo, el verdadero mundo, éste: asco, aburrimiento, fatiga, contento, gozo, y luego todo esto otra vez para recomenzar... ¿Magnífica historia? No. Para la gente, ninguna magnificencia. No importo; carezco de cotización. ¡No puede haber nada más trivial que mi vida, ni nada que se parezca más a mí! Tiene eso de bueno. La mayoría de las personas viven vidas que no se les parecen; simplemente se esfuerzan por parecerse a las existencias absurdas y ridículas que están determinadas a llevar. Espero que tal cosa no se podrá decir de mí, que no se podrá decir tampoco de usted.

—No; lo terrible en el caso mío es precisamente lo contrario: es que me parezca demasiado a la vida que llevo, y ésta me disgusta incondicionalmente.

—Bueno; ese disgusto es ya una anarquía respetable... ¿En realidad le gusta este vino?

—Sí. Es fuerte y lo hace notar en una forma amable.

—Haremos abrir otra botella. ¿Tiene usted inconveniente?

—Ninguno.

—¡Espléndido! ¡Mozo: otra botella de Lieberfraumilch! (Leche de mujer amada. Un nombre burgués y doméstico. El profesor Autoriello no bebería nunca un vino que se llamara así.) —Rio jovialmente.

—Por supuesto.

—Pero sale perdiendo. Nosotros sabemos que sale perdiendo.

—¿Es usted muy amigo del profesor Autoriello? —le pregunté.

—Lo conozco poco, y él no me atribuye ninguna importancia. En lo que tiene razón. Porque si creyera en él, entonces sí tendría importancia o tendría importancia si creyera en él.

—No he visto nunca argumento más bizantino.

—Ni más exacto. Créalo.

Llamó al mozo.

—¿Hay buen jamón cocido? —preguntó. El mozo respondió afirmativamente.

—El año pasado —continuó Atkinson— tuve un ataque al hígado. "No coma alimentos grasos ni carne de ninguna clase", me dijo el médico. ¿Cree usted que puedo hacerle caso? De ningún modo. Necesito comer todos los días un trozo de jamón. Es un vicio. Si mi carne no accediera a la satisfacción de ese vicio, mi espíritu se enojaría. ¡Mire! ¡Esto se llama un magnífico espectáculo en materia de jamón cocido! ¿Le sirvo a usted?

Sirvió los dos platos con parsimonioso cuidado. Mientras distribuía con deleite las raciones, dijo:

—Esto tampoco le gustaría al profesor Autoriello. Los intelectuales son una peste. Habría que acabar con todos ellos a fin de evitar el peligro de contaminación. Usted les da a oler un rododendro y le salen con una teoría del pecado; usted les incita al pecado, se los muestra en estado viviente, presentándoles a una bella mujer de placer o convidándoles a la gula, y le salen con una teoría del estigma; usted les muestra un estigma y le salen con una filosofía de la razón abstracta... Me parecen altamente indeseables. (Hizo con los hombros un gesto de indiferencia.) Hoy tengo apetito y ganas de caminar. ¿Quiere usted que caminemos un poco hacia el bosque, después?

Acabamos de almorzar y luego salimos a la calle y echamos a andar lentamente hacia el bosque bajando por la avenida principal. Un tranvía que pasaba cargado de gente nos obligó a detenernos al cruzar una bocacalle. Yo veía en los escaparates el reflejo móvil de los dos: yo parecía encorvado y un poco más grueso, al lado de Denis Atkinson, cuya fuerte figura tenía tanto de espontáneo y de ágil, con aquella corbata roja y aquel traje castaño oscuro. "Estoy minado —pensaba yo—. Minado por la inutilidad que progresa, por la espera sin sentido, por una reflexión que ni se transforma ni se deshace de sí."

Con un gesto, muy frecuente en él, de cordialidad viril, Atkinson hizo descansar su brazo en mis hombros, rodeándolos.

—¿Qué clase de mujer es Blanche Alost? —me preguntó.

Pensé.

—No sabría decir qué clase de mujer es. Quizá sea una mujer que está fuera de todas las *clases* de mujeres; libre, una mujer libre.

—Tiene algo de comedianta; detesto eso. En el fondo sería interesante conocer las cosas principales de su vida.

—No son de gran interés, creo.

Pasamos junto a un grupo de gente que rodeaba a un vendedor ambulante. El grupo escuchaba con pasividad, como serpientes encantadas por el flautista; pero en definitiva el charlatán parecía hablar sin éxito práctico. Se transformaba él de explotador en explotado, en víctima, al tener que repetir ante tantas atenciones inertes las monótonas y mecánicas palabras de su discurso.

—¿Ha leído el último libro de Bernard Shaw? —preguntó Denis Atkinson.

—No —dije.

—Yo sí. Es atroz. Cada vez me repelen más los lógicos, los inteligentes fríos: no me interesa más que las gentes de parcialidad brutal, los héroes y los santos.

—Pienso lo mismo —dije—. Sólo que...

—Sólo que...

—Nada. Los fanáticos son espléndidos para ser vistos, espantosos para ser soportados.

—Pero yo no es a fanatismo a lo que me refiero, sino a una especie de pasión fundamental del hombre, que va más allá de su lógica y hace que se pierda o se salve según la naturaleza de su ardimiento y no según la razón.

—Comprendo, comprendo perfectamente.

—¿Y Joyce? ¿Le gusta Joyce? —me preguntó Atkinson.

—Sí. Un ciego diabólico, un genio para describir el mal implícito en cada conciencia.

—¿Y después de Joyce?

—Kafka y O'Flaherty —le dije.

—No los conozco.

—¡Ah! Dos feroces rebeldes: uno que se escapaba del mundo por la trágica alegoría; otro, que está encadenado a sus impetuosas vehemencias con una *melancolía aguda* que le come mientras tanto las vísceras. Un hombre inconvencional y violento. Léalos, no va a encontrar en ellos poco.

—No sé; veré. Quiero leer cada día menos. ¿Qué hora es?

—Las dos y media.

—Temprano. Es muy agradable caminar por aquí. Hay olor a árboles, y tierra. ¿Camina usted mucho todos los días?

—Poco. Llevo una vida sedentaria, bastante estúpida.

—Yo soy el nómade perfecto —dijo Atkinson—. Nunca creo desplazarme lo suficiente.

XXXVI

La mañana gris se convirtió después del mediodía en una tarde espléndida. Habíamos estado conversando con

Ferrier hasta las cuatro; luego yo me quedé escribiendo, junto a la biblioteca, fumando cigarrillos y tomando café. El chico había dejado sobre la mesa el recipiente esférico de vidrio donde el café mantenía su temperatura gracias a la llamita de alcohol. Ningún ruido, una calma abstracta. El ligero rumor del reloj parecía más bien un estimulante.

Me había puesto a escribir con violenta determinación, deseando cubrir muchas páginas con un arrebato lúcido, y llevar al papel, sin transformarla, mi áspera impetuosidad del instante. Pero al cabo de una hora este ímpetu estaba abatido y había sobre el papel pocas líneas que obedecieran a algo auténtico. Imposible conseguir ese *motus animi continuus* en que los clásicos hacían residir el ímpetu creador. Sentí el mismo fastidio de siempre contra mí mismo. Abrí sobre la mesa un libro, lo comencé a leer; luego aparté los ojos de las páginas y estuve un rato pensando. Era mejor irse a la calle. Me levanté, abrí la ducha fría y comencé a desvestirme. No pensaba en nada preciso y mi pensamiento erraba por los campos vagos de lo que había estado imaginando para escribir; pero todo eso me parecía todavía demasiado difuso, demasiado inconsistente. No era el mundo.

Me peiné ante el espejo del tocador con ayuda de dos cepillos. En el cuarto de la casa contigua que correspondía al mío se oían los pasos de alguien que caminaba monótonamente. El reloj que estaba sobre la mesa, casi oculto por los libros abiertos en el mayor desorden, señalaba las siete y media de la tarde. Junto al reloj estaba el retrato de una mujer de edad; junto a este retrato, en un grabado, soberbia, la cabeza de Cosme de Médicis. (¿Quién había puesto ahí la cabeza de Cosme de Médicis? ¿Ferrier? Quién sabe.) Sí; uno llega a detestarse de una manera terrible, a respirarse como un clima nocivo. Momentos en que todo tiende en uno a la disolución. Imposible fundirse en una comunión fecunda con otras naturalezas. Imposible arrancarse de sí, y ser fértil por esa generosidad. No persiste más que la usura, una usura de sí, agotadora.

Atravesé el corredor y vi que había gente aguardando a Ferrier en la sala de espera. Un pequeño burgués con una valija de viaje y una muchacha de expresión dolorosa, a la que acompañaba una criatura de pocos años, aguardaban en la sala. Cerré cuidadosamente la puerta y salí a la calle. Los gritos de unos bebedores ruidosos se escapaban del interior de una cervecería.

¿Qué podía hacer? Tomé un taxímetro y le di las señas del teatro d'Harcourt. Era un automóvil ruidoso y destartalado. Después de diez minutos de zangoloteo llegamos a la calle donde, algunos centenares de metros más adelante, estaba el teatro. El conductor había dado una larga vuelta totalmente innecesaria y entramos en la calle por el lado occidental en vez de haberlo hecho por el opuesto.

Respiré con gusto el olor de las acacias al pasar frente a las verjas de un jardín. En las terrazas de los bares del centro de la ciudad había verdaderas multitudes comentando los últimos giros de la política continental. No se disimulaban los gestos exaltados, exacerbados, ni, al revés, las actitudes llenas de escepticismo indolente. ¿Qué tenía que ver un hombre fundamentalmente libre con todas esas conversaciones? Le dije, sin embargo, al cochero que se detuviera, bajé y lo despaché. Entré en uno de los cafés. La única salvación posible consiste en hallar el punto por donde un hombre puede ajustarse al todo dando su máximo de potencia fertilizadora. Pero el todo es un cuerpo, el mundo viviente es un cuerpo, y uno, ¿qué es? ¿Brazo, tejido, piel? ¿O nada?

¿Qué se hace cuando uno no puede ya soportarse? Cuando uno se siente absolutamente de más. Cuando se han agotado todas las esperanzas en la propia utilidad, en la justificación de un estar existiendo y moviéndose, sin participar en la ley general del cinismo...

A mi observación se presentaba allí el espectáculo más habitual. El café donde estaba era un salón oblongo con jarras de bronce y sartenes decorativas a lo largo de las repisas. Sobre una de éstas había un retrato de Federico el Grande jugando al ajedrez. La gente se apretaba de un modo abigarrado. En un ángulo estaba un joven que lucía costosa corbata blanca con rayas negras y fumaba su cigarrillo en una boquilla arqueada semejante a una pequeña pipa; el joven conversaba pausadamente con una mujer aparentemente de su misma edad, un poco gruesa; cerca de ellos, un matrimonio de aspecto común: el marido exhibía un distintivo de algún centro en el ojal del saco y tenía un aire convencido de su propia excepcional importancia, mientras su mujer, leyendo un periódico doblado, masticaba los rábanos que servían en aquel café para acompañar la cerveza. Solo como yo, bebía también su rubio *chopp* un señor de aire austero, con la cabeza cubierta por un gran chambergo negro de alas flotantes. Todos ellos daban una impresión de inmovilidad y estatismo. Al cabo de un rato de observarlos, me dije que, en el fondo, aquellas personas, particularmente las dos parejas, no obstante las condiciones de vida íntima en que sin duda vivían, o en las que sin duda habían vivido quién sabe desde cuánto tiempo atrás, que aquellas personas no aparecían unidas, no estarían seguramente unidas por un gran sentimiento vital. Estaban seguramente unidas por la costumbre y por las palabras, pero sin duda no había nada fecundo, fuerte, superior a la vida misma, en ellas. La enfermedad del mundo occidental, una especie de empobrecimiento de las fuentes morales, una especie de sequedad actuante, de no-vida que actúa como vida y como vida supercivilizada, superconsciente. Hijas de estos hombres, las generaciones nacen agostadas, con una mínima posibilidad de establecer sobre la tierra el imperio de una *naturalidad* caudalosa, puesto que sólo el fuerte es natural, nunca el débil, nunca el que se defiende, el prevenido contra el ataque.

Por delante de mi mesa pasó una dama de gran sombrero adornado, anacrónico, según el tipo de los usados alrededor de 1900. Se sentó cerca y abrió el cuello de su chaqueta mostrando el mórbido y rojizo nacimiento del pescuezo, sobre el que ya la edad comenzaba a hacer caer una gordura fofa. Los ojos diminutos de esta mujer miraban a todos lados con vivacidad. Eran ojos demasiado pequeños para ese cuerpo abundante y esa cara redonda, hinchada e invadida por el colorete. La dama pidió un ajenjo y cuando el mozo regresó y se lo trajo se puso a hablar a gritos con él. Era la suya una voz agria, ronca y desagradable.

—¡El farmacéutico Volsted es un crápula y un explotador! Vive especulando con la miseria ajena y tiene cuatro casas de vecindad en el barrio del mercado, donde vive la gente hacinada. ¡Presentárseme diez veces —diez veces— en cuatro días! ¡Y dice que necesita urgentemente mi alquiler y que si no puedo pagarle me procesará y mil cosas por el estilo! ¡Un falsario y un crápula! ¡Él es quien debería estar en la cárcel! ¡Habráse visto! ¡Procesarme a mí! He ejercido mi profesión con dignidad desde hace veinte años, haciéndome de muchas relaciones y pagando religiosamente mis cuentas. ¿Qué culpa tengo yo de que los hombres vuelvan la cara del amor y las pupilas se me mueran de hambre y tenga yo que estarlas asistiendo, comprándoles desde la comida hasta las medicinas...? ¡Esto lo sabe bien el señor Volsted! Pero exige, exige, se clava ahí como un monstruo de explotador. Es necesario esperar a los que no podemos trabajar como antes, a los que cada día se nos escapa de la mano un poco más de dinero, un poco más de provecho, y ya estamos cayéndonos de impotencia, de cansancio, de rabia... ¿Cómo quiere que le pague, este Volsted, con la carne de las señoritas, de mis pupilas, con mi carne? ¡Mi carne! ¡Quién quiere ya mi carne! Hace seis meses, todavía; hace seis meses me decía el procurador Blast: "está usted como nunca". El procurador Blast, que viene a mi casa a tocar *Humoresque* en el violín, y mirarme, con un embeleso... desde hace diez años... ¡Pero qué le importa de esto a Volsted! ¡El crápula!

La dama del sombrero anacrónico bajó la indignada cabeza al ver que todos los ojos estaban fijos en ella. El mozo asentía, no sin una sonrisa irónica a flor de los labios. Luego siguió hablando ella, pero en voz baja, que no se distinguía del rumor de las otras conversaciones.

Al cabo de media hora, cuando comencé a sentirme aburrido de ver a todos esos clientes del café, dejé en la mesa unas monedas y salí. Tal vez podría comer con Ferrier en Rumpelmonde o en alguna otra parte. ¿Qué harían en aquel momento Blanche Alost y sus amigos? ¿En qué estado de ánimo estaría Ferrier para salir con ellos esa noche? Dos o tres callejuelas malolientes se anudaban en las cercanías antes de abrirse en las vías más anchas que iban a desembocar en la calle Leopoldo I.

Y la gente, allí y más allá, hablaba.

Cierta fría tarde, sobre la que pesaba grávida e inmóvil la amenaza de una lluvia de varios días, vino a buscarme Denis Atkinson. Era cerca del anochecer. Vestía uno de esos trajes en los que se advierte una forma de líneas que no es original de la sastrería sino que le ha sido distinta y arbitrariamente impuesta por la modalidad de quien lo usa: las solapas cortas y aplastadas, las mangas planchadas en una forma especial, una forma de calzar el cuello extraordinariamente elegante. Denis Atkinson era un hijo descarriado —descarriado, esto es, improductivo— de cierto Raymond Atkinson, Lord Ballenstone, cuarto marqués de su nombre. Lord Ballenstone se había hecho rico con un vivero de cultivos situado en los alrededores de Chelmsford, Essex, a pocos minutos de Londres —cerca de cuarenta y cinco kilómetros—, donde se producían los mejores almácigos de Inglaterra. El cuarto marqués, hábilmente, asoció a muchos amigos y enemigos en el negocio, y pronto pudo el consorcio surtir a todos los mercados de la Isla. El cuarto marqués transformó así en socios beneficiados a sus numerosos deudores. Esto le valió una considerable popularidad y la amistad doméstica de algunos ministros. El dinero es una cosa tan seria que los que se burlan de él y lo manejan como a una hetaira suelen ser objeto de una admiración supersticiosa. Son como los déspotas, a quienes se escupe el día que caen. Ballenstone guardaba rencor a este hijo medio enclenque por fuera y compacto por dentro, que se parecía a la madre

—aquella Alice Rivelling que despreciaba al marido con una paciente y silenciosa discreción—, que detestaba los banquetes en la vieja mansión de Grosvenor Square y andaba desde chico con los bolsillos deformados por un exceso de libros; esta criatura — a quien él llamaba para reprenderla a la artesonada y siniestra sala de armas, y que permanecía ante él callada mirándole a los ojos, inmutable, digna, con una entereza igual a la de la madre; esta criatura que él habría podido castigar hasta la sangre sin producir en sus ojos otra mirada que aquella expresión de lejano y calmo desdén. Denis había dejado su casa para ir a Oxford y no volvió ni aceptó entrar a formar parte del cuerpo diplomático, último rincón decoroso que veía su padre para él. Prefirió vivir de su pequeñísima renta —dinero heredado de su madre— recorriendo el mundo y acercándose a esa gente miserable y perseguida hacia la que lo había siempre empujado el fondo reflexivo de su naturaleza.

Este hijo que venía de la rama burguesa y sin título de la familia, contrastaba por su gran distinción exterior con el aire de comerciante próspero que dejaban adivinar las fotografías de Lord Ballenstone. Aquella tarde, cuando le vi entrar en mi cuarto y sentarse en el sofá con el cigarrillo inglés humeante entre los dedos muy delgados de la mano caída, pensé en aquel contraste que me permitía establecer el haber visto por casualidad pocos días antes un retrato de su padre —rodeado de hermosas plantas allá por su establecimiento de Chelmsford— en The Daily Mirror.

Atkinson esperó a que me vistiera y salimos luego a la calle. El frío crecía por momentos y comenzamos a caminar ligero. Bajamos por el bulevar del Regente y atravesamos el parque para ir a tomar la rue aux Laines y llegar a Notre Dame du Sablon. Atkinson quería que visitáramos ese templo. Prefería verlo una vez muerta la luz del día.

Nos interesaba grandemente reconocer y ver volcarse en la arquitectura de la ciudad estilos europeos que, tradicionales, nos eran familiares. Las huellas eran fácilmente discernibles. El Renacimiento italiano había dejado, por ejemplo, su sello en el Palacio de las Academias, que un día ofreció la nación a Guillermo de Orange. ¡Cuánto más noble y adusto era que el enorme y promiscuo Palacio de Justicia trazado sobre los planos ambiciosos de Poelaert, donde se mezclaban alborotadamente vagas reminiscencias asirio-egipcias, clásicas y barrocas! Habíamos ido a la románico-bizantina Santa María de Schaerbeek y, por el camino de Laeken, a la deliciosa abadía gótica de Grimberghen.

Quedaba la mejor. Yo había visitado Notre Dame du Sablon; Atkinson no. Me interesaba acompañarlo. Y al fin aquella tarde había ido a buscarme para ir al templo. Ya en el interior de la iglesia, cuya estructura gótica primitiva me sobrecogía, experimenté de nuevo la sensación que me había asaltado el primer día que vi aquellas paredes construidas al empezar el siglo XIV por una corporación de ballesteros, y restauradas por Isendyk. Nos quedamos más de una hora yendo y viniendo religiosamente de un lado a otro de las naves. Atkinson miraba, pálido, el hermoso púlpito barroco, la tumba del secretario del duque de Parma, el imponente mármol negro y blanco en las capillas funerarias de los condes de Taxis y La Tour. Allí estaba con nosotros, a manera de guía, un grande y austero silencio. Al ver en el crucero una capilla funeraria con el nombre de Rousseau, Atkinson se acordó de Juan Jacobo.

Se puso pensativo. Yo lo miraba ir de sepulcro en sepulcro con su figura distinguida, la cintura demasiado delgada, los brazos largos en las mangas muy estrechas.

—Durante una larga época de mi vida yo creí que me parecía a Juan Jacobo —dijo—. Era sensual, desordenado, anárquico como él, y me gustaba sorprender a las gentes con los paralogismos y las paradojas que me inspiraban caprichosamente los humores de mi cuerpo. Es decir, me parecía posible hacer del temperamento personal una especie de código para juzgar a los demás y tener primacía sobre ellos. Me gustaba escandalizar, y tenía mi dulce madame de Warens y mi gruñona Thérèse Le Vasseur. Era un hipocondríaco y me placía liberarme de mis males interiores improvisando para mi uso moral una especie de cristianismo sin dogmas, al estilo del de Juan Jacobo. Me gustaba mucho la música. Sufría exaltaciones inspiradas, raptos de liberalismo lírico, ramalazos de no sé qué sentimental altruismo sin fundamento. Me daba por gritar a quien quisiera oírme —¡y cuántos se emborracharon a mi costa en las tabernas de las esquinas de Londres!— que se podía fundar una especie de reino universal del gran derroche con tal de que olvidáramos un poco las preocupaciones usurarias que nacen del confinamiento de los hombres en la tenaza de la familia, en las tinieblas domésticas del hogar. Era una especie de ebrio público. pero no había encontrado mi Alá como los persas en el vino de Shiraz, sino en una especie de euforia parecida a la que ataca a los paralíticos progresivos. Es decir, que mis arrebatos de redención social eran en realidad las grandes efusiones propias del hombre que ya no siente pesar sobre sí ninguna responsabilidad social y erra cantando por los valles de la vida. Yo no pensaba que el hombre que se libera de sus cargos no puede dar sino lecciones muy relativas a los que llevan todavía la carga encima. El apellido Rousseau inscripto en esta capilla me ha hecho volver de pronto a aquel tiempo de libertinaje moral. Porque, así como hay un libertinaje de esencia amoral, hay un libertinaje que consiste en la malversación de nuestra virtud. La beatería cruel es un libertinaje, y tan libertinaje como el ateísmo escandaloso del calavera. De igual modo, el andar blandiendo los preceptos que hemos batido con el cultivo paciente de ciertos prejuicios y de ciertas impotencias, es también un modo de libertinaje.

Cuando salimos de la iglesia llovizaba sobre Bruselas.

—¿Caminamos, de todos modos? —propuso entonces Atkinson.

Acepté y echamos a andar. Salimos de los rudimentos de callejuelas circulares que rodean la iglesia. Atkinson siguió hablándome de su vida en Inglaterra.

—Me convencí un poco tarde de que mis solos de violín no debía propinarlos sino a mí mismo. Fue una comprobación algo embarazosa, pero bastante saludable. Se me ocurrió que una modesta y discreta contemplación era mejor empleo para los caprichos de un alma cuya virtud principal consiste en no haber aprendido a mantenerse equilibrada. Entonces aquel Rousseau se transformó en un Hamlet a la sordina, es decir, en un Hamlet que no tiene siquiera que volcar sus indecisiones en una solución final. Un Hamlet desocupado — mucho más escéptico, mucho más recogido, mucho más despegado de sí mismo que el otro. Con todo, no estaba del todo mal el haber cambiado un anarquismo egoísta por una indiferencia reticente que podía ser hasta dócil, hasta persuasible, hasta catequizable... Me dejé de hablar; me puse a escuchar. Voces, voces escritas, bellas voces humanas; voces. Es una experiencia que lo ensordece a uno por fuera al principio, ¡pero lo deja por dentro tan maravillosamente comunicado! Casi no hacía otra cosa que pasearme llevando adentro la voz del *In memoriam* de Wordsworth, la fuerte voz de Kubla Khan proferida por Coleridge, las cuatro secas líneas autobiográficas de Landor y las melancólicas quejas invernales del conde de Surrey: *"And thus I seè among the pleasant things each care decays, and yet my sorrow springs!"*...
¡Era tan deliciosa aquella experiencia, aquella especie de adormecimiento! Nada me importaba puesto que yo podía atravesar las ferias llenas de gente maloliente, los sórdidos bares, las casas fastuosas y tétricas, la calles monótonas, de la mañana a la noche, con aquel calor activo por den-

tro: el canto de los peregrinos de Canterbury o mi propia
aventura contada por Southey antes de que yo naciera:

> *My thoughts are with the Dead; with them*
> *I live in long-past years,*
> *Their virtues love, their faults condemn,*
> *Partake their hopes and fears.*
> *And from their lessons seek and find*
> *Instruction with an humble mind.*

Nos detuvimos un instante a esperar que pasara la brusca llovizna. Al cabo de algunos segundos continuamos andando. Atkinson retomó el hilo de sus explicaciones.

—Pero, después de algún tiempo, esas dos posiciones en
que había estado mi vida me parecieron igualmente vacías,
vanas e inclementes. Llegué a tal conclusión cuando mi
aristocratismo dialéctico me llevó a frecuentar los sitios de
la tierra donde se maceran la privación y el dolor. Entonces sentí que la pequeña aristocracia consiste en un
juego de reacciones de conservación, pero que la gran aristocracia consiste en un gran desapego de lo material y en
una gran vocación de decencia y de simplicidad. Entonces
empecé a abrir los ojos a lo que pasaba a mi alrededor,
pero unos ojos nuevos, unos ojos dispuestos a *ver*. Comprendí que estar al lado de la gente sacrificada era un
acto de caridad. Y empecé a caminar en el sentido de las
grandes necesidades humanas. He tratado de emplear, de
un modo u otro, mi acción en favor de esas necesidades. No hago mucho pero cada día trato de hacer algo.
That's all.

En seguida me contó otras vacilaciones y otros desen-
cantos que había tenido los últimos tiempos. Le gustaba
citar frases clásicas a propósito de todo y lo hacía con una
gracia de antiguo erudito de Oxford, no como quien ostenta un lujo sino como quien deja caer una flor casi dis-
traídamente recogida.

—Hoy la ciudad está envuelta en la atmósfera eterna de
Notre Dame du Sablon —le dije—. Parece que estuviése-
mos en el extremo norte del tiempo, en la llovizna de hace
cientos de años. Por estas calles se mojaron como hoy nosotros los ballesteros belgas del trescientos. Y me gusta tocar estas piedras mojadas, con su superficie librada al agua
como una lengua sedienta desde el principio del mundo.

Nos detuvimos y tocamos con placer las gárgolas de una
fuente emplazada en el centro de una bocacalle. Chorrea-
ban finos hilos de agua las quimeras de piedra, pulidas
por miles y miles de lluvias. A fuerza de accidentes las
piedras parecían humanizadas.

—Vamos. Ya va a ser hora de comer —dije.

Denis Atkinson se limpió la frente mojada, con su pañuelo de seda roja.

Dos hombres extremadamente agitados hablaban gesticulando ante la puerta de la casa de Ferrier.

Los dos hombres comentaban algo entre sí, y no ocultaban su excitación ni sus temores. Vestían de un modo desordenado y uno de ellos tenía un sombrero hongo, sucio de polvo blanco en la copa. Al verme llegar, uno de los hombres se creyó obligado a advertirme algo, sin saber quién era yo, más que todo por ese malsano deseo de comunicar las noticias desgraciadas o violentas.

—Hay un herido adentro —me dijo.

Lo miré sorprendido y crucé el zaguán. ¡No era raro que hubiera un herido adentro! Las puertas del consultorio estaban abiertas, y Ferrier estaba junto a la cama de operaciones, con el delantal blanco puesto y guantes de caucho. Otras dos personas miraban hacia el interior del cuarto blanco desde la puerta del vestíbulo: uno de ellos tenía una gran nariz borbónica y unos ojos azorados y luminosos; el otro era un joven que frisaba en la treintena, flaco y alto.

Yo iba a seguir directamente hasta mi cuarto cuando Ferrier me llamó desde el interior de la sala de curaciones.

—Ven —me gritó.

Tendido en la mesa como un muerto, en estado de coma, con el busto desnudo y unos pantalones de franela gris desprendidos en la cintura, la cara sin dolor, los labios blancos, los ojos rígidos entre los párpados semicerrados, estaba el herido. Ferrier había aplicado un trozo de algodón a la altura de las costillas superiores, sobre el lado izquierdo del tórax, donde sin duda estaba la lesión. Era un hombre de pelo negro, brillante, con el rostro cuidadosamente afeitado, muy fino hacia la barbilla y una expresión que perduraba, de cólera o de terror glacial. La enfermera vino del cuarto vecino con la careta para el cloroformo. Ferrier la miró, vacilando. Ella continuó con su aplicación, e hizo descansar suavemente la careta sobre la nariz del herido, cuya cabeza se agitó de modo brusco.

—Se ha pegado un tiro —dijo Ferrier.

—¿Quién es? —pregunté.

—Un hombre que vivía solo en uno de los departamentos cercanos.

Luego indicó con la cabeza a los dos hombres que aguardaban a la puerta del consultorio, mirando con estupefacta inmovilidad.

—Estos señores son sus vecinos y lo han traído. Acudieron no bien se produjo el acto.

Ferrier buscaba un instrumento en la caja de níquel que acababa de extraer del autoclave. Uno de los hombres habló en voz baja, como librando un secreto:

—Sí —dijo—, lo hemos traído.

Nervioso, extremadamente inquieto, Ferrier miraba a la enfermera. "Sin duda, es suficiente ya", le dijo. "No, doctor", contestó ella. Ferrier bajó la cabeza, levantó con una pinza el trozo de algodón y observó un instante la herida. Después, con lenta suavidad, enjugó la sangre, valiéndose de una gasa.

Por la ventana alta, cruzada de barrotes blancos en el muro del cuarto, se veía un fragmento de noche, una noche terriblemente negra, sin una estrella.

La enfermera obedeció. Reinaba un gran silencio en el cuarto. La respiración dificultosa del herido se oía, sola, desigual. La enfermera dejó de contar las gotas, inclinó la cabeza.

—Bueno —dijo.

Miré el reloj esférico que estaba encima de una de las vitrinas llenas de instrumentos. Eran exactamente las nueve. Los brazos del herido se agitaron en un espasmo epileptiforme; luego siguieron inmóviles. Ferrier miró a la enfermera.

—Yo creo que ya puede empezar, doctor.

—Perfectamente.

Todavía tardó un poco en comenzar, deteniéndose para poner en orden sobre el lienzo de la mesilla auxiliar, varios pares de tijeras y bisturís.

—La anestesia va a durar poco, doctor —dijo la enfermera, con cierta suplicante dureza—. Pronto.

—Será cuestión sólo de unos segundos —dijo Ferrier. Estaba nervioso. Colocó sobre los bordes de la herida dos pinzas de apertura a fin de conservarlos separados, y tomó de la mesa auxiliar otro instrumento. Sus manos enguantadas se movían sin rapidez, pero esto parecía deliberado.

El herido comenzó a quejarse débilmente y un poco de espuma apareció en sus labios. Casi sin transición, comenzó a hablar, en voz fuerte, delirante y desordenada.

El herido hablaba de un juego.

—Es una cosa que sucede —me dijo la enfermera.

Con tono de rezo repetía persistentemente la misma cosa *in crescendo*:

—¡Quién se ha llevado el juego...! ¡Quién se ha llevado el juego! ¡Quién se ha llevado el juego...! ¡La reina!

Los labios dolientes hacían una pausa. Ferrier continuaba su trabajo lento y dificultoso y sangriento.

—Estaba sobre la mesa... Magda se lo ha llevado...

¡Magda ha cambiado tanto! El arco con que jugaba es un anillo... el arco es ahora un anillo... el arco de palo es un anillo de oro... de oro... ¡Por qué me quitan esto, por qué me quitan esto!... Oigan... ¡Déjenme esto! ¡Es lo único que me queda, déjenme esto! Que yo lo vea... que lo vea... Pero todo se ha acabado. ¿Ella está en la puerta? ¿Ha venido? Dijo que vendría. Dijo que vendría. ¡Oíganme! Dijo que vendría. ¡Dijo que vendría, bárbaros! ¡Bárbaros, bárbaros, bárbaros, bárbaros! ¡Bárbaros! Sí, sí... es un anillo de oro... el dedo y el anillo... veo el dedo y el anillo pero el dedo y el anillo tapan la cara... déjenme esto... quiero ver... Magda...

Hablaba constantemente. La enfermera examinó la máscara, y luego, oprimiendo la muñeca, le tomó el pulso.

—¿Cómo está? —preguntó Ferrier.

—Sería necesario el oxígeno ahora —dijo la enfermera.

—No tenemos oxígeno.

La enfermera se quedó callada. Tenía el cabello rubio y una cara fría y seria de muñeca. Volvió a tomar entre sus dedos la mano inerte. La voz se seguía oyendo, como si no perteneciera a ese cuerpo aparentemente sin vida.

—...saberlo... ya no nos podíamos acostar juntos... estaba harta... era una cosa hiriente y hacíamos el amor pensando en el otro... el otro estaba en todas partes... los domingos salíamos con el otro... no sabía que ella tenía el vientre espléndido... yo sabía... él no sabía... pero ese vientre era de él... no sabía pero era de él... ya... ya era de él... no importaba que no supiera... también la había visto yo jugar con el arco... pero entonces tenía trece años... la remolacha y el azúcar en polvo era lo que oía con el clarín... había en el colegio un clarín... todos los profesores tocaban el clarín... no conocían aquel vientre...

—Es necesario el oxígeno —dijo la enfermera—. El pulso se va.

—...no conocían aquel vientre... suave...

Sin moverse, dirigiéndose visiblemente a los dos hombres que estaban en la puerta, dijo Ferrier:

—Es necesario el oxígeno —repitió—. ¡Pidan por teléfono una cápsula de oxígeno al hospital! ¡Pronto, pronto!

Yo mostré al hombre dónde quedaba el teléfono. El hombre tomó la guía y comenzó a buscar; luego la dejó y descolgó el auricular. Luego lo volvió a colgar: "Está ocupado", dijo. "¡Déme!", intervine. Llamé al oficinista y le pedí urgentemente una comunicación directa. Entregué el auricular al hombre para que pidiera él lo que se necesitaba y volví a pararme detrás de Ferrier. Minúsculas go-

281

tas de transpiración cubrían la frente del médico; su rostro estaba tan blanco como las orejas del herido. El herido temblaba, extremadamente inquieto en su delirio, y se había puesto a rezar, con voz estentórea:

—...el vientre... llena eres de gracia... el Señor es contigo... bendita tú eres entre todas las mujeres... bendito sea el fruto de tu vientre... Jesús... Santa María... Madre de Dios... ruega por nosotros... los pecadores... ahora y en la hora de nuestra muerte... amén... Dios te salve María... llena eres de gracia... el Señor es contigo... bendita tú eres... entre todas las mujeres... bendito sea el fruto... de tu vientre... Jesús... Santa María (su voz se apresuraba).... Santa María Madre de Dios... ruega por nosotros...

—No encuentro —decía Ferrier—, no encuentro la bala.

—Por favor, doctor —dijo la enfermera. Su voz fría tenía ahora un eco suplicante.

—...el vientre...

—No encuentro la bala. No la encuentro.

—Tal vez con la otra pinza, doctor.

—...los pecadores... ahora y en la hora...

Había una gran tensión, un gran silencio en el cuarto. Las venas estaban hinchadas en el brazo de Ferrier, en el trozo visible que aparecía entre la manga blanca arremangada y el extremo del guante. Sobre una mesa de metal relucía el níquel de una pequeña autoclave; al lado de la autoclave había un frasco alto con algodón. Ferrier repetía, semejante a un monomaníaco: "No encuentro la bala, no encuentro la bala." Lo repetía como una desesperada justificación o como para darse coraje y no turbarse, no oír su nerviosidad, mientras el herido repetía lo suyo, sus propias palabras. Detuvo un segundo la mano que operaba más hondo, miró; después estiró la otra mano, tomó una tijera-pinza e hizo rápidamente otra ligadura; la pinza quedó colgando sobre la carne; con la misma mano tomó otro instrumento y lo aplicó a la asistencia de los otros dedos.

—Abra más, un poco más. Pronto, doctor —dijo la enfermera. Lo miraba con inquietud, con aflicción, preocupándose por él.

Ferrier siguió operando sin decir nada. Aquellos dedos ligeros, flacos y nerviosos, parecían haber entablado lucha con el tiempo, con los minutos que pasaban.

—Ha dejado caer un carretel —protestó Ferrier. La enfermera miró, luego volvió a levantar los ojos.

Aquello era una carnicería.

—Por momentos no hay pulso —dijo la enfermera. Su voz había vuelto a ser fría.

282

—No puedo cerrar ahora —dijo Ferrier. Su tono parecía una queja sorda. Su cuerpo estaba rígidamente encorvado sobre el tórax del herido. El delirio crecía, entrecortado y ansioso, mezclado con los rales.

—...entre todas las mujeres...

La voz decayó de pronto.

—Ya es inútil —dijo la enfermera, y levantó su cabeza rubia.

Ferrier estiró precipitadamente el brazo, tocó, en la muñeca, la piel todavía caliente, la arteria yerta, luego la frente del muerto.

Buscábamos una hora más tarde algún restaurante para comer. No teníamos tiempo ni ánimo para llegar hasta el centro. Ferrier estaba abatido y yo hacía lo posible por levantar su espíritu. En un callejón viejo, junto a un *garage*, pegada a un muro mugriento en el que se destrozaban a jirones los carteles de publicidad, encontramos una casa de comida que Ferrier conocía de nombre y cuyo prestigio databa del siglo anterior. Debajo de la enseña —que no ostentaba más que un vocablo escrito en caracteres góticos: "Necker"— se veía una vidriera con botellas de vinos añejos cubiertas de telaraña. También se veían dátiles en cajas, adornados con papel de oro. Los dos queríamos disimular nuestra inapetencia y nuestro humor sombrío.

—No me puedo acostumbrar a esto —había dicho Ferrier refiriéndose al deceso de un hombre en sus manos.

—Es una cosa pasada —lo consolé—. No vale la pena volver a pensar en ello.

—Pero asedia, asedia.

—Cada segundo contiene muertes y muertes —le dije—. Habría que educarse tomando ya eso como algo familiar y siempre liberador.

—Yo creo que la muerte es la única cosa ante la cual el ánimo no se modifica o educa sino de manera precaria. Lo que se llama habitualmente entereza y que se da como virtud en las naturalezas más fuertes, no es al fin más que una actitud compuesta, nacida de la epidermis del espíritu y no del fondo de la conciencia. El fondo de la conciencia será eternamente terror. Y en algunos, como en mí, la duda de lo que será la muerte, la ceguera con respecto al estado de eternidad llega a ser una obsesión puesta detrás de todo acto. Como el fondo sombrío de un viejo cuadro, yo no ejecuto movimiento ni hago nada ni veo cosa alguna sin tener por detrás la imagen de mi propia disolución.

—Bien —le dije—, eso, pensar así, pertenece desde luego

a la anarquía fundamental propia de nuestra raza de incrédulos. Tanto es cuestión de educación el abatir el pavor que, si no lo fuera, ese sentimiento de terror acabaría siendo tan universal y constante que el mundo se hundiría en una psicosis definitiva. Y no se hunde, sino que atraviesa el puente de la muerte mal o bien según se haya educado —bien o mal— en los corredores de su fe.

—No sé, es una materia de educación en la que no creo.

—No lo crees porque en realidad estamos poco inclinados a creer en verdades trascendentes. Nos satisfacemos con creer en verdades accidentales, inmediatas, que nos cuestan poco, pero con las grandes preferimos no enfrentarnos.

—¡Filosofía!

—Sí, por supuesto, filosofía, como que es la razón esencial de las cosas.

—¿Quieres fumar?

—Gracias; después.

—Son cigarrillos muy suaves. Como hierba.

—Bueno —dije—. Fumaré uno.

Era un sitio bastante oscuro y se respiraba un desagradable olor a aceite ordinario. El propio dueño servía a los clientes, en mangas de camisa, mostrando por la abertura roñosa del lienzo un pecho velludo y cetrino. Las viejas lámparas que escapaban como gárgolas de la pared tenían más adornos y retorceduras de bronce ordinario que luz.

Ferrier comía en silencio, abandonando el tenedor entre bocado y bocado, hundido en una honda concentración. De repente, sin que ninguna circunstancia especial me llevara a ese tema, comencé a hablar del éxodo de judíos alemanes, que había acabado por crear pequeñas interesantes colonias en Amsterdam, Londres, toda América, Jerusalén. Ya estaba fermentando en esos sitios, a pesar de los pocos meses que llevaban allí, su levadura. Obras, iniciativa, un germinar de inteligencia partía nuevamente al mundo desde esos sitios. No podía dejar de manifestar mi simpatía por toda esa gente en quien el dolor es tan fértil y que, perseguidos, no dejan de crear como víctimas cuya expiación fuera el fruto mismo. Elogié con calor algunos artículos aparecidos recientemente en la revista *Die Sammrung*, que imprimía en Querido Verlag un hijo de Thomas Mann.

Abstraído, Ferrier escuchaba todo eso sin mostrar el menor interés. Sus ojos se aferraban al vacío, sus mandíbulas masticaban mecánicamente, con suma lentitud, como un animal que rumiara. Pero yo seguía hablando de los judíos emigrados, hacia los que, dije, no me llevaba ninguna afinidad espiritual sino un fuerte movimiento de adhesión humana.

Cuando salimos del restaurante fuimos a recorrer los teatros y los cinematógrafos, deteniéndonos a leer los programas. En todas partes repetían viejas películas o viejas piezas. Tanto en el teatro como en el cinematógrafo presentaban con insistencia esos días *La ninfa constante*, adaptaciones diferentes de la novela de Margaret Kennedy. Ferrier y yo la habíamos visto ya. Decidimos seguir buscando. Al fin dimos con una sala en la que se anunciaba un film alemán, de vanguardia, y allí entramos. Era una película lenta, muy pesada, difícil de seguir.

—Vamos —dijo Ferrier al cabo de un momento—. Esto es estúpido.

Tomamos por aquellas calles en las que se apagaba el tráfico nocturno, que no recomenzaría hasta muy avanzada la mañana. La agradable temperatura parecía una cosa inconcebiblemente fresca en medio de aquellas cornisas cargadas de suciedad, aquellos muros arcaicos, aquellos edificios con olor a años y vidas desaparecidas y podridas. Llegamos a una plazuela triangular en la que había una sola farola, coronada de su halo lechoso, y unos arbustos de ramaje pelado y enfermizo.

—Sentémonos aquí —dijo Ferrier. Los bancos estaban colocados de acuerdo con la forma triangular de la plaza, mirando a tres calles.

Permanecimos un rato silenciosos en la calma de la calle. Todo continuaba viviendo; aun nosotros, detenidos allí, continuábamos respirando y gastándonos, yéndonos un poco más de la existencia. Un gendarme adormilado recorría lentamente el asfalto, a un centenar de pasos de la plazuela; no se distinguía más que el quepis negro y la breve capa que le cubría los hombros. El ritmo del universal crecimiento se sentía poderosamente en la noche, pero potencial, interno.

Ferrier habló, entonces, sin volver los ojos hacia mí, dejándolos como estaban, clavados en el aire nocturno.

—¡Estoy amargado —dijo—, tan terriblemente excedido! ¡Me he excedido a mí mismo! Pocos saben lo que es eso.

Su voz se oyó transformada, un poco ronca, densa, lo mismo que si el caudal que la informaba fuera ya a desbordarla.

—Todo lo que hago por escaparme a la idea fija de lo que soy, acaba siempre en un fracaso. Quiero huir de mí, y ahí estoy, insoportado e insoportable. ¿Qué noche es ésta en que vivo? Cada día, reflexivamente, paulatinamente, tengo la certidumbre de que mi destrucción total sería lo único digno, lo único aceptable a fin de acabar con este pleito espantoso... ¡Mi vida es una tal exacerbación, un tal conflicto con las circunstancias, una tal desgarradura! He perdido completamente mi brújula. Soy una cosa caótica en medio de un mundo caótico, y no hay nada que aparezca como una seña, un signo de dirección, o confianza o calma. ¡Siempre un estado exasperado, una irritación sorda, una tensión! ¡Por fuera, he intentado vez tras vez olvidarme de eso lanzándome a una vida del puro goce físico, al alcohol, a las mujeres. Pero esto no es sino la prueba definitiva de mi desesperación, la desesperación de mi desesperación. La realidad de fondo es otra. Completamente otra. La realidad de fondo, la verdad, es ésta: soy un hombre en terrible deuda con la vida. Tengo sobre mí una responsabilidad casi criminal. Yo no sé cuántos años hace que soy médico. Como a tantos otros, después de algunos cursos, experiencias de aula, un buen día me dieron un diploma. Con ese diploma podía recetar, curar y matar. Pero la ciencia, el conocimiento de mis medios, la sabiduría de mi profesión — nulos. No sabía nada. Nunca he sabido nada. Habría podido encerrarme a estudiar, pero deseaba ansiosamente vivir, estar en el mundo, y era menester ganar dinero. Cerré los ojos y seguí adelante. Cada día me ha ido inficionando más este veneno. He curado algunas veces; he matado muchas veces. He pasado días y noches atroces, sintiéndome culpable, convicto como un criminal, casi muerto yo mismo, destruido. Lo de esta noche no es nada: el hombre se hubiera ido de cualquier modo, la herida era gravísima. Terribles han sido otras cosas, otros días; a veces me quedaba perplejo y frío ante un enfermo; luchaba en mí, y vencía, una fuerza oscura, glacial, criminal, y a pesar de mi ignorancia yo postulaba, aconsejaba, mandaba hacer esto o aquello... Esta vida, a través del tiempo, me ha creado una rabia tan grande contra mí mismo, un disgusto tan violento contra mí, un furor tal, que he estado muchas veces a punto de incendiar mi casa e irme ciegamente a una parte cualquiera del mundo donde yo lo ignorara todo y se me ignorara. Irme al diablo, desaparecer, huir, evadirme hasta de mí. Pero me he quedado. Me he quedado con el cobarde que soy. Sin dar un paso, almacenando ese veneno profundo, manifestándolo en una intolerancia brutal hacia todo lo que pase a mi alrededor... Sintiendo que mi vida no es un producto, como todas, sino un robo.

Se detuvo. Respiraba con esfuerzo y me miraba, ahora.

—Hace unas noches, me has visto levantarme lleno de rabia frente a la actitud de Blanche Alost, en Rumpelmonde... ¡No la puedo soportar, no puedo tolerar nada de ella! Soy injusto. Por el hecho de haber sido ella durante cerca de tres meses mi amante, no tengo derecho a castigar su modo particular de ser y de vivir. Es una criatura de por sí castigada; lo justo es dejarla vivir, *sobrevivir* tal como pueda hacerlo. Pero esta rabia feroz contra ella forma parte de mis rabias actuales. Rabias oscuras, rabias sordas que andan sueltas en mí, en el subsuelo de mi vida. Pero, ¿es que esta mentira es exclusivamente mía? Siento, veo cosas iguales, mentiras iguales, a mi alrededor. Las siento: están ahí. En todas partes vive la misma comedia siniestra. El olor que yo me tomo es el olor nauseabundo de toda una humanidad, en estas horas. Horas de pequeños burgueses nauseabundos, pequeños resentidos nauseabundos, pequeños dioses nauseabundos, que quieren ocupar el plano de arriba... ¿Qué hacer, qué se puede hacer? ¿Es que basta, es que bastaría con suprimirse? ¡No! ¡No basta que desaparezca una mentira individual! Tiene que venir otra cosa. ¡No sé de dónde, pero tiene que venir un fuego, algo que nos consuma y nos limpie de putrefacción, de hedor, de farsa, de tantas mentiras en marcha! ¡Algo en lo que la humanidad quede para siempre o renazca! ¡Algo, algo de fuente humana o divina!...

Sufría.

El blancor de la luz eléctrica reverberaba a lo largo de los muros fronteros. Circuidos de rejillas, los árboles mostraban su faz negra, su lomo raquítico y contrahecho.

—Pero, ¿no ves —le dije— que si es necesario un sacrificio, ese sacrificio está en ti, tiene que comenzar por ti?

Ferrier me miraba fijamente. Insistí.

—¿Cómo es posible una cura del mundo que no se opere antes en cada uno? Es absurdo imaginar otra cosa.

—Pero, ¿qué sacrificio? — ¿qué sacrificio? — ¿qué sacrificio puede ser? —gritó él.

—Yo no sé. Yo no soy un profesor de moral. Tú debes saberlo.

Hubo una pausa. Pasaba el tiempo. Minutos de vida.

—Estoy aburrido de todo esto —dijo Ferrier—. Harto, harto.

Su voz parecía un sollozo viril.

Nos levantamos, instantes después, y volvimos a caminar. El gendarme nos miró con una expresión soñolienta y desconfiada.

XXXVII

Denis Atkinson había entrado al anochecer en aquella casa de tristeza. El frente de la casa estaba negro de ho-

llín y ostentaba algunos adornos platerescos. Era una casa
de pensión lujosa, instalada en cierta antigua residencia señorial, y por una gran escalera se súbía hasta la planta
de recepción, donde las señoritas se hundían en un opro-
bio de almohadones, barrocos bronces y adornos pesados
de falso marfil. Atkinson entró musitando alegremente aquellos versos del soliloquio de Gloucester:

> *I'll make my heaven in a lady's lap,*
> *And deck my body in gay ornaments,*
> *And witch sweet ladies with my words and looks.*

Las muchachas lo recibieron con gran alborozo, pero él no
deseaba de aquellas carnes más que el reflejo trágico que
despedían, aquel nimbo de fatalidad y dolor secreto con
que se levantaban, reían, blasfemaban, vivían. Una densa,
miserable poesía las rodeaba, como el halo triste en torno a
ciertas vidas monótonas. Cuando se sentía desmoralizado por
algo, Atkinson iba a verlas. Sin duda el encontrarse con esos
terribles destinos le hacía pensar en lo insignificante de sus
propias aflicciones, y entonces su ánimo reaccionaba, casti-
gándose a sí mismo, increpándose interiormente.

Una de las señoritas se le acercó, riendo, y le sacó, por
sorpresa, el pañuelo de *foulard* del bolsillo alto del saco.

—¡Esto para mí! —dijo.

—Bueno —consintió Denis Atkinson.

Ella se ató el pañuelo a la muñeca. Tenía la piel muy
morena y se llamaba Nenette. Parecía una honesta joven
de casa rica. Hizo un mohín y depositó sus dos manos en
el brazo de Atkinson.

—*Thank you, my lord* —le dijo en inglés.

Él se sentó y ofreció cigarrillos a todas, en silencio. Casi
todas aceptaron. La señora Amedée Liparí, patrona de la
casa, no se movió del sofá donde estaba erguida con cierta
dignidad principesca. Viéndola allí, ¿qué diferencia presentaba con alguna vieja reina, alguna vieja y opulenta dignata-
ria, cubierta de arcaicos encajes, camafeos, broches, anillos
y pendientes, con esos ojos hinchados de los hidrópicos y ese
amarillo hepático en el iris de todos los que han llevado
una vida de regalo, quietud y hartazgo? Atkinson la llamaba,
por eso, "la Reina". El calificativo la enfurecía. Como todos
los burgueses, tenía cierta debilidad celosa por la democracia. "¡Reina no soy!" — gritaba igual que si limpiara una
mancha. El resto de las señoritas fue acercándose poco a
poco al recién llegado. Atkinson se sentó en el sofá de
felpa, frente a la señora de Liparí, y sacó su cigarrera de
plata muy pulida, ya casi inmaterial a fuerza de uso, con
aquel pequeño escudo azul oxfordiano, y tomó un cigarrillo

aromático y lo llevó a los labios. Una de las muchachas extendió la mano con el fósforo encendido. "Gracias", dijo Atkinson. Repitió:

"*I'll make my heaven in a lady's lap.*"

Tres voces le preguntaron a un tiempo:

—¿Qué dice?

Él echó la cabeza hacia atrás, rechazando el humo, y la dejó así un instante, sin bajarla, pensativo.

—Nada —contestó. Y volvió a sonreír amablemente.

La señora Liparí comenzó a protestar con su voz monótona que oscilaba entre la condenación y lo sentencioso. Estaba indignada con los funcionarios municipales que, al exceptuarla del pago de altos impuestos, se aprovechaban de su generosidad permitiéndose con las muchachas licencias *gratis et amore* y agotando los vinos de su pequeña bodega. El recuerdo de esos personajes encendía en sus ojos un furor subversivo. Lo extremo de la indignación la hacía ahogarse con el cigarrillo, ponerse casi cianótica. Sentada en el brazo del sofá de Atkinson, Nenette rio a carcajadas.

—¿Qué le pasa a usted? ¿De qué se ríe? —fue la increpación de la señora.

Nenette no podía con la risa.

—¡Qué gracioso...! —prorrumpió mirando divertida a la señora—. ¡Ahora es usted la explotada! ¡De qué poco le han servido sus ciencias! ¡Todo viene a parar en esto! La explotadora explotada...

—Quisiera tomar un poco de whisky —dijo Atkinson.

Una de las muchachas obedeció perezosamente al gesto de la señora, saliendo del cuarto como sonámbula. Luego regresó con la botella y los vasos sobre una bandeja descomunal, que parecía provenir de una subasta del tiempo del rey David.

—Es un licor escocés de diez años —dijo la señora—. Me cuesta una fortuna.

La palabra fortuna ensombrecía su rostro, envolviéndolo en un aire nostálgico. Sin mirarla, Atkinson se dejó servir.

—Lord Byron, un señor muy bien —dijo—, tenía una forma especial de tomar el whisky. Hubiera podido decir en Missolonghi, como aquella bestia romana: "¡Qué gran bebedor muere conmigo!", si no fuera porque lo ocupaba muy seriamente en aquel momento la idea de poner una buena estrofa al final de sus días. La estrofa fue en realidad muy buena. ¡Pobre Childe Harold!... Eh... Ya veo, señoras, que ustedes no tienen ningún entusiasmo por Byron. A ustedes les hubiera gustado más Shelley, el adolescente. Hace poco arranqué unas hojas de su tumba en el pequeño cementerio de Cayo Cestio, unas hojas de violeta, sucias de tierra, alimentadas de veras con el abono de sus huesos, al lado de la linda pirámide, bajo el sol de Roma. El pobre Trelawnay descansa con él. ¡Ah, me habría gustado pasearme con alguno de esos en vez de andar hoy de un lado a otro aburrido y sin compañía! Eran otros hombres...

Se calló, repentinamente taciturno, y de pronto dijo de nuevo:

—¡Señora!

—¿Eh? —preguntó la dueña, los ojos soñolientos, cortés, pesadamente sonriente.

—¿Verdad que le hubiera gustado a usted Shelley, Mr. Shelley, más que yo?

—¡Oh, no! —dijo la señora, pensando que Mr. Shelley debía ser algún inglés desastrado de Bruselas—. ¡De ningún modo!

Atkinson se sonó las narices y entornó los ojos. Recitó, mientras guardaba el pañuelo en el bolsillo alto del saco con un gesto despacioso que parecía acompañar los versos:

> *Like a poet hidden*
> *In the light of thought,*
> *Singing hymns unbidden,*
> *Till the world is wrought.*
> . . . .

Volvió a callarse, los ojos fijos en el techo, pensativo. Había dos muchachas de pie, al lado del piano, enlazadas con los brazos alrededor del cuello, las cabezas inclinadas la una hacia la otra, que lo miraban con atenta estupefacción, preguntándose para sus adentros si estaría chiflado:

> *Teach us, sprite or bird,*
> *What sweet thoughts are thine:*
> *I have never heard*
> *Praise of love or wine*
> *The panted forth a flood of rapture so divine.*

Hizo vibrar largamente la palabra *divine*.

Sarcástica, Nenette aplaudió. Atkinson le dirigió una mirada indiferente. ¿Qué importaba todo eso: muchachas, gente, escuchando? No tardaría en estar de nuevo en la calle, a solas con sus amigos sin carne, esos fantasmas gloriosos, poetas, amantes, gente de aventura. La señora Liparí le ofreció más alcohol con la mejor de sus sonrisas.

—No —dijo Atkinson—. Basta. Me voy.

Se paró, hizo un gesto de tedio e indecisión, se acercó a una de las dos muchachas que seguían enlazadas con los brazos en torno del cuello y le dio una palmada en la triste mejilla cubierta de polvo rosa. La muchacha le contestó riendo con una broma. Atkinson dejó un billete sobre la mesa, guiñando el ojo a la señora.

Salió a la noche. No tenía en la noche otra función posible más que la de respirar el aire, andar, ir o venir sin deliberado destino, envuelto en las ondas del diálogo que con él guardaban los poetas, los amantes, los aventureros de un sueño incesante.

En las primeras horas de la mañana corté por el mercado para ahorrar camino y, entré en el barrio pobre retirado de las librerías de lance. Vi pasar algunas mujeres gordas con canastas y largos panes envueltos en, papel de diario. El ambiente era muy, miserable; las paredes de las casas, grises, casi negras, conservaban adheridos papeles con proclamas y anuncios que parecían datar del siglo pasado. Y la gente que habitaba allí parecía de una misma edad con las piedras. Una carnicería y un café abrían en aquel momento sus puertas; en el interior del café, a través de las vidrieras, se veía caminar, a un solo mozo, con esos movimientos lentos y perezosos con que los trabajadores inician cotidianamente sus labores.

En una de las librerías atendía un viejo de saco raído y mugriento gorro de terciopelo. Su voz agriada y aguardentosa de Harpagón respondía de mal talante a las preguntas de los clientes. Contestó a mi requerimiento con dos gruñidos, renegando: "¡Quién va a tener a estas horas el libro de De Quincey sobre los últimos días de Kant! ¡Literatura repelente!" En cambio, me podía ofrecer una edición antigua de Condillac... estos son los libros que se debe leer. Filosofía de primera mano. ¿Un Rousseau? ¿No? Podía entonces ofrecerme —si es que tenía yo gustos artísticos— unas estampas de Hyeronimus Bosch (¡Jerónimo van Aken!), espléndidas, compradas a un comediante en desgracia. Una verdadera oportunidad.

Había que hacer oídos sordos a esa cantinela conminatoria.

Fui de estantería en estantería. Todos los libros me parecían innocuos y privados de significación en un tiempo de furia y espanto y odio; uno a uno fui mirando aquellos títulos que me eran todos familiares. Allí estaba Hesíodo, con sus trabajos y sus días; Marco Aurelio, con sus píldoras estoicas: "Es de almas grandes considerarse pagado en calumnias del bien que se hace"; por fin, en un pequeño volumen, el tratado de Boecio, "De la consolación por la filosofía". Había leído mucho antes los diálogos del famoso tratado y sentí la tentación de volver a sus páginas. El viejo se apresuró a tomar el libro para tasarlo en el acto. "Se lo daré por unas monedas —dijo, mientras alargaba el labio inferior en un gesto de generosidad a un tiempo despectiva y protectora—, ya que es un libro de los que uno puede dejar ir seguro de que hará buen camino en las almas. El escribirlo sirvió a un hombre para confortarse en la prisión y frente a la muerte; el leerlo puede servir a otro para los mismos fines, aunque ninguno de los dos estados se lo deseo yo a usted... Pero, ¿quién sabe? Nada se puede prever; a lo mejor usted y yo vamos a ocupar celdas contiguas (si no es usted algún personaje consular de esos que tienen suficiente poder y arbitrariedad como para mandar a la cárcel a los inofensivos semejantes de mi especie)." Gruñía.

Luego dijo el precio del libro, que era bastante alto. "Es una edición del siglo pasado muy difícil de hallar." Bueno; ¿qué importaba que fuera esta u otra edición? El viejo respondió a ese razonar escéptico sobre el valor bibliográfico con una mirada de menosprecio y disgusto. Le pagué. Contó unas monedas en el mugriento cajón y las dejó caer en mi mano como quien quiere librarse de un ascua.

Rápidamente, dispuesto a deponer su desagrado, bajó los ojos, sin duda para ocultar la abdicación con ellas producida al trocar el malhumor por un ánimo locuaz, y dijo:

—Ojalá, joven, ese libro le traiga a usted curación. Y que la experiencia le sea útil como me fue a mí, aunque tardíamente, la de mi pobre mujer.

Sentía mis narices cada vez más atacadas por el polvo infecto y el olor a arcaica suciedad que se desprendía de los anaqueles cubiertos de encuadernaciones pardas, tomos rotos, enciclopedias, legajos e infolios. Todos parecían habitados por pueblos enteros de arañas, mariposas, insectos — una añosa ofensiva contra tantas páginas en las que yacían encerradas tantas y tantas momias morales, pasiones, ocurrencias, castillos lógicos, teoremas.

El viejo encorvado estaba pegado a mí en mitad del cuarto.

"Que la experiencia le sea útil. Mi mujer era hipocondríaca, dabética y sufría espantosamente, sentada en un sillón. Yo no podía pagar médico; al fin fui a ver a uno y le propuse trato: él asistiría a mi mujer sin cobrar nada, yo le daría en cambio libros. ¡Eh, claro!, dijo que sí. Era un hombre tan pálido, tan flaco, tan sombrío, tan endeble, que parecía que la existencia iba a acabar de un momento a otro para él. Fue a ver a mi mujer, le recetó algunas pociones; al cabo de tres días ella había empeorado visiblemente; en esos tres días, el médico se me llevó una colección completa de clásicos griegos, una *Jerusalén Libertada* y un Ariosto del 600. Cada visita a mi mujer, era una visita aquí. Entretanto mi mujer enflaquecía, señor, y él engordaba; mi mujer se volvía sombría, señor, y él alegre. Mis libros lo nutrían. En cambio, mataban a mi mujer. ¡Qué prodigio: el médico me hablaba cada día de su transformación después de leer a Esquilo, a Spinoza, a Berkeley! ¡Bestia! Lo llenaban de grasa por dentro. El demonio de la taciturnidad, ese pecado, su cuerpo lo rechazaba paulatinamente y lo recibía mi mujer en su sillón de enferma. ¡De hipocondríaca, se había vuelto siniestra! Y él venía a buscar libros... libros... libros..."

Levantó los ojillos, gruñó y se hundió la mano iracunda en los bolsillos del saco andrajoso.

"¡Libros! ¡Vampiro!"

El viejo fue despacio a ponerse detrás del mostrador, donde permaneció mirándome sin pestañar. Continuó al fin:

"A los dos meses estaba yo enterrándola. El médico vino a hacerme su visita de condolencia y a cobrar en especie sus últimos honorarios. Traía un aspecto próspero y rozagante. Había cambiado sus trajes oscuros por un elegante traje claro y, como Lord Chesterfield, llevaba señorialmente un libro en la mano. Pensé en los versos de Tirso: "Por dondequiera que pasa, la llaman: la extremaunción." ¿Sabe usted lo que le di? Calcule. ¡Los versos de la locura de Hölderlin! A ver si le quitaban el sueño... Pero no lo he visto más."

Con la mayor cortesía posible, festejé el relato y abominé correctamente de la conducta del médico. Después de echar una última ojeada a los libros expuestos sobre una mesa, dije adiós al viejo librero, que había vuelto al áspero mutismo, y salí a la calle con el pequeño ejemplar de Boecio debajo del brazo.

Era una mañana perfectamente flamenca: nublada, húmeda, de un gris sucio y oscuro. Las aceras, el pavimento, parecían haber sido cubiertos de un carbón de vetas metálicas; las cornisas mostraban ligeras aristas blancas en un campo ennegrecido; y el oscuro reflejo de los frentes se proyectaba sobre los pájaros solitarios que picoteaban monótonamente la piedra. Una gran cantidad de público se apresuraba por las calles hacia las puertas de las oficinas, y desde el norte bajaban todavía algunas mujeres con canastas. Me senté en la terraza de uno de los cafés centrales y pedí un *café-crème* con *croissants*. Me puse a hojear el libro que acababa de comprar. Me trajeron un líquido descolorido y casi frío que costaba menos de un franco. Empecé a tomarlo a pequeños sorbos y pedí papel. Necesitaba escribir a Buenos Aires dos o tres cartas, a Anselmi, a algún antiguo amigo ya casi olvidado. En el papel del café casi toda la hoja estaba ocupada por la reproducción del local en un grabado rojo. Escribí las cartas; abandoné el café. Tenía ganas de ir al museo. El museo quedaba del otro lado:

volví sobre mis pasos, sin apuro. Cada vez que pensaba en Buenos Aires tenía la imagen de un país que conocía mal y que no era la urbe sino la gran Argentina todavía subterránea, latente y desconocida, que estaría formándose a la orilla de los ríos interiores, los cerros y el gran espacio triste tendido bajo los cielos. Un país invisible metido dentro de un país visible. Este último no me interesaba en absoluto, pero el otro se me ocurría algo poético e imbuido de secreta grandeza, como la fisonomía silenciosa de ciertos místicos. Y a este país interior había que ayudarlo a salir a la superficie, exaltarlo, llamarlo a la vida sensible tal vez por la voz de la poesía o por la voz de una inteligencia conmovida que lo conmoviera, exactamente como se hace con un ser a quien se quiere. Siempre pensaba todas estas cosas con respecto a la Argentina. El país exterior de ahora me parecía detestable, con su hueca prosperidad y sus hombres exaltados en una forma puramente física y oportunista.

Estuve cerca de dos horas en el museo. Cuando salí, la tormenta se había concentrado en el cielo. Un trueno, seguido luego por otros cada vez más largos, se arrastró rugiendo en el espacio nublado. Sin darme por ello más prisa, deseando la lluvia, deseando mojarme, caminé hacia la región de los bares del centro. Llovía cuando entré en uno de ellos, donde estaba Scariol bebiendo de pie.

Orio Scariol lucía una corbata flotante anudada al descuido. Sus facciones eran las del trasnochador, las del eterno insomne, prisionero de una idea fija. Aquel semblante pálido estaba comido desde adentro.

Contestó afablemente a mi saludo.

—Acabo de recibir la más importante y la más esperada de las cartas —dijo.

Yo lo miré interrogativamente. Scariol añadió:

—El 17 de este mes llegará aquí von Goritz. Es un antifascista alemán, un hombre muy inteligente y decidido. Aunque no lo conozco personalmente, sé que si hay alguien a quien las tendencias imperialistas pueden temer es a él. En este sentido tengo noticias serias de Italia. Los "nazis" lo conocen bastante.

—¿Vendrá a unirse a las conversaciones de ustedes?

—Sí.

—¿Modificará de algún modo el primitivo plan de acción? ¿Les servirá de mucho?

—Probablemente: es un hombre que tiene ideas propias en materia de táctica, según parece. Pero lo que importa es su criterio con respecto a las fuerzas de infiltración que podrán irse insinuando en Alemania e Italia.

—Comprendo.

—Se trata de un movimiento de inteligencia. Lo que nosotros tenemos en acción es eso: inteligencia. Nuestra fuerza y, naturalmente, nuestro destino consisten en multiplicarla. Von Goritz representa una unidad formidable.

Los dos permanecimos un instante en silencio. Scariol miraba fijamente el líquido verdoso de su aperitivo. Por los vidrios del ventanal se veía llover en la calle. Yo tomé una nuez del plato que estaba cerca, la partí, arrojé la cáscara y llevé a la boca la pulpa madura. Scariol, súbitamente, sacó un diario doblado del bolsillo.

—Mire —dijo—. Extendió el diario.

Era un periódico belga de la mañana. Vi la firma del profesor Autoriello debajo de un enérgico artículo de tendencia liberal. El título del artículo era *Sofisticación*. Denunciaba los sofismas enarbolados por la violencia a través de una acción que, bajo su faz de protección civil, no tenía otro objeto que ampararse desvergonzadamente a sí misma y perpetuarse. Eché una ojeada rápida a esas líneas y esperé la explicación de Scariol. "Senectud", fue lo que dijo displicente. "Con esas ideas no se va a ninguna parte. El eterno pensamiento ideal... En suma, no pasa de ser una forma de romanticismo, y cualquier romanticismo significa en estos momentos la muerte por propias manos de nuestra causa. ¡Oponer a la violencia el pensamiento ideal! ¡No se puede pensar absurdo más senil! Autoriello nos hace perder tiempo." Scariol estiró la mano y tomó dos nueces y las partió entre los dedos una contra la otra. Alternó un bocado de pulpa con un trago de alcohol. Yo miraba maquinalmente las mangas blancas de la chaqueta del hombre que preparaba las bebidas detrás del mostrador con prodigiosa destreza. Devolví a Scariol el diario después de volver a doblarlo en cuatro. Apoyé los dos brazos en la barra sostenida de trecho en trecho por gruesos anillos de bronce.

—En lo inmediato —dije—, en lo que se refiere al acto político, son ustedes los que tienen razón; pero lo que triunfa a la larga es la tenacidad ideal, el espíritu de los hombres como Autoriello, que representan algo que tiene más continuidad (es decir: poder en el tiempo) que el más poderoso gesto político. El pensamiento de Autoriello puede alcanzar mucho más lejos, en lo que se refiere a la eficacia última, que toda la acción de ustedes. La violencia se mata con espíritu, aunque esa violencia sea la más activa del mundo y ese espíritu el más pasivo. ¿Ha pensado usted en Gandhi?

—Sí, pero esos triunfos son a largo plazo. Mientras tanto los hombres padecen ignominia y muerte.

—Las grandes causas rara vez se ganan oportunamente. La medida de los hombres se tiene según la medida en que sean capaces de pensar intemporalmente sus triunfos. Quiero decir: sólo son grandes los hombres que no temen trabajar para después de su muerte.

Scariol me miró con fijeza.

—El heroísmo de espíritu no consiste en otra cosa —continué—. Podría afirmarse matemáticamente que tanto más pequeño es un hombre cuanto más cerca de sí pone sus éxitos.

—¡Ah! ¡No hablemos de heroísmo a propósito de Autoriello! —dijo Scariol con bríos.

Hizo una pausa, luego siguió, con mayor brusquedad.

—Además, lo que usted dice es bastante discutible. Se puede sostener lo contrario con igual lógica. Un hombre es grande según sea capaz de dar su vida por el hombre que tiene al lado. Nuestro tiempo reclama acción inmediata.

—Eso me da la razón.

—Yo no creo sino en una grandeza, y es la de ir hacia la pira donde lo van a quemar a uno, con los ojos abiertos y la razón fija en la idea que lo lleva a uno a esa hoguera.

—Nos salimos de la cuestión. Los dos hablamos de una especie diferente de eficacia. Usted cree en la eficacia del sacrificio de una vida en aras de la otra. Yo creo en la eficacia de un pensamiento que intenta sobrevivir por sí mismo, por su verdad inmanente. Hay mucho más esfuerzo y sacrificio en hacer sobrevivir una idea que en hacer sobrevivir un acto. La historia de los gestos humanos es un espectáculo; la historia del genio humano está dirigida a otros ojos, menos fáciles, más profundos.

Discutimos por espacio de un rato.

—¿Bebemos más? —preguntó Scariol.

—No —le dije—. Vamos a almorzar. Es hora.

—¿Quiere usted venir a mi casa?

—Bueno —le dije—. Vamos.

La casa de Orio Scariol quedaba en el noroeste de la ciudad. Subimos hasta ese quinto piso por las escaleras de madera en cuyos rellanos se veía escapar del muro la cabeza prominente —y repetida tantas veces como pisos había— de un enorme grifo con lámparas. En la escalera había olor a humedad y era muy estrecha y oscura; se corría peligro de chocar con el grifo. Sin duda era una casa construida antes del ochocientos. Scariol introdujo la llave en la cerradura y abrió la puerta; entramos en un cuarto espacioso en el que se daba de lleno con un gran desorden: libros mal puestos en los estantes, mesas cubiertas de lápices, papeles, volúmenes y el fino polvo que fatalmente los cubre. El cuarto tenía una gran ventana. Por la ventana se veía los techos añosos y sucios de los alrededores, la cúpula lejana de una iglesia y una multitud de tejas grises, imbricadas. En ese cuarto estaba servida la mesa con un solo cubierto. Scariol salió al rellano de la escalera y llamó un nombre, luego volvió a entrar. Rio, fue hasta la estantería llena de libros y eligió uno para mostrármelo con aire de suspicacia. Era el libro de Joyce minuciosamente anotado en sus márgenes. Las anotaciones eran tantas que habrían podido ocupar en letras de imprenta tanto espacio como el propio texto del libro. Yo aludí riendo a la exuberancia del comentador. "Sí —dijo Scariol—, se podría hacer un segundo tomo con estas notas; pero un tomo que destruiría el primero..." —Entró en el cuarto la criada, una chica flaca y rubia de ojos azorados. Escuchó la orden de Scariol y fue hasta un pequeño armario de roble y sacó un plato y lo repasó con el revés del delantal antes de ponerlo en la mesa.

—¿Qué hay hoy de comer? —dijo Scariol.

—*Hors d'oeuvre* y tortilla de legumbres —dija la muchaha.

Scariol me invitó a sentarme. La muchacha salió con el fin de bajar la comida desde el piso alto.

—No hemos tenido suerte —dijo Scariol—. ¡A veces se suele comer aquí hasta lomo trufado!

XXXVIII

Reconstruí la escena, tal como me la contó Ferrier:

El cuerpo —proporcionado y hermoso— sensualmente ceñido en un peinador de seda clara, los ojos deliberadamente distraídos en la operación a la vez cuidadosa y trivial de lustrarse las uñas, las largas piernas cruzadas una sobre otra y el aire total de languidez y tedio, revelaban a las claras la poca o ninguna atención que Blanche Alost prestaba, en aquel atardecer caluroso, a las palabras de Ferrier. Ya se agolpaba la noche al otro lado de las ventanas del departamento. Fuera, había hecho una mañana fresca, una tarde tibia. El interior del departamento no indicaba positivamente nada sugestivo con respecto al carácter de su habitante. Demasiados colores se mezclaban a demasiados objetos; sobre el tapiz de felpa anaranjado campeaban muchos *pufs*, y el canapé donde Ferrier se había sentado podía haberse visto sin sorpresa en la subasta *post-mortem* de alguna actriz del siglo xix. Igualmente anacrónicos eran los pocos cuadros y sus marcos, y la caja de nácar tallada en Venecia donde Blanche Alost guardaba sus cigarrillos. Y semejante artificioso anacronismo contrastaba muy a la vista con cierta modernidad de maneras con que a ella le gustaba moverse y aparecer. Con un estilo que no dejaba de parecerse a esos muebles, había dicho de ella misma alguna vez: "En esta casa yo soy como una flor viva guardada en un viejo ataúd." Y para estar más acompañada en su especie, tenía siempre la casa llena, como ahora, de flores, de flores mortuorias —calas y azucenas blancas—, por las cuales su criada tenía que regatear desesperadamente cada mañana en la feria; peonías, rosas centifolias, rosas gálicas, tigridias, tuberosas, grandes claveles blancos, muy frescos, en los vasos de cristal esparcidos por todos los cuartos y rincones del departamento. Blanche estaba muy orgullosa de que por una de las ventanas de su dormitorio pudiera ver al despertarse las torres de Santa Gúdula; al levantarse, el frente triangular del atrio; al asomarse, la bella escalinata blanquecina.

Blanche Alost miró satisfecha el brillo de sus uñas.

—De un tiempo a esta parte nuestras conversaciones no salen de un tono inútil y fatigoso.

—¿Tendré yo exclusivamente la culpa? —dijo Ferrier.

—No sé cuál de los dos. No hago cargos. Me estropea los nervios hacer cargos. No hago más que señalar un hecho.

—Demasiado desagradable.

—¡Demasiado! Ya lo creo.

—Es el comienzo del fin.

—Sí —dijo ella—, es el comienzo del fin. —Dejó el pulidor y suspiró.

—En vez de hacer algo fértil, hemos hecho de nuestra amistad una aventura de dos cuerpos muertos.

—Por la duda y la desconfianza.

—Por la fuerza natural de las cosas, por el clima que me ha creado en usted, un clima verdaderamente horrible.

—¿Yo? Hace muchas semanas que no nos hablamos sino para agraviarnos mutua y cortésmente.

Blanche dejó el pulidor sobre la seda del sofá.

—Necesita otra índole de mujer —dijo.

—Ya lo creo —dijo Ferrier.

Agregó:

—Si la tierra tratara al grano como usted me ha tratado a mí, no nacería nunca una planta.

La nuez de Ferrier bajó y subió en aquella garganta donde se notaban las venas.

—Grano y tierra, las dos cosas habrán sido malas en nosotros, Blanche Alost.

Sobrevino un silencio. Resentidos, evitaban mirarse de frente, fingían una distracción pertinaz. Blanche se levantó y fue hasta el otro cuarto. Ferrier recorrió con la mirada todos esos objetos que le habían sido tan familiares y en los que, también, notaba ahora cierta agresiva frialdad. El estuche de plata estaba todavía sobre la mesilla cubierta con un tapete de encaje de Orléans que él le había regalado muchos meses antes. Había pasado a ser de ella, había pasado a ese territorio ahora terriblemente hostil y concluso. Había pasado a ese campo desde donde había salido antes para él alegría y deleite en la forma de una hermosa mujer y del que. no saldría ya sino una cortesía glacial. Estaba en uno de esos puntos desde los cuales la vida no vuelve atrás — muertos. Miró las cortinas, los muebles, los claveles rojos y las peonías. Las peonías estaban muy graciosamente dispuestas y escapaban de un florero de cristal en forma de cuerno; el cuerno tenía un pie de bronce con hojas coruscantes. ¿En qué inimaginable *bric-à-brac* habría ido Blanche a desenterrarlo? Sobre uno de los *pufs* había un par de tijeras.

Blanche Alost volvió a la sala vestida con un traje de casimir negro, pero en cabeza. Sin mirar a Ferrier, arregló antes de sentarse el ramo de claveles colocados cerca de la cabecera del sofá.

Cuando se sentó, quedaron unos instantes sin hablar. Ella tenía el ceño pensativo. Ferrier movía leve y compasadamente la pierna que tenía cruzada.

—Bueno —dijo Blanche—. ¿Y Tregua?

—Está bien.

—¿Contento?

—No sé. Nunca se puede saber.

—La otra noche en Rumpelmonde me pareció un hombre extremadamente inteligente.

—Es un hombre inteligente.

—Y seguramente sin complejo de inferioridad ante las mujeres.

—Claro, a diferencia de mí —dijo Ferrier—. A diferencia de mí. ¿No es eso?

Su voz tenía un dejo irónico.

—Así es.

—Después de tantas horas de alegría compartida, gozo, distracción, alejamiento en compañía de las noches vueltas de la vida, ¿ya no queda de mí más que eso: un complejo moral?

—Y algo más —dijo Blanche—: una perfecta intolerancia de mí.

—Creo que es al revés —dijo Ferrier.

Volvieron a permanecer sin decir nada. Ferrier estiró el brazo, agarró uno de los claveles del vaso próximo, comenzó a acariciarlo con una sola mano sobre su muslo.

—No me estropee las flores —dijo Blanche.

Comenzó a sonar estridentemente el timbre del teléfono. Estaba junto al estuche de plata en la mesilla cubierta con el tapete de encaje de Orléans. Blanche Alost se levantó, dio dos pasos, descolgó el auricular. Era alta y el traje negro la hacía todavía más fina. Tenía el auricular con la mano derecha; sobre la mano izquierda le caía una ancha argolla de plata. Su voz sonó mezclada a su risa, con algo metálico y gastado en el tono. "¿Ah, Scariol...? ¿Qué tal...? Perfectamente, perfectamente. ¡No lo diga! ¡Me acuerdo perfectamente...! Sí, sí, con gran gusto... En cuanto a eso, no; de ningún modo. (Su risa estalló, larga, continua, metálica.) Eso lo veremos más tarde. ¡Hasta luego!" Colgó el auricular y volvió a sentarse, rápidamente. Por primera vez miró a Ferrier.

—Scariol —dijo—. Saldremos juntos, luego comeremos en alguna parte.

—¡Ah! —dijo Ferrier.

—Otro hombre encantador. ¡Tan lleno de vida!

—Desde luego, muy excepcional.

—Gente que vive movida por ideas, animada, animada desde adentro.

—Sí, esa es la calidad que tienen.

—Y los seres así, a mí, parece que me contagian vida.

—Debe tenerlos siempre cerca.

En el tono de Ferrier había un dejo profundamente amargo. Blanche creyó oportuno suspender la conversación.

—Voy a acabar de vestirme —dijo—. Bajaremos juntos, si quiere esperarme.

No tenía ningún inconveniente en esperarla. No tenía ningún apuro. A esa hora de la tarde se abría un gran vacío en su existencia; duraba hasta el día siguiente por la mañana. La sola pausa en ese vacío eran las horas de trabajo en el consultorio. Podía esperar, en ese vacío, a que Blanche acabara de vestirse, se tocara los labios con el lápiz rojo, los párpados con el lápiz negro, mirara en ese espejo —ante el que tantas veces él mismo se había parado con el cabello en desorden— el efecto final del arreglo del sombrero. Podía esperarla así. Casi todo su día había transcurrido desierto. Sólo un enfermo, un neurasténico, interrumpió a la siesta la calma del consultorio; el hombre estaba en lastimosa situación, casi en los lindes de la locura, y pedía algo que hacer para olvidarse de su atroz miseria moral; temblaba, como una criatura que va a ser castigada, con un temblor espasmódico y constante; conmovido, Ferrier trató de calmarlo, pero le faltaba convicción, a este débil, para convencer a ese otro débil; acompañó al hombre hasta la puerta, su brazo en el hombro de él, diciéndole: "Piense sin temor que está todo perdido y verá cómo renace la esperanza"; ¡palabras fáciles!; ¿de dónde puede venir la esperanza a un mundo que se devora por todas partes, Prometeo ante mil águilas?; el neurasténico le había dirigido una triste mirada de adiós al bajar el escalón en la puerta de calle, al ir a entrar de nuevo en la ciudad como un condenado en la cámara de la muerte; lo vio irse, caminaba, el paso un poco inseguro como defendiéndose de un espectro.

Envuelta en una ola fragante —olor a loción y esencias— entró Blanche. Se había puesto un sombrero pequeño y apretado que daba a su fisonomía un aire de adolescencia y realzaba contra el estuco del rostro las zonas oscuras de los párpados. Venía poniéndose los guantes. Ferrier tomó su sombrero y ella retuvo la puerta abierta hasta que él pasó. Luego bajaron por la escalera; el conserje no admitía que se usara el ascensor sino para subir. Al llegar a la puerta de calle, Blanche hizo un gesto de despedida, sonrió en forma cortés. Ferrier le preguntó si podía acompañarla algunas cuadras.

Pasaron frente a un muro de ladrillos, frente a un gran edificio cerrado; luego desembocaron en la calle adonde da su pórtico Santa Gúdula. La iglesia parecía abandonada en la calle sin gente. La oscuridad hacía difícil distinguir el contraste entre los muros llenos de hollín y las aristas blancas de las junturas. La iglesia parecía una masa de piedra hosca, milenaria, fiel a otro tiempo e intolerante a los días actuales.

Ferrier tenía ganas de hablar, de decir algo que pusiera fin a ese golfo de frialdad y resentimiento que aparecía abierto entre los dos. Blanche parecía distraída; por momentos modulaba un corto y bajo tarareo.

Ferrier la miró de soslayo.

—Todo esto es muy triste —dijo al fin.

Ella no dijo nada, caminaba con paso rápido, rítmico. Tal vez no le parecía triste; ni triste ni alegre; le daba lo mismo. Lo único claro era que se trataba de un asunto concluido.

—Con un pequeño esfuerzo inteligente por parte de los dos, el curso de las cosas podía haberse modificado. Seguramente para bien mutuo —dijo Ferrier—. Creo que para bien mutuo —agregó:

Blanche siguió callada. Vieron la luz amarillenta prendida en el interior del taller de carpintería y al hombre que cepillaba en el interior la tabla de pino. Unos hombros agobiados, una cabeza obstinada, el pelo en tormentoso desorden. Tal vez los dos pensaron lo mismo: ese esfuerzo — ¡qué humano y laborioso trabajo cuando se emplea en pulir, embellecer un amor! Pero, en ellos, ese trabajo había fracasado. La madera había cedido por lo ineficaz de la presión ejercida sobre ella. Blanche caminó unos pasos más sin decir palabra. Ferrier esperaba.

— ¿Para qué? —dijo ella—. ¿Para qué?

Él no quería insistir, no deseaba más que rogar, pero por nada del mundo habría rogado. Se calló. Llegaron a una gran plaza vacía, la atravesaron y entraron en un paseo edificado por un flanco. Casi todas las casas eran muy antiguas. Un reloj de esfera iluminada y números negros señalaba las ocho. Junto al reloj se abría la puerta de un pasadizo en tinieblas sobre el cual estaba escrita la palabra *Coiffeur* en letras de un verde rojizo. Y, colgada dentro de una caja de vidrio, se veía en el escaparate una cabellera seca, de un rubio desteñido y estropeado.

Ferrier pensó: dentro de unos minutos ella se va a encontrar con Scariol. Las consecuencias de ese encuentro: incalculables. Tanto Blanche Alost como Scariol no eran personas de vacilar cuando veían claro lo que se proponían. Dentro de unos minutos — ¿en qué sentido iba a prolongarse el destino inmediato de ese hombre y esa mujer? Pero — ¿podía él cambiar ya los acontecimientos, detenerlos?

Llevó todavía un ataque. "Si cerrara los ojos a lo sucedido en los últimos días, las últimas semanas — si volvieran en ánimo y espíritu al estado en que vivieron antes de ese tiempo, con alegría y desaprensión..."

Blanche permaneció callada. Pero su silencio se hizo agrio. Pesó en la atmósfera de la calle, junto a él, esa fuerte agrura. Dejaba atrás pasto y árboles y edificios. Todo estaba muy oscuro. Próxima, delante de ellos, se veía la zona de luz, la bocacalle donde se unía la iluminación pálida de un teatro modesto a la de dos lujosos hoteles. Un chico pasó corriendo animosamente, gritando, cargado de periódicos. Frente a ellos, un hombre se agachó a recoger el bastón que se le había caído, luego siguió caminando. El tráfico, inexistente en el sitio por donde iban, comenzaba a moverse, aunque modestamente, en la cercana bocacalle. Blanche se veía sin duda con Scariol, en el *hall* de alguno de aquellos hoteles, que estaban de moda. Uno de ellos se llamaba *Excelsior*. Era el primero. Ferrier comprendió que todo era inútil. Entonces se despidió de ella y volvió sobre sus pasos con dolor.

XXXIX

Las oscuras y miserables luces del Teatro d'Harcourt caían puntualmente en el pobre escenario sobre aquellas cabezas preocupadas.

Ferrier estaba viejo, viejo por dentro, agobiado, decepcionado; Scariol tenía una mentalidad prehistórica, y sólo aparecía con una juventud recluida en el hermetismo de ese marco dogmático; el profesor Autoriello era una rama del siglo XIX arrastrada tristemente por el viento de estas horas; los ocho, los diez, los quince satélites habituales parecían abrumados por el destino con el que se enfrentaban, y en cuanto al rapto lírico de Atkinson, era, efectivamente, ¡tan lírico, tan sin tierra, tan sin pies arraigados en el suelo! Cuando los veía gritar, clamar, discutir e indignarse en el viejo teatro desmantelado —¡aquel espectáculo tan curioso se refería a la imaginación, al fin mismo, fin mítico de una especie de conciencia!—, llegaba hasta mi butaca, en la solitaria platea, la ronca y gritada quejumbre de una voz del Antiguo Testamento. Se engañaban a sí mismos con la idea de vivir ordenados a una acción naturalmente sagrada. Si esa idea les hubiera faltado, habrían perecido de amargura y nostalgia en algún rincón de la vieja ciudad, oyendo desde su adiós agónico el lejano rumor sobreviviente de su tierra.

Una vez los oí proclamar la necesidad de contratar a un incendiario, y en seguida vi aquellas conciencias tímidas y escrupulosas atemorizarse de su propia temeridad. ¿Por qué —se preguntaban a renglón seguido— no ha de ser la inteligencia un arma suficientemente operante en el tiempo como para vencer al fin por sí misma a la fuerza desnuda del instinto despótico? Y descansaban, por un nuevo lapso, en esa esperanza sin término fijo. Entonces, realmente inteligentes, realmente sabios en lo que se refiere a las operaciones de su mentalidad libre y solitaria, se reducían a un tipo de debates meramente dialécticos, meramente teóricos, y todos hablaban con inteligencia y vehemencia de los dos países antagónicos de la ética y la política. Era fácil ver, apreciar, juzgar cómo estos inteligentes —es decir, estos hombres dispuestos a una oposición íntima contra los expedientes primarios de la razón, la conciencia y la voluntad— eran los últimos sobrevivientes, los últimos representantes del intelecto no pisoteado, subordinado y envilecido por un silencio servil. Eran los restos de una Europa que se tornaba otra cosa, diferente a sí misma, incalculablemente aventurada en rutas rudas y vírgenes.

Cargado de hombros, el profesor Autoriello se paseaba por el escenario e iba a pararse al lado de la mesa donde Scariol tomaba nota de los puntos más eficaces de la discusión.

—Yo soy un adherente nato —levantaba las cejas en un gesto que acentuaba como poniéndole palio a la expresión que usaba—, yo soy un adherente nato de las ideas de Croce, y pienso que la idea moral no puede sufrir las alternativas a que pretenden someterlas con sus recursos activos e inmediatos los débiles, los timoratos y los desconfiados. Éstos son los que se entregan a los remedios urgentes y hacen de nuestro tiempo un tiempo de distintivos en la solapa y de cédulas de adhesión a los cuadros más inmediatamente simplistas. Pero la idea moral tiene una columna vertebral históricamente continua e históricamente sólida en sí misma; perdura idéntica a sí misma, incluso con los cambios necesarios a su propia vida, sin que la turben los despavoridos y los desertores. La ausencia de ellos no la anula, la deja ahí, como esos terrenos que cuanto más despoblados están más visiblemente exhiben sus ondulaciones y características. ¿Qué importa que este siglo sea el de la acción predatoria y brutal? El río se sale de madre, pero adonde más seguramente vuelve es a su cauce. En mis meditaciones sobre la grandeza y la decadencia del imperio romano, he tenido siempre en cuenta ese principio. Y sin principio —sin principio *antes* de la acción— la humanidad es un circo de ambiciones que yo no sé si son más feroces que risibles. El mundo profundo no vive de fiebres. El que vive de fiebres es el superficial, el irritado en su corteza, el de los espasmos, los temblores y los arranques, estados que no pueden perdurar ni siquiera en el individuo por más de algunos años. *Respondere, cavere, scribere* eran las tres funciones del jurista durante los tiempos en que Augusto había hecho de la aristocracia romana una formidable empresa diplomática y militar: el *respondere, cavere, scribere* que la humanidad debe esperar ahora en las tinieblas que quizá universalmente se acercan, es un *insistir, inteligir, resistir.*

Se paró como un viejo actor, con las manos cruzadas a la espalda. (Yo le veía la espalda.)

—Insistir, inteligir, resistir. Funciones esencialmente espirituales como las que podía proponerse un cristiano en las catacumbas, si en vez del destino de la sangre le hubiera sido impuesto el sacrificio de una larga vida hostilizada. Dentro de cada cuerpo de hombre que combate hay algo más delicado y más interior que también lucha. Es el ánima, más seria que el ánimo. El arma del ánima no es el fusil. El arma del ánima es ese triple instrumento de supremacía:

insistir en ser un ánima digna y no sometida; inteligir las causas complejas en que se deshará intemporalmente el adversario; resistir contra el arma que se oponga a esas dos decisiones. Yo me contentaría con que, contra todo, fuéramos nosotros. capaces de ser, hasta el final, insistentes, inteligentes, resistentes.

Scariol miraba sin afecto a ese parlamentarista, a ese idealista. Siguió haciendo rayas con el lápiz en el papel y bebiendo de rato en rato sorbos del café que se había servido del termos minutos antes.

El profesor Autoriello se llevó las manos a los bolsillos horizontales del pantalón y, sacando tabaco y papel, comenzó a liar sin prisa un cigarrillo.

—La fuerza es una aventura —dijo—. La fuerza no puede ser nunca más que una aventura porque lo que no es aventura es perennidad, estabilidad, solidez y la esencia del ser humano, por lo tanto del ser colectivo, no es ni perenidad, ni estabilidad ni solidez. La fuerza es una aventura, ¿y adónde nos puede llevar sino a un desastre parecido al que desencadenó sobre Italia el autoritario Crispi, el triste Crispi de 1895? Cuando la aventura de la fuerza está lanzada, la libertad desaparece, el espíritu se recoge, aguarda, se mantiene en su puesto aparentemente pasivo, y entonces salen a la superficie, como las cucarachas en el piso de una cocina, la voraz. profusión de nefastos serviles, arribistas, abogados mercenarios y políticos acomodados. ¡Eh, los que más sufren son los ideólogos cándidos que han teorizado sobre la fuerza, llamándola, y que comprueban, al verla en el poder que ella no puede permitir más tirano que aquel que la esgrime por encima de todos — y que todos los fuertes menores le son incómodos y los aniquila! He visto en Italia a jóvenes llenos de ardor admirable que sostenían al fascismo antes de sobrevenir, creyendo teóricamente que era grande porque instauraría de nuevo el espíritu de la Roma tradicional; y he visto luego, ya en marcha el régimen, a esos ánimos jóvenes errar como inteligencias desocupadas y sin voz, sin empleo siquiera para su ardor, en un país donde sólo tenía derecho a hablar el dictador. Y era espantosamente triste la fisonomía de esos inteligentes, de esos ardientes, de esos puros frente al espectáculo de la cesación de la propia voz...

Varios de los que estaban allí asintieron con repetidos *Ecco! Ecco!* y con manifestaciones de aprobación reflexiva. Autoriello fue a sentarse al lado de su mujer, que conservaba entre las manos adustas una sombrilla anacrónica. El profesor se volvió a levantar y fue hasta la mesa donde estaba Scariol, a la izquierda de las tablas polvorientas, y a su vez se sirvió del termos un poco de café, con las manos algo inseguras.

La luz final de la tarde entraba apenas por la claraboya de la platea, pero el escenario, con sus luces encendidas, asumía un aspecto nocturno. Dos de los italianos más jóvenes se alternaron en el uso de la palabra.

Durante muchas semanas compartí sus conversaciones, sus encuentros, sus discusiones feroces. Muchas tardes las pasé acurrucado en una butaca del Teatro d'Harcourt. Podía pensar largamente en esa escena que, más auténtica que cualquiera de las que la imaginación puede fingir, daba la pauta, el escorzo, de una pequeña rebelión en el pequeño mundo. Podía pensar a mi gusto en los resortes que movían a esos muñecos de verdad. Estaban lejos de mí, y cerca. Cerca, por su cándida bienaventuranza, por su fe; y lejos, porque el fondo de esa fe era negativo. Tenían fe en que algo iba a cesar; no tenían fe en que algo iba a nacer. Pobres embarcados en la más oscura nave de Dios, lo que tenían era su barca de buena fe, pero con la buena fe no se hace una fe, por cargada de ella que navegue la barca de un hombre.

La vida es afirmación. Los dudosos, los opositores son siempre seres enfermizos, a menos de que todas sus objeciones extremas se vean un día recorridas y arrastradas hacia adelante en un solo haz por el viento de la conquista, siempre confiada y enérgica.

Yo pensaba en mi tierra y en el aliento de sus hombres dignos y profundos. Ellos se iban a levantar alguna vez, pero no como éstos, sino llenos de esa voluntad de construcción inteligente y honestamente combatiente que se parece a la marcha de un hombre que sabe adónde va y que no necesita más que conocer su fuerza para no andar con gritos y ademanes. Un hombre caminaba en mi tierra, en la Argentina. Venía desde abajo, desde lo profundo del país, desde la raíz de esa continuidad espiritual que es una nación, y caminaba —a partir de todos los extremos: la punta de los pies listos en Tierra del Fuego para ir a sostener la tierra toda; los hombres poderosos que forman, al norte, la gobernación de los Andes, Jujuy, Salta, Formosa, Corrientes y Misiones, el frente dado al Atlántico: Santa Cruz, Chubut, Río Negro, La Pampa, Buenos Aires—; caminaba a ser más fuerte, en su despejada unidad, que medio continente desde el Ecuador hasta el extremo Sur, el Cabo de Hornos. Insistente, inteligente, avanzante; pero a su modo: por la primacía de una conciencia y una sensibilidad celosas y transformadoras.

Al salir del teatro yo trataba de comunicar a esos europeos el sentido del país nuevo; pero lo entendían mal se lo representaban como algo demasiado lírico e informe. Vivían abrazados al esqueleto de las estructuras más vetustas, en las cuales el hombre es un pequeño tornillo férreo que nace y muere mohoso en su justo agujero. Me miraban como, según Thoreau, han de mirar los grillos a los pájaros al decirles: "Ah, habláis como niños, por impulso; la naturaleza habla por vuestra boca; pero en nosotros lo que habla es maduro conocimiento."

El otoño se anunciaba ya en Bruselas, más hosca y neblinosa que nunca. Grupos de estudiantes universitarios de Lovaina recorrían de un lado a otro la capital. Los más ricos solían aparecer de noche en Rumpelmonde, con sus caras de hurones en olisqueo del placer.

Era un viernes de septiembre.

Les anuncié que me iba. Les anuncié que volvía a mi tierra. Y que no había hecho más que una parte, una pequeña parte, una parte realmente insignificante de mi viaje.

Era mi carne, la raíz de mi carne, la tierra carnal, lo que me llamaba. Yo no podía andar, no podía dormir, no podía continuar sin oír esa apelación, esa fuerte necesidad de volver. Al lobo andariego lo llama de repente la guarida. Era como si hubiera permanecido encerrado en una habitación y estuviera oyendo el canto de alguien cuya voz me importaba, y en la que se escondiera, más allá de su perceptible medida, una lamentación, una suave queja.

En la mesa del comedor, durante el almuerzo, Ferrier y Atkinson me dijeron que lo sentían, y sin duda lo sentían. Estábamos en el Savoy. La carta de los vinos, donde constaban los famosos borgoñas, estaba ornada con la caricatura de un trasnochador elegante. Extendida en medio de un globo gráfico salía de su boca la frase: *Je veux mourir au cabaret entre le blanc et le clairet*.

Aquella misma tarde, después de hacer en la agencia de vapores las averiguaciones necesarias, puse en orden mis papeles, comencé a arreglar el equipaje, salí solo a despedirme de esas calles cargadas de años. Estaba cayendo una lluvia suave. Me embarcaría en Villefranche a los pocos días. Quisieron despedirme en gran estilo. La despedida fue una fiesta memorable, el domingo siguiente, en Rumpelmonde. Los habitantes del Teatro d'Harcourt no estaban todos, pero sí la mayoría, y estaban alegres. No poseían nada más que su bienaventuranza. Reían y gozaban como criaturas. Atkinson parecía bendecirlos, mucho más alegre y a la vez mucho más compuesto y digno que todos, con aquel modo de repetir admonitoriamente la palabra de San Pablo: *Ambulemos non in comessationibus et ebrietatibus*.

Rodeábamos una mesa muy larga cubierta de tulipanes holandeses y bellas rosas belgas; armónicamente, se alzaban las botellas gemelas del champaña de Reims, regalo personal de Atkinson. Las mujeres se habían levantado a bailar con Ferrier, con Atkinson, con Scariol, y yo me quedé por unos instantes solo en una región de la mesa. En el otro extremo conversaba seriamente el profesor Autoriello, un poco echado hacia adelante, con el socialista de Amberes. Miré a los hombres. Todas aquellas vidas eran esencialmente solitarias. Agradecían cada segundo de olvido. Por una cosa o por otra, todos habían fracasado. Pero, ¿no residía este fracaso en su propia decencia íntima, en su imposibilidad de dar a su verdad profunda la apariencia de un cómodo disimulo?

Blanche lucía un vestido de noche, muy escotado en los hombros y en la espalda. Una de sus amigas estaba ebria y gritaba: "¡Viva la vida!" con un tono cansador y molesto. Blanche se sentó junto a mí y me pidió detalles prolijos con respecto a mi viaje. Si me iba directamente a Villefranche; si no pasaría por París; si no conocía a nadie de los que viajarían en el buque; si se tardaba muchos días en atravesar el océano; si no se cansaba uno de tantos días de inmovilidad... Fumaba en una forma increíble. En seguida se fue a conversar con el profesor Autoriello, que la recibió sin entusiasmo. Era tan impulsiva y tan intranquila que ponía a cualquiera en evidencia.

No hablamos en toda la noche más que de nosotros, en broma, a gritos, entre risas y salidas a bailar y mutuos brindis en los que se hacían votos por las cosas más inverosímiles. Atkinson quería brindar seriamente por una remota ascensión del profesor Autoriello al Ministerio, y éste, sobrio, sonreía, benévolamente confundido ante los excesos de tan espirituosa juventud. Atkinson me propuso, de pie, fundar una fraternidad, "la fraternidad de los últimos", que podía tener ramas en todo el mundo y que estaría compuesta de los que están atrás de los que se apuran. "Los *last-but-not-least* —decía—, una especie de judíos de capa y espada que funcionan en la retaguardia, en ese vivac adonde apenas llega el eco de la orquesta estruendosa de la prosperidad." Las mujeres aplaudieron bruscamente como si se tratara del descubrimiento de la luz. Atkinson se sentó e insistió en que había que bautizar la idea y llamó al mozo y pidió urgentemente tres botellas de Robbie Burns, orden que fue en el acto cumplida.

Yo me sentía en extremo cómodo entre ellos. Pensé que los- iba a extrañar. Al volver a la guarida, el lobo extraña sus andanzas. Con el índice firmemente extendido hacia el retrato de Robbie Burns que campeaba en las botellas, Denis Atkinson aseguró que no podía pedirse mejor celebración que estarse bebiendo, embotellado, el espíritu del poeta escocés, otro hermano de la peregrinante raza que canta. Nada comparable a beber en compañía de un poeta y acompañarlo a decir, como decía Robbie Burns — Atkinson bajó la voz:

> That I for poor auld Scotland's sake
> Some useful plan or book could make,
> Or sing a song at least.

Su boca se cerró suavemente sobre ese casi callado murmullo. Una de las amigas de Blanche —la más fea y la más escandalosa— lanzó un grito salvaje destinado sin duda a romper la falta de inspiración épica que allí se notaba, y el profesor Autoriello se encogió en su asiento, incómodo y alarmado. Sonó un timbal estridente. Al fin, con una excusa, el profesor se retiró, acompañado del socialista de Amberes, que no había cambiado en toda la noche su expresión de total indiferencia y aburrimiento.

Dos nos habíamos puesto a hablar en serio. Blanche cayó sobre nosotros como una tromba para evitar semejante desorden. Entonces me volvió a hablar de América, que se imaginaba una región de viejos *manoirs* hundidos entre pantanos poéticos sobre los que volaría un raudal de mariposas multicolores, las cuales debían desaparecer de pronto modestamente aterradas por el planteo tremebundo del águila... Me causó mucha risa y le dije que en efecto se parecía mucho a eso. Entonces abrió más los ojos, asombrada de ella misma y en busca de datos precisos que consolidaran su poética idea del universo americano. Del otro lado de la mesa, Scariol sonreía con sorna.

¡Qué sé yo hasta qué hora nos quedamos! Se había convenido cumplir el rito, esto es, esperar el alba juntos y subir a recibirla como una escuadra de tripulantes de la noche.

Dejamos Rumpelmonde cuando ya la noche caía yerta, en ese momento en que la luz pacta para capitular. A través de la puerta giratoria de cristales se veía un cuadro de intemperie volverse, de negro, tenuamente azul, luego casi gris, pero todavía oscuro. Ya no quedábamos allí más que Blanche Alost, Alice Nonnekans, otras dos amigas, Ferrier, Scariol, Atkinson y yo. Nos fuimos cantando. Scariol y yo nos sentíamos sobrios al lado de esos desatados. Atkinson llevaba el compás en la ancha calle donde se disipaba la tiniebla.

¡Ah, vieja ciudad tendida a Dios, hermana de Brujas, gran cavilosa de ojos taciturnos! ¡Arrabales!... Etterbeck, Ixelles, Saint-Gilles, Anderlecht, Mollenbeck, Saint-Jean, Lacken Schaarbeck, Saint-Josse-ten-noode... Ecos... Conde de Lovaina, Duque de Brabante, Margarita de Austria, María de Hungría, Príncipe de Orange Nassau... ¿Qué otro sitio donde la muerte reine tanto sobre la vida? Aquella noche, tu carne acostada debió levantarse un poco para mirarnos. Éramos, en el agua de tu muerte, la tripulación de la vida. Pero todo lo que en ti era perpetuo tenía entre nosotros la condición de lo que, ya al comenzar, empieza a acabarse. Tu cabeza ceñuda volvía a su reposo y aquel grupo de gente joven caminábamos del brazo en ancha hilera, hacia el amanecer.

Y fue como un amanecer realmente mortal, aquella alba sin sol, alba de despedida.

Durante los días subsiguientes hablamos mucho, en su casa, con Ferrier. Me apenaba dejarlo visiblemente, considerablemente más triste de lo que lo había encontrado. Lo insté a que se aferrara a la acción sin soltar los ojos del gran caudal objetivo de la vida. Y se reía — porque el consejo no era práctico... Pero protesté: debía volver a empezar a ser el tenaz, duro estudiante en quien todo se arregla a su alegre y pobre condición laboriosa.

Desde la ventanilla del tren, entre silbatos, carteles, multitud, prisa, adioses, por la tarde, los vi parados, aquel último día, en el andén. Estaban alegres. Atkinson me había traído una provisión de cigarrillos. Todos, algo. Miré en silencio con interior atención a esos hombres. Estaban allí, enteros, seguramente inútiles en cuanto a su empresa, tranquilos; y felices en aquel momento como si fuera a bajar sobre ellos, en alborotado descenso, un vuelo de pájaros providenciales.

Eran la tripulación del fracaso, islas, esperanzas y tristezas aisladas. Cuando el tren silbó, arrancó entre un gritar de despedidas, los vi pronunciar mi nombre, luego quedarse ahí, ser cada vez más pequeños, bajar los brazos, retirarse en fin —pobres amigos queridos— hacia la región de sus sueños.

Libro tercero

LOS DERROTADOS

XL

La vida se cansa un día de ser río. Cuando la vida se cansa de ser río es cuando siente que su destino es ser mar. Cuando siente que su destino es el mar, ya nada la puede detener. Rompe compuertas, y su propio cauce advierte que esa corriente temible que lleva en sí ya no le guardará acatamiento. Las aguas, peligrosas desde su seno y hacia afuera, arrastran cuanto cae en su ritmo, y el rumor de su paso tiene algo de sobrenatural, de mítico, de fatal. Impetuosas y violentas, sólo encuentran remanso al avanzar al fin en la digna grandeza lacustre a que estaban destinadas, y que las acoge como el cónyuge viril, en su potente calma, la insensatez de la hembra alzada.

Herida por los vientos de los más opuestos deseos, mi vida vivió cinco años sublevados en su propio cauce. Allá atrás, en la fuente tranquila de la montaña, quedaba latiendo la adolescencia, manto que dejamos a otros, y la experiencia del aprendizaje, y las aficiones adquiridas, y el ejercicio de la amistad, y las rebeldías amamantadas, y el comienzo de la personal creación, y las inolvidables noches del otro continente. Pero el ardor celosamente acumulado y abrevado, ¡a qué extremos no se lanzó después! Yo mismo, a veces, en alguna pausa, en el insomnio del alba o parado pensativo en la calle entre dos ómnibus, escuchaba el indescriptible ruido del río interno.

Indescriptible. He ahí un epíteto literario. ¿Indescriptible? En realidad, nada lo es; en realidad, todo lo es. El mismo acontecimiento ínfimo tiene mil versiones posibles, y la colocación de una sola palabra puede, al narrársele, hacerlo más pequeño aun, o bien grande como la tierra. La precisión de la mente humana es un arma, pero cuando apunta no sabe lo que va a cazar. Esa sombra que ve a lo lejos, tanto puede ser vulgar codorniz como un raro espécimen desconocido, de vuelo lento y ritmo sacro. El chico de los mandados, el barquero, el ocioso paseante, el gendarme y el filósofo... ¡qué opuestas interpretaciones ante la cornisa que se desprende y, desde el frente

francés, cae desgajando la rama baja de un árbol! Y cada
una de ellas, cada interpretación, qué diferente, a cuántas
leguas, qué asombrosamente remota, tal vez, de la razón
real que movió a la cornisa y la llevó hasta hacerla trizas
en el suelo. En verdad, de lo que somos dueños es apenas de una de las parcialidades posibles. Pero como a esa
parcialidad estamos constantemente dispuestos a conferirle
el papel del todo, nuestras disputas se renuevan sin respiro
con motivo del moribundo, o del texto del tratado, o del
jefe, o de la fuente pública, o de Dios, y a la postre,
cuando volvemos de la disputa al refugio último de la
conciencia, vemos que quizá todo estaba errado, y que
ni lo que discutía el otro ni lo que aseverábamos nosotros era quizá justo, sino que había otra causa, otro motivo distinto, otra partícula profunda que se nos escapaba
del todo en nuestra interpretación, pero que existe ahí, en
el fondo del aire, indescifrable, hermética, oculta...

Así, pues, de esos cinco años de vida yo le puedo
describir, contar, confiar, explicar, sin duda, mucho; pero
la parte que mis órganos precarios me hará dejar de lado
será quizá la única a que habría debido recurrir, y no a
la otra. Pero contentémonos con esa aproximación de que
está hecha toda voz, incluso el grito, y que sin parecerse
al gozo, refiere el gozo, y sin parecerse al odio refiere el
odio, y sin parecerse a la embriaguez refiere la embriaguez,
y sin parecerse a la muerte la refiere en su irreferible
desgarramiento. Referir es diferir; el que refiere toma lo
primero que encuentra, y deja lo otro, tal vez lo mayor,
allá dentro, la múltiple imagen todavía no dicha, la que
no podrá decir ni dirá nunca.

El río desbordaba, pues. Mi departamento quedaba ahora
en lo más alto de la ciudad, a pocas cuadras de la Torre de los Ingleses, en el ala occidental del ángulo del
norte. Podía gastar mi plata sin compasión, podía repartirla
y tirarla. En aquellos cuartos de soltero —dos grandes ám-
bitos claros debajo de los cuales lucía, en la calle, la enseña del perfumista Juan Blondel anunciando sus cremas—,
¡qué batallas no se libraron, qué furia no se gritó, qué
días de entusiasmo no se vivieron! ¿Adónde, en qué depositar tanta vida? A la postre todo cambia, y aquel remanso
de algunos años se transformó en este caudal. ¡Qué orde-
ñar sin compasión las ubres de la vida!

El salón de estar y vivir no mostraba muros sino libros.
Era un campo de guerra. Allí estallaban las estéticas disputas,
las morales controversias, las políticas objeciones. Allí ascendía el suave humo de espléndidas lecturas y allí, en el
silencio, se acumulaban los llantos implícitos en las ácidas

filosofías. Como el cuarto era muy grande, tenía allí una mesa para comer; y me servía un valet, el melancólico Ruiz, de misterioso deslizarse, cuyos pasos no se oían mientras andaba y venía por la alfombra castaño oscuro. Tenía un modo de ver las cosas adecuado a la soledad: nunca decía nada, pero si uno le daba pie, podía incluso disertar sobre Terencio, porque de Terencio le había hablado seguramente su abuela, que era algo así como su tradición enciclopédica rectora. Ruiz no se asombraba nunca de nada; era un espíritu conservador: todo derroche, comprendido el asombro, le parecía abominable.

En el solitario y crepuscular universo en que entré al regresar del largo viaje, mi espíritu se puso a hacer sumarios. Era la hora de la recolección en mis lecturas. ¡Ah, cómo recuerdo aquellas tardes lluviosas de Buenos Aires en que me dejaba andar y andar rechazando memorias literarias que me eran ya inútiles y apartando para mí las obras de las que me quedaba la nuez, la médula, el fruto espiritual! Qué curiosa, la economía que cada alma hace de sus lecturas decisivas. Pensar que para el carbonario los Evangelios son pasto de odio y que el Fausto puede ser para el teorizador resentido un argumento de la anarquía y que Terencio puede humanizar o destruir a quien lo lea, según la decisiva circunstancia de éste... Para mí, de la poesía leída ya no me quedaba más que una metafísica. De tanta ilustre literatura, tantas voces, tanta sublimidad, tanta cosa buena y cosa mala, tanto idealismo, tanto realismo, tanta vulgaridad rescatada por un tono, y tanto tono rescatado por un lampo de inspiración — de todo eso, ya no me quedaba más que una interior, secreta, dolorosa metafísica.

Seguía empeñado en ver al menor número posible de gente. Si no podía acercarme a personas capaces de funciones humildes, verdaderas, sustanciales e inmediatas, poco me interesaban las otras. Con Anselmi nos preguntábamos cuál superioridad podían invocar todos estos señores de nuestra sociedad exterior sobre la pobre gente a quienes esos bien pensantes acusaban de revoltosa, de peligrosa. ¿Cuáles eran más miserables?

Más valía distraer el rostro y entregarse a silenciosos, amigables, anónimos coloquios a la luz de una lámpara nocturna, en el cuarto de trabajo de mi departamento, con las celosías cerradas a la avenida Alem. Indirectamente, esto acercaba más al mundo que todo. Yo me ponía a leer en voz baja algunos libros que le daban a uno la prueba de la unidad del hombre.

Lo propio de las ciudades de América es tener un ritmo tal que cuando uno vuelve a ellas desde lejos se siente un poco extraño y un poco innecesario; por lo demás, todas las cosas son en ellas demasiado nuevas para echar lazos. Sucede como con las mujeres demasiado jóvenes, cuya soberbia y rebeldía las exime de guardar consecuencia hacia segundos. Hubo, pues, un momento en que me hallé, al cabo del largo viaje, sin relaciones con mi ciudad. El movimiento visible no me necesitaba. Pero, a la larga, predomina el que desea con más fuerza: pronto estuve de nuevo carnalmente agarrado al alma oscura y pensativa de la metrópoli.

Era bastante extraña mi nueva reacción ante ella. Su enorme extensión melancólica y uniforme se me ocurría el triunfo sordo de la piedra sobre las gentes que contenía. Dividida en incesantes intercruzadas calles, inacabables y rectas, se marchaba en ella durante horas sin encontrar, fuera de las letras de las enseñas y placas, motivo alguno de variación impuesta a la piedra por un ánimo impulsado según voluntad e inteligencia. A veces se chocaba con una variación, pero esta variación consistía sólo en un modo exterior —impreso a una fachada, a un pórtico, a un balcón— de manifestar la torpe opulencia de un propietario o la arborescente y multifoliada arrogancia de un industrial. Día a día abríanse calles nuevas, ensanchando los inacabables suburbios. Ningún designio particular les llevaba, armonía, belleza, deliberación. Ahí quedaban abiertas las aceras, la calzada, con dos hileras de casas horribles alzadas a la buena de Dios — y la buena de Dios no ayuda a los torpes; la buena de Dios es lo que permite diferenciar visiblemente la obra del torpe de la del lúcido, la del de buena voluntad de la del torvo. Y este multiplicarse de la piedra sin soplo humano que la batiera a su semejanza de acuerdo con una inspiración y un puro estilo; este agigantamiento del cuerpo pétreo y sin alma; esta proliferación de la obra oscuramente salida de mano ciega, eran el elemento que imponía a Buenos Aires su densa y particular aflicción. Esta aflicción era un mutismo, un mutismo, en toda ella, de la inspiración, una constante decepción del espíritu; esta aflicción era el aire que provenía en su rostro de ver su propia ánima sin vigencia, así como estaría afligido un hombre pertinazmente incapaz de dar a los objetos de su construcción un parecido con lo que aspiró para ellos.

Era la ciudad sin gloria. Había que dársela; la merecía. En su origen había gloria y su perímetro primitivo y colonial, antes del advenimiento de la horda extranjera, era glorioso, sobrio y digno como el rostro de la joven historia del país. En sus calles fueron vencidos dos imperios gracias a una ferviente primacía del alma criolla, gracias a una primacía de lo que ahora estaba reducido, ahogado, insultado, malogrado a lo largo de una enorme extensión del país expuesta al cielo.

Esa gloriosa y digna condición original de la ciudad estaba insultada, pesadamente cubierta, por la ola del arrebato ambicioso y los especuladores de fondos y destinos. El especulador de cualquier parte se contenta con los resultados específicos de su especulación: bienes, poder pecuniarios; el especulador argentino, llevado por las modalidades propias de un medio extraordinariamente refinado en su superficie y singularmente rápido para la incorporación de actitudes, desea acaparar para su representación el total de las actividades más opuestas y decorativas: quiere ser a la vez figurón de parroquia y discernidor de premios a la virtud y señor de sacras influencias y voz y voto en las prestigiosas materias de la cultura.

Entonces, al circular por la ciudad, me sentía inmediatamente hundido en el tembladeral de una especie de apocalipsis de lo mediocre, de endiosamiento de lo mediocre. Tembladeral del que nada se alzaba como un rapto auténtico y en el que todo el mundo parecía moverse con pegajosa lentitud interior pero con caras brillantes de satisfacción física. La medusa metropolitana se desplazaba para ahogar cualquier intento de calidad, y sus tentáculos eran brazos de carne mediocre dorada a la ligera por encima. Estando todos hechos de destino, de posibilidad de grandeza, debíamos caminar todos pegados al cenagal...

Quería vencerla en las partes que me parecían innobles. Me sentaba en el sofá de cuero claro, tan hecho al cuerpo, tan confortable, y me quedaba a oscuras con el café alcanzado por Ruiz humeando en la mesita, junto a mi brazo. Por las ventanas extendidas en hilera entraba la luna, alta en un cielo lechoso sobre la quietud nocturna del río. Entonces trataba de asir, de distinguir, de ponderar los elementos caudalosamente mezclados en la conciencia de la ciudad, en sus gentes, en sus señores, en sus turbas. Y a veces mi hambre era tan concreta como si fuera un hambre de pan. Me ganaba la impaciencia de que aquellos fantasmas circundantes continuaran siendo fantasmas y de que no fuera posible denunciar en ellos la presencia de la sangre. ¡Fantasmas; con las venas llenas de aceite!

—Algo tiene aquí que nacer —me decía—. Algo tiene aquí que nacer.

Pero nada nacía; más que el dinero, más que la conformidad, más que los nuevos arrebatos por la facilidad y la blandura de una vida sin raptos, mediocre, bovina, soñolienta.

¿De qué servía la elegancia exterior de todos esos elegantes, de todos esos fantasmas? Burdos — fríos por dentro, aspirantes a la nada condecorada y distinguida.

A veces, en medio de ese pensar, entraba al departamento algún amigo, se acercaba al sofá mientras Ruiz encendía la lámpara.

Otras veces me interrumpía en mi soledad el estrépito de las fiestas que daba en la casa de abajo el perfumista Blondel. Ruiz afirmaba que las invitadas eran coristas de un teatro alegre. Me levantaba impacientado y salía a caminar. Llegaba a pie hasta los alrededores de plaza Francia y me sentaba bajo los magníficos árboles en la quietud de la noche ascendente. Pensaba también en mis lecturas y en *Las cuarenta noches*, mi libro, cuyo texto no cesaba de crecer y que amenazaba ser un voluminoso catálogo de tipos humanos sobre el fondo de la urbe.

En oportunidades me tomaba rabia a mí mismo. ¿Qué quiere decir todo esto? ¿A qué tanta preocupación? Vale más vivir. Tenía razón Stendhal: no se puede vivir y tener talento —esto es, sentir e inteligir, padecer y hablar claro— al mismo tiempo. Entonces me confundía en las calles con las multitudes, paseaba fijándome, sin pensar más allá, en los rostros, las actitudes, las risas y los gestos que encontraba. Llamaba a cualquier amigo, nos íbamos a reír y charlar en el fondo de algún teatro, luego íbamos a beber un chocolate entre mujeres elegantes, verbosas, arbitrarias y estupendas en el rápido voleo de sus pieles. En verdad era insólito no dejarse seducir por la hermosura y la riqueza que la ciudad derrochaba. Un empeño recalcitrante e increíble.

Yo contaba entonces treinta y cinco años; pero mi primera juventud me parecía lejana, muy, muy lejana. Cada día de mi vida había contenido una carga inmensa. ¡La vida de los meditativos es tanto más larga que la de los hombres de acción! Cada día es para tales índoles un paisaje lento, populoso, abrupto, y cada hora una ventana abierta, a tantos diferentes caminos. Solía pasar por la casa de la calle 25 de Mayo, donde había vivido trece años antes, y me sentía entristecido. De toda aquella gente no veía más que al eterno Anselmi. Del doctor Dervil, del profesor Borescu, nada sabía; del pobre Jiménez me venían noticias escasas desde el interior de su provincia. Había acabado por quedarse allí, envuelto en la calma local. Y sólo de usted me traía siempre el viento la frescura de una repentina referencia.

Casi todas las noches venía gente a comer conmigo. Jóvenes intelectuales, profesores extranjeros, mujeres destacadas por uno u otro aspecto del genio de la originalidad. Ruiz era el servidor perfecto; cocinaba, servía la mesa, llevaba mis originales a los diarios, incluso conferenciaba diestramente con los importunos, ahuyentándolos al fin con su hermética reserva. Y entregaba los vinos desgarrado, suspirante, consciente de su pérdida, como la cortesana entrega sus alhajas para la subasta. Lo más notable que había en él era, por lo demás, su juego de suspiros, callado pero copioso vocabulario que utilizaba a cada rato a modo de juicios finales sobre todas las cosas.

Las tardes eran el ámbito en que me movía a mis anchas para trabajar. Instalada sobre uno de los estantes de la biblioteca, a la derecha de mi mesa, me estimulaba sin cesar la prodigiosa madona de la manzana —pintada por Memling— de Martín de Newenhoven (HOC . OPUS . FIERI . FECIT . MARTINUS . DE . NEWENHOVEN . D . M . 1481), con sus delicados, oferentes ojos y las manos espirituales ordenadas en la suave armonía de los largos dedos ascendentes.

Pero, por la noche, cuando me quedaba solo, volvía a apretarme la desazón. Abría la ventana. En las noches de silencio no se distinguía más que el cercano rumor de la estación. La inacción me parecía insoportable. Era que el río de adentro daba signos de querer desbordar.

¡Aquel hambre, aquel hambre!

Mi conciencia sentía, en el acto, un escozor intolerable. Si seguimos todos sentados... ¿Qué se puede hacer con la obra escrita? Es nada o casi nada, y cuando actúa, actúa demasiado a la larga.

A muchos los habría seguramente asombrado esa preocupación tan íntima y casi obsesiva por la comunidad, que me asaltaba. Pero es que los tales muchos no pensaron quizá nunca en cómo se apodera del alma de una juventud —exaltándola o abatiéndola según el caso— la necesidad de vivir proporcionada a una armonía y no a una farsa, a una deformación.

Éramos demasiados los sentados, los pasivos —pensaba yo.

Mientras tanto seguía creciendo en la metrópoli la vegetación de compradores y de comprados, la población de almas venales, la sofocación de cuanta inteligencia sincera aparecía queriendo levantar un poco la cabeza para denunciar lo que veía, lo que estaba pasando. Lo que sucedía visiblemente asumía el aspecto de una translación simbólica de las figuras del fresco de Orcagna que yo había visto en el cementerio de Pisa y que representa el Triunfo de la Muerte. Allí estaba reflejada en su cruel sinfonía la descomposición carnal de los señores y los obispos, a medio podrirse, estériles las tiaras, estériles los ducados, metidos en sus cajas funerarias. Y he aquí, al lado nuestro, el otro triunfo apocalíptico, la otra sinfonía negativamente próvida, este canto protervo que se escuchaba a un lado y a otro: el Triunfo de la Coima. El Triunfo de la Farsa. El Triunfo de las Ventas Personales. Y la aniquilación de los que se negaban a venderse. Toda la médula de un país, la pulpa sensible, el meollo tierno, sojuzgado, aplastado, vencido por esos tiempos. Y se habría requerido, naturalmente, la imaginación religiosamente pávida, aterida de otro Orcagna para fijar el peregrinaje de todos esos sobornados en su fastuosa marcha hacia la descomposición.

El cuadro era realmente siniestro. El que no se vendía por un cargo se vendía por una talega. Los *hombres de consejo* eran comprados; comprados los cuerpos enteros de funcionarios públicos; comprados los áulicos consejeros, los profesores, los titulares de muchas dignidades; comprados unos y otros. Y todo quedaba entonces vendido a poco precio, desvalorizado, menospreciado: la ciencia, la conciencia, el prestigio... no, no el prestigio. Lo que quedaba a salvo de las ventas era el prestigio. El prestigio de esas gentes quedaba a salvo, fortalecido al contrario por el precio que se cobrara. Era algo realmente infernal: venderse daba prestigio. Todo lo que fuera ostentación daba prestigio. Y los señores que más se vendían —soberbiamente entrantes y salientes de importantes pórticos frente al lacayo descubierto— no se sentían satisfechos con sus bienes físicos, con su bienestar, con sus suntuosas mesas, con sus monótonos orgullos anfitriónicos: querían ser todavía más, entonces pontificaban, pontificaban sobre todo, sobre lo divino y sobre lo humano, y, al ser tan incalculablemente influyentes, creían tener derecho a mostrarse tan cultos. Eran en el fondo ignorantes y vulgares y daba repugnancia verlos opinar sin respeto, con escándalo y desvergüenza, del resultado de las muchas horas de sacrificio de un artista, de un creador, de las muchas horas de ejercicio de algo que era lo contrario de lo que ellos eran. Señalaban y decían enfáticamente: "esto vale", "esto no vale". ¡Y no se movía una sola hoja!

Pero algo debía de moverse, en alguna parte, en uno u otro punto del espacio, porque cuando sucede una injusticia, algo —oculto, secreto— debe moverse, agitado, herido, lastimado.

Yo no podía más.

Hay que hacer algo, me decía, hay que hacer algo. Si

no, los que vemos con ojos claros nos transformaremos en asquerosos histéricos. La histeria no es otra cosa: inadecuación a la forma de la vida exterior y normal. ¿Por qué, en vez de perdurar ineficaces e inadecuados, no tratar de dar, no luchar por dar a la forma exterior un sentido más digno, más compartible, más capaz de inspiración y de grandeza? ¿Por qué permanecer sin lucha, como fracasados testigos de un fracaso?

Anselmi y Acevedo se mostraron igualmente pesimistas, igualmente pasivos, fríos y reticentes, la vez que hablamos de esto en mi casa. "¿Se van a quedar eternamente sentados?", les preguntaba yo. Con su buena fe un tanto escaldada se apresuraron, no sin pronta alarma, a asegurarme que estaban listos para hacer cualquier cosa, pero que esa cualquier cosa mejor era iniciarla con otra gente antes que con ellos. Anselmi no se tomaba en serio a sí mismo: "¿Cómo puedes concebir una acción *seria* con unos desordenados consuetudinarios?" Exageraba su risa con el cigarrillo cayéndole de los labios.

Entonces salí a la calle a buscar gente. Miré a los más oscuros entre los caminantes que abandonaban a esa hora sus ocupaciones y pensé que por muchos de ellos era necesario actuar, era necesario dar la cara; que por ellos era necesario desenmascarar.

Pensé en algunos hombres.

Pensé primero en Gormaz. Gormaz era un abogado de mucho prestigio entre ciertos grupos. Lo respetaban.

Llamé una tarde a la puerta de la casa de aquel estudioso cuya fama de íntegro me había parecido tantas veces ser cierta. Nos ligaba una amistad no íntima, pero sí franca, cordial, abonada por dilecciones compartidas. Muchas veces amanecimos en la biblioteca del Club comentando aspectos actuales de Hesíodo, de Orígenes, de Ovidio. Con su figura un tanto austera, su estatura de gigante, sus ademanes lentos, su voz profunda y envolvente, semejaba un ser de otra raza, capaz —por quién sabe qué desplazado anacronismo— de citar a Horacio en latín, de rechazar una idea expuesta con vaguedad, de cerrar los ojos para evocar una buena estrofa. "Es un puro —decían de él con un mecer de cabeza—; no hay duda de que es un puro." No pasaba de los cincuenta años. Era de complexión fuerte, sólida, y se paraba con aplomo, como el dueño orgulloso que era de diez volúmenes de crónicas históricas elogiadas por todo el mundo como la obra de un espíritu ático. Vivía en una casa con puerta de templete, de líneas clásicas, de arquitectura sobria. Me recibió con cordialidad. Era un hombre afable, y le gustaba pararse debajo de los cuernos de ciervo que presidían su escritorio privado, apoyándose de espaldas contra los anaqueles, como en un trono donde el soberano estuviera de pie. Daba la impresión de hallarse macizamente seguro de su juicio, de su noción de la equidad. El sirviente trajo dos tazas de café humeante. A cada uno de los lados de los cuernos de ciervo campeaban los retratos al carbón de Paso y de Sarratea. Y un pequeño pergamino blanco estaba dedicado, en su marco de madera negra, con unas cuantas firmas, *Al que interpreta la ley*. (Había sido un juez íntegro y se había retirado después para ejercer su carrera.) Me habló elogiosamente de *su* café, que adquiría directamente en un negocio brasileño, y que le gustaba porque era genuino. Lo probé: era excelente. El doctor Gormaz se sintió satisfecho, aunque su satisfacción no se mostraba nunca franca sino circunspecta, moderada. Representaba, sin duda, a ese tipo peculiarmente nuestro cuya extrema virtud reside en el prestigio de ser moderado en todo; que ni vive, ni piensa, ni bebe, ni goza sino moderadamente, circunstancia que lo hace el pilón sólido del edificio social. No tienen más que un peligro, y es que, si biológicamente la moderación es una enfermedad, moral, espiritualmente también lo es — pero ese peligro nadie desea siquiera entreverlo. Ante mi elogio del café se mostró, pues, moderadamente satisfecho. Miré, interrogándole sin dejarlo traslucir, esa cabeza que siempre decía gravemente que no a sus impulsos más violentos y que se perpetuaba, algo enamorada de sí y marmórea, en una actitud de pasar por los accidentes de la vida sin ser volteada de su eminente ponderación. Me sentí repentinamente confundido por dentro; en aquel instante advertía mi error; ¿cómo había podido pensar en esta persona que sorbía su café ante mí, si lo que se necesitaba encontrar era precisamente otra cosa, una no moderación fructuosa, una no moderación casi épica? Creo que enrojecí también por fuera. Pero la conversación inicial erró por los vagos terrenos de la política del momento. En uno de los cuartos del piso alto de la casa, alguien atacaba en el piano, de un modo repetido y monótono, no sé qué paralítica melodía. Vino una pausa y el doctor Gormaz me contó que había hecho días atrás un delicioso paseo al campo en automóvil. Pudo darse el gusto de releer la *Metafísica de las costumbres* bajo un cielo joven y diáfano, lo cual resultaba doblemente provechoso.

—¿No le gusta a usted leer al aire libre? —me preguntó.

Nos pusimos a hablar en torno a las ventajas y las desventajas del sol sobre la atención, y la frase de Wilde: *le soleil rejette la pensée*, de la que el doctor Gormaz no era muy partidario. No estaba tampoco en desacuerdo, pero no era del todo partidario. Le placía, por ejemplo, leer a Savigny repantigado sobre su silla de tijera en la arena soleada de las playas. Su concepción jurídica del mundo se humanizaba, se calentaba propiciamente, al calor de ese sol intenso y directo.

—He venido a hablarle de nuestro país —le dije a quemarropa como quien vence su inhibición y se lanza al agua desde gran altura— y de la necesidad de crear un centro donde se pueda decir la verdad.

—¿La verdad? —me preguntó como si acabara de oír el nombre de una pecaminosa señora con muchas historias escandalosas en curso—. ¿La verdad?

Le recordé con impaciencia lo que habíamos hablado tantas veces. Aquello ante lo cual él también, tantas veces, se había mostrado indignado. Le hablé del espectáculo de toda una tierra puesta prácticamente en manos de gentes cuyo solo fin consistía en una especie de apoteosis de las ventajas personales. Su voracidad era singular, de un tipo diabólico, pues era casi pasiva en apariencia. No eran ni siquiera sectarios, no les importaba la verdad más que este *ismo*: el ventajismo; o, para hablar más precisamente, se ponían calurosamente, cuando era necesario, al lado de los *ismos* que fueran hijos, o padres, del otro, del esencial. Millares y millares de hombres constituidos según eso que ninguno de entre ellos osaría designar como "un principio"; pero que llevaban incorporado a su sangre, hacían del ventajismo una religión, una moral, una razón, un sentimiento. Claro que les importaba acaparar para los resultados visibles y contables de ese ventajismo, el máximo de dignidades; con lo cual, un sabio, por ejemplo, un investigador, un honrado de mente y acción, se veían, al contrario de lo que acontece en toda sociedad no operada por aquellos agentes, radicalmente desplazados de la lista de "honorables". Me reí al decirle que el honorable máximo era aquel a quien el ventajismo hubiera dado más diferentes y complejos elementos para la ocupación de la envidia pública. "No basta —le advertí— con que el hombre subterráneo trabaje auténticamente por debajo de la superficie, sin atender a que su labor actúe beneficiosamente en la colectividad. La guerra hay que darla también contra los otros, contra los ventajistas y los vendidos a todos los oros."

Gormaz me miraba sonriendo con cierto benévolo asombro como se oye a los alucinados inofensivos.

Le hablé con excesiva insistencia y con tono demasiado vehemente, con lo cual la benevolencia de su asombro se fue tornando, por momentos, una actitud teñida de tácita reprobación. Sin darme cuenta, mi tono recibía el influjo de esa íntima rabia con que medía, minuto tras minuto, las proporciones de aquella sedente estatua de mesura que tenía delante. Se me antojaba un bulto de paja razonante, hundido ahí en el sillón, con el brazo izquierdo extendido hacia afuera e inclinado hacia abajo como una lanza caída.

—Vivimos muy poco tiempo —le dije con disimulada cólera— y rara vez tenemos la oportunidad de llegar a un mundo donde, en el corto espacio de nuestra estada, algo pueda ser por nosotros, no digo modificado, pero siquiera dignamente desenmascarado y atacado. Somos, en el tiempo, o un tránsito de bolsas o un tránsito de hombres. Que los que vienen a este mundo a ser lo primero se queden con su destino, pase; pero que nos transformemos todos en un rebaño de carneros dormidos...

No entendía.

—¿Pero cómo quiere usted oponerse prácticamente —me preguntó— a esa venalidad que todos vemos?

Le dije que bastaba con fundar una corporación. Un centro capaz, por la salud de su base, de polarizar las buenas voluntades, las inteligencias limpias y valientes de la nación. Lo primero era establecer un punto de reunión. Con una isla se puede hacer un continente. No una corporación de conversadores sino un centro constituido por gentes capaces de ir a buscar la verdad allí donde esté y de decirla con suficiente coraje, con suficiente candor. ¿Por qué no vamos a establecer una isla donde el aire comience por ser respirable? Lo que sirve en una comunidad es el coraje y la fe, la pasión y la fuerza de unos pocos. ¿Quién sueña con el número, quién piensa en los indiferentes?

—Es imposible —me objetó con lentitud—; es imposible.

Me callé.

—Se trata de un mal que desaparecerá por sí mismo cuando deba, lo mismo que la manzana desaparece por la sola acción de su final podredumbre.

Le contesté con sequedad que el peor de nuestros males era esa pasividad de que todos parecíamos estar prontos a dar muestras. Le traje argumentos violentos, ácidos. Él oía.

—Piense usted —me contestó— que un hombre de mi posición no puede salir a romper lanzas como un Quijote o como cualquier otro insensato. La cuestión es delicada. Una cosa es mi convicción privada y otra que yo me gane malquerencias por haberme abandonado a ciertos cómputos, seguramente ineficaces, sobre que irrespetuosos, de ciertas fórmulas. Mi conducta sería justamente condenada... ¡Hombre, no podría siquiera volver al club! Mis amigos no están limpios de culpa... y la estabilidad de las relaciones personales ya existentes constituye algo muy serio, muy atendible, casi primordial, como no se le escapará a usted.

—Sí —le dije de un modo brutal—, tiene usted razón.

Se enfrascó, sin al parecer advertir mi actitud, en un monólogo bíblico, del que salieron a relucir filisteos y fariseos en un aletazo retórico y —debo decirlo— inmoderado en cuanto a su lujo verbal. Tal vez, lo único que le gustaba a Gormaz sin moderación era brillar. Se paró y me extendió una caja de madera labrada llena hasta el tope de cigarrillos.

—Pruebe, son legítimos —me dijo—. Soy un maniático de la legitimidad. ¿Recuerda usted al viejo obispo de Larrán, aquel espíritu mundano suavemente teñido de devoción, que deleitaba a todos con sus cuentos en las tertulias de Maneco Lagos? Solía decir al verme entrar: "¡Este Gormaz es el obispo *in partibus infidelium* de la legitimidad! ¡La representa y la encuentra en tan pocas partes!"

No encontré útil ni agradable prolongar aquella conversación. Me puse en pie y él me acompañó hasta la puerta con su imperturbable afabilidad. Una chica flaca, de grandes ojos azorados, con un lazo celeste ceñido al cabello, se asomó en el rellano de la escalera que daba al hall y desapareció en el acto, espantada. En seguida volví a escuchar la melodía monótona en el piano de arriba.

—...y es la eterna peste de todos los países y de todos los tiempos —aseveraba Gormaz con ánimo persuasivo—; la eterna peste. Inútil querer cambiar el mundo. Acuérdese de aquellos versos populares:

> *Escudos pintan escudos,*
> *ducados compran ducados*
> *y tahures muy desnudos*
> *con dados compran condados...*

Se echó a reír con buen ánimo. Me dijo "hasta pronto" y entró y cerró la puerta. Me fui con una gran rabia. Tenía más ganas que nunca de hallar a gente capaz de vivir con arrojo y desmesura, cara a cara frente a las noches, enteros frente a cada nuevo día, vehementes de vehemencia, bruscos de brusquedad. Tomé uno de los ómnibus que bajaban del norte hacia Retiro.

Pensé después en Mántaras.

Siempre me había parecido una especie de Hamlet venido a través de no sé qué nubes, de no sé qué Elsinor. Era alto, magro, extremadamente transparente de piel, pálido, celoso y vivo en los movimientos de su cabeza de intelectual como un caballo de raza. Escrupuloso, inquieto, parecía vivir en un eterno desvelo, lo mismo que si constantemente se persiguiera a sí mismo. Yo me preguntaba si este hombre, si este Mántaras, tendría, entre la noche y el alba, pausas de sueño profundo, si llegaría alguna vez siquiera al sueño. Enteramente solitario, enteramente aislado, casi sepulto en aquella casa de soltero, en el fondo de una calle oscura y arbolada de Belgrano, tenía esa calidad terriblemente atravente de los hombres que han desviado su atención de este mundo y parecen seguir con unos ojos que no pestañean la apertura de invisibles recintos. Me había dicho una vez que no podía soportar cerca la presencia de un sirviente. Permanecía a solas con el tiempo, con el aire, con un pequeño órgano viejo en que hacía residir toda su fortuna y que se levantaba en la pared extrema del hall como un monstruo antediluviano, ronco y gruñón. Yo lo había tratado poco. Me habían dicho que estaba vinculado con un grupo incipiente de jóvenes nacionalistas, de exaltados. Sus antecedentes de familia no eran triviales. Su padre había sido uno de esos aventureros argentinos, hijos tronados de viejas familias procedentes de la aristocracia colonial, que fueron, por su vivacidad de espíritu y natural refinamiento, populares en pequeños círculos cerrados de la aristocracia europea; y en Berlín, tras una aventura de pocas semanas teñida de su consiguiente y susurrado escándalo, casó a los cuarenta años con una mujer algo mayor que él, indirectamente emparentada con la familia austríaca de los Hohenloe. El clima moral de estos súbitos desposados que vinieron después a vivir en una isla del Tigre, el aburrimiento conyugal del padre y la nostalgia sedentaria de la madre, fueron quizás los estados que se reprodujeron en la contextura íntima del hijo. Desde niño fue enseñado a despreciar la vulgaridad en todas sus formas. A ese desdén añadió, por su parte, un carácter extremadamente silencioso, extremadamente sensible, y se desarrolló para ser, por extraña mezcla, una intimidad rica y un espíritu preciso. Cuando llegué de mi viaje europeo y lo conocí, me asombró su enorme caudal de cultura, su dureza, su casi impiedad frente al sentimentalismo, su naturaleza rigurosa y escrupulosa al tiempo que muy fina, su no rotundo a las licencias temperamentales americanas. Dejé de verlo por razones casuales de oportunidad. Alguna que otra vez lo encontré. Una vez me llevó a su casa, a aquella casa sombría donde los cuartos parecían vivir una eternidad despoblada; leyó para ilustrar no sé qué afirmación algunos párrafos de *Tristan Shandy*; me habló largamente de algunos políticos ideólogos, de Gladstone, de Parnell, y me contó cuánto se podría añadir y corregir a Gobineau. Pero hablaba como si, intuido de la duda de Eurípides, se preguntara sin descanso "¿quién sabe? — quizá esta vida es la muerte, y la muerte la vida", y pensara en las reglas políticas ideales, no para ésta sino para aquella otra existencia.

Cuando lo fui a ver, pues, llevé en seguida la conversación al terreno que me interesaba. Mántaras estaba vestido con un traje oscuro y lo escuchaba a uno con los ojos clavados, obstinadamente inquisidores, inclementes.

—¿Qué tengo que ver yo con los otros? —me dijo—. Soy un solitario.

Me eché a reír.

—Por eso lo busco —le dije—. Por eso mismo.

—¿Qué tengo que ver yo con los otros? —repitió.

Estábamos sentados en la semioscuridad del hall sombrío, a las once de la noche. El hall era muy alto, tenía una gran claraboya con dibujos de iglesia, y se veía en torno a todo el piso superior una baranda que separaba de la escasa luz del hall el resto de la casa sumido en las tinieblas. Ni un ruido. Ni un signo de vida, fuera de nosotros. Había exceso de muebles —sin duda el mobiliario había sido acumulado allí sin asomo de orden desde muchos años atrás— y al fondo, apenas visible, subía la breve pero sólida masa del órgano, con su gradación vertical de cañas metálicas.

Le colgaba un cigarrillo blanco del labio casi blanco en la cara pálida. Su cabello era extremadamente negro y fino. Sus ojos, muy negros en la piel blanca. Con un movimiento brusco se echó atrás en el sofá y cruzó las piernas.

¿No eran su cultura y su delicado sentido de la moral humana algo extremadamente positivo, una semilla espléndida para nuestra tierra? Lo instigué vivamente a pensar que un grupo de espíritus honrados y clarovidentes, dispuestos a pensar y a hablar sin ambages, daría pronto un fruto de calidad parecida al empeño. Siguiendo el hilo evidente del principio tomista, podía sin duda afirmarse que de una voluntad limpia sale una obra limpia, que de lo más —hablando en términos de decisión y lucidez— ha de salir lo más, así como de lo menos sale lo menos. Me miró sin aprobarme.

¿Qué le importaba a él eso? Que la mala vela se queme sola y acabe con ella misma. ¡Allá ellos!

—Yo pertenezco a una raza de solitarios —me dijo—. Por lo tanto, mi raza se empobrece con la mezcla. ¿Usted cree que este pueblo está traicionado? ¿Y que no hace nada? Será que merece su propia traición. A mí no me roza ni me afecta. Mis problemas son otros. Mis problemas son ajenos a la sociología. La sociedad me interesa por algunos hombres, por unos pocos dignos de respeto. Lo demás ya puede hundirse en su propia espesura.

—Pero si de eso es de lo que se trata —le dije—. Se trata de dar acción, voz a una minoría.

"Y de que esa minoría crezca —agregué—. De que esa minoría influya."

Volvió a insistir en su imposibilidad constitucional de unirse a ningún grupo de tal naturaleza. Le dije entonces que no ignoraba que tenía él amistad con algunos hombres jóvenes de excelente preparación, religiosos y decididos. ¿Se podía pensar en ellos?

Se encogió de hombros.

—Son la peor especie —me dijo— porque son políticos que hablan con el lenguaje de las inteligencias espirituales. Son la peor especie. Son lo bastante duros, rígidos y dogmáticos para ser buenos políticos pero también para ser malos bichos, espiritualmente hablando. Creen detentar la espada de la justicia en el interior de su verbo aristocráticamente soberbio. Creen ser mejores que nosotros, y lo son, en cierto sentido; pero no tienen adentro bastante amor como para que cualquier cosa que hicieran, si se les dejara hacer, fuera humanamente eficaz, saludable, benéfica. Dicen "hay que matar" y no piensan que quien afirma eso es porque ha empezado por matarse y no sirve ya más que para sí, para velarse. Yo no me creo mejor que ellos. Pero siendo un solitario podría ser quizá menos nocivo si quisiera actuar, porque lo que tengo adentro es menos acartonado y más vulnerable.

"Yo no creo que la vulnerabilidad —agregó—, la sensibilidad moral, sea una virtud de débiles como ellos creen; yo creo que, al contrario, la invulnerabilidad férrea es la perdición de los fuertes, porque lo que vale en un martillo no puede valer en una naturaleza ni siquiera para mandar. Los hombres que mandan mejor son los que saben hacer de su vulnerabilidad una fuerza y no los que hacen de su invulnerabilidad una forma de agresión. ¿Usted cree que los dictadores mandan por su aparato de déspotas? No. Mandan por el modo como saben alcanzar en público un grado considerable de intensidad de emoción. Todo hombre que llegue a esto lleva en sí a un conductor. En cambio, mis amigos creen lo contrario; están convencidos de que el despotismo puro es, específicamente, la mejor escuela política. Por eso no se puede esperar de ellos nada más que el desarrollo, en la cáscara de una odiosa impopularidad, de sus rabias y sus desplantes privados."

Pensé que tenía razón.

Mántaras se levantó, se llevó las dos manos a los bolsillos y caminó, indeciso, como si tratara de seguir, no un rumbo en el hall, sino el lento paso de sus ideas.

—Yo no tengo el prejuicio de servir socialmente —dijo—,
Venimos a este mundo quién sabe cómo; nos vamos quién
sabe a dónde. Durante nuestra permanencia en este aburrido
infierno, a veces somos un maltrecho escenario de cosas
excitantes —las que algunos llaman bellas, habiéndonos todos
puesto de acuerdo acerca de cierto vago significado para
ese término— y otras veces de cosas confusas, viles y desagradables. Tal vez, dentro de la escasa posibilidad de razón
que se nos da, sea bastante —me refiero al problema de los
fines— con estimular las primeras y ensordecer un poco
las segundas. Con eso creo que ya uno es bastante útil, sin
que sea necesario pensar en pueriles —¡perdón!— reden-
ciones. De este país a mí no me importa la estupidez
habitual y los medros de la gente. Me importa la claridad de
algunos días, el cielo tan alto de algunas noches, la calidad
de algunas plantas, el color de la ciudad al atardecer, los
verdes que aclaran su luz, el lujo con que se dan los frutos,
la delicadeza física de algunas mujeres. Eso me basta, como
marco a mis preocupaciones de otro tipo y a las cosas que
me educan y me mejoran.

Seguimos con esa conversación durante cerca de una hora
y al fin acabamos hablando de pintura y de la teoría de la
visión, de Berkeley. Me mostró unas ediciones antiquísimas
y acaricié aquella piel que habían tocado quién sabe qué
manos a través de tantos siglos. Mientras yo examinaba
otros libros, Mántaras fue indolentemente a sentarse en el
órgano y empezó a tocar unos acordes de Liszt. Las voces
se desperezaron, igual que si al sonar fueran desprendiéndose
de su apego a otros tiempos y buscaran en el ámbito antiguos parentescos. Cuando nos despedimos era ya muy tarde.
La noche después me presentó a dos de sus amigos. Com-
probé lo que me había dicho. Eran privilegiados de cuna
y de formación. El privilegio es lo más estéril del mundo.
Su obra es una acumulación cada vez más compleja de sucesivas comodidades. Ninguna obra fuerte puede salir de
eso. Ninguna obra que importe puede tener su origen sino
en un desaliento superado, en un infortunio hecho virtud.

Los días que siguieron acabaron de demostrarme la verosimilitud de lo increíble. Sólo era fácil encontrar a personas
dormidas en sus pactos. A veces venenosas, desangradas
de decepción, pero prudentes, temerosas de comprometerse;
osadas en sus juicios, cohibidas en la acción. Vi al profesor
Risolía y al médico Sebastián Varón. Comí con los dos en
mi cuarto de trabajo, con las ventanas abiertas al verano; un
día con uno, otro día con otro. El profesor se aterró ante
la primera propuesta. ¿Sabía yo que lo que ponía en peligro

eran sus cátedras? Era un hombrecito pálido, y su palidez aumentó tanto que parecía delgado y hasta bastante más alto. El médico estaba formado en otra escuela, mucho más humana, mucho más franca, mucho más habituada a querer hacer algo por el dolor del cuerpo oscuro y anónimo. Asintió con entusiasmo a la idea. Se apresuró a convencerme de que debíamos hacer una reunión preparatoria con otras personas. Pero cuando me despedí de él, en el umbral de la puerta de calle, pensé, de pronto, que si daba su nombre para un combate, por puro que éste fuera, tal vez él iba a perder sus pocos clientes. No le dije nada, pero esa reflexión apagó mi deseo de contar con él.

Ruiz, el taciturno, escuchaba aquellas conversaciones con recelo. Sin duda preveía que iban a ocasionarme un gran perjuicio.

Yo me reía para mis adentros, pensando que todos habíamos acabado por convertirnos en un silencioso círculo de mutuos protectores.

Las noches en que yo no hablaba en privado con alguien llamaba por teléfono a Anselmi y salíamos a caminar por los alrededores de la Recoleta. Estaba siempre dispuesto a hablar sin enfado, lo mismo que un jugador de pelota se enfrenta, viril, con el frontón. Con él uno sabía a qué atenerse: le gustaba lo que le gustaba, odiaba lo que le parecía odioso, admiraba lo que le parecía digno de admiración, con más fuerza que nadie, a todo gustar, a todo admirar. Le importaba un bledo la moralina. Le importaban un bledo los señoritos que presumían de doctrinas férreas, sanguinarias y absolutistas. Era entero, y lo que en él se daba, se daba entero. Era un argentino. Era un amigo. Era un hombre construido rotundamente, como un brazo de agua que de pronto se pone a surtir. Estar con él contagiaba algo de caudaloso.

Tenía los bolsillos llenos de recortes de periódicos. Cuando hallaba una mesa en las cercanías los desplegaba, señalando despectivamente las crónicas de lo que le parecía el juego de la espuma que cubría esta sociedad. "Espuma blanca, pero de repollo ordinario", decía, riéndose. Y al lado de eso, en aquellos recortes, tenía siempre señalada alguna noticia menuda referente a un ínfimo episodio de naturaleza reveladora; ya fuera la crónica de una renuncia, ya el relato de una reacción honrada, perdida, casi anónima. "Este es el buen repollo, el repollo sano de esta tierra."

Anselmi se reía mucho. Se reía de todo. Se reía de mí. Se reía de mi cólera. Se reía de mi indignación. Se reía de la risa que me daba su risa. Y, en el fondo, los dos vivíamos visitados por las preocupaciones más complejas.

Hicimos con él una nueva lista de gente. Yo casi no pensaba más que en esto. Quería gritar la verdad. La llevaba dentro y me agobiaba. Me desbordaba; entonces mi existir cotidiano se negaba a seguir en calma, pugnaba por arrastrar su convicción y hacerla estallar, gritarla.

Pero la nueva lista falló, como mis ilusiones anteriores. No era tanto esto lo que me abatía. Lo que me abatía era *saber*, tener la conciencia clara de que sólo el forzoso azar de mis conocimientos personales me separaba, pero ese azar mismo, de la gente que en la ciudad sentía como yo. Lo que me separaba de éstos era una razón meramente fortuita; por consiguiente, más desoladora aun. La razón menos justa me separaba del mundo familiar, de la raza verídica.

¡Dios santo! ¡Cuántos días de indignación, cuántas horas de sentir nada más que una impotencia!

Pensaba en usted y me preguntaba: ¿Qué creería de eso, qué diría? ¡Qué extraña ayuda podría prestarme...!

Una tarde salíamos con Anselmi de un restaurante central. Caminamos por la calle soleada que comunica una gran avenida con la plaza más sombría, profunda y hermosa de Buenos Aires. Poco antes de llegar a la plaza estaba la galería de pintura frente a la que me había detenido desde tantos años atrás casi a diario para mirar en el escaparate las telas en venta. De pronto exhibían un esbozo minúsculo atribuido a Vermeer, de pronto algunos deliciosos modernos, un Utrillo, un Vlaminck —con sus trágicos blancos—, un Braque —con sus intensos azules y esa delicada maestría de los tonos fluidos. (Alguna vez me paré por más de un cuarto de hora, un día y otro día, solivianado, aterido por la crudeza plástica de una frente y una boca de Domenico Veneziano: todo el color parecía sorbido por la espiritualidad.) Nos detuvimos. Había dos pequeñas telas de un nuevo pintor argentino; a ambos lados, dos Chiricos, briosos caballos blancos y troncos truncos de columna. Los cuadros argentinos me impresionaron por la calidad de la técnica, por la perfección de su arte menor. Esto revelaba una artesanía admirable, o sea el haber aceptado la parte de humildad, la parte de oscuro camino, la zona de sacrificio, sin cuya travesía ningún arte puede llegar a nada.

Tres señores se pararon al lado nuestro a mirar aquello. Venían del lado de la plaza, del lado del hotel. Y les unía —riguroso aire de familia que torna a todo un sector de habitantes de la ciudad en un ejército indiferenciado— ese tono de indumentaria y actitud endurecido en su típica función presuntuosa. Estuvieron un rato mirando el escaparate, con los ojos entornados, con la sonrisa displicente a flor de labios, exactos como si se tratara de la misma persona en tres réplicas idénticas. Uno de ellos esbozó al fin con la boca un gesto despectivo, agrio, como de quien se siente inundado de despecho. Sí; se sentía insultado por la osadía de esas formas expuestas ahí, por esa tentativa de originalidad. Una palabra condenatoria —por la que corría, interior, cierta invisible furia— movió al fin la voz con que los tres reaccionaron. "¡Esto es una vergüenza! ¡Adónde hemos llegado! ¡A qué extremos!" Otro de ellos, el de traje azul cruzado y sombrero gris, apoyó: "¡Ah, una vergüenza; una vergüenza!"

Los tres señores siguieron andando, desdeñosos, entregados a su comentario iracundo de las tres obras de arte.

Yo miré los cuadros y me parecieron ultrajados e indefensos como *ecce homos*.

Anselmi me miró, como quien aguarda una orden.

"Nosotros somos los cándidos."

Entonces pensé que el asunto era risible. Y atravesamos, riendo, la plaza.

XLI

Pero el río desbordó. Sólo que el mar adonde iba no era la acción; el mar, el mío, era otro. Mi mar no era todavía la acción. Tal vez algún día...

Yo no sé con qué fiebre trabajé durante dos inolvidables meses.

Me resistí a ver a nadie. Me encerré. Sólo salía para comer. Cambiaba con Ruiz apenas las palabras necesarias. Cerré las puertas ante Anselmi. (A veces venía y se quedaba sentado, silencioso, leyendo, hasta el momento, minutos antes de la comida, en que solía yo salir a caminar dos o tres cuadras. Entonces me acompañaba y hablábamos de cosas de la ciudad.)

¡Ah, la virgen de Martín de Newenhoven presenció qué tremendas batallas con el papel! Después de horas enteras sin levantar los ojos, descansaba mirándola. Y volvía a hundirme en la corriente precipitada. A veces el fluido se detenía, chocaba con un obstáculo. Intentaba vencerlo. Veía que no era posible y salía de casa y me echaba a caminar solo por las calles. Entraba en ese tumulto de gentes felices de cumplir sus tareas concretas, ya hechas, sobrellevables. Estaban al día con todo, con el descanso nocturno y con el levantarse por la mañana. Todo lo resolvían sin duda con facilidad. Ninguna ansiedad a que dar forma; las ansiedades se resolvían en el objeto del trabajo, mal o bien pero puntualmente.

En esos interregnos de trabajo nada me complacía como hablar con algunas gentes modestas de la vecindad. Me servían como una incomparable experiencia tónica. Los llevaba a hacer preguntas y a relatar sus preocupaciones.

De noche iba a la orilla del río, miraba los pájaros de aliento corto, observaba atentamente los trabajos de algunos obreros en las grúas.

Antes de acostarme bebía un vaso de leche fría y me quedaba largo rato a oscuras tratando de perfilar definitivamente algunas escenas críticas de mi obra. De *Las cuarenta noches* —del primer tomo— tan sólo me faltaba completar dos.

Releí una de ellas; no me gustó, y en una semana la rehice totalmente. La estructura de un panorama de advenedizos alternados con espíritus limpios debía verse con seca precisión.

Más de una vez me sentía ocupado por la corriente misteriosa. Escribía desde la mañana sin cesar y sin poder dejar aquello, como si obedeciera a un amo cuyos ojos estuvieran, sin apartarse, sobre mí, a mis espaldas. Después de dieciocho horas de trabajo —con la pausa de sólo algunos bocados comidos frugalmente—, en lo alto de la noche, advertía mis nervios tan excitados, heridos y rebeldes que me parecían desbordar. Experimentaba la sensación de tener todo el cuerpo exterior reducido a una nada y todo un sistema de hilos nerviosos ensanchando e hinchando hasta prolongarme atrozmente. Era una sensación muy desagradable. Tenía que despertar a Ruiz y pedirle que viniera a conversar un rato conmigo. Venía, soñoliento, y se iba despertando a medida que me contaba algo, algún episodio de su vida, cuentos de cuando era conserje de un insignificante teatro lírico de Cádiz. Cualquier novelista se habría considerado feliz con poseer la mitad de semejante archivo de intrigas e historias picantes.

Yo trataba de atender exclusivamente a sus relatos. Lo veo ahí, sentado ante mí en el cuarto donde yo escribía, con el cabello desordenado, los ojos saltones y un tanto inmóviles, con su piyama estruendosamente paseado de rayas rojas y negras, con sus pies enormes en las zapatillas de cuero.

Un poco más sereno, me acostaba. Pero no podía dormir. Tenía que quedarme hasta el amanecer esperando ver alzarse las primeras luces, escuchando hasta el más ínfimo crujido en los muebles de la casa, con la cabeza llena de imágenes y situaciones y preocupaciones.

No quería dejar la obra ni tan sólo un día. Era necesario, sí, que fuera mar, hacerla mar. Hacerla caudalosa y rica, dotarla definitivamente de sus tormentas, de sus momentos desagradables, de sus etapas fatigosas, de sus instantes deliciosos, amenos. Algunas noches me sentía tan cansado que me molestaba, al escribir, hasta la luz de la lámpara. Tenía que envolver la luz en un papel transparente. El gran cuarto quedaba en la penumbra y a medida que crecía la noche en su marcha se iba oyendo de más en más el ruido de la pluma.

Otras veces, dolorosas, me asaltaba la idea de que lo que estaba haciendo era completamente inútil. De que esa obra inspirada en el padecimiento y en la esperanza de mi pueblo, no conmovería nunca a nadie. De que estaba hablando en el vacío, y que mi propio estar día tras día sentado ahí con semejante empeño era la más vana de las cosas, tan vana y tan inútil como la vana e inútil tarea de los parásitos a quienes tenía la ilusión de superar. Cuando me acosaba esa idea, me era imposible seguir. No pensaba en mi asunto, sino en esa obsesión. Sentía mi soledad, mi absoluta soledad, ahí metido entre el olor de la tinta y la paciente virgen de Martín de Newenhoven. Sentía que era un loco o un imbécil. Me hallaba neciamente separado del mundo para trabajar en "eso". Era un necio y un tonto. ¿Qué pretendía? ¿Comunicación? Si estaba solo, clamorosamente solo en mi reclusión insensata, en un estéril empeño de iluso, de egoísta, de lastimoso roedor. Y en seguida me despreciaba por esa debilidad. Pero la debilidad volvía.

Recordaba a mis amigos, los pobres soñadores del Teatro d'Harcourt y emparentaba mi afán desatinado con la irremediable, la ingénita ineficacia del de ellos. Este cuarto era mi Teatro d'Harcourt.

Entonces permanecía paralizado, me quedaba mortalmente apenado, extrañaba la amistad de mis amigos, sentía la necesidad del calor de una mujer en mi casa de iluso, en la casa de este idiota, de este perdedor de tiempo. Hasta el más modesto de los obreros cumplía seguramente una obra más digna de respeto, más útil, más verdadera que la mía.

Eran días de infinita desolación. Los más tristes de mi vida.

Y el torrente volvía a comandarme y a precipitarme en la marcha hacia el final de la obra. La virgen de Martín de Newenhoven sonreía.

Al cabo de sesenta días el libro estuvo listo, como si, al fin de regreso, descansara la corriente trayendo a su superficie el cuerpo flotante. Pero este cuerpo eran *Las cuarenta noches* vivas de *Juan Argentino*.

Me quedé desangrado. No tenía otro aspecto que el de los heridos convalecientes en los hospitales de guerra.

Miraba el enorme manuscrito sobre la mesa. Ya no te. ..
qué hacer. El tiempo y el mundo eran ocio. Estaba en
libertad. Los retoques eran algo demasiado fácil en comparación con la lucha primera.

Ahora podía internarme otra vez en la ciudad como quien
vuelve de un viaje. Salía por la mañana muy temprano,
pasaba junto a la frescura de las legumbres y del pescado
blanco expuesto entre largas barras de hielo en el hervor
de los mercados; curioseaba un rato en las ferias de flores,
volvía, gozoso de sentirme en libertad, al parque Lezama y
me sentaba cerca del gran estanque, al pie de la terraza, en
ese circuito de mundo donde trece años antes un grupo de
muchachos dábamos al aire otra especie de ardor.

No me daban ganas de entrar en casa de Acevedo. Casado
en segundas nupcias con una de esas mujeres en quienes
el complejo sexual alcanza una suerte de nefasto esplendor,
mi amigo vivía cansado hacia afuera de su lucha privada con
el dragón. De pronto, a raíz de una de estas uniones, el
centro de la vida de un hombre se desplaza, sus preocupaciones diversas se agitan y polarizan súbitamente en este
combate conyugal, que es mucho más solapado, agobiador y
enervante que la peor de las luchas morales. Minuciosa,
aviesa, obstinada, la acción de esta especie de mujeres disuelve a la larga la resistencia del temperamento más recio y
mina en el hombre regiones en que ninguna otra batalla
podría haber penetrado. En pocos años, Acevedo se había
vuelto un ser concentrado, descontento y silencioso. Lo grave
de estas derrotas es que no se pierden por debilidad o por
fallas del ánimo viril, sino por un desaliento ante la traición
de la realidad. Imposible, por lo demás, ver a Acevedo en
su casa; presente en todas las conversaciones, su mujer le
salía al paso con tajantes y pragmáticas sentencias. Al
principio había resistido, después se había cansado. El campo era del dragón. Esto debe contarse como una muerte.

Anselmi me ayudó en la tarea de la copia y de la corrección de pruebas. Llegaba a las siete de la mañana, fresco
y recién afeitado, y Ruiz ya sabía que tenía que servirle
un huevo frito con tocino español. Mientras me vestía en
mi dormitorio los oía hablar de los conflictos de Europa.
Ruiz asentía con dolorosos suspiros a las protestas del otro.

Cuando estuvo concluida la copia de la obra, me asaltó
otro gran desencanto. Mi obra había asumido un aspecto
mecánico, las fallas aparecían más visibles, los huecos más
notables, y el manuscrito original semejaba haber cedido a
una versión inferior de su propia imagen. Volví a dedicarme
febrilmente a la reconstrucción de capítulos enteros, en
medio del disgusto que me producía ahora la obra. No hay

tristeza comparable con esta sensación de fracaso que proponen las obras de creación al ser vistas una vez concluidas. Luego sobrevendrá otra etapa, la más distante, en que nos parecen ajenas y las vemos mejor; pero la relectura inmediata, en la primera copia limpia, deja un gusto amargo y una impresión invencible de repugnancia y de hastío. "Años y años de trabajo en vano", me decía. El rostro de las gentes parecía también decirme: Años y años de trabajo en vano. Pero no eran ni la notoriedad ni la fama lo que entonces me parecían comprometidos; era mi posibilidad de comunicación con las zonas subterráneas. ¿Acababa de construir un puente roto?

Por momentos me encontraba con pasajes intensos. Me visitaba otra repentina esperanza. Hasta que llevé al fin el libro a mis editores. Hojearon las páginas sin atención, con el ánimo fijo en los detalles exteriores del libro, preocupados por el modo de lanzarlo. ¿Qué me importaba todo eso? Les dejé los copiosos originales y atravesé como si les hubiera dejado años de vida, la plazoleta que estaba frente de sus oficinas. Me pareció mísera e invernal con sus árboles sin hojas y su falta de bancos. Inconsciente del tiempo y las circunstancias, sonreía en su pedestal la cabeza bronceada de un fauno anodino.

Mi sangre volvió a casa a visitarme en la forma de aquellos altos de galeradas de imprenta, húmedas, frescas de vida. Me dieron placer. En los caracteres de imprenta, nítidos, vigorosos, el libro adquiría de nuevo vida. ¡Vaya! Estaba contento. Llamé en seguida a Anselmi por teléfono para invitarlo a comer en algún restaurante alegre, invitación a la que accedió con la prontitud esperada. Me senté a corregir las galeradas y permití a Ruiz la licencia de manosearlas, cosa que hizo con supersticioso recelo.

¡En fin, todo estaba salvado! La gente que llenaba la sala del restaurante me pareció aquella noche diferente. Las veía, ahora, con optimismo. Por lo menos, había cumplido con ella. Había hecho *algo*. Podía mirarme con un poco más de indulgencia. Festejé con abundancia todas las salidas de Anselmi y compartí su alegría y bebimos dos botellas de Chablis y comimos una brótola deliciosa, salpicada de jugo de limón, ligeramente dorada. Anselmi me dijo que podía estar orgulloso. Le creí.

Le creí; pero aún no estaba tranquilo. Durante esos días, la lectura de las pruebas de imprenta me acercó tanto al texto, que todo él me aparecía confuso; ya me era difícil discriminar las partes buenas de las partes malas. Con esto se frustraba mi deseo de examinar por última vez la obra abarcando, desde un punto de vista lo más distante posible, los detalles de su estructura.

La obra de arte es un organismo tan perfecto, que su supervivencia depende no tanto de la excelencia de sus partes culminantes como del perfecto juego subordinado de las partes más oscuras y aparentemente menores. En las obras más luminosas, la oscuridad juega de pronto un papel principal. Tratándose de un modo visto en escorzo, pero cuya naturalidad no es de este mundo, la novela, por ejemplo, reclama en su área la presencia de muchos eriales para delimitar, circuir y destacar el esplendor de los labrantíos. Son esos terrenos áridos los más difíciles de conseguir, pues la tendencia ficticia de la mano que pinta el cuadro propende a hacer extenso y general el tono del brillo. Muchas veces, al considerar en la National Gallery *La agonía en el huerto*, del Greco, y el famoso retrato de Arnolfini pintado por Juan van Eyck, me sorprendía la importancia crucial que asumía en el todo el vigor y el sentido con que estaban atendidas las partes accesorias; pero no —distingamos— exaltada, sino atendida. De este modo, los terrenos caóticos y los sucesos aparentemente innecesarios deben ser motivo de una atención laboriosa, modesta, y seguramente ingrata, pues nos reducen al riesgo de confundirnos con su pequeñez.

Atendí, pues, a retocar el concierto de la estructura general de la obra, suprimiendo furiosamente y agregando pacientemente. Día a día me reclamaban de la imprenta la devolución del mazo de pruebas. Una noche las puse en un sobre y les dije adiós.

Erré durante algunos días lo mismo que un desheredado. Después recibí el primer paquete de libros. El trabajo de tantos años tenía al fin esta forma. Era sólido. Era consistente. Podía defenderse contra el tiempo. Podía perdurar aun siendo ignorado, hasta que alguien lo encontrara. Tenía materia. Estaba hecho de papel y de tinta. Era un objeto. Tenía existencia física en el mundo.

Pero, por todo eso, ya no me pertenecía.

Dos o tres tardes después, al atravesar la calle Florida, lo vi expuesto en una vidriera con un letrero que llamaba sobre él la atención del transeúnte, del urgido o del lento, del adversario o del amigo, del indiferente, de los indiferentes. Me detuve ante la vidriera y lo miré con temor, como miraría el ladrón el objeto que ha robado al verlo exhibido en venta. Lo miré furtivamente. Ese objeto con una carátula llena de letras, con un título que me era familiar, estaba ya fuera de mí. Un hombre corpulento, de barba rubia, con una cartera debajo del brazo se detuvo a mirar. Yo, sin levantar hacia él los ojos, escudriñé con todo mi cuerpo su impresión. Se fue. Vinieron dos mujeres, comentaron detrás de mí todos los libros, menos el mío. El otro curioso fue un hombre joven, vestido de gris, lento y despreocupado. Examinó laxamente las mil carátulas exhibidas, bostezó, entró en la librería. ¿Qué libro iba a comprar? Salió a los pocos minutos con un paquete, se alejó despacio. ¿Dónde estaban las naturalezas familiares? Clavé nuevamente mis ojos en el libro. Entonces le dije nuevamente adiós, y esta vez para siempre.

¿Qué iba a hacer ahora? Albergué la desoladora sensación de haber perdido mi fin. No tenía adelante más que años. Vacío; ocio. El espacio sin contenido, la vida entera desierta, la voluntad sin cuerpo, el deseo sin objeto.

Tenía que cumplir con mucha gente, contestar muchas cartas, ponerme al día con las exigencias imprescindibles de la vida de relación. A mi vez, recibí las primeras respuestas motivadas por el libro. Recibí un hato de cartas encomiásticas, extrañamente exaltadas, poseídas de una especie de histeria de reivindicación; otras, enteramente anodinas. Y de inmediato, a través de recortes que contenían crónicas y de epístolas que contenían *juicios*, advertí la forma en que iba cristalizando el criterio exterior con respecto al libro. ¿Era posible semejante acuerdo, semejante unanimidad en no ver lo principal, lo esencial, la parte cruda y distinta de la obra? Los elogios, excesivos, se dirigían a destacar los puntos más superficiales y eminentes, como quien elogiara el trozo de piel que, más tenso que el resto, cubre en el elefante el hueso del lomo, pero ignora la existencia interior de ese hueso potente. Por la especie propia de la obra, comprendí —lo sabía desde antes— que los verdaderos ecos, esos que se mueven lentos y profundos como lo estrechos ríos, vendrían a la larga, solitarios, al cabo de mucho tiempo, lo mismo que viajeros llegados de un largo alejamiento.

XLII

La veo. Está de pie junto al pupitre, y en el pupitre no está el viejo. Tiene un tipo extraño; los ojos grises, la piel oscura, el cabello muy negro y lacio. (Lejos de dar la impresión intensa de los ojos negros en un semblante pálido, los suyos mostraban una grande y pertinaz sorpresa, un aire sorprendido y amargo.) Es alta y tiene las piernas frágiles. Y en la frente, sobre una de las cejas, una casi invisible crispación, un signo como que estuviera materializado allí el esfuerzo de atender y ver. Era muy linda.

La biblioteca quedaba en una calle perdida del barrio sur. Yo acababa de cambiar mis ideas grises por un entusiasmo de lecturas, por el gozo de diarios encuentros extraordinarios: tan pronto me ofrecía a mí mismo la sencilla estructura lírica de las Suplicantes, como los poemas de Landor, como el relato de Ovidio en que el rey Midas, al tocar con su cuerpo cada cosa, la torna en oro pero aprecia el horror real de su don; como, de Alberto el Grande —magnus in magia, major in philosophia, maximus in theologia—, la maravillosa historia de los desplazamientos del alma y del invierno convertido en primavera. Antiquísima, la casa ocupada por la biblioteca databa de fines del siglo pasado y se componía del gran patio, transformado ahora en sala de lectura, y de los espaciosos cuartos, transformados ahora en ordenados depósitos y lugar de estanterías. Una inscripción anunciaba, en uno de esos cuartos antiguos, que allí había vivido una semana el general Balcarce. Reinaba en la vieja casa una gran calma. Yo era uno de los escasísimos lectores, y durante las tardes enteras no llegaba a veces otra persona, salvo algún personaje inverosímil o algún estudiante perdido.

Me acerqué interrogativamente al pupitre en busca del viejo. Ella me interrogó a su vez. ¿Qué libro quería? Yo creo que dejé entender que buscaba al otro empleado.

—El señor Rojo estaba aquí sólo para sustituirme durante mis vacaciones —dijo.

Tenía una manera de hablar rápida y algo áspera. Le pedí un libro de Nietzsche y fue y me lo trajo y anotó mi nombre. Al leerlo levantó los ojos y, por un segundo, me miró con fijeza. Después los bajó y siguió escribiendo.

Como a todos los reflexivos y los solitarios, el territorio de un rostro humano me proponía consideraciones infinitas, rápidas, alusivas a tal o cual momento de otra cara —histórica o literaria o contemporánea— vinculado al que tenía presente.

Me sentí impresionado por su aspecto extraño, por esa calidad concentrada y taciturna en una fisonomía que parecía oreada por soles sombríos. Aquel día la observé en todos sus movimientos. Cuando no atendía a los pocos lectores, leía. Yo creo que estuve todo el tiempo mirándola. Casi toda la violencia con que ese rostro transmitía su dureza concentrada parecía residir en el tono de la piel, un tono absolutamente sin complacencia para el ojo que la mirara, sombrío. El cabello espeso y negro rechazado decididamente hacia atrás dejaba un campo despejado a las cejas, de una sorprendente acentuación —pese a que eran finas— en el conjunto de la fisonomía. Y en todos sus gestos se descubría esa decisión y esa nerviosidad seca de esas personas que luchan cada minuto por no desatender la inimportante vida y agarrarla en sus objetos, aunque estos objetos importen poquísimo o nada. Minutos antes de las ocho, cerca de la hora de clausura, le devolví el libro. Lo recibió sin fijarse particularmente en mí. Lo llevó a una de las habitaciones vecinas. Y yo abandoné la biblioteca.

Volví todos los días. Obtenía de ella un levantar rápido del rostro; una mirada seca; después, una respuesta fría a los saludos de llegada y de adiós.

Una mañana, mientras yo hojeaba el catálogo en el pupitre, me preguntó de improviso:

—¿Es usted el escritor?

—Sí —le dije. Y me dio vergüenza, porque tenía siempre vergüenza de mí.

—He leído anoche su libro —me dijo.

—¿Cuál, cuál de mis libros?

—El último.

Le pregunté si le gustaba. Le pregunté en voz baja si le gustaba.

—Por partes —me contestó. Había siempre en su tono algo de cortante.

Hablamos un rato. No, su acento no era áspero; al contrario, muy cálido. Pero de un ardor rápido, categórico. Aunque casi no hablaba. Lo miraba a uno. Clavaba en uno unos ojos inmóviles y secretos. Parecía estar haciendo preguntas calladas a las que ella misma debía responderse de un modo o de otro en su fuero interno.

Pasaron diez días de silencio. Después de su alusión al libro, regresó a su silencio. Dejé de ir a la biblioteca por cerca de una semana. Visitamos con Anselmi, tarde tras tarde, una exposición de delicados Fouquets, de recientes, soberbios, audaces Chiricos. ¡Ah, aquellos caballos hieráticos, sacros! Luego volví. Al pie de una planilla leí por primera vez el nombre de ella. Gloria; y después: Bambil. ¿De dónde venía ese apellido?... Pensaba con obstinación en ese nombre. Debido a la necesidad de anotar algunas reflexiones para el plan de un futuro libro, estuve otros tres días sin ir a la biblioteca. Concebía las nuevas noches del protagonista. Ruiz me regalaba con constantes jugos de naranja, helados. Al cuarto día regresé. Era una tarde de lluvia. Un verdadero diluvio caía sobre la ciudad. Los vidrios de la claraboya resistían al insistente castigo del agua, y el ambiente de la biblioteca estaba oscurecido. Pero era más agradable que nunca estar refugiado allí y leer, mucho más íntimo, mucho más aislado que nunca. Me sumergí en no sé qué páginas de Melville, cuya lectura había iniciado cuatro días antes.

Gloria estaba en el pupitre. Con aquel leve caer de las comisuras de los labios. No había en la sala más lector que yo. Cuando concluí el libro lo devolví; pensé llenar las dos horas que me quedaban con otra lectura más ligera. Me acerqué a ella y ella levantó los ojos y le pedí un libro de poemas, un libro de Sandburg. Se armonizaban con la tarde sombría esos cantos de la ciudad de piedra a la turbia y grande Chicago. No tenían el libro. Entonces le pedí que me indicara algo de su gusto. No dijo nada. Fue a uno de los cuartos interiores y la vi, por una puerta lateral, elegir el volumen en un anaquel. Su cuerpo se estiró y la onda de cabello negro se dobló y extendió al tocar la espalda. Trajo una piezas teatrales de Synge. Me las dio. Todas eran muy cortas. Allí estaban *Caballeros hacia el mar* y *Deirdre de las penas.* Yo conocía tan sólo la primera.

—¿Le gusta a usted? —le pregunté.

—Sí —me miró con fijeza—. Leerlo es como tocar el frío. Después dijo:

—Casi está hecho sin palabras; el mínimo. Es como tocar el frío. —Hizo una pausa y retomó la palabra pronto—. Pero un frío que está ahí; no contado.

Pensé que aquel libro me iba a dar ocasión de hablar más con ella. Pero a su tiempo. No dije nada más. Fui y me senté. Se oía el ruido del agua al golpear monótonamente la claraboya. Se oía el ruido del agua en la calle. Ella dio vuelta a la llave de la luz. El interior del recinto quedó en una atmósfera nocturna.

La obra me pareció bella. Aunque leí rápidamente las dos breves piezas, retardé un poco la devolución del libro. La personalidad de Gloria me interesaba vivamente —no sé por qué: quizá por aquella expresión de rigor y tristeza fría— y estaba dispuesto a saber cómo era. Eso era lo único que tenía: curiosidad. Y una atracción — tan rara, tan intuitiva, tan oscura. Unos segundos antes de las ocho dejé de leer; le llevé el libro. Ella se había puesto ya su capa de goma. El ancho cuello levantado, de corte militar, casi viril, destacaba las líneas de la cara un poco angulosa. Me miró con sus ojos grises, sus cejas inmóviles, la mano detenida en la hebilla del cinturón. Le hablé del libro con entusiasmo. Ella fue y lo guardó y volvió. Llamó al sereno, le dijo que apagara las luces. Salimos juntos y vimos el denso azote oblicuo del agua y yo abrí mi paraguas y me levanté el cuello del impermeable. Imposible pensar en un taxímetro. La calle estaba desierta. Ella dijo que iba a tomar en la esquina de Piedras el tranvía número nueve. Yo iba en la misma dirección. Corrimos hacia la esquina y nos refugiamos allí a esperar. No parecía importarle poco ni mucho que yo estuviera allí con ella, bajo la marquesina de un negocio cerrado. Levantó su mirada grave y clara y miró el cielo negruzco.

Hablamos del tiempo y de cuánto hacía que no llovía y del efecto de este diluvio en el campo.

El tranvía llegó lleno de gente que venía de Constitución a Retiro. Nos paramos en el pasillo. Los vidrios de las ventanillas estaban empañados y algunas grandes gotas vacilaban enteras antes de precipitarse y caer disueltas. Hablamos de los ásperos personajes de Synge, tan rudimentarios y a la vez tan profundos.

—Ningún análisis —dijo ella—. El análisis, eso que se llama la observación psicológica, es una mentira. La gente de Synge es gente. Son así porque son así. Caen pesadamente en sus actos. No importa cómo ni por qué. El destino que soportan es un destino sólido. —Vaciló—. Creo... No puede descomponerse en fragmentos. No puede descomponerse en conjeturas.

Era difícil mantenerse en equilibrio en el remesón de cada esquina. Nos agarramos a la correa colgante.

—Los sucesos cardinales son, en Synge, de veras —le dije—, masas sólidas. Esas masas se desplazan como mareas; la masa de la tragedia, la masa de la soledad, la masa del dolor, la masa del naufragio... Los sucesos tienen el alcance y el movimiento de olas.

—Por eso me gusta —dijo ella.

Una de sus manos estaba asida a la correa pendiente y la otra agarrada al borde de la capa de goma, sobre el pecho. El pequeño sombrero de fieltro negro algo requintado dejaba ver el plano liso de cabello, y parte de la frente inteligente, y las dos cejas fijas y extáticas. Me fijé que no tenía ningún anillo ni adorno alguno. Su ropa era de una sencillez fría.

El tranvía pasó junto a la iglesia de San Juan, cruzó la Avenida y, ya en la calle Esmeralda, dejó atrás la Diagonal norte, los negocios de esa región, con sus vidrieras agresivas como un abigarrado espectáculo de feria.

Recordamos a los viejos pescadores de Synge, fatalistas y fanáticos.

Le pregunté sin transición, directamente, algo respecto a ella.

—Yo vivo sola —me contestó con un candor rápido—. Hago todos los días cuatro veces este viaje. Al bajarme del tranvía camino exactamente tres cuadras. Salgo puntualmente de la misma puerta dos veces al día y entro puntualmente otras dos veces.

—¡Es tener vida ordenada! —sonreí.

Se echó a reír. Era la primera vez que la veía reír. Reía con el rostro hacia arriba, un poco inclinada la cabeza hacia atrás, sin mover las cejas. La movilidad de sus cejas altas y finas sólo se producía para señalar aquel incoercible gesto de preocupación, de concentración, que volvía instante tras instante a su rostro. Tenía una boca fresca y unos dientes maravillosos. Me pareció muy hermosa y de una raza delicada.

Los burgueses sentados nos miraban deseosos de distraer el viaje, insistentes, curiosos.

Al llegar el tranvía a la calle Lavalle, ella se despidió. No hizo ningún gesto al guarda para que hiciera detener la marcha. Lo miró, tan sólo; el tranvía se detuvo y la vi echar a andar rápidamente con su capa militar de goma.

La lluvia había disminuido. Seguí en el vehículo. El lento vehículo avanzó entre las viejas casas y los novísimos frentes. En el interior del flamante edificio del Banco Municipal de Préstamos se desvalorizaban por momentos las joyas de familia, los anteojos de teatro, los cuadros de ignorados pintores, las perlas defectuosas, los regalos sin estrenar, los abanicos anacrónicos, los encajes de Irlanda, los relojes de chimenea, las cornucopias rebosando flores y manzanas de metal dorado.

Allí, en la misma calle, quedaban las florerías, las modistas, las caballerizas señoriales del sombrío palacio Paz. Al atravesar por el costado oriental de la plaza San Martín, el tranvía iba casi vacío.

Aquella noche comí muy contento y le conté a Ruiz, mientras me servía la mesa, cómo era Gloria Bambil.

XLIII

Cómo era, yo mismo lo fui viendo en los días sucesivos. No era fácil. No se libraba. Vivía, al contrario, silenciosamente clausurada en su naturaleza. Al rato, de un modo expansivo volvía a concentrarse, a cerrarse, en una forma que tenía mucho de denodado y de rígido. Yo le contaba, riendo, el cuento de un amigo, según el cual las orquídeas se cierran al oír ciertas palabras, pues ejercen éstas sobre aquéllas una acción ácida, y le aseguraba que a ella le sucedía igual cosa conmigo. Pero se callaba; no contestaba nunca a las frases que tenían el aire de comportar un halago. Muchas veces fui a la biblioteca sin que pudiera cambiar con ella más que los saludos convencionales, exactamente como si no hubiera habido día antes; por lo demás, la asistencia de público creció por entonces bajo la claraboya. Heráclito y Emilio Zola fueron consultados por un montón de gentes jóvenes, pobres de aspecto y recelosas; Bernard Shaw, por un grupo de anticuados socialistas; Marx, por algunos entusiastas; Péguy, por algunos hoscos.

La necesidad de encargar para la biblioteca un libro del poeta Robert Frost nos hizo, una tarde, hablar largamente. Era muy culta. Me chocó que hablara de los libros con cansancio, como si la era de ellos estuviera en su vida pasada, alejada, despedida. Sin nostalgia. Había aprendido el inglés de niña, pero como no lo hablara nunca, tenía de él un conocimiento literario, un poco técnico y sin vida. A veces aludía con repentina gracia a las cosas que había aprendido en ese idioma, y en seguida se refugiaba de nuevo en su indiferencia pronta, súbita por las circunstancias o personas que la rodeaban. Daba la impresión de estar interiormente ocupada por pensamientos y razones incompatibles con el mundo fortuito en que uno la veía. Parecía vivir en otra parte y venir aquí, a nosotros, de paso, apurada por irse. Otras veces comentábamos películas cinematográficas que ella o yo habíamos visto el día antes. Frente a todas las cosas quería colocarse siempre en un personalísimo más allá. Iba buscando algo. Iba buscando su terreno. Yo no sabía qué era, cuál era. A mi vez, lo buscaba en ella.

Sin duda, encontraba en Gloria Bambil —lo había sospechado desde el primer momento— un campo humano virgen, desprovisto de la horrenda, aburridora maquinaria de las actitudes estudiadas, cultivadas, socorridas. A fuerza de no dejarse mirar, a fuerza de volverse hacia otro lado cuando uno la cercaba, a fuerza de resistencia a *venir*, estaba mostrando que si no quería dejar entrar a nadie en su fondo vulnerable era porque lo tenía. Por eso, también, miraba con aquel mirar desnudo, fijo, inmediato, casi cruel.

En el fondo, pensaba yo que no tendríamos, que tal vez no habríamos podido tener nunca problemas comunes. Habría sido —lo contrario— como tener problemas conjuntos con una fruta conclusa en sí y algo verde, hostil.

Una mañana la invité a que almorzáramos juntos. Creí que iba a eludirlo. Aceptó con naturalidad.

En la mesa del Munich de aquel barrio —un pequeño salón falsamente bávaro de estilo— yo me sentí en un terreno más cómodo para hablarle, para preguntarle. Las mesas reservadas estaban metidas, hacia un flanco del salón, en vastos nichos de madera, abiertos arriba y al costado. La saliente natural formaba el asiento. Era cómodo y daba una sensación de intimidad.

Al cabo de diez minutos ya le había preguntado muchas cosas.

—¿A quienes ve? ¿Quienes son sus amigos?

—No tengo.

—¿Ninguno?

—Ninguno.

—¿Relaciones, simples relaciones?

—Pocas.

—¿Desde cuándo?

Se encogió de hombros. No pestañeaban sus ojos grises.

—¡Qué sé yo! Desde siempre.

—¿Y vive sola?

—Sola.

—¿Desde cuándo?

—Desde hace cinco años.

—¿Y su familia?

—Mi padre murió hace cinco años.

—¿Qué hacía su padre?

—Era un comerciante. Un hombre sin importancia. Un hombre.

—¿Y cuánto tiempo hace que está usted en la biblioteca?

Yo no veía pestañar sus ojos grises.

—También cinco años.

—¿Le gusta de tal modo la soledad, hasta hacerla absoluta?

—No es menos absoluta cuando una la puebla de gente. Pero la verdad es que si me he habituado a estar sola no es por un dogma —rio— sino porque no he buscado salir de eso.

—Es raro, es tan raro.

Se encogió de hombros con cierta brusquedad. Miró lateralmente hacia los vidrios del ventanal que daba a la calle, con una expresión pensativa y a la vez indiferente.

—A veces veo a alguien —dijo—, salgo con alguien. —Volvió a encogerse de hombros, pero esta vez con lentitud y cierta dulzura.— Personas. Cada cual con sus manías y con sus propensiones.

Estuvo un instante callada y luego siguió:

—He llegado a prescindir de todo lo que me haga llevadero cada día. Ni siquiera vivo en un cuarto agradable. Vivo en un cuarto horrible.

—¿Por qué? Tampoco entiendo. No entiendo nada.

—¿Qué necesidad hay de indulgencias para con uno mismo? Cuanto peor se pase...

Me miró burlándose de mi sorpresa. Me miró burlándose de mi incredulidad. Se echó a reír.

—Y eso no es lo peor. Lo peor es que *soy* así. No me hago la que soy así. Soy así.

—Pero es tan extraña esa especie de ascética.

—No, no es ascética. No es ascética. La ascética es algo consciente. Yo no pienso en que las cosas sean así. Son así porque son; tal vez porque yo llamo a las cosas a que se acomoden naturalmente de ese modo. (Pensé que me había dicho algo parecido con respecto a Synge.) No me molesta nada ni me exigen ningún sacrificio.

—¿Verdaderamente?

—Tal vez si me exigiera un sacrificio no lo haría, porque no soy capaz de ningún sacrificio. No soy capaz siquiera de ninguna molestia.

—Entonces, con ese fatalismo... —comencé a decirle intencionalmente.

—No es tampoco fatalismo.

—¿Qué es entonces?

—Nada. ¿Es forzoso poner un nombre al modo como uno es?

—Creo. A fin de entenderse.

—No se gana nada. Con una cara uno es una cosa y con la otra, otra.

—Le quería decir que siendo como es —sin ponerle ningún nombre— habrá aceptado venir a almorzar conmigo como se acepta un volante de propaganda que le ponen a uno en la mano en la calle.

—¿Por qué? —dijo—. No es así. Sé decir también no. ¡Y lo creo tanto cuando lo digo!

—Eso es un poco más confortante.

—Pero usted no sabe una cosa. Y parece creer lo contrario. Estar conmigo es algo desolador.

Le dije que no lo creía, que al contrario, era muy agradable.

—Bueno. Ya se convencerá de lo contrario.

Sacó un paquete de cigarrillos, encendió uno, me preguntó por mi trabajo. Entonces, en unos minutos —ah, el diluvio— le conté cómo mi historia, si tenía una, era la historia de una insatisfacción común, de una insatisfacción moral, de una profunda desazón y al mismo tiempo de una esperanza. Le dije que el destino de mi tierra yo lo sentía como mi propio destino y que si las horas porque ésta atravesaba eran ciegas, yo me veía atado a un tipo de vida ciega. Y que queriendo combatir por hacerla mejor, no podía combatir solo, ni siquiera —en aquel momento— hacer algo porque los demás combatieran.

—Y a esto se le podría escuchar —le dije— como música celestial.

Gloria tenía los ojos clavados en los míos y yo sentía resonar, desarrollarse en mí mismo, en la campana de mi ser, aquel pensamiento en que esos ojos partían, aquel pensamiento que entrañaba con feroz claridad un calmo, indiferente, casi helado "¿Para qué?"

Su mirada parecía venir del fondo glacial de la desesperanza. Y era, sin embargo, una mirada hermosa y joven. No era una mirada de fracaso; era una mirada nueva, pero terriblemente segura de su indiferencia. Y terriblemente incrédula.

Me dije para mis adentros: "Me interesa, quiero traer esa mujer a un ardor, a una fe, cualesquiera que sean."

Ella apoyó el brazo en el mantel, y la cara, un poco de lado en la mano de ese brazo, igual que si, para verme más claramente, y adivinando mi secreto pensamiento, se apoyara en su firme convicción de que nada valía la pena.

—¡El haber vivido enteramente sola da una lucidez! ¡No se imagina usted qué lucidez! —dijo.

—Yo no he hecho otra cosa. ¿Cree que he hecho otra cosa?

—No habrá sido tan del todo. Quizá no habrá sido tan del todo.

Miró negligentemente hacia la calle, indicando la región que quedaba fuera; y dijo:

—No habrá sido tan del todo, no habrá sido una soledad verdadera, si todavía cree en esto.

Hizo una pausa. Luego me preguntó, extendiendo hacia mí el humeante cigarrillo en un gesto significativo:

—¿Qué pasaría con un hombre obligado a vivir eternamente en un medio de completa animalidad?

—¡Qué sé yo! Le vendría una furia animal.

—Eso es lo que nos pasa aquí a algunos. —Pensé que me miraba con rabia—. Sólo que en vez de ser furia es otra cosa, un cansancio asqueado, quizás una profunda malevolencia, en todo caso una sensación de imposibilidad, que se consume por dentro. Algo parecido a la sensación de sentirse intruso en la propia casa y de que uno se está echando a sí mismo de todas partes.

—Nunca habría pensado que pudiera usted ser capaz de ese pesimismo —yo dejé mis cubiertos en el plato y me eché hacia atrás apoyándome en el respaldo tallado—. Parece, al contrario, a primera vista, estar hecha de una materia tan resistente.

—¿Resistente? ¡Gracias a Dios que sí!

Echó atrás la cabeza en un movimiento nervioso.

—¡Gracias a Dios! —repitió.

—¿Entonces?

—¿Qué tiene que ver una cosa con la otra? Mi resistencia es una cantidad positiva hecha de cantidades negativas. ¡Resulta un tal despropósito, aunque matemáticamente esté bien!

Su carcajada se quebró, vibrante, en el cristal de los

vasos vacíos. Por un momento, ella pareció haber escapado por esa risa y se transformó, ese minuto, en algo mucho más humano y más dócil. Descubrimos en la lista unos *menudos de ave a la Mozart* y a propósito de Mozart yo le hablé sonrientemente del *Elogio de la amistad* compuesto por él y me sentí avergonzado del recurso, y ella me confió, seria, que contrariamente a todo el mundo, cada día podía soportar en materia de música menos diversidad de motivos; no le llegaban ahora hasta el ánimo más que algunas cosas religiosas, algunos *spirituals* negros, esos cantos ingenuos, populares y sacros. Abrió la cartera y sacó un pañuelo y dejó el espejo en su sitio sin pensar siquiera en mirarse. Tenía un modo extraordinariamente curioso de estar segura de sí y de no importársele nada de la impresión que produjera. Dejó la cartera sobre el mantel, a un lado de la mesa. Se alejó, dejó reposar su espalda cómodamente en el respaldo; y esto fue como un símbolo de la distancia a que quería estar siempre. Por lo demás, ni una pregunta hecha a mí, sobre mí, ningún interés sensible por lo que yo podía haber sido o vivido antes de ese momento en que estábamos hablando, más que alguna interrogación cortés y suelta. Estaba ahí, sólida, con los hermosos ojos grises en el vivo rostro moreno, sin ligaduras visibles con nadie, con nada, excepto las materias, excepto las ligaduras con los lados que componían la estructura de su propia soledad. Fuera de eso, entera en sí misma, con esa resistente y rotunda, inapelable entrega de la planta que soporta aislada la intemperie.

Al revés de su actitud, avancé sobre la mesa y apoyé los brazos y puse una mano sobre la otra guardando debajo de ésta el paquete de cigarrillos. (Desde lo alto de una cabeza embalsamada de ciervo me miraba el par de ojos de vidrio.)

—Sin duda no hay nada aparentemente más envidiable que haberse tallado uno entero por todos lados y roto todos esos puntos de contacto que son precisamente punto de confusión, como la palabra lo dice. ¿Pero ese estado personal de cristalización no es, por otra parte, la peor de las prisiones? ¿No siente usted nunca —dígame la verdad— la tentación de romperse, de abrir en usted una vía, una grieta?

—No siento la tentación porque por esa grieta pasaría yo a llevarme a otros, y yo soy un espanto.

Pensé que esa sí era una frase convencional, pero que entraba en el juego tomarla en serio y tratar de disuadirla. Mas, como repentinamente fastidiada por algo que yo le dijera, o inquieta o impaciente por el tono que la conversación tomaba, miró el reloj con un gesto del brazo y me anunció que se acercaba la hora de volver a la biblioteca. Eran las tres de la tarde. Mientras yo pagaba al mozo, se paró y estiró hacia abajo con las dos manos los extremos de su chaqueta de paño inglés. Seguía su impaciencia por irse, pero estaba sonriente; las aletas de la nariz se le ensanchaban apenas y las comisuras de los labios se inclinaban más de un lado que de otro en una graciosa expresión de afabilidad cortés. Podía ser de pronto áspera, de pronto fría, de pronto agresiva, de pronto infantilmente suave. Pero, todo eso, desde su remoto país; como quien, por momentos, condesciende, sin darse en ningún instante.

En la calle, mientras caminábamos las pocas cuadras que nos separaban del viejo edificio, tuvo tiempo de reírse de nuevo con animación ligeramente irónica para comentar la muchedumbre de mis preguntas y referirme cómo, de niña, a los cuatro años, cuando le preguntaban por el significado de la palabra vida, respondía en el acto que era "una cosa llena de gente..."

Pero los días que siguieron me mostraron la faz terriblemente triste de aquel carácter. ¿Sabía alguien, alguna persona, hombre o mujer, en la ciudad, lo que esta mujer era; sospechaba alguien cómo vivía en el espacio y en el tiempo esta masa físicamente bella de dolor frío y de seco y obstinado aislamiento? En nuestras muchas conversaciones, no dejó transparentar nunca la existencia en su proximidad de una solidaridad cualquiera, de una presencia más o menos lejana, más o menos eficaz, más o menos solícita que asistiera a su vida. Nada. En torno a ella, el vacío total, ya que vacío total es la asamblea de caras que a cada rato nos rozan cuando ni su palidez ni su alegría pueden estarnos de un modo u otro vinculados; en torno a ella, el vacío total. ¿Pero cómo, este vacío, lo había buscado, y cómo lo sobrellevaba? Casi a diario, en un minuto o en muchos minutos, según la esquivez de ella y su sombría reserva me lo permitieran, intenté llegar a desarmar hasta el último resorte de su gran secreto. ¿Era un fracaso, una decepción, una imposibilidad congénita de paz y *statu quo* sentimental con la gente? No fue menos difícil que al principio. Detestaba contarse, contar cosas que descubrieran su intimidad. Y esto, porque como lo vi pronto, realmente, auténticamente, dramáticamente, de un modo casi increíble, se detestaba ella misma.

¡Extraña familia humana la de los que no se sabe hacia dónde está dirigido su diálogo! Que lo tienen, sin duda, puesto que incluso la locura es diálogo ininterrumpido —el más encarnizado de todos—, pero que no quieren dejarlo ver más que como si fuera carne y hueso de monólogo, que lo ocultan y lo encubren con un selvático recato y un denuedo en el que se filtra la sombra de quién sabe qué previsto y aceptado desastre.

Su resistencia no podía ser más tenaz; no ruda: tenaz. Constantemente la encontraba, al día siguiente de una charla amigable, recelosa, callada, hundida en sus tareas, distante a más no poder. Era necesario recomenzar, volver de nuevo al asedio. Este asedio no era amoroso; era, más bien, un sentimiento instintivo de asistencia profunda, algo así como si alguien nos dijera que tenemos ante una persona apenas conocida deberes misteriosos a los que estamos necesariamente atados antes aun de sernos revelados. Cuando recuerdo aquella resistencia me parece mentira, se me ocurre una exageración de mi memoria. Lo cierto es que no veo más que la serie penosa de aquellos repentinos retrocesos, sutiles clausuras, súbitos mutismos, retornantes oscurecimientos, en una naturaleza perseguida desde su interior.

XLIV

En aquella pocilga, en aquel restaurancito casi a oscuras de la calle Carabelas, Mercedes Miró me decía, mientras se cargaba de polvos la nariz, con el espejito en alto, en cuyo reverso se reflejaba de frente mi cara con un ominoso aumento: "Ven; te divertirás. Estará ahí la fauna más admirable de Buenos Aires. Desde..." —me mostró suspicazmente la tarjeta de visita que llevaba en la cartera con el nombre de una señora escrito en afiligranada litografía. Después de tanto tiempo de no verla, Mercedes había visitado de pronto mi vida a raíz de una carta asombrosa. ¿Cómo no invitarla, después de recibir aquella carta, a comer en alguno de esos sitios que la encantaban, por recordarle, aunque —¡ay!— asaz pálidamente, sus cenas nocturnas en la Bucca di San Ruffilo, en los antros de Covent Garden olorosos de hortalizas y flores o en las pequeñas hosterías romanas de los alrededores de la via dei Condotti? La pobre se empeñaba por hallar en Buenos Aires los equivalentes accidentales de su vida europea. La carta que de ella recibí parecía redactada por un discípulo aprovechado del señor Menéndez Pidal antes que por una mujer cuya ciencia no cobraba visos de verosimilitud más que en la técnica de dar a su figura el acento general de un tono clásico, el aguzamiento de facciones, la oblicuidad de los ojos y la rediviva y elegante anchura de hombros de una joven faraónica. Ya no era tan joven —¡ah, esfumada tersura de trece años antes en una cara deliciosa!—; pero lo era técnicamente, lo cual probaba la bondad de su ciencia. Su carta parecía redactada por un discípulo del señor Menéndez Pidal. ¡Y qué discípulo!: "...la seguridad, querido, con que impones a los sucesivos hallazgos del conocimiento, sin que se eche de ver el tránsito, la calidad de espontáneas intuiciones poéticas, puras..." Y la invité, con el deseo de permitirme al mismo tiempo unas horas de diversión y de recuerdos.

Cuando me hubo contado, con abundancia y celeridad de detalles, su desastre sentimental con un joven político a quien se atribuía públicamente una singular precisión geométrica del espíritu, y que en privado destilaba un igualmente geométrico aburrimiento, me conminó a que fuera al recibo del día siguiente en lo de Luini.

Yo estaba de buen humor. No tenía nada que hacer esos días; le dije que sí. Quería, por otra parte, tocar con los dedos una materia diferente a la que me había obsedido durante todo el tiempo de reclusión y de trabajo.

Al día siguiente por la mañana recibí una carta de Jiménez. Me produjo alegría. Reducido como estaba en su sentido de la vista, había querido hacerse leer mi libro en seguida e incluso descifrado por sí mismo algunos párrafos, todo lo cual le ocasionó, me decía, unas horas de contento como no pasaba hacía mucho. "Nuestro viejo barco destartalado me parece andar de nuevo por esas aguas: lo veo, desde lejos, marchar firmemente. Y reconozco con emoción el ruido de los motores que juntos le preparamos." Después me hablaba de las "noches" que le gustaba más en el vasto cuadro de la vida del personaje.

Con esa agradable impresión me fui, hacia las horas finales de la tarde, a lo de Luini. Calcada en los moldes de las viejas residencias francesas, la casa de los Luini levantaba sus cinco pisos y sus cincuenta habitaciones en forma de rotonda, con sus escaleras y galerías distribuidas según el redondo plano de la planta circular, a la cual, limpia de muebles y cubierta de grandes baldosas negri-blancas, se entraba directamente desde la calle. Esta casa, y lo que esta casa representaba, pesaron sin duda singularmente en el ánimo de Giovanni Coya, barón de Luini, cuando se decidió a contraer con esta argentina uno de esos casamientos que no son precisamente los que en su tierra se llaman *fighi secchi* y a los que aludió sarcásticamente el publicista Vicente Scarfoglio cuando Víctor Manuel ató la suerte de la casa regia al pobre peculio patrimonial de Helena de Montenegro. Fueron pues las suyas, las de Luini, nupcias donde no se repartieron higos secos sino buenos dulces costosos, gracias a la benevolencia del padre de la desposada.

Subí rápidamente por las anchas escaleras y recorrí tres salones enormes, solemnes y desiertos antes de llegar al pequeño comedor, cuyas paredes desaparecían bajo un lujo de viejas tapicerías. Una mesa redonda reunía a la densa masa de personas en torno a la naranjada y al oporto. El enjambre llenaba el cuarto de voces y carcajadas en una atmósfera de pesado calor. A la derecha, en el fondo del comedor, un balcón se abría de par en par al aire caliginoso de la calle.

Me dio en la cara de golpe ese viento de caras conocidas. Hallé a Mercedes. Saludé con Mercedes a la dueña de casa y la suerte me deparó una conversación ingobernable con cierta madura señorita, extremadamente alta y extremadamente flaca, cuya preocupación —por lo demás, pública y notoria— parecía ser la reforma del régimen carcelario femenino y la persecución del proxenetismo. Sus afirmaciones exaltadas y retóricas, feroces en su categórica intolerancia, alcanzaban un justo desarrollo en la osada ornamentación de un enorme sombrero de formas coruscantes. Se veía que era capaz de todo: incluso de acabar ella misma en lucha cuerpo a cuerpo con los más fornidos proxenetas.

Un señor oportunamente expansivo se aproximó y trabó con la señorita el más animado de los diálogos. Pude volver mi oído hacia otro grupo. A dos o tres pasos de mí, un joven político de brillante carrera exponía al director de un pequeño diario conservador sus impresiones acerca de un pensador que estaba por aquellos días dando conferencias en los Amigos del Arte. El joven político era un curioso exponente de los resultados óptimos a que lleva una vida entera de ejercitación de un método de vivezas y ambiciosas cazurrerías. Cultor de cierta ironía elemental, salvaje y arrolladora, había logrado transformar su audacia en un ariete con el que echó abajo en pocos años las puertas del éxito. Diputado, senador, perdió luego la posibilidad en un ministerio debido a lo exiguo del caudal electoral de su partido, en el que sólo quedaban varios jefes y un pequeño ejército de votantes esperanzados.

—¡Y había gente oyéndolo! ¡Tenía un enorme público!
—exclamaba el político riéndose con superior jactancia al evocar al filósofo como si festejara las travesuras de un niño y al mismo tiempo con vago sarcasmo—. ¿Y sabe usted lo que decía? ¡Qué buen señor! Pues decía que hay que seguir a Bergson: actuar como hombres de pensamiento y pensar como hombres de acción... ¡Tamaño disparate!

¡Ah, estos filósofos son inefables! ¡Viven metiendo por todas partes la narizota del candor perorante, con la nuca hacia el lado de la realidad! Este señor decía que para llegar a esa norma era menester refugiarse en un aislamiento que sirviera para volver a proporcionarle a uno racionalmente las circunstancias, pues los desastres contemporáneos parece que se deben a nuestra excesiva y precipitada proximidad respecto de los acontecimientos... ¡Ja, ja! ¿No le parece inefable? —Cambió su risa con una expresión de energía aseverante—. ¡Qué falta de imaginación práctica! Si lo mejor de este siglo es que rige una política de agarrar las cosas con la mano, práctica, rotunda, inmediata... — verdadera política, por fin... ¡y no el buitre volando de los idealistas!

El director del pequeño periódico conservador agregó un chiste intencionado y soez a propósito del filósofo y se echó a reír, haciendo escarnio de la afición a las damas que éste parecía tener. (Pensé repentinamente en el hombre de quien hablaban, en sus posibles errores, en su grande y severa cultura, en su vida modesta, toda de sacrificio al aprendizaje y al conocimiento.) El joven político volvió a comentar sarcásticamente con muy buen humor, algunos párrafos de la conferencia que había oído. ("Ah, no la había oído por su culpa, por cierto, sino llevado por una amiga a la que no podía decir que no y que tenía la chifladura de los literatos.") ¿Quién ignoraba el nombre de esa amiga? Había paseado sus llantos por todo Buenos Aires, quejándose amargamente de la ruda incomprensión del joven político —¡un alma tan viril y cruelmente tiránica aunque encantadora!— por la debilidad que ella mostraba hacia un pobre predicador sueco de la *Christian Science*. Lloriqueaba en todos los salones con su cabeza de cenicienta y su cutis fresco, diariamente suavizado a fuerza de cremas y unturas en aras a la crueldad masculina del joven político, tan imperioso e incomprensivo de ciertas debilidades espirituales...

Todos los invitados estábamos de pie en el comedor y todos parecíamos bajos e insignificantes al lado de las altas y ricas tapicerías pendientes del techo y adosadas a los muros. Estallaban, agudas, las exclamaciones de las mujeres aromáticas y elegantes, con su nervioso e isócrono alzar y bajar de brazos, entre metálicos sones de pulseras, al alzar o depositar las copas, al escoger y levantar de las pequeñas fuentes los deliciosos bocados. Vi en aquel momento entrar al señor Somberg, atildado y resplandeciente, acompañado de su mujer, la cual tenía un bello rostro lánguido de gitana y ostentaba un traje de falda blanca con bolero y sombrero negros. Cambiamos algunas palabras de saludo, y recordamos a Borescu, y yo me acordé de los treinta pesos mensuales. "Era un hombre verdaderamente preparado —señaló Somberg con el aire de quien ha reconocido siempre una evidencia—. Era un hombre verdaderamente preparado." Nos rodearon varias personas. ¡Qué hermosa y qué dulce fisonomía con su suave tinte ocre y dorado la de aquella mujer desconocida, que nos miraba detrás de un vaso a medio beber! Y, al lado de ella, con el cabello claro y la barba oscura y en punta, como el caballero de la gola de acero en el *Martirio de San Mauricio* del Greco, los ojos interrogativos, la boca entreabierta, nos miraba, feliz de vivir, un hermano de la dueña de casa, representante de la más vieja y ociosa cepa criolla de estancieros propietarios.

Con el paso claudicante y su fina cabeza de raza, agobiado de tradición y años, vestido de negro y ostentando uno de esos viejos chalecos blancos que acusan un almacenado y rancio tesoro indumentario, entró Luini, en compañía de dos señoras de abundante edad, perdidas en una locura de tinturas rubias y esplendentes sedas, entrada que motivó en el comedor un tiroteo de agasajos, pequeños gritos, saludos. Desde uno de los extremos de la mesa, allá en el fondo, el senador por Salta, el eminentísimo y conspicuísimo doctor Riveros, alzó su copa de champaña, enderezando una sonrisa de maliciosa complicidad a una de las damas recién llegadas, la que se ruborizó fugazmente y respondió armándose a su vez de la copa que le extendía el barón Luini. Al lado del senador, elegante, erguido como un príncipe, gloriosamente inaccesible, el joven cantante aficionado Nari, parecido a la eternización estatuaria no se sabía si de una belleza que se ha vuelto toda estupidez o de una estupidez que se ha vuelto toda belleza, elevaba al aire una cabeza griega cuyo tono pajizo denunciaba la obra excelsa de activas aguas decolorantes.

Recordó Luini con risa gangosa y aire picaresco una fiesta de la noche anterior, y una de las señoras recién llegadas, hinchando el buche estucado, rompió en un huyente arpegio de protestas y coqueterías.

Desde el muro, Enrique IV el pacificador, hilado en Aubusson cuatrocientos años antes, parecía asistir eternamente impertérrito, sombrero en mano, a esta monótona repetición de cosas a través de los siglos.

En medio del infernal rumor de conversaciones en todos los tonos, fui llevado a la deriva hasta las cercanías del senador, y con él fuimos presentados por una de esas intromisiones oficiosamente excesivas que se hallan siempre a mano. El senador tragó el bocado de jamón con pan negro

y me miró de arriba abajo con un par de ojos saltones
que tenían la calidad del vidrio enjuagado, fijos y prevenidos. Siguió masticando, acompañando cada deglución con
tragos cortos, mostrándome ahí enfrente su pequeña figura
maciza y apoplética, sus uñas lustradas, sus manos regorde-
tas y sus anillos de un oro anacrónicamente labrado, con
la ancha sortija de compromiso desgastada por muchos
años de lavarse las manos. Forzado a hablar ante ese formidable espectáculo de expectativa y deglución, ante ese
laborioso beber y tragar, le pregunté por un hombre que
en su provincia encabezaba a un grupo de gente inteligente.
   —...¡Literatos...! —dejó escapar con dificultad mientras la nuez de su garganta subía y bajaba en un activo
ejercicio— *fainéants*, desocupados... ¡chiflados...! —Se
apoderó de un *chip* de queso tierno—. ¡Gente con ganas
de perder el tiempo! —Miraba con ternura el *chip* entre los
dedos engrasados—. ¡Eh! Allá ellos... Ese hombre de
quien me habla es un abogado que en vez de hacer algo
útil pierde su tiempo conversando de bueyes perdidos...
del federalismo y del sistema Kantiano y de la filosofía
nacional y de qué sé yo cuántas patrañas capaz de secarle
el seso... —tragó— a cualquiera... *Fainéants, fainéants*.
¿Qué quiere usted hacer con esa gente? Habiendo tantas
cosas útiles —tragó— como hay en mi provincia. Útiles...
útiles. Sí, mi querido amigo. *Fainéants, fainéants*. Créalo,
fai-né-ants —tragó el último trozo del *chip*—. ¡Bah bah
bah bah! —Suspiró y bebió un trago de champaña y bajó
los ojos con estomacal resignación—. Habiendo tantas cosas
útiles que hacer en mi provincia y en el país... Fíjese
usted: reunidos a pensar en bueyes perdidos, en la nacionalidad... —hizo en el aire con la mano regordeta un
gesto que representaba visiblemente la redondez de una
nube. Luego quiso repetir la frase, pero como tenía la
boca ocupada con un nuevo *chip* (¡y esta vez de caviar!)
se limitó a trazar de nuevo en el aire, deplorando la
realidad a que aludía, la misma representación elíptica.
   Estaba extraordinariamente parecido a esa caricatura de
él que yo había visto poco tiempo atrás en uno de los diarios de la ciudad, donde aparecía vestido de mandarín, sentado, orondo, con las piernas cruzadas, sobre un epígrafe
que decía: "El emperador del Tanto por Ciento."
   —Claro —le dije—. Claro.
Me miraba fijamente con sus ojos saltones, inmóviles, y
la boca sin descanso.
   —Es justo que uno tenga afición por las letras —añadió—: Yo tengo en mi biblioteca la mejor colección de
clásicos romanos. —Echó una mirada a la mesa cargada

de confituras—. Tucídides, ¿sabe usted?, y Píndaro y Horacio... y... y... otros. ¡Pero hay que dejarlos ahí! No es cuestión de andar toda la vida con ellos. Uno los tiene; bueno — y se acabó. Una biblioteca es una biblioteca. Las necesidades vitales... —le gustó a ojos vistas aquello de "las necesidades vitales"...— Las necesidades vitales reclaman otra cosa. ¡Eh! Si uno se fuera a quedar metido en esas literaturas... ¡Habiendo tantas cosas que hacer! ¡Delirio de chiflados...!

Luini se acercó e introdujo en la conversación, casi sin palabras, su suavidad de anfitrión sempiterno. El senador elogió el champaña, lo calificó de excelente y sugirió ser invitado a beberlo otras veces, pero en la intimidad, que es como se gusta mejor. Luini le aseguró que lo haría con gran frecuencia. El senador señaló con un trozo de *sandwich* el más cercano de los tapices, preguntando por su significado. Luini le comenzó a contar la historia de la escena pintada.

Oí algunas cosas más. Un rato después bajé las escaleras, salí a la calle, descendí sin apuro por la avenida en dirección a los jardines de la Recoleta. Los enormes gomeros, engolfados, engolfaban la oscuridad. Subí a la plaza en alto; luego, frente al Museo, crucé. Se respiraba el aire más puro del mundo. En el lago rectangular jugaban todavía algunos chicos con minúsculos barcos de vela. Un hombre, un hombre sencillo y sonriente, les enseñaba a hacerlos virar. Los chicos miraban las manos del hombre en actitud religiosa, con la lengua entre los dientes, como si se tratara de una operación larga, difícil y grave. El jardín circundante, con sus fuentes, estaba a oscuras, pero el lago estaba discretamente iluminado. El hombre y los chicos se aplicaban contentos a su tarea. Estuve un rato mirándolos.

XLV

—¡Qué cándido! —me decía Anselmi medio despatarrado en el sofá—. ¡Qué infeliz eres! ¡Dándole constantemente vueltas a la idea de la gran prisa metropolitana, sin pensar que lo que seguiremos siendo todavía por muchos años es la aldea, la aldea a tambor batiente, la aldea con sucursales del Instituto de París y de Margaine Cherruite y de los más grandes peinadores y la más grande academia, solo que establecidos a la manera de la aldea, con peluqueros de aldea y señoronas de aldea y solemnidades de aldea y algunos pocos espíritus recalcitrantes a la realidad que viven en los alrededores de la aldea respirando el aire libre!

—Pero si el país no es así —le contesté— hay que hacer que la aldea se vuelva país...

—*Ad calendam graecas.*

—...y que se vaya deshaciendo la seda inservible.

—¡Bah —dijo— bah! —Y echaba hacia arriba, aburrido ante tamaña idea, la bocanada de humo del cigarrillo virginia.

Recuerdo que una tarde de domingo habíamos ido con ella al Colón, a un concierto. Compramos dos localidades en la tertulia, en el pobre golfo de arriba, donde se aprietan unas con otras las tristezas y los entusiasmos, donde se respira hacia la nota justa el arrobamiento más cándido y hacia la nota errada la rebelión más abrupta. ¿Qué decir de aquella tarde? Estábamos profundamente conmovidos por una pesada sinfonía de Brahms y una simple cancioncilla de Haydn.

Cuando abandonamos el teatro ya había caído la noche. Nos echamos a caminar por la calle Viamonte, hacia Cerrito; solitaria en la plazoleta, cabalgaba eternamente inmóvil la servicial estatua de Dorrego; después de andar algunas cuadras resolvimos entrar en una confitería a tomar algo. Gloria eligió la mesa, junto al ventanal. Una iluminación alevosa me permitió ver aquel semblante delicado en un momento tal de sensibilidad, que su expresión, tan quieta, parecía de dolor.

Pidió té con una rodaja de limón y yo lo mismo, y cuando lo trajeron, humeante, sentí con deleite aquel mismo olor un poco acre que tanto me gustaba en la niñez, fragancia del limón y del té caliente.

Nos preguntamos qué sería o qué no sería un personaje que ostentaba en una de las mesas centrales un pesado sobretodo de viaje y hojeaba preocupado, junto al ventanal que daba sobre la ancha y novísima avenida, una guía de ferrocarril. Con su cuello apoplético y su gordo rostro empolvado, tenía el aire de algún mediocre empresario teatral, roído de malos negocios. Las gentes errantes, melancólicas y monótonas del domingo pasaban ralas y lentas por la gran avenida, ametralladas desde arriba por el guiño incesante de los anuncios eléctricos. Hablamos casualmente de los sitios en que nos habíamos criado.

Gloria me contó de pronto la historia del padre.

—Siempre he tenido —dijo— el pudor de mi intimidad y me cuesta decir de mí misma hasta la cosa más trivial. ¿Pero por qué no le voy a decir hoy esto? Quizás mi silencio no haya sido más que desconfianza. Ahora, por lo menos, tengo ganas de hablar.

Me pareció estar ante uno de esos progresos en los que no cabía confiar mucho, que ella pronto borraba, rectificaba.

—Por lo general uno pasa en la vida de un estado a otro opuesto, de la alegría al espanto, o de la indiferencia al entusiasmo, o de la furia al reposo, o de esto a lo otro. Esas oposiciones extremas son las que dan a la vida su atracción única. No hay nada peor que pasar de un estado a otro y a otro y a otro que son la misma cosa, ligeramente variada. Yo casi podría dividir mi vida en dos mitades; la primera era un estado de horror, la de ahora es un horror de estado. ¿Ve? Apenas cambia.

¿Por qué la embellecía tanto, lejos de hacerla odiosa, aquel modo de ser, sombrío, casi seco, aquella aspereza?

La vida es una incesante propuesta de blandura, olvido y comedia. Cuando viene alguien a pasear por este mundo una extraña fuerza, un extraño no olvidar, un extraño no atender y una extraña veracidad, sucede como si estuviéramos atraídos en forma incondicional y violenta por ese forastero extremadamente poco familiar. Tono de esta especie rara es el que empleaba Gloria en aquel cuento del padre:

—...yo era una adolescente y tenía la curiosa impresión de que él se fuera aguzando, afilándose en su egoísmo y su aislamiento como un lápiz al que se le hubiera tallado con la navaja una punta hiriente. Iba siendo todo punta, todo punta, y ya casi ni carnes le quedaban. Vivíamos solos. Desde la muerte de mi madre empezó a buscar todas las ocasiones de herirme. Era de una crueldad tan incansable y sutil, tan intelectual, tan mentalmente refinada, que yo me pasaba las noches enteras —durante años— sin poder dormir tranquila, despertándome a cada rato como si viera materializarse en la oscuridad de mi cuarto las imágenes de su persecución. Salía a la calle y volvía violento, exasperado. Yo recordaba todavía los tiempos en que era cariñoso conmigo. La vejez lo iba hundiendo en los corredores de una intolerancia desconfiada. Y yo no acababa de preguntarme qué cosa es la vida, puesto que puede separarnos tanto de lo humano a medida que vivimos; puesto que, al envejecernos, puede hacernos tan intolerantes y tan intolerables, tan ajenos y tan indiferentes. Quizá toda la vida no sirva más que para hacernos tener, por un momento, conciencia de cómo vamos a vivir de solos en la eternidad y de cómo no hay remedio ninguno, ni olvido, ni descanso, más que este viaje hacia el endurecimiento de las venas y el endurecimiento del alma...

Me describió aquel retrato sombrío: el viejo yendo y viniendo por los corredores de su malignidad desconfiada y de su odio minucioso y general.

Se interrumpió ella misma, e imponiendo un·giro a lo que

decía, me contó cómo era su casa en la época del relato, aquel lugar sombrío donde hasta en el pequeño jardín parecía apurarse el sol por oscurecerse y desaparecer.

Gloria tuvo una infancia mecida por el ruido del mar, y luego, en la capital, una adolescencia penumbrosa, al lado del viejo que se hacía cada vez más desconfiado, agresivo, insultante, seco. La vejez acabó por hacer de él una isla de odio.

Gloria levantó la taza de té en la mano muy delgada y morena, sin anillos.

—Cuando uno dispone de las circunstancias y las maneja o las transforma, hace que ellas se parezcan a uno, pero cuando uno las acepta como vienen y se pliega a ellas, acaba pareciéndoseles en todo. De aquellos cuatro años de vivir sin descanso al lado de una monotonía cruel, de una agresividad seca, de un desamor, de un horror de vida, yo saqué para mí una gran monotonía, una gran agresividad, un gran desamor, un horror de repugnancia por las cosas de la vida.

No hizo caso de mi intervención. Siguió hablando del padre:

—Los últimos ocho meses de su vida los pasó en un sanatorio de las afueras porque era más barato. Tenía depositada en un banco una pequeña fortuna, pero hubiera hecho cualquier cosa por no disminuirla. Yo iba todos los días por la mañana al sanatorio en un lento tranvía; me quedaba hasta la noche; velaba doce horas en silencio al lado de ese muerto cuya sola manifestación restante de vida era la agrura y la furia interior, una furia concentrada, pasiva. Necesitaba que yo estuviera allí, haciendo de enfermera; pero me odiaba. Yo veía su sentimiento constante: lo perturbaba la idea de mi juventud, la idea de que yo me iba a quedar aquí después de que él se fuera. Eso lo hacía estar mudo, con los ojos en el techo, durante horas, horas, horas. No se podría dar una idea de lo que fue aquello. (Su voz se hizo ronca.) Era como un cáncer que el enfermo cultivaba en mi moral, en mi cariño por él. Las noches que yo pasaba en casa, sola, no eran menos hórridas. Cuando no me sentía muerta, tenía ganas de matarme. Abría la ventana —en las últimas horas oscuras, antes de la madrugada— y necesitaba esperar la claridad allí, llamándola, necesitándola a más no poder, porque o llegaba o yo me volvía loca. No tenía ni recuerdos ni proyectos. Sólo el instinto me preservaba; en lo que se refiere a la vida exterior: ni un estímulo, ni una atadura.

No hacía gesto alguno, no se movían más que sus labios. Era toda medida, calma.

—Después murió. Dejó todo lo que tenía a una obra de beneficencia que se llamaría con su nombre. ¡De alguna manera quería quedarse aquí hasta después, hasta después, aunque toda su familia hubiera pasado a la muerte y el olvido! Y me dejó encomendada a un amigo influyente a fin de que me dieran un puesto *cómodo*. Desde entonces estoy en la biblioteca. En los primeros tiempos andaba como una sonámbula, como un espectro, sin más voluntad ni más inspiración que una especie de sueño sin conciencia. Me acuerdo de ese tiempo como si hubiera vivido ausente de mí misma. Un buen día, no sé por qué, ni cómo, eso se rompió. Empecé a interesarme por las cosas. Empecé —qué sé yo— a tender líneas hacia las cosas. Era como abrir los ojos a las delicias y a la multitud del mundo material. Fue una especie de renacimiento, ¡pero tan superficial! Una gran parte de mí, adentro, estaba callada, ahogada, sofocada. Y al fin, poco a poco, ese interés por las cosas fue a su vez desapareciendo, yéndose, no dejando en su lugar más que este desastre que tiene usted aquí... —Sonrió—. ¿Cree usted que me interesa ya algo? Veo pasar a la gente como los que desde el cordón de la acera ven pasar el desfile, sin participar en su marcha ni tener nada que ver con su objetivo, con su fin.

Y aclaró que eso no se parecía tal vez a una cobardía, sino a una extraña lasitud.

Entonces yo le contesté que ella no se me presentaba así, que no podía representármela así, puesto que no era visible en ella ninguna lasitud; al contrario, trascendía algo fuerte y en extremo viviente. Ella no contestó, se limitó a mirarme.

Como si se tratara de la prolongación del mismo tema, sin transición, se puso a hablar en seguida de algunas expresiones que había observado en las gentes que escuchaban el concierto.

—Por momentos —dijo— uno siente que la comunicación será posible, que hay gente capaz de llegar, de tocar, de pisar una tierra donde se respira cierta nobleza, cierta conciencia de la propia vulnerabilidad, de la supremacía de otros valores que la actitud falsa y ante todo que la agresión.

Sentí una alegría.

—Ya ve. ¿No está en usted viva la vocación por encontrarla?

Se defendió bruscamente:

—Es la idea de un instante. En seguida me convenzo de que nada vale la pena.

Al rato, después de haber hablado de otras cosas, volvió a mostrar en la confitería esa precipitación, ese apuro por irse que la asaltaba de pronto.

—Esta noche tengo que poner en limpio una enorme lista de libros —dijo. Y exageró sonriendo lo larga que era esa lista.

Cruzamos la avenida y entramos por la calle Lavalle y después de andar cien metros en una cuadra bastante oscura, atravesamos por la región de los cinematógrafos, y luego volvimos a entrar en una zona sombría.

Caminábamos ligero y yo me refería a una u otra cosa trivial y ella contestaba con una sonrisa.

—Me gustaría que saliéramos a menudo —le insinué—. Que viéramos juntos algunos espectáculos, algunas cosas.

Caminó unos pasos sin decir nada. Parecía que no iba a contestar.

—Bueno —dijo después.

—¿Puedo venir a buscarla mañana a la noche?

—No. Mañana no.

—¿Cuándo entonces?

—¿No va a ir a la biblioteca?

—Sí.

—Bueno; combinaremos allí.

Llegamos a la puerta de su casa. Pasó un viejo tranvía de la empresa Lacroze. La noche estaba fresca, agradable, invitaba a seguir andando por las calles. Hacia el este, a pocas cuadras, bajaba la calle Leandro Alem, hacia el río. Conté a Gloria que esos eran mis viejos barrios y le hablé alegremente de Anselmi y de Jiménez, y luego me quedé callado y ella me miró, con la cabeza echada hacia atrás y apoyada en la pared, en el ángulo que hacía la puerta con el muro. Me miraba, me miraba sin decir nada. Era alta y muy bonita. Yo volví a decirle no sé qué cosa, esperando animar sus ojos mediante una repentina curiosidad. Pero su expresión era más bien inmóvil, como si en vez de escuchar, pensara.

Nos despedimos hasta el día siguiente, y yo volví a subir por la calle Lavalle, en dirección opuesta a los tranvías Lacroze, cansados y lentos como animales de cien años.

XLVI

Después de comer me puse a trabajar en la descripción de la primera noche en que iba a fundarse la masa del segundo libro.

Era la historia de un estudiante, de un alma violenta y rebelde en su lucha para no dejarse tragar por el gusano corrosivo de la vida provinciana; la historia de su larga noche buscando estrellas solitarias, estrellas confidentes, en el cielo de su soledad y de su estéril ardimiento. A eso de la medianoche empezó a llover. Ruiz se levantó de la cama y vino a cerrar las persianas. Al quedar abiertas las dos hojas de la ventana estalló en el cuarto el ruido de la lluvia, salpicaron algunas gotas y yo vi la calle negra cruzada de latigazos metálicos. Seguí escribiendo una hora más. Cansado, abrí después las persianas, recibí en la cara la lluvia, sentí el fresco mojado y me apoyé en el borde con los brazos cruzados para mirar la noche a mis anchas.

La lluvia parecía aislar aun más en sus personales refugios a todos los habitantes de la ciudad. Todo el mundo parecía encerrado en las casas. Más allá del bulevar, separados de mí por la pared de tormenta, en la zona ganada al río, entre latas viejas y porquerías, cientos de miserables individuos sin ocupación abandonaban en cambio sus refugios improvisados, se metían en la ciudad para protegerse del agua. Detrás de mí se abría en forma de abanico la inmensa metrópoli, ese país adolescente, ese país todavía sin voz. Tal silencio era como un sollozo preso en la garganta de la capital. Mi mente, llamada a ese momentáneo reposo, se llenó inmediatamente de imágenes, hizo de pronto población de cuanto reciente recuerdo humano se presentaba en ella. ¡Qué movilización tan sin sentido...! ¿Qué tenía que ver Luini con usted, Anselmi con la mujer de Acevedo, Atkinson con Mántaras, Gloria con la familia seudopatriarcal de los Gómez? ¿O es que acaso elegimos nuestros encuentros, cada uno y todos, con un deliberado y arcano sentido? ¿En qué sitio del mundo estaría, a estas horas, Atkinson, con su pañuelo rojo, su errante lirismo, su elegancia? (Semanas antes había recibido de él una tarjeta fechada en Reims con el más lacónicamente conmovedor de los saludos. Una palabra, y basta.) ¿Dónde estaban los revoltosos componentes de la asamblea del teatro d'Harcourt? ¡Sentí ganas de abrazarlos a todos, de aislarlos por un instante de las tretas del tiempo, de hablar con Blanche Alost, de reunirlos en una cena entusiasta, jovial, con Anselmi, con Acevedo y con Jiménez, repentinamente curado...! ¡Ah, detener la conclusión de tantas cosas y el cambio de su materia en nada y en olvido! ¿Pero es que acaso se podía? El mundo cambia y con él viajan nuestras cualidades y nuestros defectos hasta estallar o esfumarse. Los que ayer han sido así, hoy no lo serán ya. Pero de aquello, de lo que han sido alguna vez intensamente, todos, dejarán algo... Sólo el que no ha sido nunca nada no dejará nada... Bajé los ojos y me miré las manos, mojadas por la lluvia. Vi, siendo todavía jóvenes, cuánto, esas manos, habían envejecido. Pensé en todas las otras manos que habían estrechado con fervor y con esperanza, y me dije que ahora no tenían nada, más que el rastro de la tinta, el callo de la pluma en el mayor de la derecha, alguna magulladura, alguna pequeña cicatriz y el laberinto de cruces epidérmicas, que componen la creación más delicada de formas, proporciones, entrecruzamientos y dibujos. Si les pudiera haber preguntado "¿qué quieren ustedes?", no habrían contestado sino con una sola palabra, que es la palabra con que se designa entre los hombres viriles, cordialmente vinculados, la creación de un estado de conciencia, de un común estado de alma, de una común voluntad de dejar concluido antes de irse el proyecto de una vida circundante algo menos abyecta, todavía perfectible... "¡Cándido!", me dije, y seguí mirándome las manos mojadas y volví a levantar la vista para ver la ciudad bajo la lluvia.

Me sorprendí de estar allí sonriendo, en la ventana, ante la lluvia, como un idiota. Cerré los batientes, apagué las luces, me fui a acostar, y ya no sentí en la noche de soledad más que el isócrono azote del agua en el pavimento.

Al día siguiente vi a Gloria en la biblioteca y a los dos días la fui a buscar para salir a comer. La encontré más huraña y áspera que nunca. Y como si esa aspereza fuera sabia para consigo misma, cuando más hondamente se encerraba Gloria en su hurañez, más inteligentes eran aquellas respuestas que salían de su boca, prontas, lejanas, desconcertantes.

Cruzamos la calle central buscando el mejor programa en los distintos cinematógrafos. Ella consideraba con gran atención las carteleras. Por momentos parecía un muchacho delgado, con el talle finísimo envuelto en un abrigo negro.

Me divertía su modo cortante de preferir o rechazar.

—Esto no me gusta —decía, y se apartaba de golpe del programa exhibido a la puerta del cinematógrafo. Le dije que la seguiría fielmente como quien va detrás de Godofredo de Bouillon y eso le hizo gracia y entramos riendo a ver a Marlene Dietrich en no sé qué comedia.

Mientras veíamos la película cinematográfica yo estaba contento, no con los episodios convencionales y manidos que los norteamericanos habían aderezado en una dulzona salsa musical, sino porque, creyéndole enteramente lo que me decía y sintiéndola por consiguiente tan abandonada de llamados gratos, veía a Gloria distraída en aquel momento, tal vez sin que lo notara, de aquella negación de sí, de aquella concentración y de aquel desgano en que anclaba cuando más próxima la creía uno tener. No sabía, sin embargo, lo que pasaba: los dos mirábamos en silencio la pantalla, pero estábamos divididos —era fácil sentirlo— en otros pensamientos.

Aquella noche me invitó para que fuera a comer con ella

en su casa, al día siguiente. Así conocí el inmenso departamento iluminado como un hotel, la casa de huéspedes alfombrada hasta el exceso donde vivía entre un llegar y partir de extranjeros. En el comedor comía alguna gente rubia repartida en las pequeñas mesas. Durante la comida hablamos de algunos libros, de algunos espectáculos teatrales del momento, de la organización de la biblioteca, del invierno que se venía de golpe sobre la ciudad. Después fuimos a sentarnos en el *hall*. No sé qué cosa extraña tenía la iluminación de aquella casa. Una luz demasiado blanca daba, a los vestíbulos y los cuartos, ese aspecto a la vez desolado y lujoso en que quedan al vaciarse de invitados los grandes salones de baile. No sé qué suntuosidad desmoralizadora. Y de pronto, en aquellos corredores alfombrados que remataban dos *halls*, y fuera de aquellos cuartos alegres que mostraban su interior por la puerta abierta como si sus habitantes se complacieran en exhibirlos hasta el último rincón donde caía una muselina o apuntaba un almohadón de seda blanca, de pronto uno veía ir y venir, precipitada, a mucha gente, igual a presurosos animales que se movilizaran para desaparecer. Advertí, cuando quise explicarme la sensación que esa casa inspiraba, que no podía haber allí intimidad, que aquellos interiores no tenían alma, y que en el fondo de esos cuartos nadie · podría tener · soledad ni quizá verdadero reposo. El cuarto de Gloria, lleno de la excesiva luz blanca del resto de la casa, era una habitación fría colmada de libros, blanca toda, sin otro color que rompiera tanta monotonía fuera del lomo gayo de algún libro, fuera de una repisa verde donde descansaba una colección completa de volúmenes iguales. Y no se veía ningún retrato, cosa humana o calurosa alguna, salvo lo poco que de humano estaba aludido en la blandura del estrecho sofá-cama.

—¿Cómo puede vivir en esta casa? —le pregunté.

—¿Por qué?

—No sé, todo es tan público, tan sin entrañas, tan lejano de la posibilidad del aislamiento que uno espera de la propia casa.

—Pero si no me importa nada. Al contrario; cuando cierro la puerta de mi cuarto, el rumor de la gente y las luces de afuera me rechazan todavía más hacia mí misma.

—Aquí, yo viviría siempre en estado de tensión.

—Usted está demasiado presente en usted mismo. ¿No ve que yo soy lo contrario? Yo a cada rato soy una extraña para mí. Me puedo odiar, me puedo reír de mí, me puedo alejar de mí, puedo hacer lo que quiera en ese sentido, menos consentirme.

Estábamos en el *hall*. En eso entró la señorita Reicks. Era una sajona alta y seria vestida de negro. Gloria nos presentó.

—Cómo le va —le dije.

—Cómo le va — me dijo.

Me miró con desconfianza. Preguntó a Gloria si iba a salir.

—La señorita Reicks es mi vecina de cuarto —explicó Gloria.

La otra me seguía mirando con recelo e instintiva agresividad. Le pregunté lo más cortésmente posible si era alemana.

—No —contestó. Y no agregó la menor explicación.

Estuvo unos minutos oyéndonos y después se paró y se fue.

—No es un ejemplo de simpatía.

—No —sonrió Gloria—. No lo es.

—Es extranjera, claro.

—Es suiza. Después de comer, solemos conversar. Por eso se ha acercado hoy. Me cuenta cosas de su país. Es de Zurich.

—Entonces le hablará de las fuentes y de las dos catedrales. Y del Museo y de Pestalozzi. Es tan ceremoniosa y severa que da risa.

Luego salimos. No podía darse nada más hermoso que caminar a aquella hora por la orilla costera de la ciudad, por las plazoletas que circundan la estatua de Mazzini, fino y distinguido en el breve pedestal con su levita entallada. En los años finales del siglo pasado se había inaugurado el monumento en medio de un gran entusiasmo cívico; ahí hubo discursos, multitudes, una emoción general, un estado de tensión. Ahora, en torno a la estatua, entre las acacias, jugaban por la mañana algunas criaturas y paseaban al anochecer parejas subrepticias. Algunos pájaros raudos volaban desde el pecho del patriota italiano hasta las copas de los árboles y, como la noche era oscura, parecía que entraban en el cielo.

XLVII

Fuimos caminando hacia el puente giratorio, garganta que separa ese sitio de la ciudad de la boca del río; del estrecho paladar de la Costanera. Algunos guardas soñolientos detenían a los automóviles, los revisaban desganados, los dejaban seguir. En el frío de la noche aparecían solitarios los grandes almacenes de la Aduana, con el número del dique escrito en negro sobre un rectángulo de cal blanca. Tanto Gloria como yo éramos grandes caminadores, nos gustaba salir de noche a recorrer cuadras y cuadras. Íbamos ahora rápidamente, casi sin hablar, respirando con gusto el aire fresco.

acercándonos a la zona librada al agua y al cielo vasto y libre hasta el océano, hasta los otros continentes, hasta África. Allí estaba el Mar Dulce; más atrás, el Atlántico. Hablamos de esas dos porciones de agua y ella dijo sonriendo que era como hablar de la física y la metafísica. Uno de los guardas nos miró, al pasar por la garita, con desconfianza, con rabia. Le habría dado placer que en vez de ir hacia la región del puerto, volviéramos de allí, cargados de contrabando. Su sed y su celo se quedaban sin presa.

Gloria bajó de la acera, y caminamos en línea recta por la calzada . desierta. Un pobre y difuso resplandor lunar bañaba los barcos amarrados, negruzcos y mercantes. Se quejó, cerca, un perro dolorido; en seguida se rehizo el silencio. A lo lejos, al final de la calle, el cielo tocaba el río por detrás de la muralla enana.

Yo no sabía qué decirle.

—¿Nunca la ha tentado la idea de embarcarse, de tomar un buque, de navegar a la ventura?

—¿Para qué? ¿Para pasearme a mí misma?

—Para ver cosas.

—¡Cosas...! —dijo, como si yo acabara de aludir a algo extremadamente grotesco, y fijó los ojos en la parte delantera de la calle—. Alimentos para el animal taciturno... Además, soy tan pobre.

Pensó un momento y volvió sobre su respuesta, acentuándola:

—Pero si yo no puedo concederme nada que me halague. No puedo. ¡Estoy hecha así! Usted no se quiere convencer de que no me tolero a mí misma.

—Es injusto. Es una actitud.

—¿Una actitud? ¿Por qué dice eso? ¡Una actitud! Tengo el alma convencida.

—¿El alma convencida de qué? —le dije.

—Convencida de que me estorbo, y de que estorbo, Martín Tregua.

· Me puse a reír. ¡Me parecía tan absurdo! ¡Me parecía tan pueril! Llegamos a la acera de la costa, a la parecilla de ancho borde.

—Me parece injusto que diga eso; pero no me sorprende. Lo que le falta es, como usted misma me lo ha dejado ver, echar raíces en la realidad exterior. Me hace acordar a esas flores del aire que están siempre tristes porque viven sin nutrirse sustancialmente del suelo, sin mezclarse con las alegrías y las vicisitudes del suelo. ¿Nunca ha pensado usted en crearse problemas vivos, en proponerse dificultades ajenas a usted y vencerlas?

Fijó en mí sus celosos ojos grises.

—No hago otra cosa. Toda mi vida es eso. Toda mi vida es vencer algo. Si no, ya hubiera desaparecido.

—No. No se trata de esa lucha. Lo que usted se plantea como problema es solamente vivir, y eso no es problema. Problema no es vencer la propensión más o menos singular que uno pueda tener a no vivir, sino combatir con la realidad lealmente, ofreciéndole resistencia en vez de dejar que la realidad le perdone a uno la vida.

Me miró. Me miró con aspereza.

—¿Sabe lo que le pasa a usted? —me dijo—. Ha tenido una vida sin desastres, calma, y busca en los problemas el accidente que le falta. Pero yo estoy de vuelta de eso. Me han pasado muchas cosas. Cosas concretas, no imaginarias.

Se calló. Agitó vivamente la cabeza para despejar la frente. Y varió de tono:

—¿Pero, para qué tantos argumentos? ¿Qué quieren decir todos ellos al lado de este silencio, al lado de esta noche, al lado de este sitio, que no tienen problemas? (Tal vez usted crea que los tienen.) —Me miró con burla antes de llevar de nuevo los ojos al río oscuro, invisible, mezclado a la noche, en el que se veían, más nítidas que nunca, las constelaciones australes—. ¿No le parece espléndido?

Lo espléndido era, realmente, la amplitud de la masa de tinieblas. El aleteo de un pájaro rápido vibró frente a nosotros.

—¿Qué pájaro es? —preguntó ella, alzando los ojos.

—No sé. Nunca sé los nombres de los árboles ni de los pájaros.

Rio, mostró los dientes muy blancos en la cara delgada y morena.

—¿Por qué no se propone ese problema, aprenderlos?

—Me lo he propuesto muchas veces. Pero no he nacido para aprenderlo.

—Eso parece dicho por mí... —contestó rápidamente.

—Sí, tiene razón, parece dicho por usted —sonreí.

Se quedó mirando el río con un aire de abstracción. Tenía la fina cabeza muy bien puesta sobre los hombros.

¡Dios! ¡Qué triste y pensativa me pareció, con su figura delgada sobre el fondo de noche y río!

Tenía aquel modo extraño de volver desde las bromas a una inmediata seriedad. Y entonces se quedaba inmóvil, preocupada, impenetrable. Aquellas transiciones me cohibían. Yo buscaba desesperadamente por dentro la palabra justa para sacarla de ese abismo; pero, al no encontrar los términos deseados, me sentía, a mi vez, envuelto en una callada impotencia.

Pasó un coche al trote lento del único caballo. En la

oscuridad del interior del vehículo se distinguía apenas una pareja abrazada. El coche avanzó por la avenida, a nuestras espaldas.

Gloria levantó del suelo un trozo de vieja madera que parecía arrojada por el agua. La estuvimos observando. Tenía en su superficie una gran letra "Y" cavada a fuego como una inicial. Nos preguntamos qué sería. Le conté un extraño encuentro similar que había hecho un pastor protestante en la pradera de Illinois y que yo había leído en un libro.

—¿Por qué no vamos más allá? —dijo ella.

Acostada junto al río se extendía, aparentemente sin límites, la avenida bordeada de álamos. Los álamos eran recientes y la arboleda parecía, así, ancha e incipiente y chata. La parte occidental del paseo mostraba en su cara más próxima los grandes aparatos mecánicos que durante el verano atraían como en una feria el entusiasmo de los mansos paseantes; y en su cara más lejana, una vaga región despoblada y sin construcciones en que la ciudad se alargaba imprevista. Como una breve península de mampostería, surgía a lo lejos de la avenida, la saliente en que se encontraba la instalación propia del balneario. Este paseo que en verano se llenaba de vulgaridad y grosería, guardaba en el invierno, como esos comediantes bufones que al acabar el espectáculo regresan a su oscura vida privada con una severidad grande y triste, una apariencia digna y callada.

Sin duda fue esa atmósfera lo que me hizo advertir la separación en que estábamos. Gloria caminaba —ahora, en contraste con lo sucedido en el trayecto de antes— muy despacio, y yo iba al lado sin que pudiera ser posible concebir a dos personas más desvinculadas y distantes. Yo estaba tan lejos de ella como del corazón de la noche. Rozado por su aire, pero exterior, ajeno.

Ella habló de lo que le había pasado en un negocio aquella tarde. Al salir de la tienda vio junto a las vidrieras a un hombre. Era un hombre joven, harapiento. Ella fue a pasar al lado de él; él se apartó un paso, la miró con los ojos encendidos de cólera y le disparó un insulto. Entonces, sorprendida, ella lo miró con fijeza y sólo pudo ver la cara que se volvía, que se iba mascullando nuevas injurias. ¿Qué le sucedía a ese hombre?

—Siempre atraigo actitudes así —dijo—. Lo he pensado muchas veces y no sé por qué. Es como si yo me viera la cara por un lado diferente al que se ve desde afuera... A cada rato vuelvo a encontrar esa expresión que conozco tanto, esa actitud de rencor que parece contestar a una palabra que yo llevara escrita.

Me contó otro caso parecido. Había sucedido varios años

atrás y esta vez el protagonista era un viejo músico que vivió algún tiempo en la casa de la calle Lavalle.

—Yo creo que eso indica una gran fuerza —le dije—. Significa que, tan violentamente como esa reacción agresiva, puede usted atraer la contraria.

—¿Cuál? —preguntó. Preguntaba a menudo con brusquedad las cosas más obvias.

Cuando le contesté, con una galantería trivial, no me dijo nada. No me miró. Siguió con los ojos tendidos hacia adelante con su peculiar fijeza —sus párpados morenos y anchos parecían no pestañear nunca—, tal como si no quisiera tener conciencia de que alguna frase amable pudiera serle personalmente destinada.

Entonces —hipócrita— me sentí como un táctico que lleva la ofensiva. Le dije que la veía conformada para gustar grandemente, para atraer, para retener. Me callé. Ella debía de oír mi respiración y el movimiento de mi ánimo al tantear su reacción.

Comenzó a hablar rápidamente de otra cosa —de la obra que se estrenaría al día siguiente en un teatro: una traducción de Gogol— y de sus ganas de ir a verla y de lo poco bueno que se podía ver en estos tiempos.

Yo insistí en traerla al tema.

Entonces ella se calló, se obstinó en su pausa y yo me sentí desautorizado; en descubierto.

A mi vez me callé. Cruzamos por los canteros centrales, por entre los álamos, y regresamos hacia el centro de la ciudad. Gloria apartaba rara vez su mirada de aquel acontecimiento invisible: de las formas en que se proyectaba su espíritu. Tenía algo del escultor que se distrae mientras le hablamos, continúa en su abstracción laboriosa, se acerca a su objeto, le imprime un rasgo, lo mira pensativo, vuelve a alejarse, y recomienza sin abstracción y sin pausa.

A veces yo la hacía reír, lograba que su fisonomía se abriera, entregada — y me contentaba con ese triunfo.

XLVIII

—Por favor, no —dijo.

Era más de la medianoche y estábamos otra vez de pie junto al mismo parapeto. Sólo que ahora el invierno gobernaba, hostil y tiránicamente, sobre aquel encuentro del río con la costa.

—Por favor, no.

Yo veía retirarse de mí, con un movimiento casi rígido del tenso cuello, aquella fisonomía sufriente.

—¿Por qué no; por qué no?

Yo oía mi voz en la noche y me parecía ajena en su entonación, sola, aun en su propósito. Originada en semilla vehemente, la noche la helaba. Me parecía a cada rato necesario repetir la frase con más poder sobre la voz, pero la voz seguía rompiéndose al chocar con la atmósfera.

—¿Por qué no?

Gloria dejó caer las manos. Estaba apoyada contra el parapeto. Tenía el río neblinoso detrás. Yo estaba delante.

—¿Pero no ve que es imposible, no ve que es imposible?

Yo seguía preguntando por qué. Hay un momento en que ya no tenemos carga para las palabras, en que nuestro cuerpo espera romper otras amarras que las inteligibles, locutorias, argumentales.

—¿Pero no ve que es imposible, no ve que es imposible?

Yo volvía a repetir lo que había dicho cinco minutos antes, diez minutos antes, quince minutos antes. No sé qué furia me embargaba por cambiar aquello. Porque al fin se rompiera el rígido puente. Porque, al fin, toda ella, quebrando sus naves, el objeto, el obstáculo, se hiciera fluvial, se hiciera fluida.

La tomé de golpe por los dos brazos. Ella no temblaba; seguía rígida. La miraba yo con esa intensidad con que va nuestro último argumento, que lo acompaña hasta ver si se va a hundir, si va a fracasar.

—No estoy hecha para el amor. No. Estoy hecha de soledad. Quiero conservar esa soledad.

—No es así.

—Estoy hecha de soledad. No sirvo para otra cosa. No quiero ser otra cosa. Tengo horror de ser otra cosa.

—No, no es así.

—Sí es así —yo sentía el acompañamiento desesperado de los ojos en el semblante mate, la boca entreabierta entre el fastidio y la súplica, toda ella lindante con los gestos que deben de ser los de la agonía—. Y no quiero dar a nadie eso. No quiero. ¿No tengo derecho a no ser destruida en lo que soy?

—No es así. Quiere mantener una actitud, pero no es así.

Su voz era lo que se retorcía. Sin su rigidez, todo su cuerpo estaba sereno, sereno.

—No es así —repetí.

—¡Usted lo ignora todo de mí, pobre de usted! No sabe cómo soy. No sabe que atada a alguien sería el desastre, más desastre todavía.

—Esas afirmaciones, solamente la vida las puede sostener o negar.

—¿Qué tiene que ver la vida? Uno es uno, lo estable. La vida es lo que pasa.

—La vida es lo que obliga las cosas a su verdadera forma. A la cobardía a que se haga cobarde y al encanto a que se haga encanto. ¿Por qué se empeña en negarse, y disimularse?

—Yo no estoy haciendo ningún juego —dijo—. Yo quiero ser dueña de mi pobre materia. Eso es lo único que digo. Quiero ser dueña de mí.

Entonces me acerqué más y ella quiso caminar y no pude evitarlo y caminamos. Otra vez se iba, otra vez se iba. No le dije nada. Lejos, hacia un flanco, en las tinieblas del río, se percibía una minúscula luz móvil, el débil y rojizo parpadeo de una embarcación en la niebla.

Por un momento pensé que estaba llena de orgullo. Que se había construido un orgullo, *en* orgullo. Y que le era difícil ceder. Pero en seguida me rectificaba, pensaba que no, que no era más que la tormenta que ella llevaba adentro lo que la dividía, lo que la gobernaba como puede gobernar la tormenta.

—No comprendo —le dije— cómo puede sostener esa decisión artificial, tan fría, tan poco humana.

—Soy poco humana.

—Tan poco franca.

—Soy poco franca. —Lo dijo con decisión.— ¿Quién es franco? ¿Qué quiere decir eso?

Y aunque me parecía oír la verdad, le dije:

—No es así.

Volví a tomarla de un brazo y la obligué a detenerse. Me miró, moviendo negativamente la cabeza, como ante el capricho inatendible de un niño, y siguió andando y dijo:

—¿Por qué empeñarse en una cosa imposible? ¿Por qué echar a perder algo? Esto, nuestra amistad, era verdaderamente agradable, verdaderamente raro. Usted quiere destruirlo todo, llevar las cosas a un terreno donde serán en seguida algo absurdo. Tan no sabe nada de mí que ignora que he tenido algunas experiencias... Por eso sé, por eso sé.

Que me dijera aquello me produjo instantáneamente una inquietud. Sentí un ligero despecho. Abandoné mi afán por argüir, la escuché.

—Me conozco. Y es lo mismo que conocer —qué sé yo— un naufragio.

No dijo nada de lo que yo quería oír. Entonces insistí. Nos detuvimos. El río volvió a quedar a sus espaldas.

—Nada más que por un momento —le dije—. Abandonemos por un momento toda prevención.

—¡Pero qué tiene que ver con eso! —protestó—. No tiene nada que ver con eso. ¡Es que no sirvo! ¡No sirvo!

De lejos, en la medianoche, al lado de la silenciosa masa de agua, deberíamos parecer una mujer gritando a un sordo, y el eco huyendo con su botón de voz.

Detrás de su cabeza, sobre el fondo del río, vi pasar un pájaro oscuro en su aleteo hacia el agua, lo mismo que noches antes.

Ella se puso todavía más vehemente, mucho más áspera, casi violenta.

—Es como una coacción. Lo que usted hace es como una coacción. Yo no acepto que se me obligue. Cuando se me obliga me rebelo. No me explico que se quiera estropear así las cosas. ¿Por qué quiere estropearlas? ¡Qué desconocimiento de todo! ¿Insistiría usted ante algo imposible de transformar, ante un objeto?

Cambió el tono de pronto y me dijo, como en una súplica:

—Olvídese, olvídese de que existe otra cosa que la amistad.

Tenía una mano puesta sobre mi antebrazo. Estaba allí, pidiendo ser escuchada, pidiendo ser creída. De su rostro moreno parecía haberse retirado toda la sangre. Sus ojos estaban tranquilos, grandes como eran, y sus labios, entreabiertos.

Di un paso y la atraje de golpe y sentí la pasividad de aquellos labios entreabiertos y calientes. Gloria tenía los brazos caídos. Y era como si estuviera besando a una muerta, salvo la temperatura de aquella boca y la densidad delicada de aquel cuerpo. Fue un segundo. Levantó los brazos e hizo viva presión para apartarme. Las cejas y los ojos construían aquella mirada de desesperación, casi de horror. La solté, tocó otra vez con la espalda el bajo parapeto, mirándome con una triste anarquía, con desorden, con desolación.

—Por favor —me dijo, sin fastidio, con cansancio—, por favor.

Yo pensé que había empezado algo que ya no se podría detener.

XLIX

Es el momento en que la orquesta estalla la estridencia de los cobres. La sinfonía deja que en su cauce se filtre, por un instante, el estrépito. Todos los valores se ordenan a este extremo de vitalidad, y el suave canto se hace delirio. Mas, en seguida, toda la energía convulsa se siente decapitada por el ritmo natural a que todo exceso fatalmente vuelve.

Los días que siguieron reflejaron esa variante y la sinfonía de nuestras relaciones cambió según aquella ley.

Primero vivimos los dos en un rapto. Vivíamos exaltados, devorando el tiempo, a borbotones. Mi trabajo del día desembocaba en el encuentro con Gloria. Íbamos a comer a mi casa o buscábamos algunos rincones perdidos donde uno podía refugiarse a gusto entre bordelesas o *fiaschetti* de Chianti envueltos en paja, y adonde se acerca a veces, sin que se le pueda evitar, un violinista indigente y melifluo.

Ella me parecía encarnar ese país, digno y silencioso y orgulloso y sombrío y sobrío que yo había buscado siempre.

No estaba tallada en grande. Quizá nada en ella llamaba la admiración, pero todo en ella era de una íntima y disconforme, inquieta calidad.

En ella, no todo se concedía; una porción de su persona quedaba fuera de comunicación, irreductible. De noche, al volver solo a casa, o en los momentos en que descansaba de mi trabajo, yo me sentaba a fumar y pensar, en el hondo sillón del gran cuarto a oscuras, con las ventanas abiertas a la noche y la virgen de Memling casi invisible entre los libros y los retratos. El tapiz de fieltro que cubría toda la madera del piso daba a la habitación una blanda intimidad. En ese cuarto yo reposaba viajando. En ese gran cuarto de trabajo, entre tarros de tabaco virginia, y esbozos a lápiz de Modigliani, y catálogos y programas de arte de diferentes años cuidadosamente anotados, y carpetas con elegidos grabados y viejas fotografías y cartas iluminadas y manuscritos de tantas célebres manos amigas, estaba presente toda la topografía de mi mundo conocido, como una plaza está presente entre las calles y los edificios que en el espacio la sitúan y prolongan. Me sentaba allí a fumar y pensar, y trataba de discriminar las razones de mi vida del momento.

¿Qué clase de atadura me ataba a Gloria? Imposible discernir, esta vez, la clase de sentimiento. En el fondo de todo, había algo extraño, una penosa sensación de presciencia, no sé qué intuición que se parecía más a la necesidad de acompañar a un alma que al amor. ¿Acompañar? ¿Qué quería decir eso? De pronto surgía, detrás de esas preguntas, detrás de la imagen de Gloria, su imagen, la imagen de usted — y, cosa curiosa, usted era la sustancia, y ella, el espectro.

Usted era para mí más carne, puesto que *encarnaba* mi necesidad de su naturaleza moral y visible; mientras que frente a Gloria, todo yo, tan carnal, me sentía descarnado, hecho abstracto, un puro sentimiento de solidaridad.

Lo que nos dábamos, Gloria y yo, era calor humano; pero como dos extraños pueden dárselo; es decir, haciendo, aun de todo lo que los separa, temperatura de unión.

Era un alma y no una persona hacia lo que, en el caso de ella, yo estaba atraído. Esta atracción era muy fuerte. Era como la atracción que sentíamos hacia el solitario a quien nos muestran diciéndonos: "en qué peligro está, sin saberlo". Una atracción más viva, más atenta, más inquieta que cualquier otra.

Sin embargo, tal cosa podía ser verdad con respecto a mí; no con respecto a Gloria. Ella pugnaba por defender su soledad. Era hirsuta. ¡Era tan rara! De pronto parecía tener un gran miedo y de pronto un gran coraje.

Yo no me toleraba mucho estos análisis. Pensaba durante algunos ratos en ello, pero en cuanto el pensar se volvía análisis, o sea asquerosa psicología, me alzaba contra mí mismo y ponía fin a la serie de caprichosas o insistentes ideas.

Algunas mañanas la veía llegar a la biblioteca con un semblante tan demacrado y extraño que le preguntaba en seguida si había estado enferma. Me contestaba que no había dormido en toda la noche, y, a veces, que se había levantado y salido a andar hasta el amanecer por las calles. No era nada común. Yo pensaba que su conciencia estaba en constante estado de preocupación, en constante infortunio y lucha consigo misma. ¿Qué armas improvisar contra este antiguo desasosiego? Salíamos por ahí. Yo buscaba todos los motivos posibles de diversidad. Buscaba en el exterior, y en mi propio fondo, los temas más diferentes y los más capaces de atar su atención. Pero ni mis problemas le interesaban siempre, ni su ánimo estaba dispuesto a dejar entrar aquello que no llamaba.

Con el pretexto de curar nuestros respectivos cansancios, logré convencerla de que me acompañara a pasar una semana en un hotel del sur. El contacto de aquel frío, de aquel aire brioso y terso como un cristal con vida, la levantó grandemente. El hotel era un pequeño edificio de madera, al pie de un monte nevado, fijo como una aislada estación de auxilio en la pendiente que iba hacia el embalse de las aguas en el lago más maravilloso del mundo. Yo me acordaba de Villa d'Este, de Como. Esto era distinto. Mucho más nuevo y confidencial. Gloria volvía al hotel con el rostro mate, helado, tenso, después de haber caminado contra el viento. En el hotel no había más que un profesor de inglés con su mujer y un naturalista de nacionalidad indefinida. Durante esos días vivimos los dos muy contentos. Al despertarnos, muy temprano, abríamos la ventana y veíamos el sol de invierno, el reflejo del hielo en las cumbres más lejanas, un camino que subía hacia lo alto de la montaña próxima y los enormes pinos y las enormes araucarias, soberbios de estatura en el esplendor del cierzo matinal. Jugábamos y reíamos. Me pareció que Gloria era feliz. Disfrutaba con el desayuno, con los panecillos, la manteca y la miel, que tomábamos frente a la ventana abierta.

—¿Quieres quedarte aquí? —le preguntaba yo.

—Sí.

—¿Cuánto?

—Mil años.

La risa me parecía siempre espléndida en esa cara lindísima y azotada.

En su soledad había algo tan sólido, tan circuido, que ciertas conversaciones con ella dejaban en el ánimo la sensación de haber estado con alguien en cuya conciencia se superponían cuatro o cinco de las capas que hacen una persona.

Cuando se encontraba en la inmensidad del helado paisaje, ante los arranques broncos de los lomos nevados y abruptos que iban finalmente a caer en suaves sílabas de agua, Gloria se acordaba siempre del mar. Me pedía que nos detuviéramos y miraba la tremenda distancia abierta entre los picos verticales, levemente azulados en la cima, y decía:

—Tal vez si hubiéramos ido al mar...

—¿Qué? ¿Qué hubiera pasado si hubiéramos ido al mar?

—No sé. Me atrae y le tengo miedo. Es raro. Le tengo un miedo tan absurdo que a veces me hace pensar, y la contestación es como un vacío triste.

—También vamos a ir al mar.

Miró de soslayo el piso de tierra.

—O no. Tal vez sea mejor no ir. Tal vez sea mejor no ir nunca.

Seguíamos. Y al rato de silencio, ella insistía.

—¿No es verdad que es absurdo? ¿No es verdad que es absurdo? Un miedo tan sin explicación. Una especie de ciencia negativa... una ciencia de la subconsciencia.

—Sí —le dije—. La verdad que no tiene sentido. Iremos al mar y le perderás el miedo.

—¡Qué raro! Perder ese miedo. ¿Lo perderé?

—Claro.

—No se pueden tal vez perder más que los miedos conscientes.

Hacíamos agotadoras excursiones. Desde mucho antes del mediodía estábamos fuera del hotel, escalando alturas y visitando lagos en compañía de un guía piamontés. De pronto veíamos lugares tan hermosos, dignos, eternos y solitarios que daban terror. Nos pasábamos el día riendo. Estábamos contentos de haber dicho por algunos días adiós a nuestras ocupaciones y cuidados. Yo la ayudaba a veces para salvar un obstáculo y ella se reía de mi esfuerzo. El guía se reía de vernos reír. "Ah, señores", decía, "ah, señores..." Nos parábamos, cuando el guía iba adelante, yo la besaba en la boca y la sentía temblar. No era el temblor de la timidez;

era el temblor de la fatiga. Ella me miraba siempre con esa mirada que nunca supe lo que quería decir. Una mirada larga, reposada, triste, pero terriblemente dueña de sí, terriblemente consciente, como si me mirara desde mucho más atrás de ella misma, desde mucho más allá.

Después de ver desfiladeros y lagos y cuchillas volvíamos al hotel en el viejo Ford manejado por el guía. Era, casi siempre, la hora del crepúsculo, la hora previa al desfallecimiento de la luz. Subíamos a lavarnos. Yo me sentaba al borde de la cama, frente a ella, que se miraba en el espejo. Yo le hablaba mientras ella se arreglaba para bajar a comer.

—Me gustas tanto —le decía.
—No es bastante.
—Me gustas hasta ser bastante y más que bastante.
—Eso pasa pronto —decía.
—No. Es lo único que no pasa nunca. Las otras cosas pasan.
—¿Qué te gusta de mí?
—Todo.
—¡Todo!
—Todo.
—Preferiría que dijeras una sola cosa. Que te gusta una sola cosa en mí.
—No me gusta una sola cosa. Me gusta todo.
—Preferiría que fuera una sola cosa.
—No. Es preferible que sea todo.
—No. Una sola cosa.

Y echábamos a reír y yo me acercaba y le besaba y acariciaba un rato aquel cabello que, de tan tenue, no parecía humano. Ella se dejaba besar. Ella no tenía nunca la iniciativa. Todos sus gestos parecían haber sido embargados por la soledad.

Bajábamos a tomar un *cocktail*. El *hall* era un recinto de madera, groseramente artesonado, con sillas rústicas y fuego en la chimenea. A través de los vidrios se veía el paisaje, el caer aterido de la noche. Entonces, a esa hora del día, Gloria se callaba, regresaba, entraba en una especie de desgano, de displicencia, de tedio. Empezaba de nuevo mi guerra. Cada día empezaba en ese momento mi guerra contra sus ángeles tenebrosos. Me transformaba en un bufón, en un profesor, en un narrador, en un dialéctico, en un mentiroso, en un insensato — en cualquier cosa menos en un hombre callado.

Gloria escuchaba, sonreía.

¡Ah, Dios, yo no quería verla sufrir!

L

Mi libro se había hundido en el agua; como después que pica el insecto la hoja caída en la cara del estanque, hubo una leve vibración — luego nada. Trabajar en la segunda parte requería un sacrificio. En agosto me salió de nuevo al encuentro una de esas desmoralizaciones brutales. Anduve como un animal maltratado, sordamente furioso, agresivo, irritable, evitando a todo el mundo y casi sin poder soportarme a mí mismo. "Si no sirves ni siquiera para esto —me decía—, ¿para qué puedes servir? No queda otro remedio que hundirse en la escoria petulante y sentenciosa, hundirse en lo que uno no ha poseído, por propia deficiencia; combatir." Gloria simulaba no notar semejante ánimo. Le dije:

—Este país es un gigante dormido. Hay que despertarlo en cada uno de sus miembros hasta que se desperece del todo. Por encima del cuerpo de este Gulliver se mueven algunas conciencias de las que el enorme cuerpo dormido no siente ni siquiera el cosquilleo que le deberían producir al andar.

Fuimos aquella noche a comer a uno de los lugares más distantes del centro.

"Es un grave peligro —seguía pensando yo, sin decírselo—. Es un grave peligro. Cultura y conciencia dormidas son presas para cualquier mal invasor. Aquí se vive con un sistema de actitudes exteriores. Y el Gigante está cada vez más dormido."

Gloria me veía con amargura meterme en esas ideas. No tenía confianza ni en la gente, ni en las causas posibles que se emprendieran en favor de la gente.

—Tratemos de ser mejores en nosotros, si es que se puede mejorar —decía—. ¿Para · qué pensar de un modo tan abstracto en una masa de personas con quienes personalmente quizá no podríamos entendernos en nada?

Yo me daba un trabajo terrible para convencerla de que lo espiritual consiste no tanto en el ejercicio de la partícula aislada del alma como en buscar una armonía humana, en desearla, en pensarla, en contribuir de algún modo a hacerla mejor.

—¿Por qué no dejar eso a los políticos? —insistía ella.

—Los políticos son los que lo pudren todo. Yo pienso mi tierra en términos de creación —le dije—. Como si fuera un poema o una composición musical. Una serie de notas puras, limpias, intensas, producen al ordenarse debidamente una sinfonía. Pero si las notas no pueden dar su sonido porque tienen encima un trozo de piedra, hay que sacar la piedra y ayudar a las notas.

Gloria no concebía eso. Estaba agarrada a las vegetaciones de sí misma. Cuando se trataba de la gente, era recalcitrante, dura. Y esa actitud de su espíritu no provenía de una indiferencia, sino de un violento desencanto nativo, de una decepción original. Sus años de soledad la fueron convirtiendo en el testigo que presencia los actos equívocos, la falsedad, la presunción de una familia de vecinos y no puede ya mirar a esa familia sin prevención, sin amargura, sin desengaño.

—¿Por qué no ha de bastarnos con nuestra dignidad, con la dignidad de los dos?

—Yo no puedo vivir —le respondía— sin pensar que la vida, incluso que la vida colectiva, es decir que la convivencia en un mundo, tiene un sentido y un fin. No me basta con mis propios fines. Los fines personales no sirven de nada si no son complejos, es decir si no son espirituales; yo niego que exista una espiritualidad que no esté dirigida hacia un pensamiento en la salvación o el mejoramiento de los demás. Porque esto es la caridad, y no hay espiritualidad sin caridad.

Gloria se reía al ver todo ese despliegue de razones serias. Era el momento en que yo me acercaba a ella y le hablaba de ella misma y la veía mirar a lo lejos con sus ojos pensativos y reservados. Hacíamos proyectos. Yo le decía:

—Un día saldremos a viajar lentamente por todo el país. Veremos la Argentina del sur, la crudeza desolada y la solemne hermosura del extremo en que el país se apoya en los pies juntos, y lo seguiremos de albergue en albergue hasta los territorios del norte, los grandes bosques, los grandes ríos, la gran dignidad de sus oscuros trabajadores. Un día saldremos a viajar lentamente.

Pero Gloria no tenía ningún entusiasmo por eso. No la atraía ningún plan. Se mostraba enteramente desligada de lo futuro, aunque se tratase del día siguiente. Era como si anclara en cada día a tal profundidad que le fuera difícil desasirse de él y partir.

—Mira —me decía. Y me mostraba la declinación de una calle que iba a perderse en la bocacalle parecida a un atrio desierto iluminado por el foco lechoso. No necesitaba decirme más. Aun los espectáculos o sitios aparentemente más innocuos nos producían impresiones comunes, nos llevaban a un terreno de intimidad.

—Si yo me retratara, me pintaría así, desierta.

—¡Te pintarías tan mal! Todos andamos dando, dando vueltas alrededor de un retrato al que no nos parecemos.

—Me pintaría bien.

Dejamos atrás la bocacalle que se parecía a un atrio

desierto. Nos dimos vuelta y miramos todavía el sitio bañado en una luz muy tenue, la bocacalle sumida en su claridad y en su desolación.

—A pesar de todo, es bonita —dijo ella, refiriéndose a la bocacalle bajo el farol.

—Es verdad que se parecen algo.

—Me gusta más parecerme a las cosas que a la gente.

—La gran romántica...

—Los objetos tienen a veces tal resistencia, tal dignidad, tal calidad.

—¿Quieres seguir caminando?

—No. Volvamos.

—Podemos ir un rato a casa.

—Muy bien.

—¿Conseguiremos un automóvil por aquí?

—Ahí viene uno.

Llamé al taxímetro y subimos y le di las señas de casa. Recorrimos casi toda la ciudad. Sus partes eran muy distintas: se pasaba, sin transición, de regiones muy oscuras a avenidas iluminadas, llenas de gente.

Muchos negocios cerrados mostraban las vidrieras abiertas, con los personajes detenidos en actitudes estáticas, eternizados en un gesto como la mujer de Lot.

LI

Y así seguimos, contentos y unidos, durante todo el mes.

Y conocimos alegremente nuevos sitios, nuevos refugios, nuevas hosterías.

Y llegó el frío de agosto y envolvió a la ciudad. En los días húmedos la temperatura se hacía más soportable; pero, en los secos y cortos, una blanca crudeza se posaba con el ojo despierto de un pájaro espectral en el nido de edificios grises.

Y no nos importaba nada y andábamos por las calles, infatigables, desde el amanecer a la medianoche, pálidos de frío pero ligeros de ánimo por dentro.

Y Gloria se reía con su risa triste. Y disputábamos en broma, y en serio nos preocupábamos. Y en medio de la mayor gratitud a la vida, que nos deparaba esas bromas y esas seriedades, vivimos ese otro mes.

Y algunas veces, por la mañana, algo después de las nueve, iba yo a la biblioteca y conversábamos juntos, ella y yo, con algunos estudiantes, y salíamos los dos a almorzar comentando la inquietud, la inteligencia y la rebeldía que me gustaba en la gente joven. Cada vez que yo hablaba con ímpetu de ese yacimiento promisorio en el suelo del país, de ese otro mundo, de esa otra familia, de esa fuente de perfección que era lo único que me importaba, ella me miraba callada, como si, sin querer interrumpirla, dudara de la ilusión del iluso.

A veces yo me ponía violento por semejante pesimismo, desataba mis protestas, y entonces ella se reía.

Al final de la tarde de trabajo nos encontrábamos en algún sitio y nos echábamos en seguida a caminar hasta la hora de comer. Comíamos a veces en el *grill-room* del City y otras veces en el Banus. Yo había devuelto a mi padre parte de mi renta y me complacía sentirme pobre y trabajar más duramente que nunca. Ya mi renta mensual no nos permitía sino recurrir a menudo a los restaurantes más populares. Por lo demás, en éstos estábamos en contacto con algo, con gente movida por algo diferenciado, mientras que en los otros no, en los otros sólo había ciertos aires, cierta extremada presunción, cierta elegancia exterior. Sólo una elegancia me importaba, sobre cualquier otra, y era la elegancia del alma, esa forma de dignidad, esa forma de desprecio por la parte vil y predatoria de la vida, ese señorial desinterés en la lucha por la vida. Pero esta aristocracia, cuesta hallarla. Un poco de ella, sin embargo, me parecía constituir, a través de nuestra historia, la base del carácter argentino. Cierto señorial desprendimiento, cierto coraje sin gula, cierta fuerza inteligente y sin bajeza veía yo en el fondo de la historia de este pueblo joven, cuya expresión militar más alta se llamó a sí mismo no un conquistador, ni un triunfador, ni un César, sino "un fundador de libertad". Entonces, al reconocer esa calidad como fuente, cuál no sería mi pesadumbre al verla ahora esfumada en la faz de este país.

Y llevaba a Gloria, la invitaba, la exhortaba, la convencía de ponerse conmigo a tratar de buscarla y distinguirla en todo lo que tocábamos, en todo lo que veíamos, en todos los hombres que hallábamos. A veces quería yo reconquistar en un gesto la huella perdida, decirme: "Sí, todavía queda eso, en el fondo, esa dignidad todavía existe —está abajo, saldrá otra vez—, valdrá la pena de haber vivido en este pueblo." Pero ella me traía siempre, con su mirada, a nosotros, al momento mismo que vivía, lo mismo que si me dijera: nada equivale a un instante de comunión entre dos, a ese descanso, a esa pausa entre dos hileras de infortunios. Ella veía que yo vivía sin descanso, y al no haberlo conocido ella tampoco nunca, no cesaba de llamarme a él, de traerme, de apaciguarme.

Y yo no sabía, seguía sin saber exactamente qué sentimiento me inspiraba ella. Si era una gran compasión o era una simple ternura humana desprovista de ese pensamiento de ser única para uno — en que se funda el amor. Por el contrario, en este último sentido, algo quedaba en el fondo de mí que no estaba tocado por ella; algo en mí no le pertenecía. ¡Pero qué ternura, qué deseo de ayudarla, qué necesidad de darle un poco de apoyo, un poco de confortación, un poco de fe, viéndola tan alejada de la vida, tan interiormente solitaria, tan errante en los corredores de una infinita ausencia de vida!

Y yo la veía, durante aquellas interminables caminatas, perdida en ese mundo, en las calles de esa ausencia. Y entonces ya no era ella, sino yo, el que llamaba. Parecíamos, en definitiva, dos naturalezas perdidas que se llaman constantemente a un encuentro y que, cuando ven el peligro de no coincidir, de que uno se va, se apuran a adelantar su solicitud, su brusco requerimiento del otro. Encontrábamos pronto un punto de encuentro. Pero Gloria tenía siempre aquel modo extraño de volver desde las risas a una hostil seriedad.

Y había días en que la notaba todavía más cansada, más harta, más insegura de sí que nunca. Cuando se preguntaba por el mañana o lo recordaba por cualquier causa, quedaba así: distante, seria, abstraída. Era inútil llamarla. Había que esperar a que pasara ese día. Y al día siguiente aparecía pálida, glacial, como si viniera de un viaje sin fin. Y su sonrisa era algo que daba inquietud.

Una de esas noches de agosto, salimos de un restaurante poco antes de las doce, caminamos por la calle Florida, cruzamos la plaza San Martín, atravesamos el último tramo de Esmeralda y tomamos al fin la avenida Alem para ir a casa. En mi cuarto encontramos una temperatura polar. Fui y cerré la ventana. La virgen de Martín de Newenhoven debía de estar aterida. Di luz y Gloria se sentó en el brazo de un sillón, junto a la estantería baja llena de libros, y tomó del plato una manzana y la olió. El cuarto seguía estando muy frío. El reloj de la Torre de los Ingleses dio las doce. (Qué lejos estaba el mundo y qué pronto pasaba el tiempo.) Yo me senté frente a Gloria en el sofá y eché la cabeza hacia atrás y la miré mientras descansaba. Gloria me preguntó por la marcha del libro, del segundo tomo de *Las cuarenta noches de Juan Argentino*. Le conté que estaba escribiendo la adolescencia de un personaje que durante su infancia se evadía al jardín de la vieja quinta, furtivamente, para gritar en la noche desde lo alto de una barranca los poemas y los discursos que sabía de memoria. El niño y luego el adolescente de la novela preparaban en su noche permanente al chivo emisario futuro, al que padecería la estulticia de un país que sus directores, venidos en alud, volvían cada vez más fenicio. Le dije que al escribir la parte de la infancia me había acordado mucho de Denis Atkinson.

—Quiero que me lo leas —me dijo—. Léemelo por favor.

—No. Ven.

No quería venir al sofá.

—Ven.

—Bueno.

Se sentó a mi lado. Muchas mujeres habían hecho el mismo gesto.

—Cuéntame más —dijo.

Le conté otra parte del libro. Escuchaba.

—Más.

—No. Basta.

—¿Por qué?

—Es mejor que lo leas, después.

—No. Es mejor que me lo cuentes ahora.

Levantó los ojos. Toda ella se había agolpado en los ojos grises.

—¿Me quieres? —preguntó.

—Sí —le dije. No sabía si la quería. No sabía si en realidad la quería. Pensé en usted.

—Sí —le dije. Y no le decía toda la verdad.

Se apoyó en mi hombro y apretó con su mano sin anillos la solapa de mi saco.

—No —dijo—. Solamente te gusta estar conmigo.

—Te quiero —le dije.

—No —dijo.

Hablaba con los ojos fijos en el suelo, con la cabeza contra mi pecho. Yo sentía en el pecho la preocupación de aquella cabeza.

—Pero un día pensarás en mí y en los sitios donde hemos estado juntos, y en este cuarto. Y te parecerá muy lejano, muy lejano. Y no sentirás pena sino un recuerdo muy lejano, muy lejano.

—No, no me acordaré nunca así, porque no vamos a separarnos.

—Te acordarás de este cuarto. Pero, ¿sabes...?

—¿Qué?

—Yo quiero que entonces te acuerdes que era lo único que me hacía bien, lo único que me había hecho bien.

—Eres una mujer tonta —le dije—. La mujer más tonta del mundo, la que quiere volver siempre las cosas del lado más apagado.

—Y pensarás también que yo no te servía para nada, pero que te habías obstinado en que te sirviera.

382

—No pensaré semejante cosa.

—Y pensarás que una noche en que este cuarto estaba frío estábamos los dos aquí.

—Y pensaré que no había nadie más imposible, nadie más empeñado en desperdiciar la vida pensando tragedias.

—Sí, pensarás que no había nadie más imposible.

—Eso sí; sí, pensaré eso.

—Sí.

—Pero pensaré también otras cosas.

—¿Qué otras cosas?

—Pensaré que me gustabas, pensaré que me gustabas enormemente y que cuando tenía tu pecho en la mano era como si tuviera la mano llena con lo mejor del mundo. Y lo mejor del mundo era pequeño, y lleno.

—¡Ah, cómo me gustará que pienses eso! ¿Y qué más?

—Pensaré que me gustaba tu boca que parecía amarga y que estaba por dentro llena de un calor vivo, casi de un calor alegre.

—¿Mi boca parece amarga?

—Un poco.

—Tiene razón de parecer amarga. ¿Por eso me insultó aquel hombre? Por eso la gente tiene ganas de insultarme.

—No. Es una boca amarga que se quiere.

—No la quiere nadie.

—Yo la quiero.

—No.

—Yo la quiero.

El reloj de la Torre de los Ingleses dio las doce y media en la noche de Buenos Aires.

—¿Y no pensarás nada más?

—Sí, pensaré otras cosas más.

—¿Qué otras cosas?

—Pensaré... —Hice una pausa, sonriente.

—¿No ves? Ya no sabes qué más pensarás. Es tan poco lo que crees que pensarías... ¡Qué vergüenza! No pensarás nada más.

—Sí, pensaré otras cosas. Pensaré que me gustaba tu olor, el olor de tu piel, el olor de tu pelo — y que lo necesitaba. Y que tu alma tenía también un olor. Un olor salvaje...

—¡Qué horror!

—Un olor salvaje... como las caléndulas.

—¡Qué burro! Las caléndulas no tienen olor.

—Sí, sí, deben tenerlo. Deben tener un olor. Un olor como el de tu alma.

—Yo no tengo un alma salvaje. Tengo un alma mansa e inservible.

—No.

—Sí, tengo un alma mansa e inservible.

—Tienes un alma con olor salvaje.

—Un alma mansa e inservible. Un alma por la que no se puedan dar ni unas monedas.

—¡Qué error! Un alma carísima, un alma carísima.

Yo la apreté y echamos a reír y estuvimos un instante protegidos por el aliento de Dios. Sentíamos que estábamos contentos. Yo me levanté y apagué la luz y vine y la besé. Y por la ventana, al lado de la virgen de Martín de Newenhoven, no entraba más que la plácida claridad de una noche de agosto.

Y cuando fue muy tarde, la acompañé a tomar un taxímetro. No se veía ninguno. Caminamos por el paseo hasta la avenida Callao. Yo la sentía caminar junto a mí con su paso largo y fino. Era una noche muy fría y muy oscura. El antiguo Palais de Glace estaba espectacularmente decorado con banderines y gallardetes y vistosos anuncios de una exposición; el edificio redondo estaba rodeado de sombras, de los árboles negros de la plazuela; y al fondo, en lo alto, semejante a un piso completamente separado de los que le sirven de base, como suspendido en el cielo, se veía, iluminada, la terraza longitudinal del Alvear Palace Hotel. Pasó al fin un taxímetro por la parte opuesta de la calzada. Lo llamamos. Gloria me dijo hasta mañana y la vi, vestida de negro, cruzar sola la avenida nocturna, alcanzar el automóvil, subir, desaparecer.

De nuevo en mi cuarto, leí con insatisfacción lo que había escrito:

"El adolescente se levantó y corrió a la puerta. Escuchó: ningún rumor; la inmensa casa solariega estaba dormida. Volvió al lado de la cama y, sin hacer ruido, se vistió rápidamente. El pequeño velador de bombilla precaria dejaba el cuarto en una semipenumbra —estaba abierta la ventana sobre los viejos pinos y los cedros y las magnolias del jardín— y proyectaba contra la pared opuesta la sombra de su cuerpo de veinte años. Salió del cuarto, dejó la puerta abierta, bajó las escaleras con cuidadosa, prolija cautela. Apretaba, nervioso, la punta de la lengua entre los dientes, midiendo la posible equivocación, listo para morderla y detenerse en el instante en que las maderas crujieran, por más leve que fuera el ruido. El padre y la madre y los cinco hermanos mayores y la hermana menor dormían la turbulencia de la jornada en los cuartos que circundaban la rotonda del piso alto en la residencia del siglo pasado.

Sintió hincharse, circundarlo, casi tocarlo, las figuras venerables de los negruzcos cuadros al óleo, de donde surgían los caballeros hieráticos, sedentes, y las matronas de peinetón. (El viejo tío gritaba que ya era hora de restaurar los cuadros y su madre asentía sin entusiasmo porque la noche antes había dicho a su marido en la pieza vecina al dormitorio del adolescente que la restauración, a más de ser totalmente inútil —'la pátina de vejez es lo que les da su raro valor'—, costaba un dineral.) Fue llegando sin provocar un solo crujido, apoyándose en la baranda con la punta de los dedos, hasta el piso de abajo envuelto en tinieblas y todavía llevaba en el oído la confusión de voces que estallaban en la casa desde el alba, con el perorar enfático del padre, la rigidez negativa de la madre, la anarquía vociferante, tumultuosa de los hermanos atados a sus agrias discusiones políticas, y los chillidos de la hermana mimada, incansable para las protestas, las exigencias, los caprichos, los pataleos... ¡Ah, el espantoso griterío de la casa con sus mil diferentes y groseros registros! ¡Quién sabe qué modesto, pero sublevado y recóndito furor se le despertaba al adolescente en las comidas de la inmensa mesa familiar, cuando presidían, a ambos extremos equidistantes del centro ornamental de plata vieja, el padre sentencioso y la madre displicente y despectiva, mientras los otros hijos, fuera de él y la niña, esos hombres ya entrados en madura juventud, discutían sus ambiciones y las ideas bastardamente engendradas por esas ambiciones. Los escuchaba, y algo en él quedaba extrañamente pisoteado y herido en virtud de lo destemplado y violento de aquellas actitudes, de aquellas bocas abiertas, de aquellas frentes obstinadas en mantener los puntos de vista más tajantes, más corrosivos, más impíos. Los hijos —en los instantes de más furia— enrostraban al padre sus componendas políticas, sus equívocos pactos, sus renuncios públicos, y él insinuaba el poco cuidado en que tenía la opinión de esos cazadores de dotes, cazadores de destinos, cazadores de prebendas, que lo rodeaban en la mesa. No podía resignarse el chico a tener el menor parecido con ellos — y lo horrorizaba terriblemente aquella atmósfera de tremendos y heréticos interesados, de aves de presa que llevaban su sangre y que no bajaban la voz al descubrir ante él sus impulsos dialécticos, basados en los vericuetos de un alma dolosa. La madre, su madre, dejaba planear su indiferencia por sobre las familiares reyertas. No le interesaba lo que sucediera dentro de su casa; sólo le interesaba el reflejo de su familia hacia afuera, y cuando llegaban extraños o ella salía de visita, hundida en el fondo de su silencioso Minerva, preparaba los hilos de la conversación de la tarde, a través de la que presentaría a todos los suyos como gente orgullosa de lo bien que hacían carrera... Quizás, al marido y a los hijos, a los mayores, los despreciaba desde lo hondo de su alma, pero despreciaba más a la sociedad en que los amamantaba, y hacía tiempo que había cerrado, por lo demás, con cuatro llaves, el recinto de sus escrúpulos morales; en cuanto a él, al adolescente y a su hermana, más chica todavía, los miraba como animales recientes a quienes pronto transformaría la vida en cazadores de la estirpe en que los otros se habían formado. 'Pobre del que en la vida —repetía el padre en aquel lento *leit-motiv* para el cual tenía el condigno gesto al levantar en alto la mano con la palma vuelta hacia los circunstantes y los dedos abiertos como quien presta dura pantalla a la resonancia de la sentencia—, pobre del que en la vida no desarrolla las armas de conservación, los instrumentos prácticos y el sentido del poder en su medio. A todo el que descuida esto, ¿vale la pena de que lo alimenten los frutos de la vida?'

"Y la madre masticaba distraída mientras los demás que se sentaban a la mesa en esa filosófica familia dejaban pasar la frase porque la sabían; la vivían de sobra y qué podía producirles, sino irónica sorna, al pensar que aun podía repetirse la evidencia como una mera hipótesis.

"El adolescente realizaba a menudo aquellas escapadas nocturnas. Bajaba al jardín y caminaba a oscuras acompañado de soslayo por las familiares estrellas. Corría hasta la barranca y en el alto quiosco avanzado y sobre el promontorio y abierto al aire delicioso del río echaba a rodar, en éxtasis, primero tímido, luego alzando la voz hasta hacerla un canto, invitado y estimulado por la suspensa docilidad de la noche, entrecortados e interruptos por su entusiasmo y por su apuro, párrafos de vibrantes poemas y fragmentos tan densos y conmovedores como los estables períodos del discurso de Lincoln en Gettysburg. Todo él se alzaba, y por el expediente de esa vocalización en que la boca era el alma, su cuerpo, en el que había todavía tanto de niño, tanto de endeble y quemado por las largas noches de llanto, parecía venir a purificarse por la belleza y el rapto del discurso. Su murmullo era como un grito acallado. Apoyaba con la entraña las palabras y, visto por algún testigo desde la casa señorial que se destacaba atrás como una centenaria sombra, podría haber sido confundido con un demente o como un pequeño insomne iluminado, gritando al vacío desde lo alto del quiosco, en el montículo verde abierto a tajo sobre el otro piso de árboles que estaba al pie.

"Aquella noche se repitió, casi cantó, el viejo querido poema, como para ensayarse y hacer crecer gradualmente el ímpetu de su alma libertada de la esclavitud de la casa, de la maciza grosería acumulada y temida entre las paredes familiares. Ya tenía adentro un asco pero no sabía que era asco; sabía que lo ocupaba una vaga pero tenaz repugnancia, un malestar que se agravaba durante las comidas, como si el cinismo y el grito fueran una pegajosa pestilencia, de nombre difícilmente discernible, adherida a las paredes del comedor. Aquella noche casi cantó el poema, agarrado con las dos manos adolescentes a la balaustrada de mampostería que imitaba la madera de tronco.

"Guardó silencio, como si después de haber recitado ese fragmento, tuviera que verlo partir y abrirse paso en el espacio tenebroso. ¿Podría ser él alguna vez capaz de una creación parecida? ¿Podría él alguna vez, por el expediente de parecida belleza salida de sus manos interiores, escaparse de la ignominia familiar y la chatura y la presunción y la terrible fealdad de una vida sin visión de las cosas no prácticas, no cotidianas, no temporales? Se clavaron sus dedos con más vigor en la baranda. Alzó la cabeza de pelo descuidado y desordenado, y empezó a decir aquellas otras líneas que había traducido unas noches antes a escondidas:

'... y la eternidad misma vive en lo temporal
y el árbol de la gracia tiene el arraigo hondo
y se hunde en el suelo y llega hasta el mismo fondo
y el tiempo, el tiempo propio, es tiempo intemporal...

"Volvió a permanecer mudo, en un trance, los ojos fijos en el aire desnudo, que le servía y que lo acompañaba, que recogía amorosamente su voz.

"De pronto oyó estallar su nombre: '¡Jaime, Jaime, Jaime, Jaime!', y se volvió con prevención, y miró la alta terraza trasera de la casa. Allá arriba estaba su hermana, encaramada en el balcón, con ambas manos colocadas como pantallas a ambos lados de la boca, con un grito: '¡Jaime, Jaime!'

"Volvió él despacio hacia la casa, molesto y humillado. La chica le gritó que subiera. Él entró de nuevo en la casa y subió las escaleras con los oídos llenos de grandes frases. La chica lo esperaba en la parte alta de la escalera: '¡Jaime, Jaime, estabas hablando solo! ¡Diciendo versos! ¡Como la otra vez! ¡Mañana voy a contar, mañana voy a contar!'

"Él se imaginó la escena de la vez pasada. La humillación durante el almuerzo cuando los demás echaron a reír a carcajadas y le dirigieran aquellas pullas feroces, ridiculizando su propensión a repetir versos y discursos en la soledad. '¡Pero qué Demóstenes nos ha salido!', gritaba el padre riendo. '¡Pero qué Demóstenes!' A la madre no le daba risa, la fastidiaba aquel defecto del hijo, aquella tendencia a la 'ociosidad inspirada', aquel haberle nacido tonto.

"El adolescente miró a su hermana sin rabia. Entró en su cuarto y se encerró. Se encogió bajo las cobijas, con la luz apagada. Temía la nueva escena terrible, al día siguiente, en el almuerzo. No podía confiárselo a nadie. Se quedó mudo y encogido, infinitamente triste, infinitamente miserable, y sintió subir hacia él, entrar en el cuarto, tocarlo, acompañarlo, el amistoso olor de las magnolias."

LII

Fue un año malo. El pesimismo colgaba como un fruto turbio de todos los árboles. Era el último tramo entre el año treinta y el cuarenta. Fue un año malo. Los canales de la sangre, abiertos, irrigaban la tierra, empapaban el trigo en el surco, huían, buscando refugio, de los cuerpos muertos; los cuerpos muertos quedaban ahí, inmóviles, rígidos, inútiles para la eternidad. Los vivos también eran inútiles. Unos cuantos, sólo unos cuantos, eran útiles y ganaban para sí el campo de la historia, entraban a romper y quemar; sólo unos cuantos eran útiles y ganaban para sí el campo de la historia. La vibración de un gigantesco resentimiento tomaba en el mundo las formas de la vindicación y de la mística. Había un llanto crispado en la boca del tiempo. Hombres jóvenes enfrentaban la muerte, y decían: "No es alegre morir a los treinta y cinco años." Y sonreían, y marchaban hasta caer. "No es alegre morir a los treinta y cinco años." Los cuerpos muertos quedaban ahí, inmóviles, rígidos, inútiles para la eternidad. Un joven asombro americano miraba los rojos dientes europeos. Un ala prolija iba echando su viento frío sobre tantos y tantos territorios. De la tierra muerta se levantaba, creciente, una bruma de teorías. El pesimismo colgaba como un fruto turbio de todos los árboles. Fue un año malo.

Al final de agosto de aquel año hacía un frío terrible en Buenos Aires. Durante algunos días la gente se preguntaba si en esta ciudad del sur no iba a nevar. En las proximidades del río había terrenos escarchados. Limitado por el río en tres de sus lados y por los tres partidos en los otros cuatro —bajo el celeste patrocinio de tres santos: Justo, Martín, Isidro—, el enorme heptágono de la metrópoli apretaba en su mano cruda sus millones de comerciantes, pequeños señores, políticos y el resto de la fauna lanzada tras el cómodo éxito. Era difícil encontrar un sitio donde no se respirara la improvisación y la venalidad. Todo se construía en la ciudad con carácter provisorio, para ahorrar, o con carácter suntuoso, para robar. Casi no había lugar en ella que hubiera sido pensado con el desinterés de un artista, con el candor de un soñador, con la fuerza de un genio; todo parecía haber sido pensado a la ligera y para imitar, engañar o medrar. Tenía el aire de una gran ciudad construida por inmigrantes torpes sobrevenidos a la riqueza y el poder. Sólo lo que provenía de antes, lo construido según el espíritu de otra época argentina, conservaba en la masa confusa su distribución y su raza. Donde no se reconocía lo argentino, no se reconocía más que la voz ambiciosa de esos ambiciosos llegados de la miseria de otras tierras, de cientos de años de opresión e ignorancia y oscuridad. En cambio lo argentino era claro cuando se parecía a sí mismo y no a otra cosa.

Durante aquellos días de gran frío, Gloria y yo nos vimos sólo por la noche. Yo no dejaba de trabajar en el libro desde la mañana hasta la hora de ir a verla. Leíamos juntos los diarios de la tarde, sentados ante alguna vidriera, y veíamos pasar a la gente metida en los gruesos abrigos. Luego, al salir a las calles sumidas en el pálido claror invernal de la noche, teníamos el aire de dos personajes furtivos buscando su madriguera.

—No —me decía Gloria—. No tenemos el aire de eso, sino de alguien que arrastra una carga. Tú tienes aire de eso. ¿No ves qué carga soy?

Yo sentía su brazo puesto en el mío sin presión, ligero. Entonces lo apretaba, extremaba mi atención hacia ella. Y ella seguía con los ojos grandes y preocupados, esos ojos que casi no pestañeaban.

Yo tenía ganas de volver en seguida a trabajar, a mis problemas; me parecía perder tiempo; experimentaba una enorme impaciencia. Me acordaba de las páginas en blanco sobre mi mesa y de lo que todavía me quedaba por decir.

Pero no me iba; la invitaba a cualquier espectáculo, me quedaba con ella, velaba sobre aquella gran desolación.

Y ella sentía que me quedaba por ella. Yo no podía disimularlo bastante. Entonces la sentía más afectada, más incómoda, más herida. Pero no decía nada. Se apresuraba a que, concluido el espectáculo, yo volviera a casa. "Podrás trabajar todavía una hora", me decía. Yo me empeñaba en acompañarla hasta la puerta de la casa de la calle Lavalle.

Hecho eso, ya no me apuraba. Regresaba despacio, a pie, por las calles de siempre y acumulaba imágenes, ideas, situaciones para el libro. Estaba de nuevo con él, con las criaturas que tanto me costaba sacar desde las profundidades de la tierra, desde su zona subterránea, y a las que me debía. Me sentía feliz. Sabía que la intuición y la articulación de los sufrimientos particulares de esa población espiritual subterránea tendrían algún día su importancia, así como tiene importancia revelar a la gente que nos importa, que está debilitada, que está perdida, otros seres que pueden levantarlos, avivarlos, llamarlos a una radical redención o conducirlos a la revolución en sí mismos, a abandonarse y volverse a lo que deben. Me asaltaban bruscas exaltaciones. Sí, ahí delante, en imagen, reflejado en materia de espíritu, tenía ese mundo nuevo, ese país interior, complejo y fresco y diferente, un mundo de gente mucho más pura, de joven y rica decencia — no esta escoria aderezada, vestida de grandeza, disfrazada de solemnidad, e impura y mediocre por dentro. Una vez que me tocaba esa realidad, la fuerte presciencia de ese mundo al que valía la pena dar vida matando el otro y alentando al nuevo, iba más ligero, me apuraba, deseaba llegar cuanto antes al papel en blanco que me esperaba en el cuarto. A la lucha, en seguida. Inmediatamente.

Escribía hasta la madrugada, con un vaso de leche fría en la mesa, a unos pasos de la virgen de Martín de Newenhoven.

Y volvía, traído por el flujo de la corriente que llegaba qué sé yo desde qué distancia en el fondo de mí, a ser yo mismo, a sentirme atado a ese deber terrible de no vivir, de acallarse para decir el mensaje mejor; de no permitirse aventuras con las ambiciones del tiempo, fuera de la aventura sacra y sombría de dar nuestro testimonio personal.

Pero algo se cernía en el mundo, insidioso, colérico, amenazador, y algo, frente a eso, se agotaba, se mostraba débil y pervertido y moribundo. La hora americana iba a sonar. Pronto. Inmediatamente después del hundimiento del mundo viejo en sus desastrosas victorias y en sus gritos proferidos por caras hambrientas y almas cansadas de privación, resentimiento y años. La hora americana iba a sonar inmediatamente después de eso. Si no sonaba esa hora fuerte, ¿qué justificación íbamos a dar a nuestra posición de pequeño país sin armas, y qué oposición a la suerte de eterna colonia? Y sin embargo, en este mundo nuevo, éramos todavía, entre nosotros mismos, en nuestros mutuos intercambios, demasiado jóvenes, demasiado imprevisores, demasiado desconocidos. Faltaba que, de nuestro confiado avance, hiciéramos un estado de tensión, un estado de fuerza, una conciencia casi violenta en su decisión y en su energía.

Esas ideas interferían en mi trabajo, y la necesidad de dejar pronto listo el cuadro de retratos de nuestra gente insomne, de la valedera, de los que estaban esperando en alguna parte —no me cabía duda— salir a la superficie y actuar, arreciaba terriblemente.

Una de aquellas noches, al volver a casa, encontré unas líneas en el suelo, cerca de la puerta, escritas apresuradamente a lápiz por Acevedo. Había estado a verme, me citaba para el día siguiente a la hora del almuerzo. Lo encontré un poco frío, increíblemente amargado, y me pareció que su cabeza, aquella arquitectura tan noble, carecía del aspecto de otros tiempos. Tenía todo el pelo blanco. Hablamos de política. Comimos una pasta, un asado, unos panqueques rellenos con dulce de fresas. Luego, al ir yo a pedir el café, protestó que era menester tomarlo en alguno de los Paulistas de la calle Florida o en alguna Brasileña. Todas estas manías habían salido en él a la superficie. Casi no se veía otra cosa, más que manías. Puso —¡se distinguía tan claramente!— especial cuidado en no hablarme de su mujer. Pero uno notaba que lo que estaba ausente de su conversación era el motivo constante de la disolución de su vida.

Fui a la biblioteca, al anochecer, en busca de Gloria.

—Te iba a llamar —me dijo. Tenía los ojos preocupados—. Necesitaba verte en seguida.

Estaba muy nerviosa, tan delgada como aparecía con el corto saco negro.

Caminamos en dirección al paseo Colón. Ella iba callada. Yo le conté mi encuentro con Acevedo. Volví a evocarle vivamente episodios de la época en que lo conocí. Le conté la comida de la primera noche en aquel lujoso restaurante y su teoría de la traición por el pan y el nacimiento de la revista, y su fin. Gloria guardaba silencio.

Cuando llegamos a los alrededores del edificio de la Aduana, me pidió que entráramos en alguna parte para sentarnos y hablar.

—¡No puedo más! —me dijo—. ¡No puedo más!

Era un lugar infecto, con piso de mosaico, adonde llegaba sin barreras el frío de la calle.

De una de las paredes colgaba un retrato de Napoleón en Santa Elena, impreso para la propaganda de no sé qué vino.

Me dijo que estaba cansada, por dentro, y que no sabía qué hacer ni para qué vivía.

En el bar echó a sonar una pianola y la melodía tartajosa tenía algo de miserable y de tétrica. En los saloncitos reservados del piso alto estalló una carcajada.

El dueño del local les gritó desde abajo: "¡Es Bach!" Rumió un denuesto.

Gloria sonrió, suspiró con desagrado. Apoyó la cabeza en

la mano izquierda. El humo del cigarrillo ascendía a unos centímetros de su rostro. Me habló del modo como vivía, de ese grande vacío sin rescate. Miré sus ojos grises y su figura grave, desamparada y afectada. Ella no podía entrar en el juego. Estaba ahí, frente a mí, sola, aislada, fuera del juego, y tenía la expresión de esos párvulos huraños que se quedan dolientes, con la mirada triste, al margen de los juegos, inhibidos e indeseados.

Parecía venir —qué sé yo— de no sé qué leguas.

Siempre daba esa impresión: que no hablara desde su entraña, su ánimo natural, sino desde un territorio ajeno a ella, físico, de un mundo moral lejano, nada dócil, nada familiar.

Protesté.

—Pero es que tienes la tendencia de dejarte caer en esos estados —mi voz sonaba poco persuasiva en aquel bar donde un resplandor amarillo rechazaba la noche nueva—. Rechazas deliberadamente, sistemáticamente todos los estímulos, como si lo único que buscaras fuera ir a desembocar en la desmoralización.

—No es desmoralización —rectificaba—. Es un tal cansancio, un tal cansancio.

—Lo mismo da.

Yo estaba nervioso y fui duro y terminante. Y ella estaba muy cansada, profundamente triste, o profundamente indiferente, y no protestaba. Se limitaba a corregir tal o cual apreciación sobre su estado de ánimo, como celosa de que no apareciera su actitud, su propensión profunda, como algo confuso, sino como el resultado esperado y preciso del desencuentro de una cualidad dada, que era la suya, con un cúmulo de circunstancias inmodificables, que eran su mundo circundante. Cualquier confusión a este respecto acentuaba en sus ojos la expresión de desolación, de temor, de cuidado.

—Además estoy descontenta de esto que hago, descontenta de haberte hablado de mí, así. Estoy acostumbrada a no tolerar quejas, a no decir a nadie cosas que basta con que le pesen a uno... Detesto la blandura que hay detrás de las quejas. Yo no las aguantaría en nadie. Pero cuando he empezado a tener una preocupación nueva, cuando he comenzado a tener la preocupación de que podía darte algo, de que podía servirte para algo, he buscado, en el fondo, en mí, actitudes diferentes a las que había tenido antes, diferentes a la hostilidad, a la sequedad en que vivía — y resulta que no he encontrado más que esta cosa peor, un estado de debilidad, de temor, de no saber qué hacer, que no había tenido nunca.

(¡Dios —me dije—, qué extraña es la vida! He aquí que me encontraba, una vez más, casi en las mismas circunstancias, casi con los mismos gestos, con una criatura llamada a gritos por el fracaso, por la ruina.

Los hombres no llamamos a nuestro alrededor más que a gentes de nuestra oscura familia, a aquellos que, quién sabe desde qué edad, a nosotros por la sangre están unidos. El avaro llama al avaro y el rico de corazón al rico de corazón y el cansado al cansado y el ánimo predatorio al ánimo predatorio. — Y así anda el mundo disgregado en estas errantes tribus que no se unirán nunca, que no se acercarán jamás, hostiles entre sí, y dispersas. ¡Dios —me dije—, qué extraña es la vida!)

Bajo la mirada de aquel Napoleón de propaganda, del blanco busto de yeso, llevé mi mano a la suya, a aquella mano que tenía siempre un ligero y casi imperceptible temblor, una fría fatiga.

—Si es precisamente eso lo que no tiene justificación —le dije—: el temor de no dar de sí bastante, la inclinación a querer cambiarse de lo que se es en lo que no se es para hacer algo diferente. Estás equivocada. Yo necesitaba tu parte de inteligencia, tu parte de sensibilidad. La deseaba; la he deseado mucho tiempo. Me ayuda, me es categóricamente útil, ya me la he incorporado y es lo mismo que una asistencia que tengo en mis preocupaciones, una solidaridad que está ahí, con la que puedo contar y en la que, por consiguiente, descanso.

—No —dijo ella, y movió fuertemente la cabeza—. Es terrible. Antes, yo era dura, seca, aislada, recalcitrante, resistente. Era algo: tenía forma, tenía contornos. Ahora no. Tu contacto ha hecho de eso —sin culpa— algo desgraciado... blando, blando, blando... algo que detesto. Por eso te decía que más valía que no te acercaras, que no me tocaras, porque yo sabía que me vendría abajo.

—Bueno, esas son tonterías. Esas son tan absolutas tonterías como las que cometes a fuerza de estarte mirando.

—Había algo en esa acusación que la hería siempre, la enfriaba y la replegaba en su campo íntimo—. A fuerza de negarte. Porque en el fondo estás guardada, en el fondo no te das — nada.

—Eso no es cierto —dijo—. Eso no es cierto.

Y su voz tenía un acento desamparado y amargo. Mucho tiempo después yo me iba a acordar exactamente del timbre de su voz al decir aquel "eso no es cierto".

Pero en seguida cambió de tono y con un modo menos cortado, menos inhibido, hasta vivaz, me explicó la sensación casi física que sufría a diario — de que algo marchaba en el mundo en sentido decididamente contrario al sentido de su conciencia.

"Y no es una vez sino muchas, casi siempre de noche, a la madrugada, cuando siento sobre mí una nube; pero una nube pesada, una nube que me ahoga, que es como si cayera sobre mí una atmósfera a la que mis pulmones no están acostumbrados... Me pongo a temblar. Me parece que yo no pertenezco a un sitio donde el animal tiene que *andar* y no quedarse adentro, pensando y dando vueltas a las cosas y viéndolas a tal luz y a la otra... ¿Qué puede hacer, para qué puede servir un pedazo de carne reflexiva? Me desvelo, me agarro a un libro. Todo es peor. Ahí está, en el rincón donde estoy, ese pedazo de carne inútil, de carne reflexiva. Ahí está ese objeto intruso que no tiene —¡qué sé yo!— más virtud que la de poder temblar."

Me miró. Dijo:

—Y para ti, ¡qué interrupción, qué obstáculo en el camino de lo que tienes que hacer, de lo que tienes que pensar, de lo que necesitas de soledad!

El dueño del establecimiento hizo cesar la música, y bajó una pareja y salió a la calle.

—...de soledad —repitió.

Entonces empecé de nuevo a querer convencerla, a querer disuadirla, a querer mostrarle cuán equivocada estaba y cómo, juntos, podíamos tener hasta una misión. Era en vano. En vano, en vano, en vano, como tantas cosas. Yo veía la obstinación de aquellos ojos claros, fijos, decididos, en medio de la palidez mate de la cara, a decir no.

Salimos al fin de allí y fuimos a parar, a través de no sé cuántas plazoletas, después de haber pasado a través de no sé cuántos arcos de recova, de haber sorteado tantos vehículos y dicho tantas palabras y pensado tantas cosas contradictorias y vacilado tanto y recomenzado tantas veces, hasta la estación del Retiro y su radio tendido bajo la torre del reloj, cuya esfera era a su vez una enorme luna radiada por sobre los árboles arrecidos. Las agujas marcaban las ocho.

—A mí nunca me preocupó mi soledad —decía Gloria—, pero no me había ido de ciertas esperanzas, no las había perdido de vista nunca. En el fondo, tenía confianza en la vida —no en las gentes, que es distinto: en la vida—; y ahora cada día veo más distintamente que la naturalidad no es de este mundo. Y que cuando uno encuentra al fin a alguien no prevenido, resulta que no le puede hacer ningún bien, que no se debía haber juntado con él...

Yo le mostré el cielo invernal tan profundo y tan luminoso con su miríada de estrellas australes y su Cruz del Sur.

—En este país —le dije—, en este país, cuánto he padecido y cuánto he deseado; en este país no he querido más que a una especie de almas: aquellas que estuvieran tan desolladas y sensibles que acercárseles fuera como oír un grito puro. Cuando te vi, pensé que eras de esa clase. Eres. Con esas almas, es con las únicas que se puede hacer algo, construir algo, crear algo; todas las otras son moribundas — todas las otras pueden incluso triunfar, pueden incluso parecer fuertes, pero son almas emergentes, viven de reflejo y valen o se oscurecen según la circunstancia que las encuentre, según la docilidad del momento que el mundo les ofrezca. Pero cuando se da con un alma sin piel, sin caparazón, caliente, veraz, sangrante — con ella hay que esperar un destino que no ha de ser la mera suerte exterior, sino una especie de suerte eterna, independiente de las contingencias. Hay gentes que comportan eternidad; otras que no comportan más que compromisos, pactos, cálculos, titubeos, conformismos. Éstas nacen comprometidas, las otras no. Tú eres de las otras. Tenemos que vivir, tenemos que durar para hacer algo, juntos.

—¿Algo? ¿Pero qué es *algo*? ¿Qué algo?

Estaba ahí, descarnada, exigiendo una respuesta que la salvara.

Y esa respuesta yo no podía dársela. ¿Quién hubiera podido dársela? Yo sabía lo que tenía que hacer; yo conocía mi vocación; yo aceptaba mi parte — ¿pero ella?

Era cruel verla ahí, tan delicada, bella en su saco negro, con el pequeño sombrero femeninamente requintado hasta taparle la oreja derecha.

—Por lo pronto, resistir —le dije—; por lo pronto tener confianza en que uno lleva adentro una forma y que hay que oponerla a las cosas. ¿Por qué no dejar que lo exterior, que lo fortuito, la varia confusión de la vida ceda, y no uno? Esto es lo primero. No ceder. Que el grito que uno lleva para dar al ser tocado, sea como el de un cristal, tan duro, tan sólido en su infinita posibilidad de vibración.

Y yo sabía que estaba haciendo literatura.

—El mundo, tal como está hoy, es insoportable —dijo ella, y el farol repentino lanzó un escupitajo de luz en esa cara descarnada y morena—. Vivir es como sentirse cómplice del error. Todos trabajamos sin alegría en esta especie de muerte movilizada. ¡Uno se cansa tanto!

Estábamos en lo alto de la plaza fría, inhóspita, sin gente, con sus árboles prendidos mediante nudosas garras espectrales a la atmósfera extremadamente oscura. La guié hacia el extremo sur de la plaza y le dije que iríamos a casa. Ella no tenía por qué decir que no, ni por qué decir que sí. Caminó.

—Yo no sé de dónde te vienen esos miedos —le dije—. Pienso y no sé.

Se sonrió y me dio el brazo y caminamos de prisa.

—Hace mucho frío —dijo Gloria.

—Sí —le dije—. Fríos como no se han visto nunca. Fríos animados. Fríos que parecen un cansancio, también, una cólera, una impaciencia.

Y subimos.

Entramos en mi cuarto y nos sentamos y empecé a besarla. Y estaba fría. Estaba atrozmente fría y sus manos estaban ahora quietas sobre el vestido oscuro. Cuando yo las sentía en mis brazos me parecían yertas.

—Pobre —le dije—, pobre.

—Tu casa está fría —dijo.

—En seguida que uno entra se templa.

—Ah —dijo.

Desde lo más alto del cielo, sobre el río, bajaba a la calle el resplandor plata, tan ligero, que se entregaba difuso a su propia disolución, a su muerte. Echamos a andar, en busca de un sitio donde comer. Volvimos otra vez en dirección al Retiro y de nuevo estuvimos en la plaza. En el reloj de la torre eran ahora las diez. Ascendimos por la cuesta hasta la otra plaza y vimos las mil pequeñas luces del Cavanagh y el edificio menor del Plaza, con su vientre entrado y su chimenea humeante. Me levanté el cuello del sobretodo.

—¡Qué linda mujer! —dijo Gloria con su voz sufriente.

Me di vuelta en el momento en que usted entraba en el hotel, sola, vestida de noche.

LIII

No había oído nada de usted. En todo ese tiempo no había oído nada. Todo era silencio de su lado. Sólo sabía que usted vivía. En su región. En esa alta distancia, isla de desdén y de orgullo.

En torno a usted seguía esa zona de recelo, de misterioso respeto. Estaba cada vez más aislada. Y en los negocios públicos, el nombre de Cárdenas ocupaba cada vez más territorio. La gente calculaba su nombre en términos de riqueza.

Usted entraba y salía de su casa como una extraña. Cada vez era menos familiar en los cuartos de la casa de la ciudad. Hasta las paredes parecían enajenadas. Todo era frío a su alrededor cuando usted atravesaba, con un ramo de espléndidas begonias rosadas traídas de su parte, los salones de la planta baja. El cardenal Richelieu debía morirse de aburrimiento en la biblioteca, lo mismo que Mr. Addison y qué Mr. Carlyle. Cuando caen en ciertas manos, los libros sufren su condena a perpetuidad. Usted ponía cuidadosamente las flores en los *bowls* y se encerraba en los cuartos interiores.

¿Qué podía responder a todo ese dinero que entraba en el hogar por los sigilosos acueductos del soborno? Le daba asco; pero sus hijos la ataban a ese asco, la inducían a sufrirlo, a sobrellevarlo. Era su carga, como podía haber sido otra. Lo que hacía era recluirse en su casa de verano, pasar allí todo el día durante los meses del invierno, entre las tuberosas, las grandes plantas, las catleyas, las rosas imperiales, los jazmines y las mil especies de begonias. Guardaba predilección por esta flor que tiene miles y miles de especies y se llama en inglés *everblossom*, *Las-siempre-floridas*, originarias de las regiones cálidas de América, Asia y África. Fuera de la hermosa begonia de Welton —con su alto tallo de cuarenta centímetros— le gustaban las señoriales y vivaces begonias de Ascot, las de *hojas de fucsia* y las de *hojas de castaño*, con sus originales formas de orla o canastillo. Las de bellas flores color rosado que florecen en los jardines de estío eran las más raras, casi tanto como las de *flores carolinas*, extrañas y rígidas...

Sus hijos eran ya adolescentes. El mayor, el mas pensativo, el más solitario —su gran motivo de desgarramiento—, andaba por los catorce años. Yo no sé si poco más o poco menos. El más pequeño armaba silencioso sus piezas de ingeniería.

Usted tenía grandes conversaciones con los dos. Los interrogaba con una atención infatigable. Los miraba durante horas y horas. Eran sus compañeros. Y eran como los soldados vueltos de una guerra, inválidos y siempre en pos de la enfermera, silenciosos... Para ellos era su intimidad, su calor, su risa. ¡Ah, como los hacía reír en las largas noches del parque, cuando se quedaban absolutamente solos, sentados en el césped, y sólo se oían las ranas enloquecidas chillando al borde de la charca!

Compré un periódico de la tarde, caminé todavía cinco minutos y entré en mi casa. Después de arreglar las manecillas de un viejo reloj, me senté en un sillón y me puse a leer, con las ventanas abiertas al crepúsculo. Se oía en la calle una inacabable discusión de vendedores de baratijas. Al fin intervino el portero y los hombres se alejaron y oí a lo lejos su pregón gutural. Abrí el periódico. A través de las noticias más urgentes, diferentes y tremendas, el mundo parecía un pequeño terreno atestado de ladrones, de víctimas y de criminales. Estuve leyendo hasta tarde, en la gran calma crepuscular, interrumpida de tanto en tanto, melancólicamente, por los cercanos silbatos de la estación y las armónicas campanadas de Retiro; y luego me puse a anotar algunas cosas que se me habían ocurrido, en el cuaderno de apuntes. Era un cuaderno voluminoso, forrado en cuero inglés, que había recorrido mucho mundo y que parecía tener, en su amable maleabilidad, conciencia de su papel, de su función. Prosas, pequeños poemas originales y traducidos, todo iba, en su primera idea, a parar en él. Estaba manchado de tinta, tremendamente viejo, y se parecía al cuaderno de un afanoso soldado.

Acababa de darme un baño tibio —estaba invitado a comer en no sé qué hotel, por unos extranjeros— cuando llamaron a la puerta. Me puse lentamente la *robe de chambre* y salí a abrir. Allí estaba, presente, esperando, el hastial de Anselmi. Allí estaba, con la cara cada día un poco más grande iluminada de contento. "Salve", me dijo, y entró.

Se plantó ante mí jovialmente y comentó mi aspecto de frescura al salir del baño y guiñó el ojo y se sirvió un cigarrillo de la caja de caoba y empezó a echar humo, locuaz y feliz.

—¿Sales? —me preguntó.

—Tengo una comida por ahí. Pero no voy a salir todavía. Me iré a las nueve.

Pareció algo contrariado. Sin duda pensaba que saliéramos juntos.

Yo pasé a mi dormitorio para seguir vistiéndome y él se quedó en el salón, desde donde me notificó que acababa de descubrir un nido de "aguiluchos brillantes". Estaba encantado. "Sí —estalló su voz desde allí—, no hay duda: es la nueva juventud. Ya viene por todas partes. No se la puede evitar."

Yo me seguí vistiendo mientras él me relataba desde el otro cuarto por qué le parecían notables y sintomáticos los caracteres de ese núcleo de muchachos que acababa de encontrar. "No es que traigan ellos mismos una acción, la inminencia de una acción. No, no, no. La acción no sé cuándo vendrá. Lo importante es que son partículas de un estado de conciencia. Partículas ágiles y vivientes." Eran unos muchachos a quienes les atraía mucho más el vivir una causa nueva, limpia, palpitante, que vivir sus vidas individuales. Casi parecía, según Anselmi, que lo que necesitaban era una causa para morir por ella. El antiguo vivir estaba en ellos depreciado. Estaban dispuestos a todo.

Yo era un poco escéptico. Era siempre un poco escéptico ante las noticias de Anselmi. Me parecía mucho más propenso que yo —lo cual era ya mucho decir— a dejarse llevar por rápidos entusiasmos cuando se trataba de justificar sus anhelos.

—Ahora es el momento en que hay que comenzar a creer de veras —me anunció—. Hemos tirado muchos años de ilusión a la calle; pero ahora empieza el momento...

Oí su voz desde el dormitorio. Pasé al baño y empecé a peinarme despacio, pensando —como en un inmediato relámpago— en aquellos años y en la efervescencia presente.

Después oí que Anselmi se levantaba e iba a la cocina a buscar whisky.

Le grité, riéndome, que era la hora, entonces, de que economizara salud y dejara de envenenarse con alcohol.

—No —gritó desde la cocina—. Ahora ya puede uno mirar las cosas como un espectador. ¡Qué diablos! Hay un tiempo de sembrar y otro de recoger. (Pensé que no había sembrado nada más que ganas.) Ya podemos entrar en la reserva, querido. (Estalló en una carcajada.) Somos como esos coroneles que no han servido nunca y que cuando los llaman para algo bueno resulta que ya no sirven, que son valetudinarios...

—Eso va por tu cuenta —le grité.

—De los dos, querido —dijo desde el salón, adonde acababa de entrar de nuevo con la botella de *Robbie Burns* y los vasos—. De los dos. —Entré yo también, poniéndome el saco.

—Arréglate el cuello —dijo.

Me arreglé el cuello.

—¡Por los dos valetudinarios! —brindó.

Le disparé un insulto. Se reía. Bebimos un trago.

—No —me dijo con otro tono—. Hablando en serio. Estos muchachos son algo. Mira...

Extrajo del bolsillo interior de su saco cruzado unos papeles escritos a máquina y me pidió que oyera y me leyó con voz algo grave un corto poema civil. Era muy bueno; tenía calidad. Se lo dije. "¿Verdad?" —preguntó. "Sí; son muy buenos." Me pasó los papeles y los revisé detenidamente. Había entre ellos otros textos excelentes. Una poesía viril, de gran ardor humano y carnal, como la poesía de Charles Péguy. Sólo uno de los poemas era balbuciente y vacilante.

—¿Quiénes son? Quiero conocerlos.

Se llevó el índice a los labios en un gesto misterioso y me indicó que planearía algo.

—Tengo otra pista —dijo—. Otro pequeño grupo de calidad... ¡Son espléndidas madrigueras!

Lo había visto muchas veces tener parecida esperanza. Siempre lo había anunciado con el mismo contento, con el mismo brillo en los ojos juveniles, en cuyos párpados inferiores pesaba ahora el ligero abultamiento de los años.

—Mejor —le dije—. Ojalá.

Dejé en la mesa el vaso de *Robbie Burns*. La botella de *Robbie Burns* me recordaba siempre a los bruselenses, al comedor confortable e iluminado de Rumpelmonde.

Nos pusimos a hablar de otras cosas. No se veía ya nada en el cuarto. Di luz y cerré la ventana.

Anselmi se, acercó a la mesa y empezó a curiosear los papeles y los libros. Dejó caer indignado un tomo francés. Por no sé qué extraño complejo reaccionaba siempre con excesiva vehemencia en contra de la literatura. Yo no ignoraba que vivía macerándose en libros. Pero aparecer como un temperamento literario debía de antojársele un signo de debilidad o afeminamiento.

—Ayer encontré en una librería de viejo un volumen muy conveniente, para ti —me dijo—. No lo compré para regalártelo porque era una, edición cara y no tenía plata...

—...

—Una historia de la literatura como especiosa deformación del carácter, escrita por un contemporáneo de Keats. Libro verdaderamente curioso donde se ve la especie de gaznápiros que eran, o que se volvieron, un Shelley, un Marlowe, y cómo para un Jacopone da Todi hay doscientos libertinos en postura de profetas perorantes...

Descubrió algunos originales de *Las cuarenta noches* y se empeñó en que le leyera una parte.

—Ya va a ser tarde. Tengo que irme —le dije.

Insistió y protestó. Pensé que no me vendría mal encararme con lo que había escrito días antes. Era una escena perteneciente a la vida de un hombre en el campo. Me senté con los originales al lado de la ventana y empecé a leerle aquello.

"Veía la figura de un hombre a la puerta de una vivienda. El hombre estaba ahí, de pie. La mujer estaba adentro, yacente; después del parto había sobrevenido el delirio. Pero la criatura recién nacida había sido salvada, llevada tres días antes en una precaria ambulancia. Y el hombre estaba ahora a la puerta de la vivienda con los tristes ojos obstinadamente fijos en la lluvia que no había cesado de caer durante dos semanas consecutivas, caídas las manos que surcaban gruesas nervaduras. A lo largo de setenta kilómetros, todo lo sembrado estaba perdido; perdido el cereal, las espigas, la tierra ablandada, sobresaturada, hecha fango. Estaba él, ahí parado, con viejas botas, con un viejo saco de gamuza, dentro; la mirada viril y sin alucinación, fija en la tarde de soledad y diluvio; el alma aterida — pero cada vez más concentrada, cada vez más fuerte en su voluntad

íntegra y en su desafío al desatado furor de la tierra. Pero,
¿cuándo, cuándo iba a acabar ese torrente, esa precipitación
fluvial, constante, monótona, tenaz, idéntica en su modo de
morder la tierra sobre el infinito de leguas?... Miraba: veía
la cortina lluviosa, y el humus parecido a una niebla hori-
zontal y la impregnación gris de todas las cosas; los pastos
grises, el suelo gris, la lluvia gris, el cielo gris mucho más
oscuro; plúmbeo, denso. Y lo tomaba sombrío el ruido isócrono y lento, dispuesto a durar, regular y descansado, el ruido
de la lluvia instalada en la tarde, las noches, los días — el
ruido huésped, el ruido habitante del tiempo. En el interior
de la vivienda, a sus espaldas, el delirio de la crisis, reducido sólo a aquellas dos palabras: '...volverán... vendrán...
volverán... ven...', largo y musitado como un susurro, y
tan regular y lento y sostenido como la propia lluvia... Las
siete, las siete de la tarde, hora de oración. Y el campo
solitario y las leguas solitarias, al este las montañas, al oeste
el soñoliento río, al sur y al norte pastos y pastos corriendo... la planicie; casi el desierto hasta el otro establecimiento... Este hombre padece. Su frente está sombría,
apenas plegada sobre la nariz, en la confluencia de las cejas
negras sobre la piel morena, pálida allí donde la piel se
ahueca entre los ojos y los maxilares. Y el resto de los
hombres —los tres peones— se han ido: atraídos por distintos menesteres accidentales de la vida, una pequeña heren-
cia, una muerte familiar, una compra de ganado. Sí, están
ausentes.

"Al fin recogió él la mirada, volvió la cabeza hacia adentro
y, en la casi penumbra, observó un instante el rostro
vuelto hacia arriba, entre las ropas blancas de la cama a
medio deshacer, los dientes blancos visibles bajo el rictus
labial amargo y sufriente, los ojos sin movimiento, aparentemente presos por la cal muerta del techo, el brazo amarillo
inerte sobre la manta. Salió al corredor, buscó la cazuela y
la llevó adentro y fue a la pequeña cocina; luego se oyó el
otro ruido, sobre el fondo de silencio terrible, el ruido del
agua al hervir. Y volvió al gran cuarto, al salón —adonde la
había trasladado al sobrevenir los primeros dolores a fin de
que estuviera mejor que en el dormitorio—, para mirarla,
observar los ojos, el ritmo de la respiración, tal como se lo
habían indicado. Fue como si no se le aproximara, para ella;
siguió la rigidez, continuaba el delirio con la misma desesperada precipitación. Él se sentó, recogió el libro del suelo y,
una vez más, no pudo leer. Esperó. Luego volvió a la cocina
y trajo a la mesa el recipiente humeante. El salón era
grande y la puerta podía quedar abierta sin que entrara
frío; la intemperie estaba invadida por el torrente, por

401

el viento espantado. Trajo agua y un poco de vino negro y pan. Y después de hacer otros arreglos minuciosos, se sentó fatigado junto a la pequeña mesa de nogal grueso, cuya vasta superficie estaba herida por el frote y el choque de las fuentes. Como un frote ininterrumpido era el rumor externo, la caída de agua que en aquellas dos semanas no había dado al sol alternativa, sino tan sólo admitido ciertas pausas nubladas, tan tormentosamente hoscas como el diluvio mismo al que se emparentaban. Aun las maderas interiores de la casa parecían haber sido impregnadas y reblandecidas; la cal de las paredes externas tenía el color del lienzo húmedo. El tiempo estaba detenido; temporalmente, nada se habría creído sujeto a crecimiento en el gran cuarto en donde no tardaría él en prender la lámpara, donde se alternaban ahora la sombra y la luz agonizante del diluvio. Las aves, el ganado, estaban refugiados; ni un signo humano sensible en quién sabe cuántas leguas a la redonda; ni una voz que hubiera respondido a un grito, sino el espacio, el espacio — y el agua. Y así todo el ánimo concentrado del hombre estaba vuelto, adherido, acosado de frente por el delirio no interrumpido de la mujer exhausta en las sábanas. Por un instante, mientras cortaba, sin apetito, el pan, volcaba el vino — su imaginación recogió, en espíritu, una visión rápida, y fue la de las especies vivas que físicamente estaban más cerca de él en ese instante: los reptiles dormidos en roscas de brillo acuoso, la bella y repelente cabeza hurtada al agua, escondida; los caballos y los vacunos refugiados; los perros, las lechuzas, los caranchos, las mil aves distintas acurrucadas en sus abrigos. Comía taciturnamente. Pero no había perdido la esperanza. Ni el coraje. Estaba de frente, en la mesa, a la cama del opuesto, distante rincón, a la cama pequeña con su desarreglo de ropa junto al hueco vacío de la chimenea; y el rostro amarillo-céreo de la mujer parecía, al crecer la oscuridad en ese ángulo del salón, moreno, casi negro. No sentía él propensión alguna por el llanto o la desesperación histérica; todo eso le parecía inútil y desdeñable frente a la necesidad de no ceder, de vencer, de endurecerse. Uno tras otro veníanle los golpes de la angustia física, sentía un latido precipitado del corazón sin otro trastorno, sin trastorno anímico, sino como si el corazón solo fuera a claudicar y ceder. Mientras su ánimo no temblara — mientras su ánimo no temblara podría resistir la canción solitaria de su imaginación y el volar triste de su pensamiento en el abominable destino de la noche. Veía el país, las masas de hombres urgidos por reclamaciones inmediatas y, como situado en el sitio del sujeto de una pesadilla, no tenía conciencia, en aquel instante, más que de sus propios ojos mirando desmesurados a toda esa gente que volvía la cabeza hacia otros puntos, distraída. Ese país era una parte de su conquista prometida, una parte de su ambición, de su trabajo y de su padecimiento. Cuando fueron a ocupar aquella casa, todo estaba devorado por el pasto malo y las lianas, los bejucos, los bichos, los insectos, las arañas, las horrendas enredaderas; sólo el pequeño arroyo adyacente parecía conservar cierta pureza en medio de tanto desastroso parasitismo. Su mujer era la compañía reciente de su soledad y mientras, armados de hachas, cortaban sin ayuda los brazos selváticos obstinados en no soltar su presa, reían, gozaban, jugaban como jóvenes animales a quienes la promesa de la exaltación física y el placer compartido de la noche torna llevaderos los contratiempos más intolerables en el andar del tiempo. Pero el tiempo no anda sin perfidia, el tiempo no es inocente, su marcha trae desastre exterior e interior, y de la exaltación corporal queda algo como el hoyo dejado por la gota en la piedra. Al fin el trabajo vence los gozos del hombre y la mujer. Y en la casa del establecimiento, rodeada pronto por las pequeñas viviendas de adobe reciente que habitaban los peones, vinieron las noches con cansancio a sustituir las noches con risa. Pena de la vida es ésta: más que los más joviales amores unen ciertas fatigas. Más que ciertos goces ciertas aterradoras penurias. Muchas veces volvía él con el hombro bronceado a la vista por la rotura de la camisa en jirones; estaba ella sentada a la puerta de la casa, siempre igual, siempre honesta y prudente y llena de buena voluntad en el oscuro bosque de cierta remota expectación. Y a los diez años todavía podían comer contentos y sanamente fatigados en el comedor donde ahora comía solo oyendo el ruido del diluvio externo y el terrible balbuceo del constante delirio. Primero, los años de afán próspero; luego, los tres de adversidad, de signos nefastos en la agricultura. Y estos cuatro últimos meses bíblicos, meses de prueba y flagelación en la esperanza; plagas, mangas de langosta, tiempos de continua seca y finalmente, cuando una gota de agua se deseaba como el advenimiento rogado, suspirado — la lluvia en demasía, el diluvio. ¡Los campos perdidos, la siembra perdida, tantos animales muertos! Y ella en la cama, a punto de dar a luz; y el médico del pueblo que se para, con el dintel de madera sobre la cabeza del buen bebedor, al día siguiente del nacimiento de la criatura, a fin de decir, sin que la madre, inanimada, oiga: '¡Qué grave!' — ¡Días de adversidad, días desleales, días de tremenda experiencia, insomnio, mal, desastre e invasión lacustre en los campos solitarios! Y la emigración de gente desde la casa, como si una fuerza secreta ordenara su paulatina evacuación. Y, al fin, enfrentados, él y ella y la lluvia y el color gris alojado en toda la extensidad del mundo visible... Y los días sin transformación, no más crueles —exactos. ¡Qué fuerza gigantesca para no ceder, para obligarse a no obedecerse, para impedirse salir en cabeza al campo y correr gritando, clamando, blandiendo el brazo bajo el torrente de agua fina, tenaz, imperturbable! Estaba sin embargo entero. Sentado casi todo el día junto a la cama, no tenía otro gesto más que el de ir de tiempo en tiempo hasta la puerta y observar los signos de posible mutación en el cielo. En lo más intenso de la soledad sentía por momentos el vuelo de algún pájaro de mal agüero que circuía con sus círculos la casa; escuchaba, oía el vuelo cercano, luego el alejamiento, luego el retorno... Y cuando la prueba era más dura y terrible, apretaba los dedos, se aferraba a esas dos palabras con el alma, los dientes, los labios — 'todo pasará'.

"Le pareció que ella estaba agitada. Se levantó; mojó la mano en el recipiente de agua fría y puso los dedos en la frente sudorosa, un poco más arriba de los ojos dolientes. Después permaneció mirándola. Como comenzaba a hacerse tarde, fue y cerró la puerta, y volvió a sentarse al lado de la cama. Los platos de la comida estaban en desorden sobre la mesa. Y, sin levantar el libro del suelo, permaneció con los ojos fijos en el semblante amarillo-céreo de la pobre mujer, oyendo sólo la lluvia. Era su gran dolor, esa ternura a la vez física, localizada y difusa. Todo el cuerpo de ella ahí tendido estaba dentro de él incorporado, doliente y hecho dolor. Por momentos le hablaba él con un acento tierno y salvaje y algo siniestro por el saber que no iba a oírse sino a sí mismo. Se quedaba sorprendido de escucharse, de escuchar aquella voz ronca que no se parecía a la suya. Había en ella una extraña, y en él, otro extraño. Extraño a sí mismo y sin sueño en el empezar de la noche. No dejó de sentir un alivio al pensar que el sueño había desaparecido espantado por su propio fantasma. Pues el tormento para combatirlo había sido atroz las noches antes.

"Pasó un corto tiempo de calma; minutos, una hora. La mujer se incorporó; con el busto rígido, las manos sosteniéndola por detrás, crispada sobre los dos extremos de la almohada. Los ojos, en igual modo, dos llamas rígidas. Se puso él en pie y volvió a acariciar la cabeza ardiente, los brazos endurecidos, y quiso cerrar aquellos ojos; inducirlos al descanso con la imposición de sus dedos largos y nudosos. Sin sacar los ojos del punto fijo que miraban, ella dejó descender la cabeza, el busto, hacia atrás; y quedó de nuevo boca arriba, los labios en obstinado hablar, la razón espan-

tosamente alterada... Y así quedó, con el cuerpo como aga-
rrotado, los dedos blancos y dolientes hechos garras. En aquel
instante sintió él subirle por toda la entraña una asoladora
ternura, una piedad amarga y turbulenta; y la nuez subió
y bajó en aquella garganta de hombre. Pensó en el viejo automóvil que en cualquier momento podía sacar del galpón
a la lluvia y correr las dos horas de camino fangoso hasta
el pueblo si fuera necesario. Se levantó, fue hasta la puerta — luego empezó a caminar por el salón de abajo a
arriba, cruelmente preocupado, acosado, arrecido. Por unos
minutos la lluvia decreció, cesó; luego volvió a caer con la
misma monotonía constante.

"Hacía más de una hora que caminaba. Se detuvo y,
acercándose luego a la cama, oyó el moverse de aquellos
labios; sólo el moverse, pues ninguna palabra inteligible
dejaban escapar ya; arrebatados, se apretaron rehusando.
Se sentó él y abrió el libro en la semioscuridad, luego uno
de los periódicos.

" "Todo lo que sucede en el mundo se halla dentro del
orden natural... tu existencia forma parte de un todo, y
será arrebatada por Él, que la ha producido o, mejor
dicho, será recibida por una transformación en el seno de
ese sabio creador..." Cerró el libro, lo dejó caer — y el
fluir de un acerbo y cansado pensamiento fue sucediéndose,
sin que conscientemente lo advirtiera, en su mente. Cuando
ella mejorara y se levantara, todo habría que recomenzarlo;
traer otra vez a la vida, junto al primer grano nuevo, la
primera nueva esperanza. Y la criatura... Pero la langosta
retornaría y el combate era desigual contra esa invasión
tristemente voraz; a la postre, la manga da cuenta de todo
y sólo deja el esqueleto de la creación en la tierra asolada.
En medio de su moroso pensamiento, sintió de pronto un
peso sobre los ojos, sobre los párpados superiores; de nuevo
el sueño venía a combatir con él; inmóvil, dejó por unos
momentos que la presión siguiera sobre la parte superior
de la órbita dolorida. Como el que se resiste a un mal
irguiendo su armadura física, se levantó y empezó a caminar de nuevo por el gran cuarto. Pese a la forma en que
pugnaba por pensar, el sueño estaba ya ahí, sobre él. Era
como una pérfida delicia, una tentación de abandonarse
exactamente en el momento en que más necesario le era
velar, permanecer despierto. Se puso a arreglar los libros
enfilados en el hueco de la ventana, luego caminó hasta la
mesa, recogió la cazuela de barro, los demás recipientes,
y los llevó hasta la cocina en dos o tres viajes; pensó que
era necesario dar ocupación a sus manos, preocuparse por
algunos objetos a fin de ahuyentar el adormecimiento.

Sacó de un cajón una vieja red de pescar y comenzó a deshacer los nudos que la habían inutilizado; durante algunos momentos trabajó en ella bajo el cono de luz de la lámpara del cielo raso. Y como si el sueño perseguido se vengara, su mente recogió paulatina, obsesivamente, la idea del posible final, de la posible muerte en aquella casa, en la soledad, con la lluvia afuera, el amanecer... Salvajemente afligido, con fuerte y viril congoja miró el cuerpo que, como un despojo, rígido, erraba en el mundo de su locura; la cara, el cuello, los brazos mortalmente blancos, helados. Guardó la red y volvió a sentarse en la silla, junto a la cama. Sus labios, los de él, no se movían, pero por dentro estaban formadas las palabras: 'Sálvala, Señor; Señor, sálvala.' La vio, proyectada en su espíritu, jugando con la criatura ya grande, en el césped que se había empeñado él en cultivar al borde del arroyo; pero esa realidad habría implicado otros logros previos, el cultivo de toda esa zona árida extendida al norte del campo, y levantar allí la granja, para lo cual él mismo tendría que manejar el teodolito, establecer planos, poner jalones, levantar mensuras e industrializar despacio lo que era todavía yermo.

"Estuvo un rato pensando y sintió, de súbito, caer su cabeza sobre el pecho. Alarmado por la traición del cruel sopor, se levantó de golpe y volvió a echarse a andar de arriba abajo. Pero las muchas noches de mal dormir habían concentrado tanto esta oscura necesidad de su organismo que no podía combatirla ya sin esfuerzo extremo. Aun caminando sintió que iba a dormirse, que iba a caerse de pronto sin sentirlo y a quedarse dormido como una piedra. Se acercó entonces hasta la puerta y la abrió y sintió en la cara el aire húmedo y frío. Sólo la luz que libraba la puerta desde el interior del salón arrojaba su luminoso rectángulo sobre el piso de asfalto y la tierra; en torno, apenas algunos fugaces hilos de acero hacían visible la lluvia en la noche negra. Pensó en sus hermanos, en sus hermanas, lejanos, esparcidos tal vez a aquella hora en diferentes, incalculables distracciones, preocupaciones. Y sintió una terrible angustia y se llevó la mano a la cabeza y se alisó el pelo desordenado. Volvió a entrar en el cuarto, dispuesto a hundirse en el libro. Lo abrió, pero aquellas letras no le decían ya nada; fue hasta el hueco de la ventana y buscó otro, un libro a la rústica de carátula blanca y tipografía roja. ¿Qué podía abstraerlo en esa historia de un Estrecho? Sin embargo se esforzó en leer y leyó sin comprender, pronunciando en voz alta las palabras del texto. Estuvo tal vez una hora así; tal vez dos, luchando duramente con el sopor que de instante en instante le daba el golpe.

'—No —se decía—, no, no. No me dejo vencer.' Había pasado la medianoche cuando se levantó de la silla para ir a beber un poco de agua fría. Cuando estaba en la cocina vertiéndola en el vaso, oyó un grito fuerte, luego el silencio; volvió precipitadamente al lado de su mujer y vio que seguía sin novedad, nuevamente en su rigidez y su delirio ininteligible. Entonces sintió en sí la invasión de un odio sordo, un odio general y no localizado, contra la fuerza innominada del mundo que podía provocar estos males. Bebió el agua del vaso que tenía en la mano y se sintió alterado y agitado por ese mal espíritu. Y, en seguida, el otro pensamiento, el contrario, el más constante y profundo aun en aquella hora terrible: 'Éste es mi mundo y yo debo perdurar aquí.' ¿Perdurar? Era extraño. Lo que se salvaba al fin en él era esa idea de perduración. Contra todo y a pesar de todo. Al rapto fugaz de odio y oscuro, inlocalizable resentimiento, respondía con ese sentimiento lento, permanente.

"Como los años malos, los años buenos habían traído para él y ella en aquella casa un ansia de feliz perduración. Con cada muerte de la flor entre cardos al avanzar el invierno sobrevenía en ellos el deseo de ver la nueva floración. Y si ahora uno de los dos estaba caído, vencido, preso en manos de quién sabe qué cruel drama secreto, él debía ser quien continuara manteniendo para los dos aquella voluntad de perduración. No se trataba en ambos de un designio vegetante y pasivo, sino, por el contrario, del progreso de una necesidad humana de crear incesantemente vida, de dar de sí trabajo y recrear en igual tiempo, de modo triunfante, el desgaste y el agotamiento en forma de vital novedad, en forma de nueva energía. Allí estaba su destino: en vivir produciendo vida, pero sin temblar — como quien no se asusta de lo que le es fatalmente exigido, sino que lo sobrepasa para superarlo. Esa era su voluntad: no ser nunca inferior a la vida, ser más lúcido que la vida ciega y aprovechar esta sola oportunidad de revancha que le sería dada en el sucederse de los días.

"Dejó de caminar y se sentó a los pies de la cama de ella. Alrededor estaban diseminados los muebles de madera y paja, el único lujo de los retratos familiares en marco de plata. ¿Cómo hacer para alejar de una vez aquel sopor, aquel alano de vuelo torpe que se acercaba a él, lo circuía, lo acorralaba? Se esforzó, con toda la energía de que era capaz, en mantener los ojos abiertos. Pero era imposible: después de un retroceso aparente, el sueño volvía, lo inundaba. Concibió una rabia repentina contra ese sueño, una rabia absurda. Se puso en pie, corrió al armario del dormitorio y, con la capa de goma puesta, salió a la intemperie...

Como un millar de látigos chocaron las gotas, con ruido, sobre la capa de goma, y el chubasco le recogió en su bosque torrencial. Sintió la cabeza empapada y extraños ecos en los oídos como imprevistos gritos en libertad que corrieran jugando en el campo tormentoso... Tropezó, siguió andando, calado hasta los huesos. Eran torrentes, torrentes y no lluvia, lo que se precipitaba desde lo alto de la furia sideral, embozada y tronante en la cima de la noche de espanto y desolación. El relámpago iluminaba el vacío como una vertiginosa luminaria provista para la lluvia a fin de poder medir la inundación, el desastre. Puso su codo doblado a la altura de la frente, protegiéndola, y bajó la cabeza para adelantar; el muro pluvial se defendía contra el extraño... Dio la cara y el cuerpo todo al castigo del agua, que le deparaba así un ominoso olvido, un desgarramiento todavía más brutal por la sensación del infortunio físico añadido a la otra herida...

"Casi iba su alma toda resistiéndose con terrible coraje a un llanto sin fronteras, a un llanto que lo hubiera ahogado, deglutido, mucho más que aquel caudal de lluvia a la vez amenazadora e innocua. Pero la cabeza no vacilaba en aquel cuerpo castigado y, aunque transido, hubiera hecho él todavía más para romper los diques del momento que vivía y tocar las fronteras de su dolor, los confines, los límites con el aniquilamiento y la nada o con esa regeneración final de la furia al transformarse en un mal vencido, dominado, subordinado.

"Si una agonía estaba cerca, he aquí cómo herirla, mirarla de frente sin escaparle, ser más que ella por un coraje sobrehumano. ¿Es que temía él al dolor? La vida toda es infortunio. Cuando se lucha contra sus previsiones tenebrosas; y él no hacía más que ir al encuentro de esos accidentes, arterías, traiciones. Diez años de encuentros, materialmente agotadores, de pequeños terrenos ganados y grandes terrenos perdidos, ventura, incertidumbre, esperanza, trabajo, miedo, valentía, impetuosidad y zozobra. Diez años de riesgo — regando con sangre blanca las madrugadas del campo removido por la fuerza de sus manos; diez años de noches tristes, viendo correr con aquella pobre mujer, con aquella muchacha sin fuerzas, el río a veces cargado, a veces seco, de la suerte... Azotado por el agua, quería caminar ahora —habría querido caminar, sin detenimiento— hasta el límite del dolor, ir todavía más allá de sí, dejar en el campo la piel flagelada y mojada de un cuerpo desaparecido. En ese segundo, tomado por un tremendo espasmo, apresuró el paso en la huella fangosa, casi al lado de los alambrados de púa rígidos en sus tres líneas horizontales.

"¡No! Lo que no podía tolerar en su espíritu era la idea de aquella muerte, la posibilidad de aquella muerte. Devoró el sollozo y estuvo a punto de caer, sujeto el pie, el pie incauto, en un pozo de agua. A fin de no estallar en una terrible crisis de desolación y sollozos y gritos, se dio ánimo con aquel solo pensamiento: 'Aunque así fuera, hay que ir más allá, más allá de ella y más allá de mí, avanzar sobre la vida rechazando como quien, más fuerte que la alevosía del mal del tutor, lo abjura y deja hundido en el pantano, en la demencia y el asesinato.' Así, todo el camino, el campo inundado, tenebroso y desierto, los pastos cenagosos, los distantes árboles que minuto tras minuto acusaba el relámpago, los sintió como el paisaje de su propio tormento, como su dolor corporizado, visible fuera de él. Y se ensañó en caminar; cruzó un pastizal alto, otro pequeño camino por el que doblaba la salida ancha de la casa entre dos riberas de paja brava.

"¡Cómo estaba de desamparado y solitario en el fondo de su cuerpo que chorreaba agua! ¡Pero quería tocar, tocar, no presentir, tocar, hasta con el último poro de su piel, el dolor que se le quería propinar en lentas, crueles y pequeñas crisis! ¡Ah, ser tan grande como todo ese espacio abarcado por la lluvia! Ser superficie viva para todo el dolor posible, por durable y extenso que fuera, por injusto que fuera... Mas, sin que tuviera aún tiempo de andar mucho, en vez de sentir su ánimo prolongado y liberado, extremadamente tendido hacia el confín del dolor, percibió algo que, no hacia afuera, sino dentro de su ánimo crecía y era un final cansancio, un cansancio ya sin fuerzas para sentirse a sí mismo, y junto con él, sin poderla resistir ya, una atroz angustia hacia su mujer que deliraba. Entonces se volvió, movió sus pies con dificultad al haberse hundido con el detenerse, y echó a correr. Regresó a la casa casi sin alientos, corriendo...

"Se arrancó aquella capa al lado mismo de la puerta y fue a caer sobre la silla, la cabeza mojada entre las manos, los pies bañados de lodo y agua. Sufriendo como un martirizado, sin llanto, instantáneamente sin voluntad sobre sí, quedó sin pensar cosa alguna, obseso sin idea, como si estuviera en poder de una enajenación. Pero como vio que la boca de su mujer se había callado, se aproximó todavía a ella y buscó en el cuarto de baño un paño de agua fría y lo depositó con extrema suavidad en aquella frente ya seca... Entonces observó —con una perplejidad que en aquel instante parecía cruel y no podía cambiarse tan pronto en gozo— que el rostro estaba tranquilo, los ojos cerrados, los labios sin rigidez... Se dejó caer en la silla despacio, a fin de no hacer ruido alguno, de no perturbar aquella reciente

tranquilidad. Estuvo unos instantes así, quieto, luego volvió
a ir al baño y se miró en el espejo y se secó el semblante
con una toalla y se pasó rápidamente el peine por los
cabellos en desorden...

"Varias veces caminó todavía por el cuarto. Dejó de oír el
ruido de la lluvia y pensó con esperanza en lo que tendría
que hacer una vez que la mujer saliera del peligro; recomenzar la lenta tarea del jalonamiento del terreno, empezar
el arado y la nueva siembra. La tierra se regenera pronto.

"Por la ventana entró la primera, todavía muy difusa, claridad. Aun así, tan aprisa, muchos días habían pasado sin
que pudiera verla, albas y albas hoscas, oscuras. Salió a la
puerta y vio, ante el espectáculo del negro y rojizo campo
ya sin lluvia, ir subiendo el amanecer, despacio, lentísimo,
apenas más claro que la noche, apenas marcado, el cauteloso
amanecer... Esperó, y salió después afuera y oyó el canto
de un ave taciturna todavía incrédula ante la inminencia de
la madrugada. Entonces volvió a entrar en el salón, se quitó
el chaleco de vieja gamuza, cayó sentado en el suelo, entre
la silla y la cama de la enferma. Estaba desgarrado; y entero;
herido y siempre en lucha. Estaba con un brazo abierto
y otro encogido. Luego su cuerpo se abatió.

"Un poco más tarde, con el primer sol, comenzaron a
secarse las manchas de barro en las botas, en los pies
aparentemente muertos, incalculablemente dóciles y mortales, del hombre que había velado."

LIV

Aquella semana me preocupé mucho de Gloria —muy
hondamente, muy seriamente— y cuando la vi más tranquila
volví a *Las cuarenta noches*. Cada una de ellas era un mundo,
un mundo de doscientas páginas. Al fin, escribir los dos tomos
de veinte "noches" por volumen equivaldría a haber escrito
cuarenta pequeños libros. Entonces, en definitiva, cuando
la obra estuviera completa, todos los personajes se tocarían
por algún extremo, pues la extensión de su individual peripecia se iba diversificando en ecos hacia los ambientes más
opuestos. Al cabo, la obra podría ser un catálogo —pródigo,
pues resultaría a la vez crepuscular y matinal— de nuestra
propia familia dispersa y desconocida. Yo trabajaba con fichas
largamente anotadas, colmadas de datos sobre las figuras del
libro, y cuando revisaba las pertenecientes a los personajes
ya tratados me parecía asistir al rebaño de los epitafios
hermanados de un pueblo entero, tal como sucede en el libro
de Lee Masters con los tristes habitantes de Spoon River.

Después de escribir me sentaba un rato cómodamente a pensar y descansar, o bien me vestía y salía a recorrer los alrededores del Retiro. Veía pasar a los extranjeros recién desembarcados. Entraba en la estación y me detenía ante el quiosco de revistas o erraba un rato por el enorme *hall* lleno de gente.

Gloria venía a las ocho con un paquete de castañas calientes y traía a mis cuartos en las manos y en la ropa un poco del frío de la calle. A veces yo le leía un fragmento, fresco todavía de tinta. Ella escuchaba con una infinita atención con las dos manos cruzadas bajo la barbilla. Luego comentaba lo que acababa de escuchar, de un modo inteligente y seguro. Después yo guardaba los papeles y nos íbamos a alguno de los restaurantes habituales. Nos habíamos hecho amigos de algunos frecuentadores del Banus.

Tres estudiantes y dos jefes de un taller de metalurgia reclamaban especialmente mi interés. Eran pueblo. Tenían esa actitud limpia y sana ante las cosas de los que nunca han traficado, de los que no han hecho nunca más que aplicarse a hacer mejor lo que están destinados a hacer en la comunidad. Algunas noches en que estaba muy cansada, Gloria cruzaba hasta su casa y yo me quedaba charlando con ellos de mil cosas diferentes en un café de los alrededores. Hablábamos de aquí, del mundo. Tanto los estudiantes como los otros dos hombres —dueños de una finura interior que no se descubría de pronto, sino después de atravesar leves capas toscas— eran lectores apasionados, pero su reacción ante los libros no era nunca literaria. Nutrían sustanciosas exigencias. No se contentaban con el canto exterior de las palabras, ni con el susurro íntimo de las blandas dialécticas. Exigían, exigían. Y como esta exigencia fundaba su complexión, eran siempre fuertes y siempre auténticos. Estar con ellos me alegraba vivamente, me daba una increíble salud. Los cinco no eran de la misma edad; todavía muy jóvenes, los estudiantes estaban a punto de concluir la carrera de las letras; y los dos metalúrgicos tenían alrededor de treinta años. Éstos se llamaban Orioli y Alfaro; los otros tres, Valdés, Dupont y Camauer. De todos, el único que tenía rasgos físicos raros era Valdés, con su cara afilada de ayunador, sus ojos castaños de reflexivo —casi todos pupila—, su región frontal extremadamente plana. Me gustaba oírlos criticarme, decirme que yo era el peor de los burgueses y que mi libro era el canto del cisne.

Una noche, atravesábamos Gloria y yo una calle de Belgrano, una calle arbolada en que la noche parecía embolsada bajo las copas, prisionera y separada del cielo claro. Ella estaba esos días más contenta. Lo sabía y eso le producía una satisfacción por los dos. Al pasar por una residencia con pequeño jardín en la ochava, un piano repentino y cursi atacó la *Marcha Nupcial* de Mendelssohn. Gloria se paró de golpe: yo sentí su brazo estirado de pronto ante mí como una barrera. Se detuvo y me detuvo. Pensó un segundo, y luego seguimos andando y se echó a reír diciendo que era una estúpida y que le pasaban las cosas más raras.

Yo me reí también y la tomé del brazo y empecé a hacerle bromas. Ella se reía.

Nunca la había visto burlarse de aquel modo.

—¡Qué vergüenza! —le dije—. ¡Qué vergüenza! ¡Juana de Arco en flagrante sensiblería!

—¿No ves qué desastre, no ves qué desastre?

—Sí, verdaderamente. ¡Qué desastre!

Pero yo no sentía lo que decía. Yo sentía que aquello era extraño, que no tenía nada que ver con el sentimentalismo. Y que aquella parada de golpe, aquella reacción brusca, obedecían, como otros gestos de ella, a algo menos sencillo. Y la veía reírse desde afuera. Y por dentro, de pronto, yo tenía frío por ella.

Apreté su brazo y caminamos varias cuadras en la noche glacial. Los alrededores boscosos del Golf rodeaban la casilla del ferrocarril, al margen del asfalto de la ancha avenida solitaria. Conversábamos. Jugábamos a caminar a toda prisa; ella se apuraba conmigo y se hacía la fuerte y en seguida, cansada, pedía armisticio. Yo continuaba riéndome: "¡Juana en derrota! ¡Qué mal día para Juana combatiente!" Llegamos en unos minutos hasta el Hipódromo, frente a los almacenes iluminados donde acudían algunos nocharniegos a beber un famoso guindado, hasta la rotonda de las cuatro avenidas con el espectro dulzón y blanco del monumento de los Españoles, desafiante e intruso con su alta pastelería provisoria en la serenidad del espacio. En torno a la pueril alegoría de la madre patria se ensanchaba el bosque, tenebroso, regido un instante por el puente de hierro del Pacífico.

Con repentino entusiasmo le hablé de los compañeros del Banus, aquellos personajes amenos y jóvenes.

Entramos en el bosque. Gloria corrió sola unos pasos y subió al césped y fue a pararse junto al tronco de una de las viejas palmeras, y tocó la vieja corteza, respirando su olor en el frío. La hierba, al ser pisada, dejaba escapar, como una protesta, su propio olor, su olor a verde triste. Gloria apretó su cara contra la corteza helada.

—Hace bien —dijo.

En seguida corrió hacia mí —yo la esperaba en el camino— y se apretó contra mi flanco y en un gesto brusco echó hacia atrás la cabeza para despejarla de la larga y tenue melena que le llegaba hasta los hombros.

Respiraba con fuerza; por unos segundos estuvo así, sumida en cierta plenitud, y después cerró la boca y sus ojos inmóviles recogieron esa expresión de cansancio y callado disgusto que tanto le conocía.

—Oye...

—¿Qué?

—¿Verdad que ha sido un gran error?

—¿Cuál, cuál?

—Todo esto.

Me invadió una gran impaciencia.

—¡Por Dios! ¡No me hables más de eso! ¡Qué insoportable tontería!

—¡Soy inútil! —dejó escapar, y su voz parecía un sollozo o un grito.

La increpé. Seguí increpándola. Ella miraba hacia adelante, callada, y me apretaba el brazo. Al rato me interrumpió. No parecía haber oído, haber prestado atención.

—¿No es bonita —preguntó, ya en calma—, aquella estrella única que se ve allá, por encima de la avenida?

Levanté los ojos y miré la anchísima avenida extensa y abierta como un mar de betún negro. En el cielo, adelante y arriba, había efectivamente una sola estrella. Al fondo, más abajo, se agrupaba el pequeño tropel de luces eléctricas.

Gloria seguía mirándola.

—Cuando yo era chica corría a ponerme detrás de esa estrella, y como no llegaba nunca, me desesperaba...

Pasamos frente a las últimas verjas del Zoológico, donde dormían su destierro tantas especies taciturnas.

—Y al fin, después ha sido siempre la misma cosa. —Cambió de voz—. Pero no te importe, no te importe. Es el tema de la loca.

Estalló su risa, y todo su cuerpo se plegó a un movimiento de olvido, como quien se sacude de cuidados y sigue adelante. Cada impulso de ella tenía una calidad a la vez suave y violenta; no parecían los gestos venir a flor de cuerpo sino ir ella toda acompañándolos en sus arranques y cambios. Así, uno de pronto la sentía cerca, al lado, y otras veces, lejos, trasladada, escapada.

—¡De pronto estoy tan bien! —dijo alegremente—. Tengo la sensación de que se abren en mí esclusas y sale de golpe toda el agua estancada.

—Nunca tienes en ti agua estancada. Se te ve tan clara por dentro. (Yo no la veía clara.) ¡Tan clara!

—¡Y de golpe, también, vienen unos días de estancamiento...! Una tal desolación física, que me veo a mí misma como una mujer que anduviera en una isla árida llorando viejísimos, viejísimos dolores...

—Llorando penas tan jóvenes que te parecen viejísimas.

—Siempre me veo caminar así: en un lugar muy árido y muy tarde en la noche, sola...

—¡Qué ideas! —le dije—. ¡Qué ideas!

Yo era un pobre diablo, yo no sabía decirle más que eso.

—Te debe parecer tan aburrido —decía ella.

—Eres lo contrario, eres un amor.

—Me parece que estuvieras jugando, tan fuerte como eres, con una chica... y que la chica fuera imbécil y estropeara a cada rato todos los juegos...

Yo no era fuerte. Yo era un pobre diablo.

—No. Una chica tan seria que no se puede jugar nunca con ella. Increíble. Alguien increíble.

—Sí, sí se puede jugar. ¿Verdad que se puede? —preguntó.

—A veces. Pocas veces.

—¡No mientas! Demasiadas veces —y sus ojos chispeaban con inesperada picardía. Y era una picardía cándida con la que quería engañarme.

Pensé en su cuerpo joven que el amor llamaba poco, moreno y delgado en su casta desnudez, pasivo, tan difícil de llamar, tan poco hecho para el amor físico, con el que yo había chocado tanto sin despertarlo del todo.

Y, desde el fondo de mi preocupación, le hablé en broma.

—Eres un amor. No te pareces nada a Juana de Arco.

—¡Gracias a Dios!

—No. Es una lástima. Hubiera sido tan lindo que te parecieras a Juana de Arco.

—¿Armada?

—Armada y sin miedo. Porque la gente armada es la que por lo general tiene más miedo. Armada y sin miedo.

—¿Con una armadura?

—Con una armadura. Habría sido espléndido. ¡Y qué imponente!

—No. Yo soy una mujer solitaria en una isla desierta.

—Me gusta más la otra imagen.

—A mí no.

—A mí sí.

Y echamos a reír y seguimos más juntos, divertidos y locuaces, y pasamos frente al Museo, y a la mole del inmenso hotel, y al antiguo Palais de Glace, donde todavía estaban los gallardetes, los cartelones y los banderines. Después, más en serio, le hablé de mi libro, de lo que había escrito por la tarde, de las treinta páginas que había roto, de la rabia que me vino después. Y ella me contó el asunto de un poema de Coventry Patmore que había leído en la biblioteca y que se llamaba *Los Juguetes* y que le gustaba tanto. Y que ella hubiera encontrado ahora ese poema en que años atrás yo había pensado tanto, me conmovió, y sentí una ternura todavía mayor por ella. Y bendije el frío que nos juntaba y la noche que nos daba su vasto hospicio. Y, como el personaje del poema que se inclina sobre el hijo, yo tuve una gran necesidad de confortar su triste corazón. Pero no hallé las palabras necesarias, porque esta clase de palabras son las difíciles, las que no se encuentran nunca; y entonces me limité a hacer un poco más de cariñosa presión sobre su brazo. Y eso fue poco, como siempre; eso fue poco como nos sucede siempre, porque al fin siempre nos faltan palabras esenciales, las que no se nos han dado. Y así, después de haber caminado todavía y hablado otras cosas que eran vivas pero que no importaban a lo esencial de la entrañable cuestión, después de haber andado y andado, después de una pausa, al ir a atravesar una de las estrechas bocacalles, en el paseo bordeado de arcadas de los más diferentes estilos, Gloria miró hacia la parte externa de la calle y me preguntó, con aquella voz que de pronto me aterraba, que de pronto me parecía de nadie:

—¿Verdad que ha sido un gran error?

Al día siguiente me ofrecí una vacación y desde muy temprano después del almuerzo erré por la ciudad. ¡Hacía tanto que no me hallaba cara a cara con ella en un encuentro lento, total! Estaba seguro de haberme retirado a un territorio de silencio. La ciudad miraba para otro lado, estaba vuelta a su bullicioso vientre. Bullicioso, nada tormentoso. Era —bastaba mirarla apenas para reconocerlo— la ciudad de las palabras. Palabras escritas, palabras dichas; grandes, públicos parlamentos; grandes letreros donde ya no cabían más letras; hasta los insultos tomaban en la ciudad el aire de desplantes elocuentes. Esta ciudad no era otra cosa. Esta ciudad era una gigantesca conversación.

¡Ah, gran conocida! La recorrí aquella tarde, desde las plazoletas al sol que enfrentan el Correo hasta por Cangallo, el bulevar que verticalmente la corta en dos a los mil setecientos números de sus calles horizontales.

El estuario se paraba de golpe, y ya subía la ciudad, tras unos tramos ascendentes, a pararse en su estructura rígida y sin amenidad. Pero una juventud y un movimiento físico increíbles circulaban por los angostos desfiladeros. Las mujeres eran muy hermosas, cerradas, y los hombres con un aire de masculinidad predatoria, uniforme, primaria. Éramos algunos en sus calles los prisioneros del silencio. Cuando uno iba a buscar gentes, no encontraba más que palabras. Una gran promesa incumplida se alzaba en su horizonte como esa gran mancha que, mientras cae, acusa a la distancia en el campo las cayentes lluvias. ¡Qué pasividad parlante! ¿Y quién habría osado separar su presencia individual de esa charla? Las actitudes verbales lo habrían borrado de las listas del honor; las actitudes verbales eran el solo juez a lo largo de aquellas veinte mil hectáreas de terreno.

En cuanto buscaba a un hombre —¡algo diferenciado, por Dios, señor o caballero de industria!— uno se encontraba con una palabra. La palabra era la gran uniformadora. Sabiendo lo que había que decir, el guardián de la ciudad dejaba pasar al recién llegado sin molestarlo. ¡Ay de quien se hubiera atrevido a ser en vez de hablar! El gran mutismo era el agente policial que rechazaba a los intrusos en este mundo de vigilantes palabras. Allí adonde todos hablan, el gran mutismo condena.

El evangelio de esta ciudad era: bienaventurados los que dicen ser sin ser. Bienaventurado el que descansa en lo que ha dicho para cubrir su interior.

¿Qué importancia podía tener la verdad? La verdad es una abstracción. La palabra es un hecho. La palabra era, para esta ciudad, más hecho que el hecho mismo. Cuando alguien se atrevía a manifestar un hecho, un hecho simple y desnudo, se le superaba con palabras y se le olvidaba sin ellas. En cambio, las almas oratorias alcanzaban entre los rígidos edificios recientes la suave caricia del halago general.

¡Ah, ciudad, ciudad de almas oratorias!

El día en que su Lázaro se levantara y las obligara a callar, a ser precisamente hechos, a portarse sin peroración y desnudarse según el destino natural de lo que en efecto hicieran, de lo que en efecto construyeran, ése sería su buen día, ciudad de almas oratorias.

Así la miraba yo, aquella tarde, al errar por las calles populosas, oliendo en el olor de su agosto, hablándole como iba a entenderme, reconociéndola en términos oratorios.

Ahí estaban los Bancos, las agencias de navegación, los cafés, los salones de lustrar, las casas de cambio, los importadores de ricos casimires, todo cuanto da ocio, dinero y brillo.

Pero, ¿es que era posible que aquí alguna vez Lázaro se levantara? ¿Era posible? ¿Era posible que la fuente surgiera disparando sobre las palabras su chorro violento de agua pura? ¿Era posible que el avance de los hechos naturales, del país real, del país profundo se levantara alguna vez para ahogar algún día la confabulación oratoria y dejar que naciera, de esa común ficción, el país?

Dios, era difícil decir, pero había que pensar que sí. Había que pensar que sí. Lo contrario, ¿no habría equivalido a asociarse a la ininteligencia, al boato, la mentira, y, lo que es peor, al estado de informidad, al estado de lo que no se ha formado aún? Habría equivalido a eso.

Si la acción fue antes de otro modo, su destino era ser aún de otro modo. Vadear el río turbio, o, más, el río con rumor y sin agua.

Un hombre de negro, alto, con ojos soñolientos, salió de un negocio guiado por un chico. Le dejé pasar; me dio las gracias. Avancé un poco y entré en una librería. Me acerqué a una mesa cubierta de volúmenes en liquidación y me puse a buscar algunos libros argentinos. Abrí al azar una oda.

Salí y la gente me atropelló, porque yo andaba despacio. Se alzaba por allí una gran prisa, la prisa de la costumbre, la cotidiana emulación. Una muchacha rosada, vestida con un traje verde con multitud de flores de lis blancas, cuidaba a la puerta de un importante comercio la mesa de saldos. Cantaba su pregón monótono pensando en otra cosa. Volaba sus círculos en una juguetería un avión de juguete; en lo alto del primer piso de balcones veíase el vasto convoy de avisos, nombres, letras y letras verticales.

Yo estaba aparte. ¿Qué tenía que ver con eso?

Tenía que ver mi corazón. ¡Ah, ciudad, te quería! Durante treinta años, había tenido mi mano puesta sobre tu cuerpo.

A las siete de la noche Florida cebaba en luces sus turbas. El grueso hormiguero iba raleando, en su canal, desde la Avenida hasta Charcas, y dos tipos de ambición escindían el norte y el sur de esa sola calle. Un ejército de pequeños burgueses paseaba al sur su manso y burocrático asueto, derivando de tanta luz, de la baratija y el escaparate, el reflejo de un brillo al que aspirar era mandato del fastuoso municipio. El camaleón humano viraba, más al norte, hacia la índole del pícaro de calle, el señorito suelto, la muchacha que deserta su craso barrio; y por fin, más al norte aun, en la sola franja comprendida entre la calle Córdoba y la calle Charcas, Florida se hacía, a la hora de morir, arrogante, elegante, exclusiva. Del popular comercio a las galerías de cuadros y las caras joyerías, iban cambiando los destinos de señor. Florida era, de la ciudad, la calle predilecta: por poco precio daba la ilusión de una opulencia.

Regresé caminando, después de haber tomado por ahí una taza de té solo, y entré en aquel tumulto por la zona del medio. Me gustaba pensar y mirar las cosas y las gentes sin pensar, y poder levantar los ojos y bajarlos, sin compromiso con nada, libre de mí como de todo. Ya había perdido todas las ataduras materiales. Ni debía ni me debían.

Cuando uno llega a tal conclusión, cuando ve que ya está libre, incluso para morir, ¡qué liberación, qué ligereza, qué infinita tranquilidad!

Pero no estaba tranquilo. Ah, no estaba tranquilo. Hasta que no viera algún triunfo, hasta que no viera mi eficacia... Está bien irse — pero con algo construido aquí, con algo que tenga peso y cuerpo en el espacio. No, no estaba tranquilo. Sonreía por dentro y pensaba, y no estaba tranquilo. ¡Qué larga vida sin florecimiento!

Necesitaba acabar el libro, cerrarlo con la última palabra. Me paré ante un escaparate. Nuevamente fui consciente de aquel interior apuro, de aquella prisa, de aquella inquietud.

En ese momento sentí una presencia, inmóvil, a mi lado. Di vuelta la cara. Era Jazmín Guerrero. Estaba vestido de un modo superlativamente brillante —con una corbata de *square* inglés en seda gris y negra y un amplio sobretodo ministerial— y me miraba sonriente, sorprendido, cordial, feliz de su abundante potencialidad expresiva.

—¡Martín Tregua!

—¡Hola! —le dije.

Festejó el encuentro en voz alta —con gran asombro de los que pasaban— como si me viera salir de las cavernas. Frente a nosotros exhibía su cartelón un negocio de fantasías. Estaba mucho más jovial, mucho menos solemne que hacía años.

—¡Bueno, hombre! —exclamó.

Repitió:

—¡Bueno, hombre!

Todo él brillaba de voluminosa aparatosidad. Y sólo cuando le contesté y repitió por tercera vez su "bueno, hombre", pareció descargado de su enorme energía efusiva. Me preguntó que cómo estaba y que dónde me había metido. Me contó, sin tomar alientos —que por lo demás no mostraba necesitar— que había escrito tres volúmenes sobre el estado y el individuo; que había sido nombrado miembro correspondiente de dos academias; que le habían dado tres comidas; que tenía muchos asuntos, y que si el mundo andaba mal todo se iba a arreglar en un plazo breve.

—Pero vamos a tomar algo.

Echamos a andar hacia el norte. Bajamos a un bar subterráneo. El bar estaba en un pequeño salón en forma de martillo, decorado con maderas claras, y cuyos sillones ricos y confortables aparecían, adosados a las paredes, persiguiendo los ángulos bajo el delirio de iluminación. Guerrero saludó a todo el mundo con el mismo derroche de energía social. A veces me confiaba algún nombre, con susurrada alusión a su jerarquía urbana. "Pero no tiene importancia", agregaba después. No se sabía si era una referencia a la persona o al encuentro o al dato mismo. El mozo limpió la mesa con la servilleta.

—¿Qué tomas? —miraba como buscando a alguien en el saloncito. Al fondo bebían algunos de pie, junto al mostrador.

—Bronx —dije.

—Para mí también. O no: mejor, champaña y jerez.

Y recomendó al mozo:

—Mis medidas, ya sabe. Tres cuartos y un cuarto.

Se despojó del sobretodo y se restregó las manos, visiblemente dispuesto a estar cómodo y hablar. Le dije que hacía mucho que no nos veíamos, pero que había leído en los diarios algo sobre su figuración en la política, su participación en tantas comisiones, su presencia en tantos actos importantes.

—Sí, cada uno tiene su camino —dijo—. Pero sin el poder, la propia acción es pálida, demasiado personal, demasiado restringida. Le cortan a uno las alas. Lo dejan mutilado de acción grande.

Entraron tres muchachas luciendo ricos boleros de piel, sin sombrero, bromeando con un caballero de cierta edad, de cabellos blancos y ojos azules, que sonreía sin descomponerse, sobrio y seco como un roble.

Guerrero me dijo un nombre en el oído. "Ah", le dije, simulando verdadero interés.

Las muchachas eran muy jóvenes y hermosas, con sus gardenias y esa fragancia a madera seca que llenó el salón, y se sentaron ante el mostrador en los altos taburetes.

—Lo dejan mutilado de acción grande —añadió, saludando intencionalmente al señor que estaba con ellas.

El señor vino y Guerrero se paró, me presentó y hablaron en voz baja algunas palabras. El anciano se despidió y Guerrero volvió a sentarse.

—Yo siempre he pensado...

Mientras el mozo nos servía, me empezó a contar lo que siempre había pensado. Lo que siempre había pensado era que los gobernantes argentinos, en general y en particular, no pasaban de ser un atajo de torpes oficinistas envueltos con gran infortunio en una trama de cuestiones políticas y sociales como el pastor en un rebaño cuyo número desconoce y que ignora cómo regir y orientar. La imagen le gustó y la dio vuelta para decirla con otras palabras: "o el boyero a quien se le escapan los bueyes, de tan grandes que son y tantos, y por consiguiente las cuestiones más importantes fluctúan sin dueño, literalmente como bueyes perdidos..." Levantó la voz, la engolfó en el ambiente como si disparara para que todos la vieran una goleta empavesada, atento al efecto de sus palabras en el rincón más lejano del salón: "No hay que achacarlo sino a un defecto que se remonta a la educación. Se han educado en la añosa política tradicional democrática, de gran brillo oratorio —a lo Gladstone— y experiencia constitucionalista y curialesca, pero totalmente desprovista de un atisbo de genio creador. Más: se han educado en ese viejo sistema de la política inglesa en que, yo diría, *trop de génie tourne en danger*, en que no sólo se teme el menor asomo de genio improvisador sino que se le rechaza en cuanto apunta, como un serio peligro público. Nutridos en las normas de una ciencia del Estado que se podría equiparar al baile de un atleta entre las tapas de un libro cerrado, tienen los órganos de la inspiración agarrotados y endurecidos. Pero una gran política es el resultado de una improvisación genial, el incendio que produce una chispa a la que no se ha ahogado con un balde de agua, y necesita ante todo fundarse en la libertad de un solo hombre que gira sobre la sumisión del resto, no como en la democracia, donde sucede lo contrario, o sea que la libertad de todos gira sobre el aprisionamiento de un hombre llamado gobierno..."

En ese momento volvió a acercarse el anciano distinguido y, con un ligero saludo, dejó una tarjeta escrita al lado del vaso de Guerrero, hecho lo cual desapareció con sumo sigilo para no interrumpir la exposición.

—De vez en cuando la democracia suelta a su gobernante un hueso ligeramente suculento —pero siempre sin carne apenas— con gran aparato de liberalidad. "Poderes discrecionales." ¡Poderes discrecionales! ¡Qué poderes discrecionales ni qué niño muerto! ¡Puertas abiertas al jefe o eterna condena a los papelitos administrativos y la sagrada constitución! ¡Constitución! ¡Otra! La mejor constitución es la que ostenta en su caminar el cuerpo fuerte. No hay otra. Es como si se pretendiera enseñar a tener genio por medio de un sistema de cartillas mensuales. No me vengan a mí con cantatas. La Magna Carta es buena cuando es el discursito que se echa entre lomo y espalda un fabuloso imperio. Pero para hacer este imperio hay que empezar a desbrozar prejuicios con un hacha genial en manos viriles y a poner en juego una terrible máquina creadora que parta en dos el sueño de los legalistas, los dormitantes, los negociadores. ¡A romper y levantar! ¡Abajo con la culpable burguesía, panzona de cabeza, sentimental de alma, soporífera de expedientes, podrida de previsiones, y arriba con las dos únicas fuerzas vitales en continua transformación, pueblo y aristocracia!

Hizo un gesto con la mano en que traía el vaso como quien acaba con un sembrado y el líquido de la copa salpicó ligeramente la mesa. Una de las muchachas con saco de bisonte oscuro y gardenia blanca lo miraba curiosa y sin asombro, sentada en el alto taburete con sus ojos de gato y sus labios demasiado gruesos. Las demás hablaban con el señor de modales distinguidos.

—Felipe II... —me espetó una teoría por la cual ensamblaba gloriosamente el tener al día los expedientes administrativos con la creación de un sacro Estado, cosa que se oponía un poco a su concepto de la improvisación.

Y ante una sugerencia muy moderada por mi parte de que racionalmente se podía adherir a todo pero espiritualmente a muy poco, pareció redoblar, a la vista de la muchacha de la gardenia, su furia polémica, no sin atender *ad hoc*, al referirse a las democracias, a cierta elegancia en el improperio.

Parecido al virtuoso que se escucha, se lanzó en una sinfonía imperativa.

—Yo antes tenía la candidez de pensar —adelantó arreglando con los afilados dedos la colocación de los lentes en una nariz tajante— que se iban a arreglar las cosas mediante soluciones de tipo metafísico o religioso, y ahora creo que toda esta limpieza por dentro tiene que estar subordinada a una limpieza de la superficie, a un enérgico barrido y fregado. La economía clásica del siglo XVIII... —arrojó una mirada de circunstancias a las jóvenes del mostrador—... la economía clásica del siglo XVIII creía en la idea absoluta de la libetard y en su principio pragmático, así como la concepción jacobina de la historia jugaba con los chorros de agua del libre albedrío en un Versalles ocupado por el populacho. Hoy, muertos esos sistemas, tan sólo queda en pie la idea de una voluntad y de un estado en que ensamble. Lo que el viejo liberalismo consideraba como un mero tutor y ordenador administrativo, el Estado como tal, amanece ahora con la fuerza de un ente creador de derecho y que, siendo también creador de historia, devuelve al hombre su forma real, pues "fuera de la historia el hombre es nada". Tal es lo que yo he aprendido en Burke y De Maistre...

Este reaccionario hablaba como un revolucionario. Bajó la voz, como si fuera a confiarme alguna verdad más privada, menos categórica:

—¿Acaso no sería yo un pobre diablo si pensara de 'otra manera? Voluntad de poder es voluntad de acumulación. Yo acumulo. Mi fuerza consiste en apretar ese resorte. El pensar contra la burguesía trae suerte con los burgueses...

mientras el pensar con los burgueses no trae suerte ni con ellos ni con los que no lo son. He ahí un excelente principio táctico.

Rio cada vez más complacido. Insistió en sus miradas sugestivas a las jóvenes que bebían en el mostrador. Ninguna de las tres lo miraba ahora. Me acordé de su mujer y de las melopeas filantrópicas en las que se internaba de modo incesante.

—Trato —agregó, repentinamente— de hacer prosélitos. Soy antipositivista; pero positivo. (En concordancia con mis teorías.) Pero, por desgracia, la cantidad de asuntos legales que debo defender me consumen un tiempo cada vez mayor. Aquí no sucede como en los países de vieja cultura: aquí es absurdo pensar que un jefe pueda surgir del miserable caldo de la miseria, la privación y el apostolado intelectual y moral en medios pobres. Nuestra realidad está conformada de otro modo. La riqueza, los ricos son nuestro ambiente y con ellos hay que contar en todo instante. ¿Quién podría hacer aquí una revolución sin los ricos? ¿Quién tiene del pueblo otra idea que la de esos vociferadores de domingo vestidos con saco de pijama? A los ricos hay que atraerlos al movimiento con palabras especiales. Difícil es hablarles de un socialismo de Estado. Hay que hablarles de una aristocracia de Estado; algo así como una oligarquía, claro, pero más noble... Una teocracia de señores... ¿Cómo decir...? Una plutocracia no; el término está desmonetizado. Les parecería venir a menos. Habría que buscar otra palabra. Una cresocracia. *Voilà!*

Pensé que era la caricatura incluso de lo que aseguraba. Que la zona a que él pertenecía era la misma vieja, desgastada y en derrumbe a la que pretendía oponerse, y que ninguna naturaleza sana, fuerte, auténtica y viril de corazón podía tomar en serio a este conductor de engaños puestos en pie.

—Bueno —le dije—, es tarde. Tengo que irme.

Pensé en salir a errar, pensé en el aire libre.

Tuvo un gesto de sorpresa, como si tan sólo en ese momento advirtiera que pudieran existir en el espacio cuerpos distintos al suyo y se empeñó en que teníamos que vernos y seguir hablando, y estableció que ya me avisaría cuando le dieran otra de las comidas habituales. Sonrió a la muchacha del zorro y la gardenia. La muchacha tuvo un gesto despectivo y se puso a hablar con el señor de cabello blanco.

Jazmín Guerrero advirtió entonces que había olvidado algo. Y antes de pararnos me preguntó qué hacía yo. Me contemplaba lleno de satisfacción, moviendo alegremente la cabeza, conteniendo mal su euforia sistematizadora.

—Nada —le dije—. No hago nada.

Y fue, para el caso, lo mismo que si le hubiera dicho que acababa de construir la catedral de Reims.

LV

¡Qué me importaba la política como tal política!

Me importaba el hecho humano, me importaba la fuente, me importaba el destino de ese viviente cauce de donde, política o moral o espiritual, surge, según su condición, la especie limpia o la turbia.

Me levanté temprano y vi el primer amanecer de septiembre. ¡Cada experiencia humana, por oscura que sea, lleva en sí tal potencia de revelación!

Me serví solo el desayuno y abrí al sol vacilante las ventanas de mi cuarto. Por encima del muro pigmeo se alzaban, enfrente, los lomos de los vagones de carga, gris azulados en la mañana, sumidos en el mítico descanso de las cosas. Y, más lejos, yacía el río, resignado como un felino de cuerpo rubio claro, eternamente inmóvil hasta que daba el zarpazo de la inundación para recogerse —en dos días— de nuevo a su sueño. Sorbí el café con leche frente a la ventana, en la mesa a la que sólo al mediodía vendría el orden de la portera. El sol era vacilante pero la mañana se formaba alegre, fresca y alegre en sus preparativos para el próximo equinoccio de primavera. Atravesaban el paseo los primeros automóviles, los últimos carros de reparto, con el tintineo de la agónica campanilla pendiente al pescuezo del bruto.

Me acordé de cuando me levantaba a trabajar en las mañanas de otro hemisferio, de la casa de Ferrier y del jardincito belga que quedaba a la entrada. ¡Era tu gente, tu tierra familiar, virgen de Memling! El que estaba aquí era otro hombre que el de entonces, mucho más silencioso, mucho más flaco de ambición.

Durante la mañana, no hice más que leer. Mi libro sufría un compás de espera. Todo mi ánimo estaba vuelto hacia Gloria. Su constante, pertinaz, invariable desazón me ocasionaba mucho daño. Yo creo que nuestros dos insomnios debían de amanecer paralelos en el albo de la ciudad. Yo no descansaba un minuto de aquel pensamiento; cómo atraer su ausencia, sus reiteradas huidas; cómo fijarlas. Empleaba todos mis recursos. Y era como el insomnio del médico al lado del agudo delirio del incurable. Nada me preocupaba, sólo eso. Un día le dije que sólo nuestra unión definitiva nos daría un poco de alivio, un poco de fe pragmática —la cual es tan necesaria como las otras— y un poco de reposo. Fue peor. Pareció, más que asustada, molesta con esa idea. Le produjo una gran confusión, y aquel día la vi más ostensiblemente nerviosa que nunca.

Estaba con ella a todas las horas posibles. Es decir, que sólo las horas que ella tenía ocupadas nos separaban. Y esta situación —era asaz visible— la inquietaba todavía más en vez de darle paz. Yo no sé qué grado alcanzaba en su conciencia la idea de haberme distraído totalmente de preocupaciones en las que mi propia vida estaba conformada.

Sin embargo, asintió en faltar algún día a la biblioteca. Nos quedamos en casa.

Yo ensayaba todos los medios de distracción, trataba de enlazar su ánimo, su atención, a mil posibilidades de apego, probaba toda suerte de cosas. Desde el proyecto del viaje hasta el medio de la lectura comentada en compañía, junto al fuego, en un ambiente extremadamente grato y sedante, ensayé todos los recursos. Cuántas tardes las pasábamos desde las dos hasta las ocho oyendo en los discos la más eminente música de todos los siglos; leyendo, acostados en el tapiz, los textos más extraños e incitantes; y luego ella iba a hacer el té y nos reíamos un rato de muchas cosas inesperadas y risibles.

Pero su inteligencia, que me atraía tanto, tal vez por el asomo de crudeza y desolación que mostraba siempre en su fondo; su alma, que no conocía los descansos del abrigo ni del refugio, ni más dimensión que la obstinada persecución de sí, se mostraban duramente adictas a un rigor contra ella misma, a una insatisfacción de la vida, a una repugnancia por las cosas que pasaban alrededor cada día, que su misma presencia al lado mío le parecía nociva para mí, y de ella nada le importaba, más que su vuelo suelto de ave en irreducible destierro.

Por el carácter de sus miedos habría parecido muy pegada a la tierra, pero era fácil levantar súbitamente su espíritu. Bastaba rozar su entraña para que abriera los ojos, tensa, alerta, inteligente. Sólo que, después de ese rápido despego, caía. Toda ella entraba en el crepúsculo del mundo. Se volvía agria y cerrada. Por eso era como un ave de raza; pero herida. ¿Cómo había podido, al principio, parecerme fuerte, creerle que era resistente?

Pero lo que me desgarraba era precisamente el modo de quedarse sola con sus fracasos. Bajaba el telón, no contaminaba a nadie con sus desastres, con la ignominia o el posible atractivo de su neurosis.

Fue en esos días de septiembre cuando llegó una tarde, inesperadamente. Yo estaba copiando a máquina unas traducciones. "No, sigue —dijo—. Por favor." Fue a la cocina y preparó dos pocillos de café y me trajo uno. Sus manos sin anillos temblaban como nunca. Tenía una blusa negra bajo la chaqueta y zapatos de gamuza negra.

Se sentó en el sofá y pretendió que yo siguiera escribiendo. Me acerqué a ella y la miré de cerca. El reloj de la Torre de los Ingleses dio las seis; casi simultáneamente, pero mucho más intenso y agudo, anunció la hora de salida de los obreros el silbato de una empresa.

Tenía disgustos burocráticos continuos, lo cual traía —siendo tan propensa a tornarlo todo en humillación— una fatiga y un desaliento que se sumaban a su llaga moral. Pero yo no los sabía nunca porque me lo dijera, sino por alusiones que dejaba escapar y que se empeñaba en borrar de inmediato.

Yo la seguía en las modulaciones más difícilmente perceptibles de sus cuidados y la llamaba, deseando buscar motivos de graciosa movilidad para su espíritu, con nombres ilustres simbólicamente adecuados a su estado del momento. Juana de Arco era de pronto Casandra, y de pronto la mujer del Hijo Pródigo o Deirdre de las penas o Cynthia (la de Propercio...). De modo que le dije aquella tarde, puesto que estaba especialmente apenada:

—¿Qué, Deirdre?

Sonrió y repitió: "Deirdre." De ese nombre habíamos hablado a los pocos días de conocernos. Era la triste protagonista de Synge.

Me dijo que estaba materialmente emocionada.

—Y vengo aquí a buscar el contraveneno, pero dejo lo que traigo.

—No sé qué es. Pero lo que dejas es lo que yo necesito.

Me miró con un asomo de sarcasmo, con esa agrura que le venía de pronto.

—Estoy dispuesta a creer todo. A creer que soy una repartidora de alegrías. La gloria vestida de calle.

—Muy bien dicho: la gloria vestida de calle. Hacía falta ese nombre para la colección. La gloria vestida de calle.

—Eso soy yo, exactamente.

Entonces atraje su rostro y tuvo un movimiento brusco de rechazo, lo mismo que un animal acosado.

—No. Esto me deforma. —Se refería a nuestra amistad como a algo material que tuviera delante—. Esto me empeora. Quiero ser lo que soy, algo completamente aparte; y malo de probar, como el cardenillo.

—¿Para qué has venido, para decirme eso?

—No, no por eso, sino por no sé qué empeño en persistir en el error. Porque uno siempre persiste en el error cuando el error es agradable.

—Si es agradable, ¿por qué no piensas un poco en lo que tiene de agradable?

—Me deforma, me ablanda, me hace inservible.

—Pero es que no se puede ser más servible que lo que resulta buenamente de uno, naturalmente de uno, de lo que damos con naturalidad. ¡Por qué, por qué, por qué andarse buscando los filos!

—Lo que resulte buenamente de uno... así sea una blandura, una inutilidad que disuelve a su contacto...

Cuando iba a contestarle me hizo callar. Siguió:

—Pero, ¿sabes lo que es una mujer? ¿Alguien válido, una persona válida? Necesita manos para agarrar; fondo para apaciguar los choques; naturalidad para estar; confianza en que el vivir lo cotidiano, las cosas más triviales, tiene detrás algo, una pequeña pulpa, una mínima posibilidad de delicia o —qué sé yo— de paz.

—Bueno.

—Tener todas esas cosas *dan* la forma. Hacen el techo, la cara, el frente, el suelo de la gente. Si no se tienen, ¿qué es uno? Nada, querría mostrártelo, ¡nada! Vacío y veneno; ni siquiera hueco: vacío y veneno, desagradables humores, desastres...

Levanté la voz.

—Eso es estarse mirando sin parar en el espejo deformante —le dije impaciente—. Y eso, ¿sabes lo que es? Eso tiene un mal nombre.

—No me importa nada —dijo—. No me importan los nombres de las cosas.

Insistí. Me indigné. Fui hasta la ventana, me volví y di la espalda a los vidrios. La virgen de Memling quedaba a mi izquierda. Quise, mediante mi repentina violencia, obtener una reacción; fatigarla o convencerla.

Gloria prendió un cigarrillo y guardó los fósforos en la cartera con la mano que temblaba más o menos, según el momento, según lo que dijera. Apoyó el brazo derecho a lo largo del brazo del sofá y la estrecha manga negra formó un ángulo con su cuerpo. Me dieron lástima sus dos pómulos, demasiado visibles, donde la piel se hacía tirante y brillaba sobre el resto del rostro mate. En esos pómulos residía el centro de su extraño interés, de ese aire ligeramente áspero y tenazmente distante. En esas dos elevaciones óseas hacía crisis la piel de todo el semblante y servían para que los ojos, de por sí grandes, tuvieran mayor cuenca.

Pensé que se iba a tranquilizar, y fue lo contrario.

—No tengo ganas de hablar —estalló—. Me voy.

Se levantó, se prendió el saco. Era alta y muy delgada y con el traje negro parecía todavía más alta y más delgada.

—Vamos juntos —le dije.

—No. Quiero estar sola.

—¿Para qué? ¿Para seguirte mirando en el espejo?

—Para empezar una cosa.

—¿Qué cosa?

—El comienzo de una costumbre nueva para ti, la costumbre de no verme.

—¡Qué tontería!

—Tiene que ser así. Tiene que ser el principio.

Me dispuse a salir con ella. Entonces se detuvo de golpe.

—No quiero —dijo sin énfasis—. Oyes: no quiero —una de las cejas estaba más alta y los ojos brillaron por un momento, aunque sin declamación, con cierto imperio.

Pero yo abrí la puerta, con el sombrero en la mano, y la cerré detrás nuestro, y apreté el botón del ascensor.

—No hablaré —le dije.

Y salimos a la calle y Gloria tomó hacia el lado de Retiro y yo caminé al lado sin decirle nada. Y cuando, una vez cruzadas las dos plazas, y la pendiente que las une, ella quiso doblar hacia su casa, la disuadí, sin acentuarlo, y tomamos la dirección del puerto, y entramos por la calle Viamonte hacia la Avenida Costanera. Estaba anocheciendo. Me comunicaba netamente su desorden interior, una vibración amarga, un infinito malestar.

Al llegar al puente se paró de nuevo.

—No. Me vuelvo. Quiero ir a casa.

Entonces levantó los ojos y me miró y me vio tal vez apenado —más allá de mi frialdad brusca— por la fragilidad de su naturaleza. Y pareció advertir su equivocación o tal vez pensó que era profundamente injusta y me pidió perdón.

—Perdón —dijo—. Me doy perfecta cuenta de que esto es estúpido y feo. ¡Ah, cómo preferiría que no fueras tan paciente!

Nuevamente aduje mis razones tranquilizadoras, fui cauto y lo más suave posible —ah, en mi brusquedad—, y seguimos andando, y ella estaba vencida, callada, dispuesta a oír. Pero miraba de paso los potentes mástiles y los pesados cordajes, las grúas negras, los chatos flancos de hierro inerte, los cascos nautas, la extensión de las cubiertas enfiladas a lo ancho en grandes andanas, el descanso de los cargadores reunidos en grupos ociosos con sus brazos descubiertos al frío junto a las cocinas calafateadas y grasientas; y nada de eso veía. Tenía el aire de un chico castigado, y yo me acordé del chico de Coventry Patmore, que se duerme sollozando con los juguetes alineados en la mesa de noche, cuidadosamente dispuestos, y en vano, para alegrar su triste corazón.

¡Ah, entonces hubiera querido hacer algo por ella, y no podía! Qué sé yo qué herida, crónica y congénita, guardaba. Qué sé yo qué picos corrosivos, como los que corroen —sin remedio— la carne de los delirantes, el sueño de los insomnes, la esperanza del desesperado, el descanso del colérico, la corroían similarmente, destruyendo sus tejidos más sensibles.

Me obsesionaba mi ineficacia cerca de ella. ¡Habría renunciado a tantas cosas —problemas y soledades y obras— con tal de hacerle la vida un poco más vivible!

Por el mismo paseo llegamos al sitio donde, dos o tres veces, habíamos estado y donde nació nuestra intimidad. Pensé que eso le haría bien. Aquellos días fueron —al menos me parecía entonces— de felicidad, o no, de cierta paz; pues de cierta paz se puede hablar, y no de felicidad. Del río venía un aire de hielo. Pasamos junto al lugar en que ella había recogido meses antes un trozo de madera con inscripciones hechas a fuego.

Sentí cuánto valía la pena dejar todo problema, toda trascendente abstracción, y aplicarse al difícil cuidado de un alma.

—¡Yo que pretendía no llegar a lamentarme nunca! —su acento guardaba, como la cáscara su nuez, esa quiebra con que la emoción traiciona una voz—. Pero como no quiero que creas que lo que me pasa, pasa debido a ti, me empeño en decir cosas; y lo que digo no aclara nada, porque no se puede aclarar lo que no tiene nada que hacer con la razón ni con la conciencia ni siquiera con el corazón. Lo que es una cosa hecha para no fraccionarse en frases o aclaraciones.

Pensó un segundo.

—De todos modos, ya está; ya están las cosas comenzadas a hablar. ¿Por qué no seguir? Si a ti te puede aclarar algo, mejor. Yo creo que nada de este tipo se puede aclarar. Otras cosas sí; esto no. Lo único que habla es el resultado.

Caminamos por la enorme acera, al borde del río, junto a la cresta del murallón.

—Nunca, nunca he creído en los análisis. Siempre te lo he dicho. Eso que se llama psicología es un triste invento. Hay gente que cree que las almas pueden ser tratadas en serie.

—A veces se pueden reducir a una gran simplicidad y a un gran parecido.

Protestó.

—No. Nunca. Los gestos sí; pero nada más que los gestos.

La misma palabra reducir no tiene nada que ver con los seres humanos, salvo en lo físico. El único modo de reducir a los seres humanos a una sola cosa es meterlos en un cuarto.

—¡Por Dios! —le dije—. ¿Qué sería entonces de la religión, qué serían los mitos, qué serían las creencias?

—No los reduce más que lo que reduce a unas cuantas personas el estar metidas en un cuarto. Las junta. No hace más que juntarlas.

—Ese es el modo de reducirlas.

—No las reduce. No las reduce.

Yo argüí. Yo trataba de argüir siempre. Y lo que yo quería era también reducirla.

Gloria quiso que nos sentáramos en uno de los bancos del paseo. Cruzamos y nos sentamos. Hacía mucho frío. Ella encogió las piernas. Prendió un cigarrillo que le di; yo hice lo propio. Era muy agradable sentir en el cuerpo el humo caliente.

—Mira —me dijo—. Todo el mundo habla de la libertad. Es la palabra que más se pronuncia en el mundo. La dicen los chicos y la dicen los grandes, y cuando los adolescentes quieren ser adultos ésta es la palabra que reclaman, y cuando las mujeres hablan, ésta es la palabra que pronuncian. ¡Yo me río! Me río de esa palabra tan absolutamente pronunciada y tan absolutamente inexistente. Me río de esa palabra vaga y atroz. Me río de esa palabra completamente desprovista de sentido. Me río de esa palabra tan parecida a la gente. —Dejó los labios entreabiertos mientras pensaba. Estaba vuelta hacia mí. Tenía una mano en mi brazo y en la otra tenía el cigarrillo—. ¿Qué libertad? Primero estamos en un cuarto anterior a la vida, y después en un cuarto que es la carne materna, y después en otro cuarto más, el último. ¿Qué libertad, por Dios? ¿De qué libertad hablan? La vida también es una serie de cuartos. Tampoco eso tiene nada que ver con la libertad. Nada. Algunos encuentran cuartos que parecen sin paredes. Son los que se sienten más libres. Cuartos grandes; eso son, cuartos grandes. Otros encuentran cuartos chicos que les parecen grandes por el efecto de la decoración — o porque no están solos. Otros creen que el cuarto está abierto, porque tienen un espejo. Pero todos, todos — son cuartos; una sucesión de cuartos, siempre cuartos. De pronto, en la vida se entra en uno más espacioso que el anterior; por lo general, inmediatamente viene otro chico. Y los cuartos pueden ser salones tales que deslumbren a todo el mundo de tanto que parezcan la libertad. Pero siempre cuartos, siempre cuartos. Ahora, la vida, sabes, es como una dueña de casa de pensión: la vida es la gran hotelera. Te recibe bien o mal según su genio. Ese hotel también se puede pagar bien y conseguir mejores cuartos; pero lo que la hotelera no deja es que pueda haber otra cosa que cuartos y cuartos y cuartos. Habitaciones cerradas. Uno se puede asomar a la ventana pero no salir. También las ventanas varían siendo siempre ventanas. Hay unas que dan al vacío o a un bonito paisaje, y ésas son las mejores, porque también hay otras que no dan más que a otros cuartos... y ésas son las peores, con ser algo mejor que los cuartos sin ventana.

Yo fumaba, escuchándola.

—¡Pero hay tanta gente privilegiada al pasar de un cuarto a otro! Del cuarto mezquino y oscuro pasan al bueno, al excelente. Encuentran flores en las mesas y chimeneas y libros y todos los elementos para la distracción. Además, esos privilegiados suelen llevar adentro el color de alma que viene bien al color del cuarto que encuentran. Y otros, por fin, pueden hasta buscar el cuarto que les gusta... Tú, por ejemplo, tal vez has entrado un buen día en el cuarto de tu vocación, que es un cuarto bueno. Estás en él. Tiene ventanas. Tiene ventanas que dan a una sociedad, ventanas que dan a un país, ventanas que dan a lo espiritual. Yo estoy segura de que un día vas a salir de ese cuarto para entrar en uno mejor...

Su voz, fue ahora su voz la que tembló. Y me miraba, bajo los álamos sin hoja ni fruto, que iban a florecer pronto, con sus grandes ojos inmóviles.

—¡Ah, qué cuarto espacioso y feliz te deseo, qué ventanas y qué amplitud! Pero quisiera que pensaras ahora cuáles son mis cuartos, cuáles han sido mis cuartos, de qué modo me ha tratado a mí la hotelera. El primero era un cuarto muy pequeño, muy pequeño. En él entraba mi padre. Mi madre no entró en ese cuarto. Mi madre se había ido. Ese cuarto compartido con mi padre, tú ya sabes, fue terriblemente triste. ¡Tan solitario; tan sin ventanas! Yo pensaba en los cuartos que vendrían. Me preguntaba sin saberlo: "¿Cómo serán?" Pero el que vino fue horrible. Fue el cuarto en que también estaba mi padre pero en el que vi irse formando su odio. Tampoco tenía ventanas. Y en ese cuarto, él murió, y algo de mí también murió. Luego entré en el cuarto de la más absoluta soledad. No había nadie, más que yo; y yo, no me necesitaba. Tú no sabes lo que me reservaba este cuarto en materia de humillaciones. No sabes la humillación a que daban sus ventanas. No sabes lo que es la vida de una mujer sola, que se gana la vida; no sabes lo que es para cualquiera, depender de patrones, soportar ciertas brutalidades, ciertos malos humores, ciertos desplantes, ciertas indelicadezas. No sabes nada de eso porque en tu cuarto no han entrado nunca esas presencias. Yo sé cómo son. Entraron en mi cuarto muchas veces. Muchas veces, en muy diferentes formas. Y después, después vino el mejor cuarto. Uno que ya no esperaba, en el que estabas tú. En ese cuarto había una ventana, daba a tu vida. Pero, ¡qué inutilidad pensar en pasar por esa ventana! Yo estoy hecha a otros cuartos. No puedo hacer más de lo que me da mi constitución. Mis cuartos no los elijo. Me arrastro en ellos. Arrastro un cansancio, una desesperanza de mí y esa tremenda inutilidad a la que es inútil que arguyas nada. De mis cuartos yo no podré salir nunca y adentro hay cosas que serían horribles en los tuyos. Y aunque fueran buenas, tampoco podría irme. Para ellos he nacido y en ellos me voy a quedar. Es inútil que trate de pensar en otros; no los soportaría. Tú no sabes una cosa, y es que uno se hace a lo peor y que a veces lo peor no se puede arrancar ya de uno. Es *carne*. Es la carne que uno tiene encerrada en los cuartos que le han tocado.

—¡Qué absurdo me parece todo eso! —le dije. (Y en verdad no me parecía, no me parecía.)— ¡Qué absurdo y qué desproporcionado! Todo vendrá a mejores días cuando tengamos, sí, un cuarto, pero en el que vivamos juntos — y lleno de ventanas.

Me reía.

También Gloria se rio y me golpeó tiernamente el brazo con la mano que no había apartado de él. Al cabo de un rato, sentimos el frío de la inmovilidad. Los dos tiritábamos.

—Hay que caminar.

Cruzamos hasta la cresta del murallón.

—Una cosa me gustaría —dijo—. Y es que fuéramos juntos por unos días al lado del mar.

Sonrió:

—Consentiría en aceptar esa ventana.

—¡Pero claro —le dije—, pero claro!

Ella agregó que no importaba que fuera invierno. Y que desde hacía mucho había oído hablar de un hotel solitario en un sitio llamado Monte Hermoso.

—Yo pediría permiso por una semana. Pero no tocarías el libro. ¡Ni un papel!

—De acuerdo.

Era hora de volver. Hacía un frío de mil demonios. Subimos a la ciudad por la calle Viamonte. El guarda de aduana nos miró con el gesto de siempre.

Aquella noche, al quedarme solo, me sentí más inquieto que nunca. No podía dormir de tanto pensar en el modo de acabar de vencerla. Qué dificultad, qué materia compleja. Se me escapaba de entre las manos y cuando quería llamarla por el amor y las caricias la sentía más distante que nunca, pasiva, resignada hasta desesperarme. Pero los días de descanso invernal me parecieron al fin el momento de que aquella tormenta, fatigada, viniera despacio al apaciguamiento y la alegría.

Me puse a pensar en Anselmi y en la nueva juventud que se levantaba como una siembra de trigo.

LVI

La estrecha calle de tierra abierta entre tamariscos y médanos, con su gracioso cerco de casas erguidas en lo alto de potentes pilotes, conducía hasta el mar el trozo de pendiente cultivada, proponiendo al que llegaba un curioso espectáculo de isla. No era isla, sin embargo, sino las cautas viviendas de los pobladores del balneario, paréntesis abierto al océano en la costa sur entre estancias y médanos salvajes, viviendas alegres rodeadas de hierba verde y construidas de rientes maderas verdiblancas. La calle de tierra descendía hasta la playa defendida del intruso, en los alrededores del hotel, por pesados arenales. Iba y venía el caballo de tiro con las cadenas a la rastra, listo para ayudar a los autos empantanados en el arenal o en la pista de playa húmeda. Las estancias de la costa dejaban este hueco, esta extensión de balneario público, espléndida llanura tendida a los pies del faro. Teníamos en el hotel solitario uno de los cuartos de madera, el último del ala hacia el norte, con su ventanilla a los médanos y el mar. De noche el viento traía la arena en furioso choque hasta la construcción en madera, y el viejo obstáculo, el viejo hotel de exterior despintado y descolorido, recibía en dos flancos el latigazo incesante.

Gloria no dijo nada del mar. Lo había deseado ver; ahí estaba. El primer día, al llegar, estuvo un rato mirándolo desde la galería del hotel. Era un día gris y por la playa rodaban pequeños remolinos de arena. Y aquel día el mar estaba anodino, refunfuñaba sin genio pastoreando monótonamente su manada de carnerillos. El viento mandaba en el agua y en la tierra.

¿Cómo, en su naturaleza de mujer perseguida, se operó este cambio, este florecimiento? "Que sea un olvido completo", me dijo ella al llegar, al caminar detrás del dueño del hotel, acentuando con la voz pero sin gesto la condición. Salieron de las valijas los *sweaters*, los *pull-overs*, los trajes de franela gris. "¡Serán tan pocos días!"

La noche cayó de inmediato aquel día y comimos solos en el comedor, servidos por el matrimonio propietario. Las mesas

432

tenían manteles coloridos y rayados, había dos o tres lámparas a querosén y estufas y una victrola de antiguo modelo. La comida —aquellos variantes del bife y la ensalada— tenía esa calidad sabrosa y sana de la cocina popular. Pero Gloria probaba apenas cada plato. Le producía contento el ambiente, la soledad, el aire calentado a fuerza de estufas domésticas.

A excepción del faro y de las pocas casas de madera, raras y distantes, la playa extendida no mostraba interrupción en su pista, y al caer de la noche quedaba envuelta en una infinita tiniebla.

Después de comer caminamos por la orilla, con cautela, sintiendo a cada instante ablandarse la superficie mojada, vacilar, ir a darse al agua.

—¿Qué te parece esta nueva ventana de tu cuarto? —le preguntaba yo.

—Lindísima.

Íbamos de prisa; nos parábamos. Gloria respiraba el aire frío, miraba la luz del faro, huida y retornada en lentos remansos. El viento nos incomodaba. El haz iluminaba de pronto una carrera de olas, de pronto el brillo acero de la arena cubierta de algas por la bajante.

Entramos pronto al cuarto templado. Estuvimos leyendo algunas cosas, en voz alta. La arena de los médanos venía a golpear la pared de madera. Debía de ser una gran compañía para la soledad. Pero ahora no estábamos solos y hablábamos.

Gloria parecía haber descendido a una calma docilidad. Me mostró un pañuelo negro con pintas blancas que había usado en la infancia y que se ataba todavía en torno al cuello. Me lo puso a la ligera en torno al cuello y se rio del efecto y yo me lo quité y se lo até con cuidado y le dije que le quedaba muy bien.

No le quedaba bien; tornaba su semblante más pálido y quitaba acento al tono suavemente moreno de la piel. Ella se miró en el espejo y pensó, sin duda, que no le quedaba bien, pero asintió en que le quedaba muy bien y se lo dejó puesto hasta el momento de acostarse.

Desde ese momento empezó a crecer en ella una gran animación. Empezó a mostrar mucho más vida que yo, mucho más reserva de alegría, mucho más ímpetu en cada una de sus manifestaciones. No quería tolerar un momento de pausa a nuestra actividad. Me instigaba para que saliéramos, para que visitáramos las estancias vecinas, la estafeta rural, la enorme laguna distante una legua del hotel.

Salíamos por la mañana en un Ford. Era un coche de tipo antiquísimo y yo manejaba mal, lo cual la divertía grandemente. Luego de hacer veinte kilómetros entre arenales, se salía de la zona del hotel y se entraba en el camino real, polvoriento y ancho y bordeado de alambrados. Pequeños montes rodeaban los edificios interiores de las primeras grandes estancias, visibles desde lejos con sus techos pintados de rojo como granjas de juguete sobre el ligero declive del terreno.

Me pareció que su derroche de inquietud, de curiosidad y su espíritu constantemente animado provocaban aquella indiferencia física por la comida y aquel desmejoramiento del rostro; estaba mucho más delgada. Y me sorprendía, sin que yo me atreviera a decírselo, por no estropearlo todo, la igualdad de su entusiasmo. Al regresar al hotel, quería ir en seguida a la orilla del mar:

—¿No es esto tanto o más bonito que las sierras?

Se agarraba a mi brazo y echábamos a andar ligero, cada vez más ligero, en dirección al faro, y luego volvíamos. Desde la galería del hotel nos miraba el matrimonio propietario. A veces el hombre tenía que ir a emplear los caballos de tiro para sacar de la arena a un automóvil. El viento le alzaba las solapas del grueso saco de abrigo y su cabello largo flotaba en punta hacia un lado. En el vértice de un lejano médano giraba un remolino de arenisca parecido a la cresta de humo de un volcán.

Mirábamos el espectáculo del invierno al lado del Océano. Le preguntaba si estaba contenta.

—Sí. Como nunca.

—¿Realmente?

—Sí. Como nunca.

—Ya fuera de los cuartos, ¿verdad?, y libre.

—No —rio—, no afuera. Pero con una ventana como no había conocido nunca. ¡Grande! Cada vez más grande.

—¿Como para poder salir por ella?

—Como para poder salir por ella.

—Estoy contento.

—Sí, yo también. Como nunca.

—¿No ves? Tenía que pasar.

—Sí —dijo Gloria—. Tenía que pasar.

Lo que más nos gustaba era llegar caminando de noche por la playa hasta el único oasis de luz que había del lado opuesto al faro, a una casita mísera de madera por cuyas ventanas se filtraba una claridad viva y amarillenta y a cuyo favor veíamos moverse la pesada figura de un hombre. La vida de aquel individuo parecía lo más envidiable del mundo. Junto a la casa se levantaba, menudo y reseco, un seto de tamariscos.

—Tú que me pones siempre nombres...

—Sí.

—...después de esta semana podrías llamarme La Liberada.

—Muy buena idea. Ya mismo. La Liberada.

—No. No hay que anticiparse demasiado.

Se echó a reír y yo le puse mi brazo alrededor del hombro y miramos los destellos del faro a la distancia.

—Este océano también tiene su ventana —le dije—, esa ventana se abre a otro océano y más lejos, mucho más lejos, a Nueva Zelandia, en esta misma línea. Yo pienso cómo será la gente allí, a esta misma altura del planeta.

—Se parecerán a nosotros.

—Tal vez se parecerán a nosotros. O tal vez sean muy diferentes, sajones. Tienen la piel color cobre.

—Pero algo se parecerán. Yo también tengo la piel un poco cobre.

—Yo conocía a una neozelandesa muy bonita. Era muy alta y parecía una reina. La gente iba detrás de ella. Nadie hubiera podido dar la idea de que ella la seguía; en cambio todos parecían marchar detrás de ella.

—¿Muy, muy bonita?

—Muy bonita.

—¿Era inteligente?

—Era inteligente. Pero de un modo muy raro, como si los órganos de la inteligencia estuvieran en su piel: actuaba y pensaba por un sistema de rechazos y simpatías corticales. Lo que no le gustaba parecía haber irritado su piel y luego producido ese juicio.

—¿Y tenía la piel color cobre?

—Sí.

—¿Como yo?

—No. Tú eres mucho mejor.

—Pero no parezco una reina...

No sé a raíz de qué le hablé de la biblioteca.

—No —protestó—. Hemos dicho que por estos días nos vamos a olvidar de todo eso. Hay que cumplir.

Fue el único instante en que pasó por ella una sombra. Durante esa semana vivimos, como ella lo había deseado, sin acordarnos de nada.

Cada día era un amigo joven; cada noche, una amiga joven. Sumergíamos en el tiempo una alegría fresca, como si acabáramos de mutilarnos la vejez del pasado.

Y Gloria estaba tan diferente y había en ella tal exaltación, que yo me asustaba a cada rato de que eso fuera a cortarse, a interrumpirse.

Sólo al final de los siete días estaba seguro de la permanecia de aquel entusiasmo vital que la hacía correr como una chica por la playa húmeda y endurecida. Yo me reía el doble que ella porque también se reía por dentro mi cuidado. Con qué contento escarbábamos el piso de arena en busca de almejas frescas, siguiendo en la arena endurecida por el agua la pista de los agujeritos reveladores; y con qué tranquilo cansancio nos dormíamos de noche después de todas las excitaciones.

—¿Ves qué contenta estoy? ¿Ves qué contenta estoy? —me preguntaba.

—Sí.

—¿Vas a pensar siempre que estos han sido buenos días?

—Tan buenos que pensaremos en ellos como si fueran mentira.

—Pero son verdad. ¿No ves cómo son verdad?

Y me daba su boca fría por el aire, y pronto los labios se entibiaban y levantábamos la cabeza alegre al aliento salobre.

Gloria todavía venía feliz en el tren. Pero de esos días, ¿por qué volvía tan demacrada? "De vivir", dijo. Comimos en el comedor la sopa de los trenes. Viajaba una enorme cantidad de gente. El comedor estaba lleno de luz y no se veía nada por las ventanillas hasta llegar a una estación. Las estaciones eran todas iguales y nos asomábamos a ver el nombre. Oíamos las corridas resonantes en la cámara sonora producida por el tren al tocar —casi— el techo de la estación. Además del cerco de maderas blancas y del farol típico con el nombre de la localidad calado en la franja de hierro verde, estaba, eterno, el jefe, parado bajo la campana.

Llegamos a Constitución a las diez de la noche. A Gloria se le cayó una valija de mano en el andén y nos reíamos comentando el peligro de que se hubiera deslizado bajo los vagones. Tomamos un taxímetro y la llevé hasta su casa. La invité a que no nos separáramos todavía, a que tomáramos en casa un café hecho por ella. Pero estaba apurada por quedarse y me despidió rápidamente y me dijo adiós.

Aquella noche dormí pesadamente, descargada mi conciencia de la preocupación por Gloria, satisfecho de poder reiniciar al fin tranquilo la parte más difícil de *Las Cuarenta Noches*.

LVII

A veces lo que habla en nosotros es otra voz que la voz, a veces lo que habla en nosotros es materia sin dueño, vieja e impersonal como el lamento de las ínfimas castas o el tono de la ambición de las altas. Y esto, esto que hablaba en mí, no era mi voz. Era un grito, y de repente, un murmullo. "No: nadie influye sobre nadie." No: ¡nadie influye sobre nadie! El mozo me tendió el sombrero a la salida del restaurante. Gracias. No: nadie influye sobre nadie. Nadie sobre nadie. ¡Nadie, nadie! El portero detuvo la puerta giratoria. Era un gigante. Gracias. Nadie sobre nadie. El sol de septiembre bañaba la calle. Bañaba —alguien no lo veía— el frente barroco de una vieja residencia y la gran cristalería corrida a lo largo de cuatro pisos de escaparates de un famoso comercio. Chocamos y el hombre pidió perdón y yo al mismo tiempo. Choques: como éste. Todos son choques. ¿Influir? ¿Influir? Cada conciencia es un río y no oye más que su propio correr. El zapatero se obceca en su zapato, el cura en su proverbio divino, la mujer en sus celos, el negociante en su empresa, el negrero en el látigo, el obrero en la piedra, el santo en su ayuno, el timorato en su miedo, el soldado en el arma, el ciego en la idea remota de ver. Me sentí la boca apretada, pero la voz de adentro estallaba en aquella sola carcajada: "¡Influir! ¡Influir! ¡Qué grosero sarcasmo de la vida!" ¿Quién influye? Se influye fortuita, casualmente, pero, decisivamente — ¿quién influye? Decisivamente — ¿quién influye? Una victrola daba juego sin cesar en el interior de un café al *Concierto en mi bemol* de Liszt. ¡Ah, qué risa —y qué furor— por dentro! ¡Pretender que podemos lograr que ese huevo que se desarrolla y viene un día a la vida atado a otra carne y que es luego cortado y desenvuelve, solo como un loco a través de años, obstáculos, sus ansias tremendas y sus pequeños pensamientos ocultos y sus manías y sus creencias y sus dudas — puede, por nuestro deseo, cambiar ese material virulento en inclinaciones, ideas y ansias de nuestro gusto! Influir... ¿Influimos sobre el agua que corre? La paramos, elevamos compuertas; pero el agua es agua hasta secarse. Ese *Concierto* de Listz emociona a multitudes pero el rapto de que nació no se repite en ninguno de los individuos de esa multitud; lo que la emoción colectiva condensa no es más que la paralización isócrona e instantánea de mil estados minuciosamente complejos, esencialmente distintos y frecuentemente antagónicos. En un alma acaricia ese *Concierto* un puro gozo, en la de al lado un postergado tormento. Si existieran dos almas exactamente iguales se anularían de terror, como se anularía de terror el hombre que no sintiera de pronto suelo bajo sus pies. Según la capacidad metafísica del organismo que toque, una sonata de Bach puede ser un glorioso sedante o bien un expediente de horror. El padre que pega al hijo puede hacerlo un santo o un criminal. La misma sonrisa obtiene para un rostro la mirada del odio o un sentimiento de amor. Pero reducir, pero reducir... Ella tenía razón.

Nadie, nadie influye sobre nadie. Primero estamos en un cuarto anterior a la vida y después todos son cuartos. Algunos creen que están libres y son los más encerrados. Sentí mi boca apretada y un sordo dolor adentro, tan infinitamente bajo y oscuro como el tumor que se adhiere con bridas a la maquinaria de la entraña y la somete a su inercia. He ahí el bulevar, he ahí el bulevar Santa Fe. Casas, gente adentro, cuartos. Como un gorila blanco de ladrillo y cal, feo y aprisionado entre dos casas de departamentos, estaba el templo nuevo; y esta vez no decía su inscripción *In hoc signo vinces*, sino: *Sancte Nicolae ora pro nobis.* ¿Pero dónde estaba el sacro amor, la inspiración del arquitecto, la palabra que nos llevara a la atmósfera elegida de Santa María Maddalena dei Pazzi o siquiera a la colonial Santo Domingo con sus balas heroicas en la frente de las humildes torres? Hasta la iglesia habíanla construido aquí sin artística gracia, apretada, ahogada, humillada, apretada entre dos casas de renta. *Sancte Nicolae...* No habían podido buscarle un sitio noble, un sitio limpio: estaba ahogada, apretada, humillada por la mediocridad de un arquitecto y el crecimiento adyacente de las lujosas casas de renta. Subí los escalones, entré; hacía tanto que no entraba en una iglesia. Me quedé parado, acongojado por el ritmo litúrgico que fluía solo, sin oficiante, de la pálida y laboriosa unción de las luces, solitarias al fondo de la nave a oscuras, modestas pero sólidas y orgánicas en su proposición ascendente velando al santo titular. Ni un llanto en mí, ni una oración vocal, más que aquel penar, aquella protesta, aquella terrible desolación por la nula influencia que tenemos, en el orden de los actos humanos, cuando se trata de convencer o de comunicar. Estuve allí parado, sin saber qué hacer, y luego salí a la calle, al sol insoportable. ¡Ah, fracasados, amigos de Bruselas, aquí estaba yo, como ustedes, ardiente e insuficiente, lleno de voluntad e ineficacia, semejante al padre de familia en torno al cual todo es deserción, frenesí e irrespeto, con el corazón lleno de voluntad y las manos llenas de inacción! ¡Ah, fracasados, viejos amigos de años! Jóvenes tripulantes ansiosos y descorazonados. Sensibilidades, escrúpulos. ¡Ah, escrupulosos! Tripulantes a la espera del barco en la bahía de silencio... Estaba atontado. Me senté en un banco de la plaza. Se llamaba Rodríguez Peña. ¡Cómo bañaba el sol las ventanas del Consejo! El tránsito estrepitoso de Callao mandaba hasta aquí su ruido. ¿Dónde se podía descansar? Estuve allí sólo unos minutos. Bajé por la calle Rodríguez Peña y caminé. No sé cuánto tiempo; horas. Atravesé la calle Independencia y vi el nombre escrito con letras blancas en la chapa azul y me pareció una palabra desprovista de sentido — a menos que se tratara de otro mundo. ¿A quién iba a contar todo esto? ¿Dónde estaban en aquel instante Jiménez, Anselmi, Acevedo? ¿Dónde estaban los otros hombres en el claustro, en la tierra sombría de la ciudad? Uno amamanta solo sus gozos y sus iras y solo los entierra y los llora. ¡Los llora! Otro modo de decir. ¿Qué llanto llevaba yo? Pero aquella gran pesadumbre, aquel infinito descorazonamiento, aquel haber llegado al extremo del muelle... Una especie de desolación viril al llegar al extremo del muelle. ¿Pero no es el muelle un cuarto más, parecido a los otros, casi igual a los otros? — El sol, al fin, en la calle, fue escamoteado por un gran frío. Lo vi ensombrecerse, desaparecer. Apresuré mis pasos y llegué hasta la plaza de Mayo y vi en el reloj del Concejo Deliberante que eran las siete. El tiempo se va. Entré a tomar algo en un cafetucho de la calle Rivadavia, al lado de la librería italiana, y luego salí, sin haber tomado nada y seguí, sin pararme en la vidriera de la librería. Florida llena de gente, Florida llena de extranjeros, Florida con algunos argentinos. Los argentinos me parecían mucho más sobrios y sombríos; los otros iban alegres. La luminosidad de la estrecha calle se recogía en lo alto y fluía, abajo, de todas las ventanas, puertas, galerías. Como dos minerales, uno al lado del otro, así pueden influir las naturalezas una sobre otra, como dos minerales. Un cristal de cuarzo al lado de otro cristal de cuarzo. Entré, atravesé el pórtico y bajé al bar subterráneo. Ahora no se veía allí a Guerrero, a Jazmín Guerrero. Estaba mucho más iluminado y había mucho más gente. Me acerqué al mostrador y pedí un vaso de alcohol y vi que, sentada en un taburete, estaba la muchacha del bolero de bisonte y la gardenia. Tenía un gracioso sombrerito negro caído sobre un lado. Me miró fijamente, con perplejidad, con asombro, y yo retiré la vista y me vi en el espejo, detrás del hombre que mezclaba las bebidas, entre las botellas multiformes con las etiquetas de todas las destilerías más ilustres. Me acordé de una fotografía mía tomada a los dieciséis o dieciocho años, en que estaba desencajado pero bien peinado y compuesto. *Voilà le seigneur!*, decía la criada francesa mirando la fotografía. Me pareció que mi mano temblaba y eso me trajo un recuerdo atroz y atrapé el vaso que acababan de servirme. *Voilà le seigneur!* ¿Quién hubiera podido acusar más allá de esa máscara imperturbable, algo pálida, fija en el espejo, el mundo que encerraba, de carcajadas, desesperanzas, raro furor y vientos crueles y dolientes? Bebí y bebí otra vez. Nunca había hecho nada ¿pero quién influye sobre quién? La gente elegante gritaba y reía y yo me sentía muerto en la campana de sus gritos pero como un muerto a quien le hiciera falta esa resonante, viviente referencia. Sentí un repentino calor en el cuerpo y un bienestar delirante, un reposo que acallaba un delirio. La muchacha del bolero de bisonte y la gardenia blanca vino a sentarse en el taburete de al lado con el vaso en la mano. Se sonrió con timidez y encanto. "Yo lo conozco a usted —me dijo y su voz era demasiado suave—. El otro día me lo mostraron aquí y yo esperaba que volviera. Yo sé quién es usted." Y dijo mi nombre. Entonces yo sentí una gran confusión y miré alrededor y acepté que hablara de un libro mío y traté de portarme como si no me pasara nada. Ella era muy vivaz, insistente, y yo tenía ganas de gritarle que se callara; pero me portaba con una extrema corrección y la criada francesa que admiraba el retrato del adoles_ cente habría dicho otra vez, viéndome, *Voilà le seigneur!* Pero *le seigneur* era una ruina y las palabras que decía, las palabras que contestaba tenían la vacilación, el caos, el des- orden de la expresión con que hablamos en la mitad de ciertos sueños. Escuchaba la voz de la muchacha: "...¿y cree realmente en esos hombres subterráneos...? Sí, claro, si no creyera, cómo podrían estar tan apasionadamente ex- presados, pero..." Los ojos de la muchacha estaban pin- tados con refinada sabiduría y el brazo, al moverse, tenía cierta nerviosidad insistente, vehemente, como insistía tod♀ en su cuerpo, desde la mirada, y la gardenia blanca suje- ta en la superficie oscura del bisonte hasta el perfume de azalea preparado por Guerlain o por Worth. "No crea; yo soy muy erudita..." Ella estaba a mi derecha; a mi izquierda, apoyado en el mostrador, la escuchaba un joven sin dejar de golpear monótonamente el anillo con un ruidito agudo en la superficie de cristal. "...Me gusta sobre todo la alegría de los personajes jóvenes del primer tomo de *Las Cuarenta Noches*, porque juegan con la vida y no se dejan llevar por esa filosofía de juventud tan de moda. No me explico que haya tanta gente joven entregada a ese pastor dinamar- qués —¿cómo se llama?— Kierkegaard. ¡Por Dios, no es hablar por boca de ganso sino por boca de buho! ¡De buho! Es un envenenador de criaturas. A mí, la idea de la muerte no me parece tan siniestra. Claro que hay una muerte joven y una muerte vieja. A mí me gusta la joven, me divierten sus símbolos. Por eso me hago hacer especialmente este perfume con azaleas —algunos dicen que no tienen olor pero ya ve usted cómo tienen—, porque la azalea da una miel mortal. ¿Se acuerda de la huida de los diez mil de Jenofonte? La miel que los envenenaba era de azalea. ¡Y es una flor tan joven y tan bonita! Me parecen horribles e insoportables los buhos, y eso de ponerse desde la cuna a babear lamentaciones sobre una muerte más vieja y arcaica y deforme que el jorobado de Notre-Dame me parece todavía más insoportable. ¿A qué cree usted que se deberá ese modo de influir de Kierkegaard sobre los jóvenes?" Sentí crecer mi voz en una rabia violenta. "¿Influir? No es el que usted cita nada más que el caso de un hombre groseramente inflado y deformado, traicionado por su descendencia, como a todo hombre le pasa, en un momento o en otro. Unos lo explotan tristemente para llenar su propia incapacidad de creación y otros lo explotan vergonzosamente para justificar sus personales prejuicios apoyándolos con frases de él parcialmente usadas y otros lo explotan dolorosamente para cantar a sus penas una cantinela adormecedora. ¿A eso lo llama influir? ¿Qué cree usted que son los prejuicios? ¿Cree que son un conjunto de ideas retrógradas que algunas gentes viejas tienen hacia las ideas y las costumbres y las cosas nuevas? No. Los prejuicios son todas las posiciones en que nos instalamos de un modo inhumano y dogmático. Los prejuicios son ese estado de inmovilidad sólida a que tiende el hombre para agredir o para defenderse. ¿No acabo yo de ser culpable de un espantoso prejuicio? Como no quería totalmente a una criatura, como en el fondo no estaba enamorado de ella —porque esto no lo decide uno en sí mismo—, me fijé en el prejuicio de la piedad. Creí que podría convertirla. ¿Convertirla a qué? ¿Qué presunción es, convencer? Debí dejarla tal como era. Estaba ella como todos nosotros, cuando la conocí, igual a sí misma y nada más. Yo pensaba que se podía hacer algo; pero la vida es una terrible anarquía. En cuanto nos endurecemos en un orden ya lo estamos deformando y disolviendo, excepto con las palabras. Lo único que no se deforma es sin duda lo que está más allá de su muerte. Para eso, para no perder en vida la forma de su naturaleza mayor, tiene que usar el santo —¡el santo!— sus cilicios de hierro y el hombre común una resistencia a la que generalmente sucumbe. Yo he conocido a algunas personas, muy pocas, muy pocas, increíblemente pocas, que lograban defenderse con los dientes para no perder la forma de que estaba hecho lo mejor que tenían. De todas las luchas, ésta es la peor. Hay que respetarla y no tocarla. Y de esas pocas personas, algunas sucumbieron moralmente y la última físicamente. Quiso irse, se fue... Quizá ésta fue la sola que no quiso presenciar su deformación, su lento desastre, y prefirió cortar amarras cuando era todavía fiel a sí misma. ¿Por qué todos los grandes sinceros tienen el aire de grandes fracasados? ¿Sabe usted? ¿Sabe usted por qué?" La muchacha del bolero de bisonte no lo sabía; me contemplaba con curiosidad, sin asombro, con una curiosa simpatía que no acababa de comprender del todo el discurso. "Yo tampoco sé por qué. Pero lo tienen. Para tener el aire del tiempo hay que ser siempre un poco insincero." La muchacha asintió a eso y dijo que le complacería verme en una de sus reuniones, haciendo una excepción porque por lo general los literatos le parecían llenos de aburrimiento y ordinaria avilantez. "No —le dije—, no. No iré. Tengo que hacer otras cosas." Se rio, en lugar de indignarse, y brilló unos segundos el esmalte de unos dientes blancos y sanos recluidos en el aro rojo de la boca un poco grande, de labios gruesos. "Quiere usted que yo vaya a su casa a hablar. Cree que va a ser divertido. No va a ser así. No va a ser brillante, si voy. ¿Cree usted que me importan las ideologías como tales? Puedo adherir a tal o cual política como tomo un sello de cualquier analgésico, por una razón de orden higiénico. Pero nada me importa tanto como esa extraña, delicada, preocupada, libre, rica flor humana que es una conciencia. Ya nada me puede importar como esto. Las pasiones, los dolores, los extraordinarios movimientos de ese organismo — su ocaso, su amanecer. Y esa eclosión cuyo contacto nos enriquece, nos levanta, nos lleva a estar más despiertos cuanto más tratan los políticos de castigarnos o adormecernos." Ella y yo pedimos un nuevo vaso. La miré: "¿Cree usted que las conciencias se marchitan y desaparecen como el papel quemado en la estufa? No. ¿No le digo que es una flor? Sólo su muerte sirve al fruto. Por eso quiero a esta tierra, por eso quiero a este continente. Es demasiado vasto y el hombre lucha con soledad y es en la soledad donde florece esa extraña, delicada flor... Estos hombres que están hoy aquí solitarios, no sabe usted lo que darán mañana." "¿Qué darán?", me preguntó. Estaba cansado y tenía en el fondo, todavía, aquella sombra, aquel sordo dolor. Miré el elegante bolero de bisonte, el rostro joven, los ojos celestes y los labios grandes. No le contesté. El joven que estaba a mi lado la miraba; había dejado de golpear con el anillo, pero, aprovechando la pausa, recomenzó, fingiendo no oír lo que hablábamos. "Sí —dijo la muchacha—. Lo que me parece es que habrá que esperar." "Cállese —le dije sin violencia—, cállese; ¿qué puede opinar usted de eso?" Le hizo gracia. "Un ser humano es algo demasiado serio. Se le destruye, es fácil destruirlo, basta que se precipite en un avión o se quiebre entre los engranajes de una máquina — o se le ultime de un tiro. ¡Pero creer que no deja su semilla! — ¡Creer que no habiendo venido a la tierra en vano, se le puede borrar como algo inútil que no deja rastros!" Tuve una repentina vergüenza de mi excitación. Me sentí indigno. Pagué y me despedí. En la calle hacía mucho frío. Sin embargo, me marché caminando hasta casa. Y a oscuras, fui hasta la ventana y la abrí y me quedé mucho tiempo callado, mirando el río desde el punto donde lo habíamos visto con Gloria.

LVIII

Estaba escrito así, por mi mano, en *Las Cuarenta Noches*:

"En el anochecer de verano, durante el general florecimiento, un hombre se había matado en la ciudad. Era un espíritu fuerte y noble, y estaba cansado. Durante más de sesenta años de una vida desprovista de fausto, había trabajado su pobreza hasta hacer de ella un instrumento de rigor. Este instrumento duro y riguroso lo aplicó a llenar el país con una ola de grande poesía, algunos de cuyos destellos alegraban muchas noches del enorme campo argentino, y que él creaba en el aislamiento y la moderación. Durante años, durante muchos años su mano derecha le sirvió para decir a su tierra el canto de una rara grandeza, que no era la grandeza que aparecía en los labios generales, sino otra, que tenía que ver mucho más con su eternidad que con su próspera y despreocupada contingencia.

"Durante años ese hombre se había dado a sí mismo terribles vigilias, difíciles aprendizajes, violentas privaciones, a fin de armar en sí mismo esa despojada dignidad sin la que ninguna voz tiene derecho a levantarse sobre las otras acalladas. Su palabra fue una voz, y esa voz alcanzó una gran belleza. Había educado su memoria, como el árbol su corteza, hasta hacerla espaciosa y resistente. Había extendido su conocimiento en las materias más auténticamente ilustres hasta hacer de su mentalidad la mentalidad más férrea, amplia y poderosa del país. Y después había cubierto esto de discreción, a fin de que su pujanza no tuviera flecos de debilidad, de subalternidad.

"Sólo las mentalidades no beocias, atentas y despiertas a las circunstancias imponderables, medían la categoría de ese espíritu, al que una labor de naturaleza hercúlea había dado, en una tierra culturalmente virgen, la calidad profética y la grandeza esencial e impersonal que pudo tener en Puchkin el canto de algunos caracteres cruciales de su pueblo. Mucho más grande que cualquier obra civil, su obra adquirió, de ese modo, el valor del primer acto en el sentido de la reconquista de la tierra natal, empeñada no sólo a compradores extranjeros sino, lo que era todavía peor, al ignaro descuido y olvido de ella misma en que vivían sus nativos habitantes. La gente civil de esta tierra era opaca a las necesidades, padecimientos, objetos y esencias que ella comportaba, siendo la tierra lo espiritual en términos mucho más poderosos que el hombre que la ocupa. Dios y la tierra están interrumpidos sólo por la opacidad de ciertos hombres. A esos hombres opacos oponía éste la lucidez de su genio creador. Y como no es la inteligencia lo que nos eterniza sino la humanidad de nuestra inteligencia, la vigorosa humanidad de su canto nacional tuvo, desde el nacer, un acento eterno.

"Pero los hombres así padecen un cruel destino. Transportados a una proyección, a una visión, a una familiaridad, a una ciencia del matrimonio futuro de su nación con la historia, vegetan en el marco de su tiempo vital errantes y solitarios. Llegó un momento en que este hombre sintió la quiebra de su sueño con un mundo circundante horriblemente inmaturo, donde la terminología pragmática llegaba a términos soeces, a fuerza de un grosero disfraz por el cual lo más burdamente mercantil —siendo también mercantil la negociación de prestigios— asumía los derechos de la respetabilidad. Entonces, cuando sintió la quiebra de su sueño, comenzó a mirar a la gente de alrededor sin tener su espíritu enajenado en los cotidianos trueques, y pensó que nada tenía que hacer con este idioma —él, que había creado y robustecido otro, para después— y que, verdaderamente, su hora era llegada de alejarse.

"Eligió aquella tarde caliginosa, en los comienzos del verano, y por su propia mano entró en la muerte al anochecer. Como la resonancia que la noticia de un entrañable alejamiento deja en el alma de quien lo padece, cundió la noticia de su acto por todos los sitios de la ciudad. Pero lo que significaba la interrupción de ese canto, lo que significaba la renuncia de tal mente a proseguir aplicada a la inteligencia del destino espiritual de la nación, lo que significaba lo ya hecho por su esfuerzo titánico, eso — sólo en una napa profunda de la población se entendió.

"Por un extraño juego de las circunstancias, el día de su muerte fue la víspera de un día de fiesta pública, fiesta destinada a encumbrar a un nuevo gobernante. Todo el canto de Buenos Aires recogía una afloración de multitudes. A la vez rápida y prudentemente, prietas filas de gente de todos los rangos sociales, de todos los barrios metropolitanos, de muy diferentes tendencias, pese a la condición extremadamente discutida del nuevo gobernante, se ordenaron en racimos a lo largo de las aceras señaladas para el paso del solemne cortejo oficial. Bordeaban longitudinalmente esos muros humanos las anchas calzadas barridas, levemente cubiertas de arena para evitar el resbalón de los caballos, y llenaban con ansiedad, como animales de leche en torno a las mamas gordas y calientes, la superficie de las dos plazas principales. Frente a los parlamentos reunidos se alzó la trama oratoria y el gobernante habló al país expectante, de sus haciendas, de sus recursos, de su ejército y de su marina en términos sumariamente promisorios. En ese y otros discursos se hablaba de la grandeza de la nación, de su pujanza, de su situación en el mundo. Pero al hombre que había muerto la noche antes, grande de haber pensado en términos de grandeza espiritual y moral, cargado de honor y no de honras; al hombre que había llevado al mundo la voz de su país en términos mucho más extraordinarios, mucho más trascendentes que cien gobernantes medianos, a ese hombre, ni siquiera la más oscura palabra le fue ofrecida para decirle el luto y la gratitud de una comunidad que le debía más que a nadie. Abundante y vagamente fue consagrado el sacrificio al buey Apis. La fiesta tuvo su crisis, culminó, se apagó. La multitud se desbordó, ya sin el freno de orden prevenido, se desplazó hacia un lado y el otro, erró bajo las luces cuantiosamente consagradas, a su entretenimiento. Después vino a las calles la soledad, la desolación en que la dejan las turbas dispersadas. Y en esa desolación y ese silencio fue donde algunos hombres, aquella vez, recordaron, en quieta conversación, al olvidado.

"Fue para muchos de ellos una noche memorable. Seis estudiantes de una facultad atravesaron en las primeras horas de la noche la Avenida de Mayo hacia el grupo que estaba en el café. Con el *bock* en alto decía uno:

'*Mandan que en una vida de sencilla nobleza,*
tengamos bien unidos corazón y cabeza;
como el pilar constante, si es sólido se ajuste,
un solo miembro integra con la base y el fuste.'

"Y otro, mucho más joven:

'*Su probidad sencilla, su piedad grave y recta,*
el porfiado heroísmo de su vida imperfecta,
el timbre igualitario que dieron a sus nombres,
nos prueba que, ante todo, cuidaban de ser hombres,
y lo que nos los torna más buenos y admirables
en los póstumos días, es que son imitables.'

"Y un tercero, pequeño y pelirrojo, de espíritu más exclusivamente virgiliano, tendía con más fuerza hacia los dominios bucólicos y agrarios:

'*Óyese, en tanto, en el galpón tranquilo,*
retumbar las gamellas donde roznan

> *los lustrosos novillos de la ceba*
> *que aumentará la exportación cuantiosa.*
> *Junto al tílbury el potro ha relinchado,*
> *percibiendo el morral donde le apronta*
> *su rincón de trabajo el mayordomo*
> *que viéndolo comer, su mate toma.*
> *Aunque es ese buen mozo inglés cerrado,*
> *asaz gallardamente se acriolla,*
> *y dicen que festeja a la entenada*
> *del patrón, con reserva ruborosa.'*

"Algunos repetían en voz baja los versos que recordaban. Otros fumaban con algo de custodio y de hierático. No todas las caras eran tan jóvenes. Lo que era joven era la actitud. ¿Cómo iba a dejar de animarse uno de ellos con William Shakespeare aprendido en la pésima traducción de veinte centavos? Permaneció sentado y lo pronunció con cierta aspereza no exenta de cándida solemnidad:

> *'El hombre que no lleva una música en sí mismo*
> *ni es movido por acordes de dulces sonidos,*
> *está pronto para la traición, la estratagema, el robo;*
> *pesados son como la noche los movimientos de su espíritu*
> *y oscuras como el Erebo sus afecciones.*
> *No vayáis a confiar en ese hombre...'*

"Era más de la medianoche en el reloj que coronaba la columna del centro de la calle cuando sintieron inevitable el momento de dispersarse. Partieron en las diferentes direcciones de la Avenida de Mayo emitiendo miradas de entusiasmo, ambición y desprecio. Las calles estaban despobladas. Cundía en la ciudad el vasto sueño de los administradores."

LIX

> *Vidi te in somnis fracta, mea vita, carina*
> *Ionio lassas ducere rore manus...*
>
> PROPERCIO.

Usted entró en la florería aquel veinticinco de noviembre, el día en que empezó este libro, y con aquella voz un poco ronca que parecía venir de muy lejos, los ojos un poco torturados, preguntó por las flores, por la nueva especie de begonias, esas de una rara calidad familiar que faltaban en su parque y que había visto descriptas —en uno de esos catálogos verde-claros que parecen la guía de los lores— como las más valiosas y difíciles de encontrar, con su lozanía de pétalos rígidos, levemente manchadas de lila en el borde estrechísimo. Una vez más —aunque no fueron muchas en más de doce años— nos ponía la casualidad uno al lado del otro, y usted, como antes, ignoraba del todo quién podía ser este hombre que entró minutos antes que usted en la florería, al borde de la ruidosa Diagonal, para hacer un encargo común. Ese hombre que la había visto por primera vez doce años atrás estaba lejos de ser el mismo de antes, no porque hubiera cambiado, sino por las cosas que le habían sucedido. Y ahora, desde hacía dos meses, paseaba todavía por las calles de esta ciudad, en la que era a la vez un viejo compañero y un extraño, el dolor de una desaparición brutal y súbita, y el eco, como el pronto acallarse de un tumulto de cobres golpeados, dejado por esa ausencia. Paseaba solo los ocios abiertos entre dos ciclos cotidianos de tarea, tarea que había hecho más operosa y cerrada que nunca y que acabó por aislarse de toda complacencia y vinculación, salvo la que le guardaban algunos pocos seres oscuros en distintos lugares de la metrópoli.

Yo había entrado a hacer enviar unos claveles a una vieja amiga, y cuando daba al empleado el nombre y las señas de Mercedes Miró, la vi a usted entrar con esa decisión ciega que tienen, al andar de prisa, los grandes reflexivos y los grandes ausentes.

No encontró lo que buscaba —el empleado aludió a la llegada de esas caras especies en no sé qué trasatlántico— y salió nuevamente al trozo de la calle Maipú en que el enorme tránsito baja hasta la Diagonal. Yo salí detrás porque me gustaba mirarla y porque pensar en usted, medirla en su proyección exterior e interior, me conmovía siempre.

Usted caminó rápidamente a lo largo de la Diagonal, cruzó la plazoleta de Sáenz Peña donde el grupo escultórico arroja todos los días su macizo simbolismo a las masas indiferentes y sordas, y al llegar a la acera del Banco de Boston desapareció, rápida y cauta, en el automóvil con capota de lona negra. En aquella región, a pocos metros de ahí, nos habíamos encontrado años antes, y usted había dejado escapar, ante el desconocido, aquel *God bless you* que venía de un aparato íntimo mucho menos golpeado, acaso más sensible y menos cerrado, que el que sobrellevaba ahora como se sobrelleva —en carne altiva— una desgracia congénita.

Y la desgracia más grande iba a ocurrirle pocos días después de verla aquella mañana pidiendo begonias nuevas en la florería.

Era extraño cómo, para el buen ojo, se reflejaba exteriormente en usted el infinito hartazgo de tanta ignominia.

Nacida en casa de señores, templada para un destino triunfal, construida con los materiales humanos de la más excepcional calidad —es decir, excepcional entre lo excepcional—, la vida le había deparado esta madurez en la abominación, atada a un mundo de gentes sobornadas, a un marido hecho cínico, a fuerza de venal —pese a sus maneras cada vez más refinadamente corteses, solícitas, correctas—, y a esos dos hijos, dos hermosas cabezas, la una débil, y la otra despejada y magnífica sobre un cuerpo de adolescente.

Yo no me habría atrevido nunca a hacer de usted un personaje de *Las Cuarenta Noches*. Era para mí el personaje intocable, el más alto. Y sin embargo, en estos dos últimos meses de soledad y rigor laborioso, ¡cuánto nutría usted mis paseos por la ciudad, cuánto la pensaba, mirándola levantarse, en imagen, sobre los hierros de un puente o en la proyección infinita de una avenida! ¿Me trataba acaso bien la ciudad? Necesitaba su compañía. ¿Mi pequeña notoriedad tenía acaso que ver conmigo...? Era una abstracción; ¡y tan extraña! Pero yo la tenía a usted adentro, tenía adentro una sabiduría de usted, algo casi material, a fuerza de denso. Representaba para mí, mujer como era, una suma de mis aspiraciones profundas en cuanto al hombre de esta tierra: una dignidad, una negación al soborno, una resistencia a las vilezas que la vida propone, una fe en la calidad señorial de la vieja Argentina, un desprecio por los recién llegados y los ambiciosos serviles, un desapego tal a todo cuanto fuera predatorio, astuto, hazaña de *vivo*, torpemente ingenioso o torpemente ganancioso, bajo, subalterno e inculto, ininteligente, insensible, que yo habría querido cuidarla y seguirla hasta ver producir de usted un poco del tipo de la nueva Argentina. Quizá sus hijos se parecieran a los hombres del país interior, a los míos, a los del ejército que en el destierro lúcido de sus cuarenta noches de subterráneo, preparación, sufrimiento y oscuridad organizan el avance de un espíritu llamado a infundir la vieja savia íntegra del país, genuina, pura, a los hechos nuevos.

¿Cree que ignoraba sus menores actos? No. Por mil conductos, algunos de ellos fortuitos, la urbe me deparaba casi a diario multitud de secretos. Sólo los solitarios de ciudad conocen su entraña, así como los pobres de gran hotel, parados ante sus puertas, conocen la diversidad de sus huéspedes —tanto los de paso como los estables— mejor que los propios pensionistas. ¡Ah, cómo, después de años de penuria e incomunicado tormento, al fin hallaba usted en la adolescencia de sus hijos canal para tanta acumulación sombría, altivamente contenida y guardada!

Se reía en largas horas alegres con las nociones de los dos y las preguntas varias e inteligentes y las apreciaciones sobre el aspecto ridículo y el lado falso de tantas gentes de su mundo. Estaban salvados. (Al menos, en eso, ¡en espíritu!) El mayor leía mucho y era profundamente inquieto en su inteligencia que despertaba a los más esenciales problemas. El segundo era más libre, lo dejaba usted más de costado, como si, al otro lado, fuera un privilegiado de la fortuna... Éste —el segundo— sonreía con su cara franca y limpia, abierta e inteligente, al verla a usted intrincada con el mayor en la discusión de tantas cosas abstrusas. Estaban los tres tan unidos que, por la noche, durante la cena, cuando resonaba en el comedor la voz un poco jactanciosa y joven del padre, parecían los tres unirse todavía en frecuentes silencios. Y en verdad, bajaba usted a ellos cada día, los visitaba en su edad desde la mañana, se hundía en la esfera de esas dos queridas adolescencias. Cada vez que llegaba a su casa alguna visita, sobre todo en los meses en que todos vivían enteramente en la residencia de verano, cada vez que la llamaban a usted, parecía usted subir a la superficie de la tierra desde el mundo diferente de sus hijos.

Cuidaba también de la salud física de ellos y por las mañanas, después de leerles usted en el mismo rincón del parque esas lecturas que les explicaba de modo que no les parecieran anodinas y académicas, sino fabulosas y vivas como mitos actuales, entregaba al segundo a un instructor mientras acompañaba al mayor en su pequeña vuelta a caballo por el parque montado en un hermoso animal blanco. El chico, con su largo pantalón negro ceñido a las piernas y la ligera camisa blanca, parecía predominar, en su endeblez, sobre las cosas, por lo alta y segura que llevaba la cabeza mientras usted tenía al caballo de la brida.

Después, al atardecer, les mostraba la lección de las flores, cada una de las cuales posee su curiosa leyenda, al tiempo que descubre en su variabilidad de colores y de formas constantes alusiones al misterio fundamental, a los principios y los caminos de la creación, a la diversidad y originalidad como sentidos de distinción en una naturaleza. Sin severidad ni coacción, los obligaba a pensar en tales asuntos, y los colores se los explicaba al mayor con una nitidez viva y a veces con cómicas equivocaciones que hacían la diversión del segundo.

Muchas veces los sorprendía la noche en franca algazara. Llegaba Cárdenas de la ciudad, y era como si un cristal se empañara de golpe. Era como una nube. Y él hablaba,

hablaba, refiriendo cosas, episodios circunstanciales, a fin de no advertirlo.

Otros días, después de tomar con ellos el té en una mesa de hierro, en el jardín, atenta y contraída, revisaba usted el estado de las especies delicadas. Entraba en el invernáculo con guantes y prodigaba diferentes cuidados a esas plantas y daba de tiempo en tiempo alguna indicación escueta al jardinero.

Yo no sé cómo eran sus noches. Presumo que subía en ellas a su mundo personal, a la realidad de su mundo personal, y que duraba poco tiempo su permanencia en la lectura de algún libro —George Meredith o los poemas de Francis Thompson— y mucho tiempo su permanencia en el insomnio. Presumo que se dormía con el rostro vuelto a la ventana abierta, transida e inmóvil, lo mismo que alguien que después de variar a la intemperie la posición del cuerpo ante la lluvia, levantara el semblante al castigo y dejara correr por él la tenaz y encarnizada caída del agua...

El diez de diciembre apareció la noticia en todos los diarios. La dieron sin precauciones — brutal, escuetamente. La gente se enteró y, por dos días, se acordó de ello. Después, todo se deshizo en el aire.

(Cuando se le escapó el caballo de la brida; cuando corrió la bestia blanca y el chico cayó, golpeándose; cuando lo vio inerte en el suelo con la cabeza en la piedra del cantero y la camisa violentamente abierta en el cuello, cuando lo alzaron y lo llevaron al interior de la casa, cuando vio allí el hecho, el hecho contra el cual se choca y que dura, que ya no se modifica, que deja pasar sobre él sin decir su palabra; cuando se dio contra el mutismo de la desgracia y la vio rígida y permanente como un trozo de mineral — decían las noticias que estaba usted inmóvil de desesperación, fría, sin voz, más inmutable en su estupor que la frialdad del hecho mismo.)

Pasó por mis ojos —cuando me enteré de eso— su figura saliendo días antes del establecimiento de flores. Pasé frente a su casa de ciudad. Había una hilera de automóviles; la puerta estaba entornada.

Después ya no supe nada, nada.

Hice de los alrededores de esa casa el sitio adonde iba al anochecer, concluido mi trabajo. Una hermosa plaza recogía por allí las primeras visitas de la masa del verano.

Nunca la vi. Las ventanas de los dos pisos estaban cerradas.

Una tarde, tarde, la vi salir. Iba sola, de negro, con su

paso rápido. Se cruzó conmigo, justamente en la esquina, y vi aquella mirada en la que el tormento actuaba ahora. Era una expresión terrible. Y el rostro había cobrado, gracias a no sé qué extrema pérdida de carne, una fría belleza, algo de inacercable y de inhumano.

Me clavó esa mirada y debió, por un segundo, sorprenderla a su vez mi expresión.

Dios, qué podía hacer por usted...

Yo no había podido hacer nunca nada por nadie. Mi vida era un desastre. Lo único aceptable de mi vida era una confianza, una fe, una creencia increíble en la humanidad nueva.

La vi a usted sola en los corredores de la desesperación.

Me aterró la idea de que estuviera a solas con la vida, helada; de que pudiera acabarse, marchitarse en una noche.

¿O no sabía yo...? ¿O no sabía yo por lo de Gloria...?

Y aquella noche, cuando el año justamente acababa y se festejaba en la ciudad una vez más la liturgia de ese tiempo, dejé, una vez más, el manuscrito casi concluido de *Las Cuarenta Noches*, y empecé a escribirle esta historia.

Me apresuré a escribirla en poco tiempo, febrilmente. Necesitaba confesarme. Necesitaba confiársela. Era lo que podía hacer por usted.

Aquí está. Se la doy. ¡Es tan larga y tan trabajosa!

Cuando la abra y entre en ella con asombro, piense en lo que le quise decir.

Piense en lo que siempre representó para mí.

Piense que no está sola. Que yo mismo —después de tanto andar— tampoco estoy solo. Y que nuestra aparente soledad no es más que una más difícil y secreta compañía. Piense que si hemos pasado por el laberinto de las más duras amarguras, llevando adentro tantas imágenes tal vez ilusorias, tantos deseos, tantas oposiciones, tantas disconformidades, tantas rebeldías y frustraciones y caídas, tantos sueños aparentemente inútiles y actitudes visiblemente nulas — e incluso visto caer sangre cerca de nuestras manos inhábiles, todo es, quizá, porque lo que con nosotros alguna vez cayó, era necesario que cayera, a fin de ser en sí, en la caída, en tanta decepción y tanta muerte, ese sacrificio sin el que nada nuevo, diferente, nace. Piense que si no somos multitud, somos compañía dentro de la multitud.

Al leer el relato de este largo y fatigoso viaje verá usted, con los ojos interiores de la consecuencia que, como dice el poema de Tennyson con que mi manuscrito se abre, nada se pierde, nada vive en vano. Todo implica continuación, renacimiento. Y lo único que no sirve es lo que pacta con la falsedad, con la blandura y con el descanso, con la falsificación en todas sus formas. Así como hay una demagogia social, hay una demagogia del alma; eso es lo que no da nada, eso es lo que acaba en sí, puesto que nunca tuvo nada adentro más que lo que buscaba de afuera.

¿Cree usted que Acevedo, que Anselmi, que Jiménez, que Denis Atkinson, que el profesor Autoriello, que esa pobre Gloria Bambil, eran fracasados? Espero que se habrá hecho, después de conocerlos, amigo de ellos. No, eran tal vez equivocados. Eran tal vez ineficaces, eran tal vez ilusos, eran tal vez algo perdido; pero no fracasados. Eran conciencias sin precio y lo que no se vende es lo que entra en la naturaleza. Lo que se vende es lo prácticamente útil o lo temporalmente suntuoso, pero lo contrario de eso es lo que camina con una dirección algo más que temporal.

Todos ellos, y usted misma, han llegado a ese sitio que lame sin corroerlo el mar de la furia, de la persecución y de la adversidad. Todos ellos, y usted, quién sabe cuántos otros en este mundo, han llegado a esa bahía, a ese lugar de espera, a esa bahía donde concentran su silencio y donde su fruto se prepara sin miedo a la tormenta, el ciclón, el vil tiempo. ¡Qué hermosa y qué profunda es la bahía! Ahí están los que, de su fracaso, han hecho un triunfo. A ellos y a usted los guarda —en esta hora— la bahía de silencio. A todos los veo ahí, silenciosos y expectantes.

Los ganadores salen al alba pero los triunfadores vuelven de noche. Es decir, que los que cuentan sólo con el botín se pierden al fin en el empeño, y la hora final, a quienes trae elegidos es a los triunfadores definitivos.

Yo estoy al lado de los que esperan el triunfo final recogidos en la bahía, en la bahía de silencio.

Piense que en esta ciudad y en esta tierra que tanto hemos querido y para la que tanto hemos querido, nuestra parte de ardor, de pasión, de sangre, está cumplida; y que ése es buen abono, como la tierra que se humedece y produce en sus cultivos la calidad de ciertas especies. ¡Ah, si esto fuera jactancia! ¿Podrá uno jactarse del infortunio?

No hago más que decirle que ese infortunio no nos pertenece. Que está dado, y lo que se da es, al dárselo, compartirlo.

No puedo dejar de ser sentencioso. Es una forma de ciertos cansancios. Pero mañana, cuando amanezca, estaré de nuevo descansado, trabajando en otras historias que tienen también destino, aunque anónimo y que, espero, a la larga, tampoco se perderán. Y si se pierden, alguna otra ventaja habrán tenido. Porque no se las podrá privar de haber cargado esto: sangre.

He reducido mi vida a sus formas más elementales. A

veces salgo a ver el alba de Buenos Aires y otras no me acuesto sin mirar su hermoso cielo nocturno. No veo más que a gentes muy simples, muy simples. Cada vez voy llegando más adentro, ya casi estoy en el callado corazón del país.

Cuando yo era chico, mi padre —a quien voy a ver ahora para descansar unos días— me contaba el cuento del hombre que no metía nunca la cabeza en el agua para lavarse, sino que se echaba unas manotadas. El hombre que no metía la cabeza en el agua para lavarse, estaba siempre sucio. Esa agua se parecía a la vida. De nada sirve chapalear en su superficie. Es necesario que lo haya ahogado a uno bastante y que uno haya seguido enfrentándose con su agua profunda, evitando evadirse por cualquiera de las evasiones a alcance.

Tal vez, usted y yo, no nos encontraremos nunca. Tal vez nos encontraremos alguna vez. Eso será contingente. Pero hay algo que no es contingente. Sabremos que hemos resistido, que hemos seguido, que todavía estamos aquí. Pero, ¡qué plenitud, sentir que la parte de sangre está ya dada, el encuentro librado y sostenido! No digo vencido. Para mí la palabra vencer no tiene gran importancia. Por lo menos cuando se refiere al triunfo externo y convencional.

No sabe usted cómo me gustaría que este relato, tan sombrío como es, tan monótono, tan insistente, le sirviera de algo. Las conversaciones nocturnas son así, insistentes, trabajosas; pero después ya no necesita uno decir nada. Sino salir a la mañana, sabiendo...

He estado mucho tiempo con usted mientras escribía estas memorias. Es hora de decirle adiós. Estoy en mi cuarto, con las ventanas cerradas, y es tarde. Todo acaba.

No sabe usted cómo me gustaría ver levantarse de nuevo —aun de la mayor desgracia— su fuerza, su hermosa primacía, altiva y desdeñosa, su confianza en lo que nadie tiene confianza. No se aparte nunca de la idea de que no está sola, sino más que acompañada, acompañada con la tibieza del pan en el horno, antes de salir afuera y enfriarse. Estas indicaciones le parecerán enfáticas, ridículas. Pero no sabe cómo me gustaría pensarla todavía como ha sido siempre: hecha de coraje y de oposición íntima a todo fraude, incluso a los fraudes de la vida. No se imagina cuánto me importa su llegada de mañana a su reino de tuberosas y begonias y hermosas plantas criollas. Después de tantos años de seguirla, ya puede sentirme como compañía. Quisiera que llevara en su decisión un poco de este libro, que reflejara un poco de él en su actitud, en su silencio, en esos ojos secretos, sufrientes y desafiantes, que estuvieron siempre tan lejos de mí y que me gustaba tanto mirar.

(S.) Volumen simple.
(E.) Volumen especial.
(D.) Volumen doble.
(G.) Volumen gigante.

Se terminó de imprimir en offset en
Buenos Aires el 9 de setiembre
de 1966 en los talleres de la
Compañía Impresora
Argentina, S. A.
calle Alsina 2049.